黄河水利委员会治黄著作出版资金资助出版图书

三门峡水库修建后
黄河下游河床演变

潘贤娣　李　勇　张晓华

申冠卿　岳德军　著

U0253328

黄河水利出版社

内 容 提 要

本书是一部关于三门峡水库修建后黄河下游河床演变研究的专著,全书共分十一章,内容包括:黄河三门峡水库运用及下游河道概况、黄河下游河道来水来沙特性、三门峡水库不同运用期下游河道河床演变特点、黄河下游河道输沙特性和河床冲淤演变主要规律、黄河下游纵横断面调整规律及其与水沙间的关系、黄河下游河道调整对洪水水沙输移特性的影响、黄河下游河道输沙水量的研究、人类活动对黄河下游河道冲淤演变影响的分析计算、黄河下游河道冲淤数学模型的发展与应用及黄河泥沙调控和利用等。

本书可供从事黄河规划、治理、河床演变、河道整治、水沙资源配置与利用和防洪减灾等研究方面的科技人员及高等院校有关专业师生参考。

Abstract

Comprehensive studies, carried out in the past decades of years, on impact of Sanmenxia Reservoir under different operation modes on fluvial process on the lower Yellow River, are reviewed and summarized. A number of new understandings, concepts, relationships, tendencies, models and suggestions have been found and developed. Focus of the studies as laid down on how to regulate and manage the water-sediment in order to reduce siltation on the river channel, to transport more sediment down to the sea and to stabilize the river channle on the lower Yellow River.

图书在版编目(CIP)数据

三门峡水库修建后黄河下游河床演变/潘贤娣等著.
郑州:黄河水利出版社,2006.7
ISBN 7 - 80734 - 033 - 9

Ⅰ.三…　　Ⅱ.潘…　　Ⅲ.黄河 – 下游河段 – 河道
演变 – 研究　Ⅳ.TV882.1

中国版本图书馆 CIP 数据核字(2006)第 001184 号

出　版　社:黄河水利出版社
　　　　　地址:河南省郑州市金水路 11 号　　邮政编码:450003
发行单位:黄河水利出版社
　　　　　发行部电话:0371 – 66026940　　传真:0371 – 66022620
　　　　　E-mail:hhslcbs@126.com
承印单位:河南第二新华印刷厂
开本:787 mm × 1 092 mm　1/16
印张:29.5
字数:682 千字　　　　　　　印数:1—2 000
版次:2006 年 7 月第 1 版　　印次:2006 年 7 月第 1 次印刷

书号:ISBN 7 – 80734 – 033 – 9/TV·448　　　定价:88.00 元

前　言

　　黄河是中华民族的摇篮,它哺育了中华民族的成长,对华夏文化的发展和社会进步有过重大的贡献。但它又是一条举世闻名的难治理的河流,新中国成立前,黄河下游经常决口泛滥,给沿黄两岸人民带来深重灾难。新中国成立后,在中国共产党和人民政府的领导下,沿黄人民以现代科学技术为基础,积极从事黄河的治理与开发,除害兴利,确保黄河下游不再决口泛滥,彻底改变了黄河的面貌。但黄河毕竟是一条难治理的河流,目前人们对黄河治理现状与彻底根治的目标还有很大的距离,加之随着人类社会的不断发展,人们对黄河治理开发的要求,愈来愈高。要彻底根治黄河,首先必须全面了解和掌握黄河河床的演变规律。只有这样,才能因势利导,有目的、有步骤地改造黄河、控制黄河,使黄河永远为人民造福。

　　"河床演变学"是研究在水流作用下河床形态变化的科学,是一门正在发展成长的新兴学科。我国的河床演变的研究工作,随着社会主义建设的蓬勃发展,不断发展,黄河河床演变的研究在 1958 年以前,主要是普遍布设观测站网,开展精密泥沙测验,广泛收集资料,了解黄河基本情况,对黄河泥沙特性、泥沙来源、挟沙能力、河相关系、河势变化等开展了一些初步研究,但不系统。随着三门峡水库的兴建,黄河下游河床演变的研究工作被推向一个新的阶段,为了预报三门峡水库建成后,黄河下游河床演变趋势,为制定治黄规划提供科学依据,中国水利水电科学研究院和黄河水利委员会水利科学研究所共同组成了黄河下游研究组,开展了黄河下游河床演变的研究,广泛调查老河工和沿河群众的治河经验,参阅了有关历史文献,并系统分析了水文及河道测验资料,同时在室内开展了纵向变形计算及河床演变动床模型试验,通过三种手段取得了许多有价值的科研成果,为解决治黄工作中的实际问题提供了科学依据。1965 年钱宁、周文浩编写的《黄河下游河床演变》一书,就是在以上研究成果的基础上编写而成的。

　　在此后的研究工作,主要以黄河水利科学研究院下游演变室为主,结合各时期的治黄需要开展大量的研究工作,并与各兄弟单位密切协作,得到许多认识,为制定黄河治理开发规划和各项重大治黄措施奠定了基础。

　　本书以三门峡水库运用后至小浪底水库投入运用前为重点,对 50 年来不同时期的研究成果进行总结、整合、提炼和升华,系统研究了天然条件下和三门峡水库运用后不同时期黄河下游水沙特性及由此引起的河床演变和河道排洪输沙能力的变化情况、特点和演变规律,探讨发生变化的机理,综合分析了多沙河流冲积性河段自然属性及人类活动对河流自然属性的巨大影响,定量分析了三门峡水库不同运用方式对下游河道的作用;另外,对黄河治理开发过程中上游大型水利枢纽调节径流,沿黄引水、引沙和上中游综合治理对下游河道冲淤演变的影响进行了初步分析;简要介绍了黄河下游河道冲淤数学模型的研制开发应用过程,最后介绍了 50 年来黄河泥沙调控实践及探讨各种调控措施的效果,共分十一章。力图把各种现象的物理图形阐述清楚,为此引用大量实测资料,包括较详细的图表,用通俗的语言以弄清情况,认识规律为主线,使读者了解黄河下游河床演变全过程,以及认识水沙运行及河床演变基本规律,使更多的治黄人了解黄河,认识黄河,为更好地开展深层次的研究工作提供较系统的研究基础。

我1953年毕业于武汉大学水利学院,有幸参加黄河科研工作50余年,深化了对黄河下游河床演变的认识,参加本书的编写,感到无比欣慰,感触颇深。

黄河是一条最复杂最难治的河流,国家对黄河治理十分重视,结合治理开发的需要,投入了大量的财力和人力,在黄河上中下游干支流设立水文站网,并选择重点河段设立了专项观测组织,进行系统观测,取得了大量的实测资料,为我们能掌握河床演变的全过程打下了基础。在此,我们向河务部门和水文测验站网的同志们致以最高的敬意。

黄河下游河床演变问题很复杂,需要多学科、多单位的协作,需要依靠集体力量,树立团队精神才能取得进展。在50余年的科研工作中,有我们的好领导吴以敩、仝允杲和李延安,又遇到了好老师的启蒙教育,如钱宁、麦乔威、尹学良和李保如等老专家,还得到了兄弟单位的协作共战,如中国水科院的周文浩、曾庆华、陈建国、清华大学张仁、府仁寿,国际泥沙研究中心周志德、徐明权,黄河水利委员会勘测设计院陆俭益,珠江水利委员会朱起茂教授等,都给了我们最大帮助。黄科院的下游演变室历来是战斗的集体,互相理解,互相支持,为了一个共同的目标走到一起,凝聚力强,为认识和治理黄河贡献了一切力量。我为有这么一个好的战斗集体而欣慰,如老年朋友赵业安、樊左英、刘月兰、韩少发和齐璞等,还有正在成长的中青年骨干,如李勇、申冠卿、张晓华等都为黄河下游河床演变研究工作做出了贡献。本书在构思和编写过程中,得到赵业安教授的指导,是我们的技术顾问,钱意颖教授对本书提出了许多宝贵意见,还得到徐福龄、龙毓骞老专家和胡一三教授的鼓励、支持和指导。在此向所有与我们协作和支持我们工作的同志们表示谢意。

一定的基础研究是必不可少的,不然缺乏理论上的提高就不能使研究工作向深、高层次发展,但重大的生产任务是推动科学研究的强大动力,正是由于三门峡水库的兴建与运用推动了黄河下游研究工作的发展。因此,科学研究必须面向生产、面向实际,理论联系实际,必须与当前生产实践相结合,为治黄需要服务。

我们在解决黄河实际问题时应该发扬多年来摸索出来的经验。在研究手段上必须坚持原型实测资料的分析,理论计算及实体模型相结合的综合分析方法,而原型实测资料分析是基础。为此,一定要大兴调查研究之风,深入实际,掌握原型实际情况。

研究各阶段的成果是与黄河治理开发需要和科学技术的发展相适应的。由于黄河问题的复杂性,将有许多新的问题出现,将不断地深化对黄河的认识。本书只能看成是过去50多年的实践,是黄河下游河床演变研究的一个阶段,虽然我们尽了最大努力企图把50多年的资料和认识条理化、系统化,但由于我们水平有限,错误之处有所难免,望读者批评指正。

最后特别感谢中国工程院院士、全国政协原副主席、水利部原部长钱正英和珠江水利委员会原副总工麦乔威为本书作序。

潘贤娣
2005年8月30日

序　一

　　黄河是世界著名的多泥沙河流，其上中游流域是被侵蚀成千沟万壑的黄土高原，下游两岸则是被冲积成的一望无际的华北平原。但在筑堤开发平原的过程中，却摆脱不了河道淤高、决口、改道的怪圈，成为影响社会安定的"地上悬河"。我国的历代当政者，都以治黄作为安邦定国的大事，20世纪以后，更邀请知名的外国专家和外国设计研究机构参与，但都没有取得成功，被公认为世界性的难题。

　　新中国成立后，将"根治黄河水害，开发黄河水利"列入建国的日程，并在1954年制定了治理和开发黄河的规划。其基本指导思想是：以上中游黄土高原的水土保持、产沙区各支流的"拦泥水库"和干流的高坝大库为三道防线，把黄河的洪水泥沙全部拦蓄，使黄河下游变清，并利用高坝大库建成强大的水电站。1955年第一届全国人民代表大会第二次全体会议批准了这个规划和它的第一期工程——三门峡水利枢纽。1957年4月三门峡工程开工建设，但由于各方面的质疑，1958年在周总理主持下，经过专家讨论，改变了三门峡工程的建设和运用："在不改变360m（海拔高程）的原设计水位情况下，按350m水位施工，近期按335m水位运用。"1960年9月建成投入运用后，水库淤积严重，而且淤积部位向库区末端发展，形成"翘尾巴"，威胁西安。迫于泥沙淤积的严峻形势，1962年3月将三门峡水库原设计的"蓄水拦沙"改为"滞洪排沙"。1964年周总理再次召开会议，鼓励科技人员，以严格的科学态度，重新审议治黄规划和三门峡工程。到1973年底，三门峡经过两次改建，从原来"蓄水拦沙"的高水头多年调节电站，改为"蓄清排浑"的低水头径流电站；下游河道相应也从原来完全依靠三门峡水库及上中游解决洪水泥沙，改为通过综合治理，尽量发挥河道的排洪排沙作用。1974～1985年，三门峡水库的"蓄清排浑"运用比较成功，淤积问题初步解决；但1986年以后，由于上游龙羊峡等水库建成蓄水等原因，黄河的水沙条件发生巨大变化，三门峡水库上下游的泥沙淤积问题又重新尖锐起来。1999年10月，三门峡下游130km处的小浪底水库投入运用，黄河下游河道进入一个新的历史时期。

　　从三门峡水库建成前黄河来水来沙的原始状态，到三门峡水库建成后各种调节水沙的运用方式，提供了在不同水沙关系下黄河下游河床演变的资料。《三门峡水库修建后黄河下游河床演变》一书，汇集了50年来有关的观测和研究成果。本书系统介绍了黄河下游不同时期的河床演变情况，进而研究由于河床边界条件变化造成对水沙输移特性的反馈影响，以一系列连锁反应为主线，综合分析了多沙河流冲积性河段的演变规律。这些成果不仅为今后整治黄河下游河道提供有力支撑，也将为其他多泥沙河流的研究和治理提供借鉴。

　　从20世纪50年代起，中国水科院泥沙研究所和黄委会水科院泥沙研究所共同组成了黄河下游研究组，在钱宁、麦乔威等的带领下，开拓了黄河泥沙和下游河道演变规律的研究工作。以后，黄河水科院泥沙所的下游演变组，在赵业安等的带领下，继承他们的传统，为三门峡工程的改建和运行，为黄河下游河道的整治，坚持不懈、锲而不舍地工作，提出了许多有价值的科研成果。潘贤娣等编写的《三门峡水库修建后黄河下游河床演变》，内容丰富，资料翔实，对治黄和泥沙科学的发展都有推动作用。我向作者表示祝贺，并希望新一代黄河人继承前辈的事业，在今后治黄的实践中，做出新的更大的贡献。

特为之序。

2005, 6-13

序 二

三门峡水利枢纽是万里黄河第一坝,控制面积占流域总面积的 91.5%,径流量占流域多年平均值的 89%,沙量占 98%。1960 年 9 月投入运用后,经历了"蓄水拦沙"、"滞洪排沙"与"蓄清排浑"运用三个阶段,三门峡水库通过不同运用方式及来水来沙条件的变化,改变了进入黄河下游的来水来沙条件,对黄河下游河道冲淤演变具有决定性的影响。

三门峡水库修建后黄河下游河道的冲淤演变研究,从 1954 年制定黄河综合规划开始,一直是我国泥沙研究的重点课题之一,大批科技人员组织多学科联合攻关,50 多年来取得了丰硕的成果,为河流泥沙科学及工程技术的发展做出了重要贡献,也及时解决了各个时期黄河治理开发中遇到的实际问题。早在 1954~1955 年,对苏联及美国水库下游河道冲刷资料,以及官厅水库建成后下游河道冲刷发展情况分析的基础上,对三门峡水库修建后黄河下游的冲刷进行了估算。1957 年,三门峡工程开工后,黄河下游河床演变与河道整治的研究工作迫在眉睫。黄河水利委员会于 1958 年 8 月在郑州开会,成立中方工作组,组长李赋都,副组长方宗岱、钱宁,随后组成黄河下游研究组,李赋都、方宗岱、李延安、仝允杲、钱宁、麦乔威、李保如、周文浩、彭瑞善、马增禄、屈孟浩、钱意颖、潘贤娣、朱福林等 40 余人参加。同年 11 月,苏联政府派罗辛斯基及赫尔杜林来黄河,他们提出了许多重要建议,还具体介绍了苏联的河床演变研究、河床变形计算与河工模型试验的理论与方法,对中方工作有很大帮助。经过两年的工作,黄河下游研究组完成了预定的研究任务,由钱宁和我执笔编写了《三门峡水库修建后黄河下游河床演变及河道整治初步研究报告》。

1960 年 9 月三门峡水库蓄水运用,黄河下游研究组对三门峡水库下泄清水初期黄河下游河道冲刷发展情况的观测资料进行了分析。1962 年 2 月水电部在郑州召开会议,研究决定并报国务院批准:三门峡水库改为"滞洪排沙",从而终止了"蓄水拦沙"运用的实践。自 1962 年 3 月起,黄河下游研究组开始研究三门峡水库"滞洪排沙"运用后黄河下游的河床冲淤演变及三门峡枢纽不同改建方案黄河下游河床演变预报。在多泥沙河流上水库"滞洪排沙"运用后下游河床演变的研究在国外无先例,黄河下游研究组在钱宁和我的主持下,赵业安、潘贤娣、周文浩、屈孟浩和涂启华等,在对黄河下游河道的输沙规律、滩槽水流泥沙交换规律、不同量级洪水、不同粗细泥沙组成对下游河道冲淤的影响等研究取得重大突破的基础上,抓住三门峡水库"滞洪排沙"运用对进出库水沙条件的改变,以及带来黄河下游河道输沙条件的变化与河床滩槽冲淤数量及分配的变化,提出了预报:三门峡水库改为滞洪排沙运用后,水库大量排沙,下游河道恢复淤积状态,由于水库泄流规模不够,出库水沙过程很不适应,大量泥沙淤积在主槽内,将使河道恶化并形成"二级悬河"。该项目成果受到了我国水利界的很高评价,并为 1964 年、1969 年两次三门峡枢纽改建工程的决策提供了科学依据。

1973 年 11 月三门峡水库采取"蓄清排浑"的运用方式,非汛期下泄清水,汛期降低水位下泄沙量。研究结果与三门峡水库"蓄清排浑"运用的实践表明,因为三门峡水库受潼关河床高程的限制,潼关以下库区调节泥沙的库容较小,每年汛初水库泄空度汛,造成小流量时大量排沙,大洪水时受泄流能力的限制,不能进行合理的水沙调节,对黄河下游河道的减淤作用不太大。黄河水利委员会水利科学研究所(1991年改称黄河水利科学研究院)在研究三门峡水库"蓄清排浑"运用的同时,又开始研究修建黄河小浪底水库调水调沙运用对黄河下游河道的减淤作用,并为其做了大量的论证工作。

1980年以后黄河下游河床演变研究工作,由赵业安、潘贤娣主持进行,参加研究的还有樊左英、刘月兰、韩少发等人。并在1983年以后充实了李勇、申冠卿、张晓华等一批年青同志。他们在研究黄河下游的河床演变中做了大量工作,取得了很好的成果。1999年10月,位于三门峡水库下游的小浪底水利枢纽投入运用,至此黄河下游进入一个新的历史时期。

黄河是世界上泥沙问题最复杂的河流,对三门峡水库运用后黄河下游河床演变的研究成果进行系统总结,对于世界大江大河的治理、特别是多沙河流的治理开发,具有重大意义,也一直萦绕在我们这些黄河研究者的心头。早在1978年9月,钱宁就曾向我们提出撰写《三门峡水库修建后黄河下游河床演变》专著的建议,他说:"三门峡水库经历了'蓄水拦沙'、'滞洪排沙'及'蓄清排浑'三种不同的运用方式,其运用方式之复杂,观测资料之丰富,是世界上其他水库不可比的。应当承认,有关三门峡水库修建后黄河下游演变的分析研究工作主要是你们完成的,应由你们撰写一本有份量的专著,供国内外泥沙界参考。我深信这本书的内容将比1965年我与周文浩写的《黄河下游河床演变》一书要丰富得多。"根据钱宁的建议,1979年我与赵业安、潘贤娣等完成了《三门峡水库修建后黄河下游河床演变》编写大纲,但1980年我离开黄河水利委员会去珠江水利委员会工作,也无力完成这项工作了。时间又过了20余年,值得庆幸的是,这件大事终于有了结果。黄河下游河床演变研究的主要参加者潘贤娣等人,克服重重困难,着手撰写《三门峡水库修建后黄河下游河床演变》,终于完成了这部巨著。鉴于该专著意义重大,在初稿撰写之初即得到治河业务部门和各方专家的高度好评,并获得黄河水利委员会治黄著作出版资金的资助,这是一件非常令人高兴的事。

《三门峡水库修建后黄河下游河床演变》内容丰富,资料翔实,系统阐述了黄河水利委员会科学研究院泥沙研究所下游河道河床演变研究室三代人半个多世纪对三门峡水库修建后黄河下游河床演变的主要研究成果,是迄今为止最全面、最系统地总结三门峡水库下游河床演变的实践经验以及对黄河下游河床演变理论探索所得到认识的著作,它的出版对于认识多泥沙河流水库下游河床演变规律,对于小浪底水库的调度运用以及黄河水沙调控体系的建设,将有重要的科学意义与实用价值,我谨表示衷心的祝贺,希望本书的出版,能在我国泥沙界、特别是伟大黄河的治理开发中发挥有益的作用。

2005年9月

目　录

The fluvial process in the lower Yellow River after completion of Sanmenxia Reservoir

Contents

第一章 黄河三门峡水库运用及 下游河道概况

第一节 三门峡水库概况和运用改建

一、三门峡水库概况

三门峡水利枢纽是根据 1954 年编制的《黄河综合利用规划技术经济报告》提出的第一期工程的主体工程,是 1955 年 7 月 30 日第一届全国人民代表大会第二次会议《关于根治黄河水害和开发黄河水利的综合规划的决议》决定兴建的万里黄河第一坝。三门峡水利枢纽位于河南省陕县(右岸)和山西省平陆县(左岸)境内,是一座以防洪为主,兼有发电、减淤和航运等多种效益的综合性工程,其控制流域面积占全流域面积的 91.5%,并控制黄河下游来水量的 89% 和来沙量的 98%。

原规划按陕县多年平均沙量 13.8 亿 t、最大沙量 44.3 亿 t(1933 年)设计,并在中游大力进行水土保持和拦泥库建设,预计到 1967 年减少进库泥沙 50% 左右,按此计算,水库运用 50 年,库区淤积泥沙为 336 亿 m³。黄河下游下泄清水,河床刷深,河槽日趋稳定,以解除洪水威胁。

水库正常蓄水位为 360m,相应库容 647 亿 m³。为减少近期库区的淹没损失和确保水库回水不影响西安市,决定第一期工程先按高程 350m 施工,坝前实际浇筑高程为 353m,相应库容为 354 亿 m³,可将千年一遇洪水(推算的洪峰流量 37 000m³/s)削减到 6 000m³/s,解除洪水威胁,使下游河床刷深。水电装机 8 台,总装机容量 101.5 万 kW·h,水库蓄水位为 350m 时,淹没耕地 13.3 万多 hm²,移民 60 万人。

三门峡水利枢纽主坝为混凝土重力坝,第一期工程大坝坝顶先修筑至 353m 高程时,相应的主坝坝顶长 713.2m,最大坝高 106m。总平面布置如图 1-1 所示。其中左岸有非溢流坝段、溢流坝段、隔墩坝段、电站坝段,右岸有非溢流坝段。右侧副坝为双铰心墙斜丁坝。泄水建筑物布置在不同的高程,在溢流坝段的 280m 高程上设有 12 个施工导流底孔;在 300m 高程上设 12 个深水孔;在 338m 高程上设有 2 个表面溢流孔;水电站为坝后式,在 300m 高程上设有 8 条压力发电钢管,图 1-2 为下游立视图。

二、三门峡水库运用与改建

(一)三门峡水库运用初期

1957 年 4 月 13 日枢纽工程正式开工,1958 年 11 月 25 日截流,1960 年 9 月 15 日下闸开始蓄水拦沙运用,至 1962 年 3 月 19 日,在此期间库水位有三次较大幅度的升降:第一次蓄水从 1960 年 9 月 15 日至 1961 年 2 月 9 日,最高蓄水位为 332.58m(1961 年 2 月 9日),回水超过潼关,渭河回水达华县附近,距坝约 169km,黄河回水距坝 145km,其后库水位下降,至 6 月底,降至 319.13m,7 月至 8 月中旬,库水位变化在 316.75～321.89m 之间;8 月下旬库水位第二次抬高,至 10 月 21 日升至 332.53m,正值渭河发生流量 2 700m³/s 洪水,黄河流量 2 000m³/s,在渭河河口段长达 10 余公里普遍淤高 3～5m,在前期淤积和洪水淤积的共同影响下,渭河回水至赤水附近,距坝约 187km,黄河回水距坝 152km,其后库水位下降,至 12 月底降至 320m;1962 年 2 月 17 日第三次蓄水,库水位达 327.96m,3 月 20 日降至 312.41m。

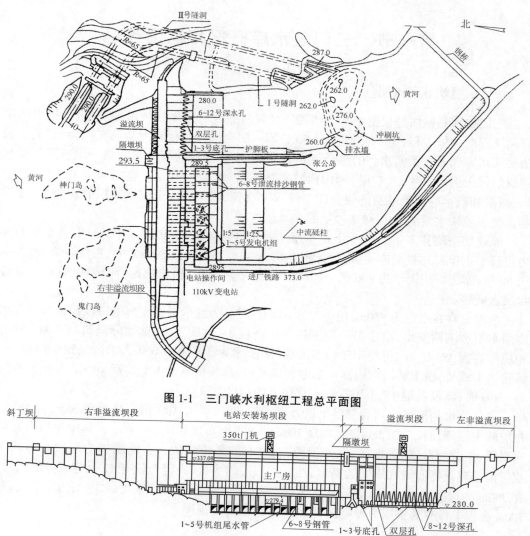

图 1-1　三门峡水利枢纽工程总平面图

图 1-2　三门峡水利枢纽下游立视图

在此期间,除汛期异重流泥沙排出库外,大量泥沙淤在库内,排沙比仅有 6.8%,库区淤积 18.4 亿 m³。潼关站同流量(1 000m³/s)的水位,从 1960 年 7 月 5 日的 323.50m 至 1962 年汛前升至 326.10m,升高 2.6m,并在渭河口形成拦门沙,渭河下游泄洪能力迅速降低,两岸地下水位抬高,水库淤积末端上延,渭河下游两岸农田受浸没,土地盐碱化面积增大。

为了减缓水库淤积,1962年2月,经国务院批准,三门峡水库由蓄水拦沙运用方式改为滞洪排沙运用方式,汛期闸门全开敞泄,只防御特大洪水的任务。

水库改变运用方式后,渭河口"拦门沙"逐渐冲出一个深槽,但潼关高程并未降低,至1964年汛后为328.09m,升高1.99m。又由于泄水孔位置较高,泄流能力较小,入库泥沙仍有60%淤在库内,淤积泥沙26亿 m³,特别遇1964年为丰水多沙年,水库淤积非常严重,一年淤积泥沙15.94亿 m³。

三门峡水库开始蓄水运用至滞洪排沙期的1964年10月,库区淤积泥沙44.4亿 m³,330m高程以下库容由原始库容55.4亿 m³减至21.5亿 m³,损失库容33.9亿 m³,为原库容的61%,其中槽库容损失12.6亿 m³,为原库容的54%,滩库容损失21.3亿 m³,为原库容的66%,滩库容损失大于槽库容,使滩槽库容比例发生变化,由原滩槽库容比例各占总库容的60%和40%,变成约各占一半。

由于出现上述问题,1964年12月,周恩来总理主持召开治黄会议,指出:治理黄河规划与三门峡枢纽工程,做得全对或是全不对,是对得多或是对得少,这个问题有争论,还得经过一段时间的试验、观察才能看清楚,不宜过早下结论。总的战略是要把黄河治理好,把水土结合起来解决,使水土资源在黄河上中下游都发挥作用,让黄河成为一条有利于生产的河流。

关于三门峡枢纽改建问题,周总理说:当前关键问题是泥沙,五年三门峡水库淤成这个样子,如不改建,再过五年水库淤满后遇上洪水,无疑将会对关中平原有很大影响,不能只顾下游不看中游,要有全局观点。他集中了大家的意见,最后决定:三门峡工程改建不能再等,尽快进行改建。

(二)工程改建

三门峡枢纽工程的改建,实际上经历了两个阶段或两个时期。第一期改建包括了第一次和第二次改建,主要是增加及改建泄流设施以加大各级水位下的泄流能力;第二期改建主要是对底孔进行大修和改建,增开底孔以及改造和扩建机组等。工程改建情况见表1-1。

表1-1　　　　　　　　　三门峡水库泄流排沙建筑物改建情况

项目		投入运用时间 (年-月)	泄流排沙建筑物个数						机组
			深孔	底孔	双层孔	隧洞	钢管	总计	
原设计		1960-09	12					12	
第一期改建	第一次	1966-07	12				4	16	
		1967-08	12			1	4	17	
		1968-08	12			2	4	18	
	第二次	1970-07	12	3		2	4	21	
		1971-10	7	3	5	2	4	26	
		1973-12	7	3	5	2	3	25	1
第二期改建		1975～1978	每年一台机组投入运用						
		1984	开始对底孔逐个改建修复						
		1990	5	3	7	2		27	5
	扩建工程后	1991～1993	5	3	7	2	1	25	7
	增开11、12号底孔	1999、2000	3	3	9	2	1	27	7

1.第一期改建工程

第一次改建工程主要是在左岸增建两条泄流隧洞,进口底槛高程为290m,并将进口高程为300m的5～8号四条机组发电引水钢管改建为泄流排沙钢管,改建工程简称为"两洞四管",分别于1968年8月和1966年7月改建完成并投入运用。泄流建筑物由12孔增加到18孔,枢纽泄流能力有所增加,各级水位下的泄流能力变化见表1-2和图1-3。潼关以下库区虽已由淤积转为冲刷,但渭河下游仍在淤积,潼关高程并未下降,尤其是遇1967年丰水多沙,黄河倒灌渭河,再加上与北洛河高含沙洪水遭遇,渭河8.8km的河槽被淤塞,淤积上延发展,造成淹没面积增大,关中平原受到严重威胁,为解决库区淤积,发挥已建工程的效益,枢纽工程须进一步改建。

表1-2   三门峡水库泄流能力变化

项目		时间(年-月)					
		1960～1966-06	1968-08	1973-12	1990-12	1992～1999	1999～2000
泄水建筑物	深孔	12	12	7	5	5	3
	底孔			3	3	3	3
	双层孔			5	7	7	9
	隧洞		2	2	2	2	2
	钢管		4	3	3	1	1
	全部		18	25	27	25	27
各坝前水位下泄量(m³/s)	290m	0	0	880	1 026	1 026	1 188
	295m	0	254	1 894	1 992	1 992	2 385
	300m	0	712	2 872	3 126	3 126	3 633
	305m	612	1 924	4 529	4 859	4 859	5 255
	310m	1 728	4 376	7 227	7 541	7 143	7 829
	315m	3 084	6 064	9 059	9 441	8 991	9 701
	320m	4 044	7 312	10 501	10 905	10 413	11 153
	325m	4 800	8 326	11 736	12 160	11 636	12 420
	330m	5 460	9 226	12 864	13 235	12 681	13 483
	335m	6 036	10 016	13 741	14 116	13 536	14 350

注:不包括机组泄量。

1969年6月召开了晋、陕、豫、鲁四省会议,会议提出改建的原则是"在确保西安、确保下游的前提下,合理防洪、排沙放淤、径流发电"。

第二次改建工程主要是打开位于280m的1～8号导流底孔;改建电站坝体1～5号机组的进水口,将发电进口高程由300m下降至287m,安装五台轴流转浆式水轮发电机组,总装机容量为25万kW。改建后要求坝前水位在315m时,下泄流量达10 000m³/s,一般洪水回水不影响潼关。其运用原则是:当三门峡以上发生大洪水时,敞开闸门泄洪;当预报花园口可能超过22 000m³/s洪水时,根据上游来水情况,关闭部分或全部闸门,冬季承担下游防凌任务,发电运用水位汛期305m,必要时降到300m,非汛期310m,要求对运用方式在实践中不断总结经验,加以完善。

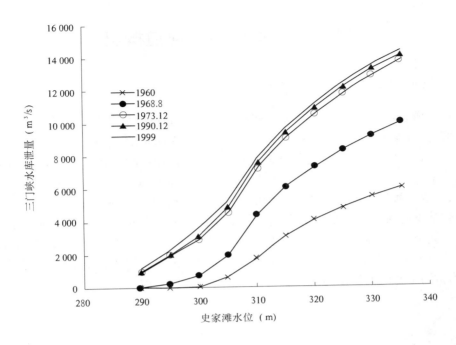

图 1-3 三门峡水库泄流能力变化

改建的泄流工程于 1971 年 10 月完成并投入运用,第一台发电机组于 1973 年 12 月 26 日并网发电,其余四台机组也相继于 1975～1979 年发电,1973 年底水库按上述原则改为"蓄清排浑"运用。

2.第二期改建工程

底孔投入运用后,闸门门槽和底板过流部位发生严重磨蚀和风蚀,影响正常运行。为解决这一问题,经大量试验研究,决定对底孔进行修复和再次改建,称为第二期改建。第二期改建工程主要包括:压缩 1～8 号底孔出口过水断面,其中 6 号底孔出口压缩 2m,其余各孔出口压缩 1m,并对闸门门槽进行改造,至 1988 年,修复和改建的底孔投入运用。底孔出口断面压缩后,泄量有所减少,8 个底孔共减少 471m³/s,占总泄量的 5.2%,因此于 1990 年汛前又打开 9、10 号底孔,以弥补由于底孔断面压缩后减少的泄量,1999、2000 年又分别打开了 11、12 号底孔。

另外,为充分利用非汛期蓄水,增发电能,并为机组技术改建创造条件,经批准对电站进行扩建,将原已改建为泄流钢管的 2 根钢管用于发电,只剩 1 根钢管泄流。

由表 1-1、表 1-2 和图 1-3 可以看出,泄流工程由原设计的 12 个孔增至目前的 27 个孔,高程 300m 的泄量由原设计的 0 增至目前的 3 633m³/s,高程 315m 的泄量由原设计的 3 084m³/s 增至目前的 9 701m³/s,为减少库区的淤积和水库的调度创造了非常灵活的条件。

第二节 黄河下游河道概况

一、黄河下游河道的一般特性

黄河下游自孟津至河口,除南岸郑州黄河铁桥以上和山东梁山十里铺—济南田庄两段为山岭外,其余河段均束范两岸大堤之间。河道长786km,落差94m,区间流域面积2.3万km²。大量泥沙在两岸大堤之间落淤,使得河床高于两岸地面,高差一般为3～5m,最高达10m左右。黄河下游成为一条横贯华北大平原的地上河。花园口以下基本没有大支流入汇,形成了海河与淮河流域的分水岭(图1-4)。分析黄河下游河道形态、演变特性以及形成目前下游河道的自然条件及历史背景,按照河床演变的特点,可将黄河下游河道分为四个不同类型的河段,总的看具有上宽下窄,上陡下缓,上段变化大、下段较稳定的基本特点。黄河下游各河段的河道特征见表1-3。图1-5为黄河下游各河段的平面形态,图1-6为黄河下游河槽特性的沿程变化。

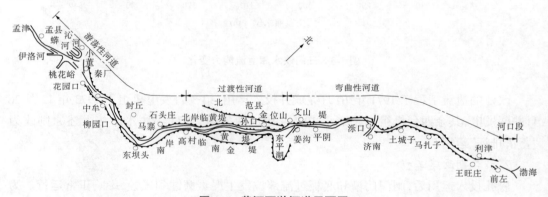

图 1-4 黄河下游河道平面图

表 1-3 黄河下游各河段的河道特性

河段	长度 (km)	河型	宽度(km)			平均比降 (‰)	弯曲率	河道面积(km²)		
			堤距	河槽	主槽			主槽	滩地	全断面
孟津—原郑州铁路桥	101	游荡		1～3	1.4	2.65	1.16	127.2	556.5	683.7
原郑州铁路桥—东坝头	128	游荡	5～14	1～3	1.44	2.03	1.10	173.0	983.4	1 156.4
东坝头—高村	70	游荡	5～20	1.6～3.5	1.30	1.72	1.07	83.2	590.3	673.5
高村—陶城铺	165	过渡	1～5.5	0.5～1.6	0.73	1.48	1.28	106.6	639.8	746.4
陶城铺—宁海	322	弯曲	0.46～5	0.4～1.2	0.65	1.01	1.20	206.7	684	840.7

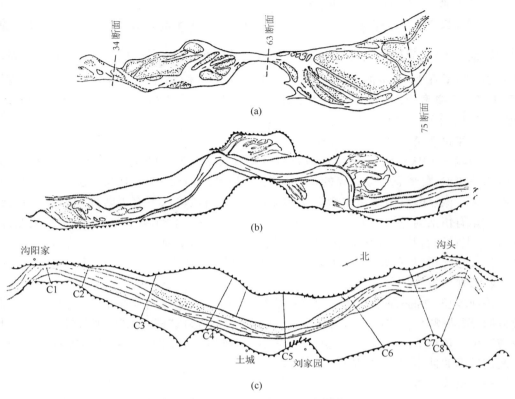

图 1-5　黄河下游各河段的平面形态

（a）游荡性河段；（b）过渡性河段；（c）弯曲性河段

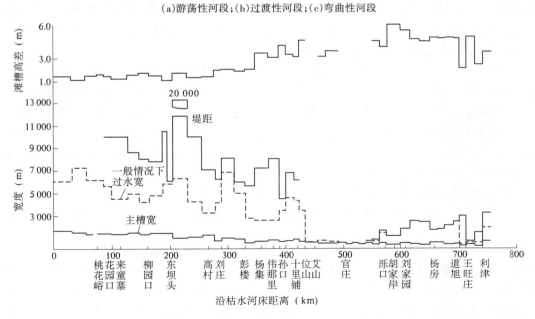

沿枯水河床距离（km）

图 1-6　黄河下游河槽特性的沿程变化

(一)孟津—高村是典型的游荡性河段

该河段长 299km,两岸堤距 5~20km,河槽宽度 1~3.5km,纵比降 1.72‰~2.65‰,河道冲淤幅度大,主流摆动频繁剧烈,平滩流量下的河相关系 $\frac{\sqrt{B}}{H}$ 一般为 20~40,滩槽高差不及 2m,甚至有小于 1m 的,曲折系数平均 1.15 左右。游荡性河段内扩张段和收缩段相间,扩张段河身宽浅,多汊流串沟,无明显的主槽,而收缩段有较明显的主槽,有三级滩地、嫩滩、二滩、老滩。该河段又可分为以下三段。

1. 孟津白鹤镇—原郑州铁路桥

该河段长 101km,河出孟津峡谷后,河道突然放宽至 3~10km。北岸在招贤镇至孟县一带为清风岭,是形态比较破碎的黄土高崖,一般高出河面 100~150m,属于黄土覆盖的岩石山区。两岸除右岸孟津白鹤镇至和家庙、左岸清风岭以下有堤防外,其余由高崖约束。右岸有伊洛河及汜水汇入,左岸有蟒河和沁河汇入。河出峡谷后,水流突然放宽,流势散乱,大量卵石和粗沙淤积,洛阳公路桥以上形成的鸡心滩及床面基本由卵石和粗沙组成。洛阳公路桥以下卵石埋深逐渐加大,床面由粗沙组成。

2. 原郑州铁路桥—兰考东坝头

该河段长 128km,两岸均修有大堤,堤距 5~14km,河槽宽 1~3km,由于河槽宽浅,溜势分散,摆动频繁,加之滩岸多为沙质,抗冲能力弱,易形成"横河"、"斜河"顶冲大堤,威胁堤防安全。黄河下游河道为复式断面,由主槽和滩地组成,本河段由于 1855 年铜瓦厢决口改道后溯源冲刷的影响,又有一级高滩(老滩)。

3. 东坝头—高村

该河段长 70km,河道在东坝头以上为东西向,东坝头以下大致为西南—东北方向,北岸有天然文岩渠。本河段是 1855 年铜瓦厢决口后泛区泥沙冲积扇的顶部地区,决口伊始,水流在冲积扇上自由漫流,水流散乱,至 1875 年右岸开始筑堤,左岸以北金堤为屏障,水流约束在两堤之间,逐渐形成现行河道。

两岸堤距上宽下窄,呈喇叭形,最宽处达 20km,最窄处约 5km,河槽宽 1.6~3.5km。两岸滩唇高、堤根洼,滩面横比降为 1/3 000~1/2 000,滩面串沟众多。自 1958 年滩地修筑生产堤后,一般洪水不能大漫滩落淤,河槽淤积严重,加之黄河水量及洪峰流量的减少,局部河段的河槽平均高程高于滩面平均高程的局面,形成了"二级悬河"(图 1-7),加之主流摆动,右岸堤河、左岸有天然文岩渠,大洪水发生"滚河"的危险性很大,是黄河下游防洪的薄弱河段,群众称之为"豆腐腰"。

(二)高村—陶城铺为从游荡性向弯曲性的过渡河段

该河段长 165km,河道形态介于游荡性与弯曲性之间的过渡性河段,两岸堤距 1~8.5km,主槽宽 0.5~1.6km,纵比降 1.48‰左右,平滩流量下的 $\frac{\sqrt{B}}{H}$ 值为 8~12。水流一般归于一槽,主槽明显,滩槽高差为 2~3m,主槽位置虽有一定的摆动,但比游荡性河段要稳定得多。泥沙经上段河段落淤,进入该河段泥沙颗粒较细,河床有部分黏土和壤土,河漫滩中往往有黏土透镜体,对水流有较大的抗冲能力,称为"胶泥嘴",对河床的平面变化有一定的作用。

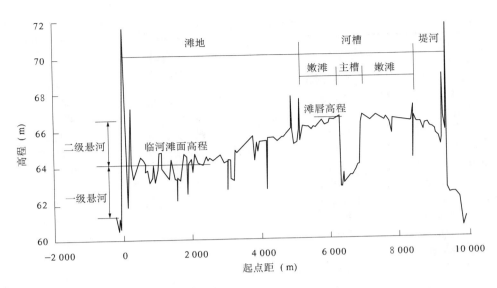

图 1-7　黄河下游河道横断面示意图

(三)陶城铺—宁海

该河段长 322km,两岸堤距 0.45 ~ 5km,主槽为 0.3 ~ 0.8km,纵比降 1‰ 左右,南岸有大汶河在此汇入。南岸东平湖以下至济南田庄丘陵起伏,北岸险工相接,济南北店子以下两岸险工对峙,河道受到约束,横向摆动不大,$\frac{\sqrt{B}}{H}$ 值一般小于 6,弯曲系数为 1.2,滩槽高差较大,一般都超过 3m。在鱼山与姜沟山及艾山与外山夹江对峙,成为天然节点,河面宽仅 300 ~ 500m,在洪水时有束水作用。由于工程控制较好,河湾不能自由发展,河道平面变化不大,河势相对较为稳定,属弯曲性河道。

二、大堤堤防

历史上,由于黄河下游不断发生洪灾,劳动人民在同洪水斗争中修建了堤防。黄河下游堤防远在春秋中期已形成,战国、秦、汉逐渐完善,齐桓公三十五年(前 651 年)会诸侯于葵丘(今民权县境内),提出"无曲堤",说明濒河诸国均已筑堤,至五代北宋已有双重堤防,按险要与否分为向著、退背两类,每一类又分三等。到元、明按位置及用途又分成遥堤、缕堤、格堤、月堤、子堤、戗堤、截河堤等。

黄河下游堤防与河道变迁有关。现行河道自河南孟津至武陟沁河口,为古代的禹河道;自沁河口至兰考东坝头,为明清时期的老河道;自东坝头至山东利津为清咸丰五年(1855 年)铜瓦厢决口后的河道。堤防多为明、清两代逐步修建起来的,经过近代,尤其是人民治黄以来的培修加固,已构成了比较完整的堤防系统。黄河下游临黄堤是抵御洪水的主要屏障,现堤线长为 1 370.7km,其中左岸长 747km,右岸长 623.7km。如表 1-4 所示。

左岸临黄堤,上段起自河南孟县中曹坡,经孟县、武陟、原阳至封丘鹅湾村,长 171.05km。其中孟县、温县境内的堤防,分别修筑于清乾隆二十一年(1756 年)和二十三年(1758 年);武陟境内东唐郭至沁河口,沁河口至詹店的堤防分别修于清嘉庆二十三年(1816 年)和雍正元年(1723 年);原阳、封丘县境内的堤防系明弘治三年至七年(1490 ~ 1494 年)先后由白昂、刘大夏所修。中、下游两段堤防均是 1855 年铜瓦厢决口改道后修建

表 1-4　　　　　　　　　　　黄河下游临黄堤情况

堤防名称		岸别	起止地点	长度(km)
左临黄		左	河南孟县中曹坡—封丘县鹅湾	171.051
贯孟堤		左	河南封丘县鹅湾—封丘县吴堡	9.320
太行堤		左	河南长垣县大东集—长垣县苏庄东	22.000
左临黄Ⅱ		左	河南长垣县大东集—台前县张庄	194.485
左临黄Ⅲ		左	山东阳谷县陶城铺—利津四段	350.123
孟津堤		右	河南孟津牛庄—和家庙	7.600
右临黄Ⅰ		右	郑州邙山根—梁山国那里	340.183
河湖两用堤	国+堤	右	国那里—十里堡	3.226
	徐+堤		徐庄—十里堡	7.245
山口隔堤	银马堤	右	银山—马山头	1.792
	石庙堤		银山—石庙	0.280
	郑铁堤		郑沃—铁山头	2.230
	子路堤		子路—元宝山	0.789
河湖两用堤	班围堤	右	斑鸠店—八号屋	0.528
	班清堤		八号屋—清河门	2.310
	闸间堤		清河门—陈山口	0.625
	青龙堤		陈山口—青龙山	0.300
右临黄Ⅱ		右	济南郊区宋家庄—垦利县二十一户村	256.59
合计		—	—	1 370.677

完善的。中段起自长垣大车集,经濮阳、范县、台前至山东阳谷县境内的陶城铺,长194.5km。下段由陶城铺经东阿、齐河、历城、济阳、惠民、滨洲至利津四段村,长350.1km。

右岸临黄堤,上段孟津堤防,自牛庄至和家庙长7.6km,始修于清同治十二年(1873年)。中段自郑州邙山东端至中牟、开封于兰考四明堂入山东境经东明、菏泽、鄄城、郓城至梁山国那里,长340.2km。下段自济南宋庄起,经天桥、历城、章丘、邹平、高清、滨洲、博兴、东营至垦利二十一户村,长256.6km。其中保合寨至中牟杨桥段为清康熙二十一年至三十八年(1682～1699年)所修;中牟九堡至东坝头段修于明嘉靖中期(1521～1571年);东坝头至袁寨段原为明清黄河左堤,1855年铜瓦厢决口后改作右堤,袁寨以下至二十一户村均为铜瓦厢改道后所修。此外,右岸梁山国那里至济南宋庄之间,还有山口隔堤和河湖两用堤19.3km。

贯孟堤,1921年河南灾区救济会(后改为华洋义赈会)为解决铜瓦厢改道后鹅湾至大车集之间无堤近河居民遭洪水之灾,修筑堤防,亦称华洋小堤。原计划自封丘贯台修至长垣孟岗,故名贯孟堤,因两岸人民反对,修至长垣姜堂而中止。1933年大水冲毁,1934年又修复。

三、引黄工程

自1950年至今,下游的引黄灌溉事业得到很大发展,引黄灌区已成为黄河两岸稳产高产的粮棉基地,但其发展曾经历了试办(1950～1957年)大发展到停灌(1958～1964年)和重新恢复稳固发展(1965年～至今)等几个阶段。截至1990年年底,灌区范围包括豫、鲁两省20地市、107个县(市),8.36万km² 内的462万hm²耕地和5 233.08万人口。已建渠首工程128处,其中引黄涵闸70处,虹吸28处,扬水站30座,总设计引水能力

$3\ 363.5m^3/s$。表1-5、表1-6为引黄灌区工程概况及基本情况。

表1-5 **黄河下游引黄灌区工程概况**

地区	工程名称				设计引水灌溉能力	
	渠首工程（处）	引黄涵闸（座）	虹吸（处）	扬水站（处）	流量（m³/s）	灌溉面积（万 hm²）
河南	45	30	10	5	1 229.5	124.4
山东	83	40	18	25	2 134.0	180.6
全下游	128	70	28	30	3 363.5	305.0

表1-6 **黄河下游主要引黄灌区基本情况**

名称	序号	省别	岸别	修建时间	引水口位置	引水口型式	设计引水流量（m³/s）	设计灌溉面积（万 hm²）设计	1990年实灌	说明
黄河渠	1	河南	右	1960	孟津		15	0.98	0.48	
花园口	2			1956	郑州	涵洞	35	1.61	0.93	
杨桥	3			1970	中牟	涵洞	32.4	1.63	0.73	
三刘寨	4			1966	中牟	涵洞	26.5	1.75	0.69	
赵口	5			1977	中牟	涵洞	150	24.0	0.07	为淤灌区补充7万 hm²
黑岗口	6			1958	开封	涵洞	19.5	1.63	0.53	
柳园口	7			1967	开封	涵洞	35	3.09	0.70	补充1万 hm²
三义寨	8			1958	兰考	开敞	117	23.67	1.17	补充1万 hm²
白马泉	9		左	1974	武陟	涵洞	15	0.72	0.24	包括秦厂扬水站
武嘉	10			1977	武陟	开敞	30	2.40	0.90	
人民胜利渠	11			1952	武陟	涵洞	80	6.97	4.00	补充1万 hm²
堤南	12			1965	原阳	涵洞	32	1.67	0.84	
韩董庄	13			1967	原阳	涵洞	25	2.25	1.67	包括柳园
祥符朱	14			1971	原阳	涵洞	30	2.37	0.91	包括于店
大功	15			1959	封丘	开敞	220	2.07	1.53	
辛庄	16			1984	封丘	涵洞	15	1.14	0.27	包括常门口堤湾虹吸
石头庄	17			1970	长垣	涵洞	20	1.47	0.90	
渠村	18			1974	濮阳	涵洞	64	10.69	2.05	包括王窑、陈屯湾虹吸
南小堤	19			1974	濮阳	涵洞	39.5	7.15	2.80	包括辛庄、白罡虹吸及梨园涵管
王称固	20			1975	濮阳	涵洞	6.6	0.88	0.48	
彭楼	21			1966	范县	涵洞	50	1.72	1.19	
邢庙	22			1980	范县	涵洞	10	1.14	0.80	
于庄	23			1980	范县	涵洞	5.5	0.47	0.27	
满庄	24			1976	台前	涵洞	15	0.90	0.30	
王集	25			1976	台前	涵洞	30	0.69	0.45	
孙口	26			1974	台前	涵洞	8	0.68	0.33	

续表 1-6

| 名称 | 序号 | 省别 | 岸别 | 修建时间 | 引水口 | | 设计引水流量（m³/s） | 设计灌溉面积（万 hm²） | | 说明 |
					位置	型式		设计	1990年实灌	
阎潭	27			1972	东明	开敞	50	3.0	5.3	
谢寨	28			1958	东明	涵洞	30	3.7	2.4	
高村	29			1958	东明	涵洞	15	0.7	0.5	
刘庄	30			1959	菏泽	开敞	80	1.6	4.9	
苏泗庄	31			1967	鄄城	涵洞	50	4.0	3.5	
旧城	32			1973	鄄城	涵洞	50	1.2	2.8	
苏阁	33			1967	鄄城	涵洞	50	3.1	4.5	
陈垓	34			1959	梁山	涵洞	30	1.7	5.7	
东平湖	35			1970	梁山	涵洞	45	1.3	5.0	
戚垓	36			1970	东平	扬水	1.5	0.06	0.03	
丁庄	37			1966	东平	扬水	6.0	0.4	0.30	
黄庄	38			1968	东平	扬水	5.5	0.1	0.07	
姜沟	39			1970	平阴	扬水	2.1	0.2	0.01	
姜沟	40	山		1970	东阿	扬水	2.1	0.3	0.01	
桃园	41			1974	平阴	扬水	4.8	0.06	0.05	
外山	42			1969	平阴	扬水	2.8	0.15	0.10	
龙桥	43			1973	平阴	扬水	1.1	0.06	0.02	
田山	44			1971	平阴	扬水	24	2.1	0.17	
望口门	45			1973	平阴	扬水	4.0	0.06	0.03	
柳山头	46		右	1971	平阴	扬水	1.4	0.08	0.02	
红旗	47			1971	长清	扬水	4.5	0.30	0.07	
东风	48			1976	长清	扬水	6	0.4	0.17	
吴家堡	49			1972	槐荫	涵洞	50	0.22	0.21	
老徐庄	50			1965	槐荫	涵洞	10	0.11	0.05	
华山	51			1964	历城	虹吸	3	0.16	0.08	包括后张、霍家溜及王家梨行虹吸等
遥墙	52			1965	历城	虹吸	10	0.20	0.2	
胡家岸	53			1965	章丘	涵洞	20	1.84	0.46	
土城子	54			1967	章丘	涵洞	18	0.45	0.35	
胡楼	55			1970	邹平	涵洞	35	2.53	5.0	
马扎子	56			1958	高青	涵洞	27.8	2.18	2.27	
刘春家	57	东		1957	高青	涵洞	37.5	2.18	2.8	
大道王	58			1957	滨州	虹吸				
道旭	59			1969	滨州	涵洞	15	1.08	0.28	
打渔张	60			1956	博兴	开敞	120	11.21	7.23	包括曹店闸
麻湾	61			1979	东营	扬水	3.5	0.23	0.09	
罗家	62			1982	垦利	扬水	1.6	0.13	0.05	
胜利	63			1966	垦利	涵洞	40	1.0	1.61	
路庄	64			1965	垦利	扬水	0.27			
纪冯	65			1983	垦利	扬水	4	0.10	0.10	
一号坝	66			1982	垦利	扬水	6	0.33	0.25	
民丰	67			1980	垦利	扬水	2.5			
双河	68			1989	垦利	扬水	30	1.8	0.33	
西宋红旗	69			1979	垦利	扬水	2	0.07	0.10	
五七	70			1978	垦利	扬水	8.5	0.53	0.24	
垦东	71			1987	垦利	扬水	10	0.8	0.09	

名称	序号	省别	岸别	修建时间	引水口		设计引水流量 (m³/s)	设计灌溉面积(万 hm²)		说明
					位置	型式		设计	1990年实灌	
陶城铺	72			1971	阳谷	涵洞	50	7.61	1.8	
位山	73			1958	东阿	开敞	240	28.8	25.67	
郭口	74			1984	东阿	涵洞	25	2.48	2.6	
潘庄	75			1972	齐河	涵洞	100	33.33	15.33	
输刘	76			1966	齐河	涵洞	15	1.0	1.0	
豆腐窝	77			1971	齐河	涵洞	10	1.09	0.67	
李家岸	78			1971	齐河	涵洞	100	19.59	15.87	
大王庙	79			1957	历城	虹吸	4	0.20	0.05	
邢家沟	80	山		1974	济阳	涵洞	50	10.41	9.19	
沟阳	81			1957	济阳	虹吸	5	0.40	0.27	
葛店	82			1966	济阳	涵洞	15	1.13	1.47	
张辛	83			1958	济阳	虹吸	5	0.33	0.3	
小街子	84		左	1972	济阳	虹吸	5	0.27	0.26	
簸箕李	85			1960	惠民	涵洞	75	7.87	10.08	
归仁	86			1966	惠民	虹吸	6	0.27	0.27	
白龙湾	87	东		1957	惠民	涵洞	20	1.51	1.56	
大崔	88			1973	惠民	涵洞	5	0.44	0.48	
小开河	89			1972	滨州	涵洞	25	2.0	1.85	
张肖堂	90			1956	滨州	涵洞	15	1.0	0.36	
韩墩	91			1959	滨州	开敞	60	6.4	7.69	
宫家	92			1966	利津	涵洞	30	1.0	0.84	
东关	93			1977	利津	扬水	1	0.07	0.09	
刘夹河	94			1956	利津	扬水	2.5	0.07	0.07	
王庄	95			1969	利津	开敞	80	2.07	2.64	
西河口	96			1975	利津	扬水	46	—	—	
全下游							3 139.47	282.62	182.81	

四、河道整治工程

黄河下游河道整治工程是下游防洪工程体系的重要组成部分,主要由险工、控导护滩工程组成,在黄河下游大堤临水的堤段,依托大堤修建坝(垛)和护岸工程抗御水流淘刷称险工;为了保护滩地免受水流淘刷,在滩岸修筑坝垛护岸工程,以控制河势,稳定主槽,称护滩控导工程。险工和控导工程示意图如图 1-8 所示。

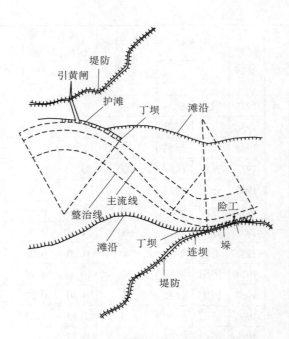

图 1-8　险工和控导工程示意图

黄河下游险工有数百年的历史,有些险工修建的时间很早,如 1656 年修建的黑岗口险工,1661 年修建的杨桥险工,1722 年修建的万滩、马渡和花园口险工。1950～1952 年经整修加固,黄河下游实有险工 118 处,其中河南省境 18 处,山东省境 100 处,但有计划地河道整治是从 20 世纪 50 年代开始的,而且是由下而上分段进行的。

从 1949 年汛期泺口以下河段抢险的情况来看,如果单靠险工,即使在窄河段也无法改变被动抢险局面。因此,1949 年汛后开始进行固槽定滩工程试验,1950 年在河势变化大坝滩的河湾,试修护滩工程,在实践中发现在连续几个弯道内有计划地修建控导护滩工程,可以有效地控制河势。1951 年春提出“以防洪为主、护滩、定险(工)、固定中水河槽”为基本要求,选择了土城子—葛家店险工长 9km 的河段为整治试验河段,1952～1955 年是窄河段控导护滩工程大发展的阶段,至 1958 年 11 月陶城铺以下河段修护滩工程 54 处,坝垛 819 道,工程长 57km,其中泺口以下长 48.84km,为泺口以下河道长度的 22.4%,险工与护滩工程的总长度约占河道长度的 60%,这些工程对稳定主流、控制河势起到较好的作用,它不仅是弯曲性河段河道整治的有效方法,也为泺口以上河段的河道整治提供了经验。

1966 年后,在总结泺口以下河道整治经验的基础上,本着以防洪为主,兼顾引黄淤灌、滩区群众生产及安全的原则,采取“控导主流,护滩保堤”的方针,有计划地开展河道整治工作。整治的重点主要是高村至陶城铺的过渡性河段,对高村以上也进行整治,同时对陶城铺以下河段进行补充、完善。

至 1992 年底,孟津白鹤镇以下计有河道整治工程 317 处,坝垛 8 819 道,工程长 623km,裹护长度 524km。各河段的工程情况见表 1-7。

表 1-7 　　　　　　　　　　黄河下游河道整治工程统计

省别或河段		河南	山东	郑州原京广铁路桥以上	原铁路桥—东坝头	东坝头—高村	高村—陶城铺	陶城铺以下	全下游
险工	处数	36	98	6	15	8	22	83	134
	坝垛数(道)	1 555	3 778	271	1 053	196	507	3 306	5 333
	工程长度(km)	114.937	193.275	26.554	67.756	18.673	49.817	145.412	308.21
	裹护长度(km)	95.652	169.771	16.695	63.976	11.288	40.399	133.065	265.42
控导工程	处数	69	114	14	33	14	27	95	183
	坝垛数(道)	1 561	1 925	326	680	355	628	1 497	3 486
	工程长度(km)	149.986	165.153	35.674	62.479	36.715	56.569	123.702	315.139
	裹护长度(km)	120.949	137.435	33.875	47.988	28.302	40.494	107.725	258.384
总计	处数	105	212	20	48	22	49	178	317
	坝垛数(道)	3 116	5 703	597	1 733	551	1 135	4 803	8 819
	工程长度(km)	264.923	358.428	62.228	130.235	55.388	106.386	269.114	623.349
	裹护长度(km)	216.601	307.206	50.57	111.964	39.59	80.893	240.79	523.804

五、黄河下游滩区和生产堤概况

(一)滩区概况

黄河下游河道(孟津—宁海)内分布有广阔的滩地,总面积 3 454km^2,占河道面积的84%。滩区多由大堤、险工及生产堤所分割,共形成 120 多个自然滩,滩面宽 0.5～8km 不等。其中,面积大于 100km^2 的有 7 个,50～100km^2 的有 9 个,30～50km^2 的有 12 个,30km^{2}以下的有 90 多个。大部分滩区位于陶城铺以上河段,面积约 2 770km^2,占下游滩区面积的 80%,滩区面积在 200km^2 以上的有 5 个,有 4 个滩区在陶城铺以上河段,如原阳滩、长垣滩、濮阳滩和东明滩。只有 1 个在陶城铺以下河段,如长清滩。

黄河下游滩区既是行洪区,又是滩区人民生产生活的重要场所,滩区现有耕地 25 万hm^2,村庄 2 071 个,人口 179 万,涉及河南、山东两省 15 个地(市)共 43 个县(区)。近年来,滩区大力开展水利建设,农业生产条件得到很大改善,滩区安全建设成效也很显著,至2001 年滩区已建台村、避水台、房台等避洪设施 5 277.5 万 m^2。

黄河下游广阔的滩区对下游河段的防洪及河床冲淤演变带来深远的影响。以下进一步分析几大滩区的情况,我们把大堤与生产堤之间称内滩,生产堤与主槽之间的滩地称外滩。

表 1-8 为黄河下游典型滩区的基本情况。根据 1995 年 1/50 000 的地形图,又详细地统计了陶城铺以上河段按河段汇总如表 1-9 和图 1-9 所示。

表 1-8   黄河下游典型滩区基本情况

县(市)	滩区面积		生产堤内滩地			
	总面积 (km²)	耕地面积 (万 hm²)	村庄 (个)	人口 (万人)	耕地面积 (万 hm²)	房屋 (万间)
原阳	365	2.47	240	18	2.09	74.07
长垣	322	2.23	204	21.1	2.03	23.89
濮阳	217	1.23	147	10.27	1.00	13.01
东明	234.6	1.34	180	10.58	1.18	9.92
长清	220.96	1.49	248	17.21	1.49	19.14

表 1-9   黄河下游孟津—陶城铺河段滩区面积

项目		河段				
		孟津—原铁桥	原铁桥—东坝头	东坝头—高村	高村—陶城铺	孟津—陶城铺
河道 面积 (km²)	全断面	683.7	1 156.4	673.5	746.4	3 260
	滩地	556.5	983.4	590.3	639.8	2 770
	内滩	312	651	403	540	1 906

　　孟津—原京广铁桥河段,滩区面积约 556.5km²,生产堤内滩地面积 312km²,左岸滩面宽 3 ~ 6km,右岸滩面宽 0.5 ~ 5km。温孟滩位于该河段左岸,其中,洛阳公路桥—大玉兰工程以下 4km 处的部分高滩,为小浪底水利枢纽温孟滩移民安置区,面积约 122km²,临河围堤基本沿北岸工程修筑,防御标准为流量不超过 10 000m³/s。

　　原京广铁桥—东坝头河段,滩区面积 983.4km²,生产堤内滩地面积 651km²,滩地为 1855 年铜瓦厢决口,河道发生溯源冲刷,下切形成的高滩,左岸滩面宽 2 ~ 6km,右岸滩面宽 0.5 ~ 5km。

　　东坝头—高村河段,两岸滩地具有滩唇高仰,堤根低洼,滩面串沟多等特点。由于来水来沙及河床边界条件的变化,使河道横向淤积部位改变,泥沙在生产堤外的淤积比例增加,形成了河槽高于生产堤内滩地,生产堤内滩地又高于两岸大堤背河地面的"二级悬河"。本河段滩面低,滩地面积大,较大的滩区主要有左岸的长垣南滩、北滩和右岸的兰考滩、东明滩等。长垣南滩由左岸贯孟堤与生产堤围成,面积为 74km²,长垣北滩由周营至渠村生产堤与黄河大堤围成,面积约 135km²,兰考滩和东明滩两滩相连,面积约 194km²。

　　高村—陶城铺河段又可分为两段,高村—孙口河段滩区堤根低洼,块数多,坑洼多,有部分滩区退水困难成为死水区,蓄水作用十分显著。生产堤内滩区面积约 460km²,其中,左岸滩区面积和右岸滩地面积分别为 321km² 和 139km²。较大的滩区有濮阳习城滩、范县陆集滩和台前清河滩,面积分别为 118、58km² 和 76km²,而孙口—陶城铺河段,滩区面积较小。

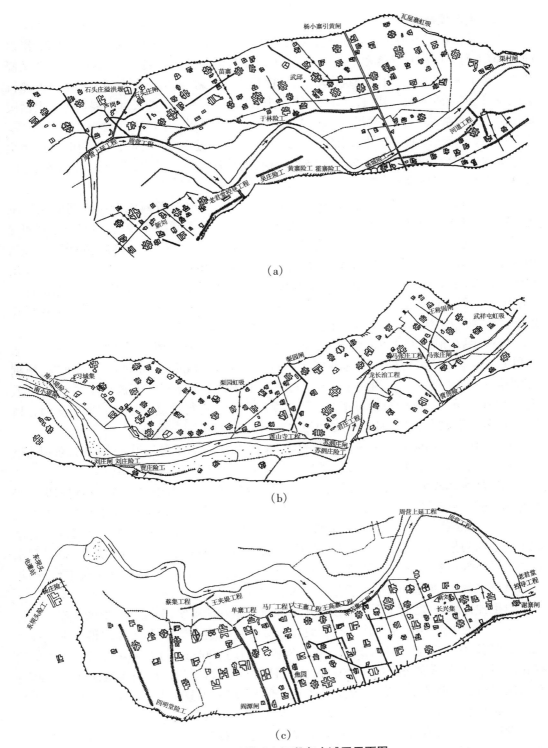

图 1-9　陶城铺以上河段各大滩区平面图

(a)长垣北滩；(b)濮阳习城滩；(c)兰考东明南滩

(二)生产堤概况

为了确保黄河下游的防洪安全,人民治黄初期提出了废除民埝的方针。1938年以前,黄河下游滩区群众已修建了不少民埝,1947年黄河归故后,滩区群众为保护生产又修补并增修了一些民埝。由于修筑民埝后,大堤长期不靠河,民埝至大堤间洪水落淤漫滩机会较少,这部分滩地很低洼,长此下去,造成排水困难,影响生产的长远发展。历史上因民埝溃决造成大堤决口的事例很多,如1933年兰考四明堂决口,1935年鄄城董庄决口等。当时提出"新修民埝必须禁止,旧的民埝必须废除"。通过政府耐心的说服工作,并适当解决群众的生产生活问题,加之20世纪50年代初期接连发生大洪水,至1954年大水后,民埝基本上全部废除和冲掉了。

1957年黄河干流开始修建三门峡水利枢纽,由于当时对黄河泥沙淤积问题认识不足,认为三门峡水利枢纽建成后,洪水问题基本解决,下游河道发生冲刷,引起河道剧烈变化,因此计划加快河道整治。陶城铺以上河道较宽,滩区面积大,为群众发展生产,从1958年汛后开始,在"防小水,不防大水"的原则下修筑生产堤。堤顶宽5m,高度为高出1958年最高洪水位0.5m。据1959年年底统计,河南滩区修建生产堤322km,山东菏泽—长清河段修筑生产堤161.2km。生产堤修建后,对保护当时滩区农业生产起到了积极作用,但由于缩窄了河道过洪断面,河道滞洪排洪能力也削弱了。

1959年后,根据当时河道情况,明确提出生产堤预留口门,要求每段生产堤留一进水口和出水口。生产堤防御标准为花园口流量不超过10 000m³/s,超过这一标准时,根据"舍小救大,缩小灾害"的原则,有计划地自下而上或自上而下分片开放分滞洪水。1962、1963、1964年黄河水利委员会每年都对生产堤运用水位进行批复。1964年要求全河预留口门72处,其中位山以上河段51处,位山以下河段21处。

1960年9月~1964年10月,三门峡水库蓄水拦沙运用,下游河道发生冲刷,东坝头以上河势多变,有的生产堤被冲塌,东坝头以下影响相对较小,生产堤保留较多。

三门峡水库改为滞洪排沙运用后,下游河道又开始回淤,由于水沙条件不利和生产堤的影响,逐渐形成了"二级悬河"。1973年黄河水利委员会在黄河下游治理工作会议上提出了《关于废除黄河下游生产堤实施的初步意见》,国务院国发[1974]27号对黄河下游治理工作会议的报告批示中指出:"从全局长远考虑,黄河滩区应迅速废除生产堤,修筑避水台,实行'一水一麦',一季留足群众全年口粮。"1974年汛后,滩区大力修筑避水台,当年计划修避水台1 520万m³,计划破生产堤153.61km,占总长的1/5。

由于种种原因,之后十余年间该政策未能得到很好地落实,破除生产堤的工作一直进展不大。直到1987年防汛工作实行行政首长负责制后,生产堤破除工作取得了突破性进展。按要求,1987年应破口门长度104km,实破口门约100km。但在破除口门过程中依然存在许多问题,如大部分口门所处地势较高,且留有底坎,平均高出当地滩面0.5m左右;有的仅破除了新修的生产堤,没破老生产堤,还时有堵复现象发生。由于破除长度仅占生产堤长度的1/5,加上破除口门的位置不当,阻水现象仍较严重。

1993年全下游有生产堤527km,破除264km,达到破除1/2的要求。但不时出现个别地方有生产堤堵复和新修现象。根据目前河道的实际情况,生产堤的利和弊,要进行深入的分析研究,再作决策。

第二章　黄河下游河道来水来沙特性

第一节　来水来沙基本特性

黄河流域的极大部分地区处于干旱和半干旱地带,平均年雨量只有 400mm,而中上游黄土高原,面积宽广,在暴雨期水土流失十分严重。因此,黄河的来水来沙条件具有独特的基本特点。

一、水少沙多、含沙量高

在我国的大江大河中,黄河流域的面积仅次于长江流域而居第二位,但由于大部分地区处于半干旱和干旱地带,黄河流域所产生的径流量极为贫乏,和流域面积相比很不相称。由表 2-1 可以看出,黄河实测多年平均水量 464 亿 m³,沙量 15.6 亿 t,平均含沙量33.6kg/m³。黄河的水量不及长江的 1/20,而沙量为长江的 3 倍。与世界多泥沙河流相比,孟加拉国的恒河年平均沙量 14.51 亿 t,与黄河相近,但年平均水量很大,达 3 710 亿m³,其含沙量较小,只有 3.92kg/m³,远小于黄河;美国的科罗拉多河年平均含沙量为27.5kg/m³,与黄河相近,而其年平均沙量仅有 1.35 亿 t。由此可见,黄河沙量之多,含沙量之高,在世界大江大河中是绝无仅有的。

表 2-1　　　　　　　　　　　　国内外一些河流的水量和沙量

国 名	河名	流域面积（km²）	站名	水量		沙量			说明
				年平均流量（m³/s）	年平均水量（亿 m³）	年平均含沙量（kg/m³）	年平均沙量（亿 t）	输沙模数（t/(km²·a)）	
孟加拉国	布拉马普特拉河	666 000	河口	12 190	3 840	1.89	7.26	1 090	
	恒河	955 000	河口	1 750	3 710	3.92	14.51	1 525	
印度	科西河	62 200	楚特拉	1 810	570	3.02	1.72	2 770	恒河支流
巴基斯坦	印度河	969 000	柯特里	5 500	1 750	2.49	4.35	450	
缅甸	伊洛瓦底河	430 000	普朗姆	13 550	4 270	0.70	2.99	693	
越南	红河	119 000	河内	3 900	1 230	1.06	1.30	1 090	
美国	密西西比河	3 220 000	河口	17 820	5 610	0.56	3.12	97	密西西比河支流
	密苏里河	1 370 000	赫尔曼	1 950	616	3.54	2.18	159	
	科罗拉多河	637 000	大峡谷	155	49	27.5	1.35	212	
巴西	亚马逊河	5 770 000	河口	181 000	57 100	0.06	3.63	63	
埃及	尼罗河	2 978 000	格弗拉	2 830	892	1.25	1.11	37	
中国	黄河	688 384	陕县	1 470	464	33.6	15.6	2 266	黄河支流黄河支流
	泾河	43 195	张家山	49.2	15.5	172	2.67	6 180	
	窟野河	8 645	温家川	24.7	7.8	169	1.32	15 300	
	长江	1 700 000	大通	29 200	9 211	0.52	4.78	280	
	永定河	49 000	三家店	45	14.2	44.2	0.82	1 673	珠江干流西口
	珠江	329 725	福州	7 210	2 270	0.34	0.718	218	

二、黄河水沙异源

黄河流域幅员广阔,流经不同的自然地理单元,流域条件差别很大,水沙的地区来源不平衡性非常突出。1919年7月~1985年6月黄河下游水量、沙量来源统计见表2-2。上游河口镇以上流域面积为36万多km²,占全流域面积的51%左右,但来沙量仅占总沙量的9%,而水量却占54%;中游河口镇—龙门间流域面积为13万多km²,占全流域面积的19%,水量占14%,但沙量却占55%,是黄河泥沙的主要来源区;龙门—潼关区间的主要支流渭河、泾河、北洛河、汾河来沙量占34%,来水量占22%;三门峡以下的伊洛河、沁河来沙量仅占2%,来水量约占11%。从上可见,上游是黄河水量的主要来源区,中游是黄河泥沙的主要来源区。

表2-2   1919年7月~1985年6月黄河下游水量、沙量来源统计

河段	流域面积(km²)	项目	水量(亿m³)			沙量(亿t)			含沙量(kg/m³)		
			汛期	非汛期	全年	汛期	非汛期	全年	汛期	非汛期	全年
河口镇以上	361 640	总量	152	100	252	1.14	0.27	1.41	7.5	2.7	5.6
		占三黑小(%)	54	54	54	8.0	13	9.0			
河龙区间	132 830	总量	36	31	67	7.62	0.92	8.54	211.7	29.7	127.5
		占三黑小(%)	13	17	14	56	44	55			
泾河、洛河、渭河、汾河	213 518	总量	63	38	101	4.92	0.41	5.33	78.1	10.8	52.8
		占三黑小(%)	23	21	22	36	20	34			
伊河、洛河、沁河	30 000	总量	31	18	49	0.27	0.04	0.31	8.7	2.2	6.3
		占三黑小(%)	11	10	11	2.0	2.0	2.0			
三黑小(武)	715 270	总量	279	185	464	13.51	2.08	15.59	48.4	11.2	33.6

注:三黑小(武)指三门峡、黑石关、小董(武陟)之和。

黄河流经中游广大的黄土高原,表面覆盖着数十米至几百米的黄土层,质地疏松,抗冲能力差,遇水极易崩解。在夏秋之际,中游地区暴雨频繁,土壤侵蚀十分严重,给黄河带来大量泥沙。黄河中游输沙模数每平方公里大于10 000t的有三大片,即河口镇—延水关之间的支流区;无定的支流红柳河、芦河、大理河和清涧河、延水、北洛河及泾河支流马莲河河源区(即广大的白于山河源区);渭河上游北岸支流葫芦河中下游和散渡河地区(即六盘山河源区)。这三片地区从地貌看都是黄土丘陵沟壑区,是黄河中游泥沙的主要来源区。

黄河中游地区新黄土分布十分广泛,其粒径组成具有明显的分带性。黄河中游新黄土中径变化如图2-1所示。从西北至东南中数粒径从大于0.045mm逐步降到0.015mm左右。从黄河中游粗泥沙(粒径大于0.05mm)输沙模数图(图2-2)可以看出,粗泥沙主要集中来自两个区域,一是皇甫川—秃尾河各条支流的中下游地区,粗泥沙输沙模数为10 000 t/(km²·a);二是无定河中下游及白于山河源区,粗泥沙输沙模数为6 000~8 000t/(km²·a)。进一步分析表明,在黄河的泥沙和粗泥沙总量中,约有3/4集中来自11万~10万km²,一半来自5万~3.8万km²,这些地区都是黄土丘陵沟壑区,这充分说明黄河泥沙来源地区的集中性。

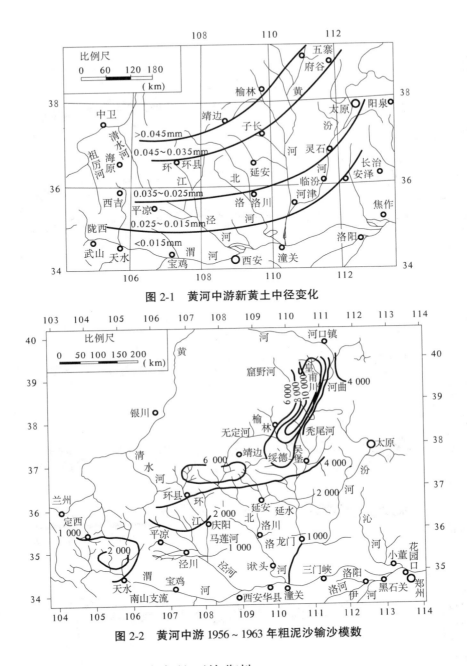

图 2-1　黄河中游新黄土中径变化

图 2-2　黄河中游 1956～1963 年粗泥沙输沙模数

三、黄河水沙在时间分布的不均衡性

黄河水沙存在着长时段的丰、枯相间的周期性变化(图 2-3)，来水来沙过程具有丰、枯相间的周期性变化，丰、枯水段和丰、枯水年交替出现，其中有 1922～1932 年连续 11 年和 1969～1974 年连续 6 年的枯水段，各年水量均小于多年平均值，并出现 1933～1968 年 36 年丰、平、枯交替出现的一个丰水段。由于存在"水沙异源"的特点，所以来沙多少并不完全与来水丰枯同步，丰水年并不一定是多沙年，反之枯水年不一定是少沙年。洪水泥沙的

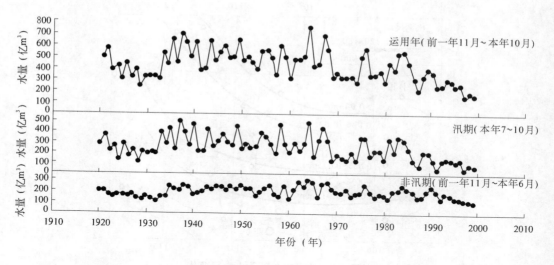

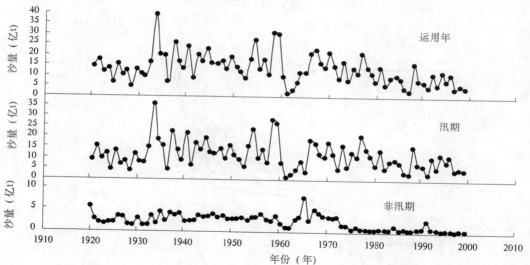

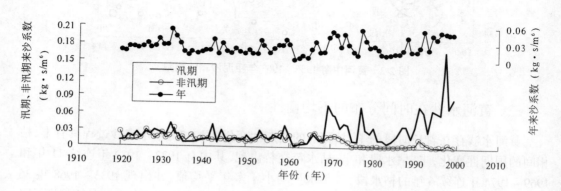

图 2-3　黄河下游历年水沙过程

搭配视暴雨降落区域的不同而出现。如三门峡站丰水多沙年(1937年)水量659亿 m³,沙量 26.2 亿 t;丰水少沙年(1983年)水量 524 亿 m³,沙量 9.25 亿 t;枯水多沙年(1977年)水量 327 亿 m³,沙量 20.8 亿 t;枯水少沙年(1928年)水量 202 亿 m³,沙量 4.88 亿 t。

年沙量的变幅大于年水量变幅。自 1919 年以来,三门峡站年水量以 1937 年最大为 659 亿 m³,1928 年最小为 202 亿 m³,最大是最小的近 3.2 倍;而年沙量以 1933 年为最大 39.1 亿 t,1928 年最小为 4.88 亿 t,最大是最小的约 8 倍。

水沙在年内分配也很不均匀,水沙主要集中在汛期,汛期水量占年水量 60% 左右,沙量的集中程度更甚于水量,汛期沙量占年沙量的 85% 以上,在汛期又集中于几场暴雨洪水,如干流三门峡站洪水期最大五天沙量占年沙量的 31%,而水量仅占 4.4%。支流沙量的集中程度更甚于干流,无定河川口站最大五天沙量占年沙量的 42%,窟野河占 75%。高度集中的泥沙形成浓度极大的高含沙量洪水,支流常有 1 000~1 500kg/m³ 的高含沙量洪水出现,干流三门峡站 1977 年 8 月出现了含沙量高达 933kg/m³ 的洪水。

四、黄河下游洪水与来源特性

黄河下游洪水主要由中游地区暴雨形成,而上游洪水流至中游后,流量多在2 000~3 000m³/s,组成中游洪水的基流,但有的年份黄河上游洪水流至中下游也会组成花园口较大洪峰,如 1981 年 8 月兰州以上连续降雨 35d,兰州站出现有记录以来实测最大洪峰流量 5 600m³/s,如果没有刘家峡水库拦蓄与龙羊峡水库施工围堰的调蓄,估计洪峰流量可达 6 800m³/s,历史最大洪峰流量为 8 500m³/s(1904年)。上游洪水的特点是洪峰流量较小,历时长,过程为矮胖型。如兰州站一次洪水历时平均为 40d,最长可达 66d,最短也有 22d。

下游洪水有三个来源区:河口镇—龙门区间(简称河龙间);龙门—三门峡区间(简称龙三间);三门峡—花园口区间(简称三花间)。三个不同来源区的洪水以三种组合形式,形成花园口站的大洪水和特大洪水(表 2-3)。

表 2-3　　　　　　　　　　　花园口站各种类型大洪水来水组成

洪水类型	年份(年)	洪峰流量(m³/s)				相应花园口洪峰流量时三门峡洪峰流量	三门峡洪峰流量占花园口洪峰流量比例(%)
		花园口站		三门峡			
		日期(月-日)	最大	日期(月-日)	最大		
上大型	1843	08-10	33 000	08-09	36 000	30 800	93.3
	1933	08-11	20 400	08-10	22 000	18 500	90.7
下大型	1761	08-18	32 000			6 000	18.8
	1958	07-17	22 300			6 400	28.7
上下较大型	1957	07-19	13 000			5 700	43.8

以三门峡以上的河龙间和龙三间洪峰为主形成的大洪水(简称上大洪水)。这种洪水

花园口洪峰流量的 70%～90%都是以三门峡以上来水组成,如 1933 年 8 月洪水,花园口洪峰流量为 20 400m³/s,三门峡以上相应洪峰流量为 18 500m³/s,占花园口洪峰流量的 90.7%。这类洪水的特点是洪峰高,洪量大,含沙量也大。

以三门峡以下的三花间来水为主的较大洪水(简称下大洪水)。这类洪水花园口洪峰流量的 70%～80%都来自三花间,如 1958 年 7 月洪水花园口洪峰流量 22 300m³/s,为实测最大洪水,三门峡以上相应洪峰流量 6 400m³/s,仅占花园口洪峰流量的 28.7%,三花间相应洪峰流量为 15 900m³/s,占 71.3%,这类洪水的特点是洪峰高,来势猛,含沙量小,预见期短。

以三门峡以上的龙三间和三门峡以下的三花间共同来水。这种洪水花园口站的洪峰流量的 40%～50%由三门峡以上来水组成,如 1957 年花园口洪峰流量为 13 000m³/s,相应三门峡洪峰流量 5 700m³/s,占 43.8%。这类洪水洪峰较低,历时较长。

从统计历年洪水来看,每个地区都可能单独产生几千立方米每秒至 10 000m³/s 的洪水,但较大洪水往往由两个或两个以上地区共同来水。

黄河洪水按其成因,可分为暴雨洪水和冰凌洪水。暴雨洪水发生在 7、8 月的称"伏汛",发生在 9、10 月的称"秋汛",习惯上统称"伏秋大汛"。冰凌洪水在下游河段多发生在 2 月份,洪峰较小。

黄河下游的洪水由暴雨造成,因此具有猛涨猛落的特性,图 2-4 为黄河下游花园口站 1958 年流量及含沙量过程线,由图可见洪峰陡峻度大。

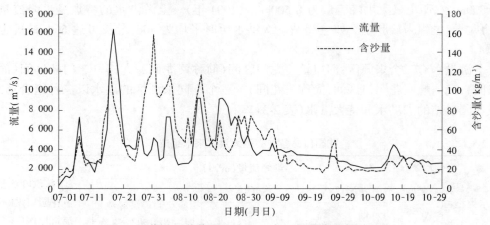

图 2-4　黄河下游花园口站 1958 年流量及含沙量过程线

黄河下游河道的堤距较宽,堤根卑微,且多串沟,再加上艾山的卡水,河槽有一定的蓄洪作用,洪水在向下游传播的过程中,洪峰渐次削平(图 2-5),河槽蓄洪作用与许多条件有关,作为平均情况,如洪峰不超过平滩流量,河槽的蓄洪作用就不甚明显。

五、悬移质颗粒组成

进入下游河道的泥沙以悬移质为主,推移质所占的百分比很少。悬移质泥沙总的趋势是沿程变细的。其颗粒组成的季节性变化十分明显,汛期泥沙比较细,悬移质中数粒径上游河口镇 0.02mm,中游龙门 0.031mm,下游花园口 0.02mm,利津 0.018mm;而非汛期泥沙较粗,悬移质中数粒径河口镇 0.022mm,龙门 0.04mm,花园口 0.035mm,利津 0.026mm。这是因为汛期的泥沙主要是通过暴雨从流域表面带来的,而枯水期的泥沙则多来自河床的冲刷。

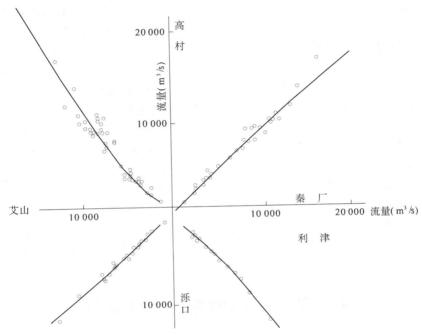

图 2-5 黄河下游可槽蓄洪对削减洪峰的作用

从河床演变的角度来说,并不是所有来自上游的泥沙都与河槽特性有关。按照粒径的不同,可把运动泥沙分为"床沙质"与"冲泻质"两部分。一般可按河床组成中的 D_5,以重量的 5% 为分界来划分,大于 D_5 为床沙质,小于 D_5 为冲泻质。从黄河下游河道多年平均情况看,其分界粒径为 0.025mm 左右,它们在悬移质中占 60% 左右,在河漫滩淤积物中却占一半左右。

六、同流量下含沙量变幅大

黄河流域不同地区的植被和水土流失情况有很大的不同,单位面积产沙量常有显著差异,而暴雨往往集中在一个区域。因此,在中游控制流域面积不大的支流,常出现沙峰大洪峰小或洪峰大沙峰小的情况。进入黄河下游河道的水流经过沿程的调整,一般情况下(没有人为的影响),产生洪峰的同时,也带来沙峰,但并不是同样大小的洪峰带来的沙峰大小也一定。相反地,由于暴雨中心不同,土壤植被不同,使含沙量变幅相当大,在流量较小时,含沙量变幅比较小,流量较大时,同一流量下的含沙量变幅一般可达 10 倍,个别情况可达 20 倍左右。除了由于暴雨中心所造成的含沙量变异以外,每年汛前黄河流域的气候比较干旱,流域表面物质疏松,在每年的前几场暴雨洪水,这些物质被冲洗入河,含沙量较大,当这些地表疏松物质被冲走后,继之而来的洪水挟带含沙量较小。因此,一般 7、8 月洪水含沙量较大,9、10 月洪水含沙量较小。

七、水力泥沙因子在断面上的分布

黄河下游坡度较陡,加之泥沙较细,因此水力泥沙因子的分布比较均匀,窄深断面更过于宽浅断面。泥沙粒径及含沙量垂线平均值沿河宽的分布在窄深断面内接近均匀,在宽浅断面上,则有和断面起伏相适应的趋势,横向分布较不均匀。图2-6为游荡性河段流速、含沙量,悬移质中径在断面及垂线上的分布。悬移质泥沙在垂线上的分布是靠近水面含沙量较小且颗粒细,靠近河底含沙量大且颗粒粗。对于较细泥沙(一般粒径小于0.025mm),它在垂线上的分布是比较均匀的,对较粗的颗粒,则靠近水面的含沙量较小,靠近河底的含沙量较大,颗粒愈粗这种上下含量悬殊的现象也愈明显。

图2-7为过渡性河段弯段及直段的水力泥沙因子在断面及垂线上的分布情况,这些河段的含沙量及悬移质中径在垂线上的分布似乎没有游荡性河段均匀。在直段,断面形状较规则,水力泥沙因子在横向的分布比较一致。弯段的情况则不同,环流的存在使深槽偏向凹岸,流速也较高,而弯道环流把底沙带向凸岸,沿着凹岸深槽看不到含沙量及悬移质中径的等值线,说明它们在垂向上几乎是上下一致的;而在靠近凸岸的地方,底部含沙量较高,粒径较粗,在垂线分布上就有相当大的梯度。在横向分布上,最大流速和最大含沙量的位置并不一致,最大流速靠近凹岸,最大含沙量偏向凸岸。这样的分布说明在弯道凹岸引水就较为有利。

第二节 不同时期的水沙特性

黄河下游水沙条件的变化取决于自然条件和人类活动的共同影响。三门峡水库投入运用(20世纪60年代)以前,受生产力发展水平的制约,人类活动对水沙条件的影响较小,进入黄河下游的水沙条件主要取决于气候因素,基本接近天然情况。20世纪60年代以后,随着社会经济的发展、黄河治理开发水平不断提高,人类活动对进入下游的水沙条件的影响逐渐增大。沿黄引水迅速增加、中游水土保持得到了快速发展,尤其是干流三门峡、刘家峡、龙羊峡等大型水利枢纽的修建,在很大程度上改变了进入黄河下游的水沙条件,其中又以三门峡水库和龙羊峡水库影响最大。

按照三门峡水库和龙羊峡水库的投入运用时间,以及三门峡水库不同运用方式的时段,将1950年以来至小浪底水库投入运用以前50年的时间,划分为天然情况(1950年7月~1960年6月)、三门峡水库蓄水拦沙期(1960年11月~1964年10月)、三门峡水库滞洪排沙期(1964年11月~1973年10月)、三门峡水库蓄清排浑运用期(1973年11月~1985年10月)和三门峡水库蓄清排浑运用与龙羊峡水库投入运用期(1985年11月~1999年10月)等五个阶段。三门峡水库1973年11月以来一直采取蓄清排浑的运用方式,其中由于1986年10月龙羊峡水库投入运用,又加上气候条件变化较大,因此1986年前后进入下游的水沙条件变化较大,将蓄清排浑时期分为1986年前后两个时段分别阐述。

一、天然情况(1950年7月~1960年6月)

(一)该时期为平水多沙系列,丰水多沙年份较多

该时期的水沙量变化如图2-3和表2-4所示,年均水量为480亿 m³,接近长系列平均,

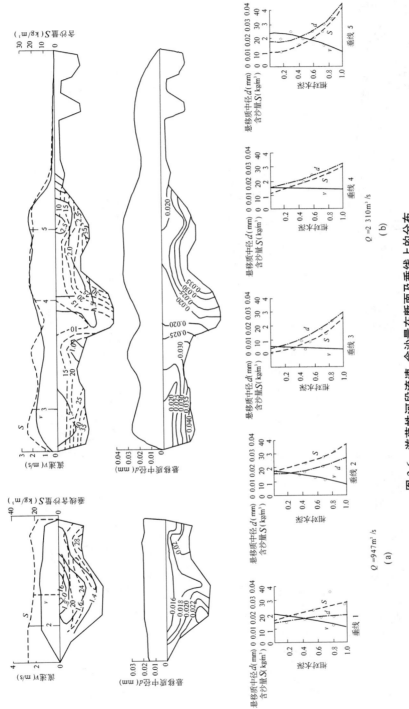

图 2-6 游荡性河段流速、含沙量在断面及垂线上的分布

(a)窄深断面;(b)宽浅断面

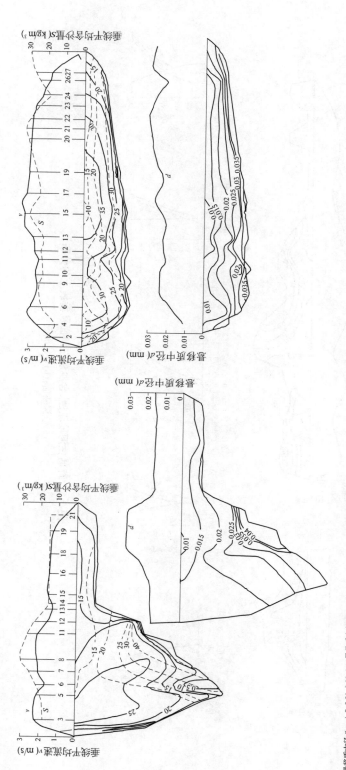
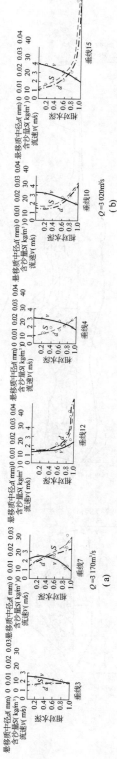

图 2-7 过渡性河段流速、含沙量在断面及垂线上的分布

年均沙量为近 18 亿 t,较长系列平均偏多 22.4%,属平水多沙系列。但年际变化较大,丰水多沙年份较多,10 年中有 6 年水量大于 430 亿 m³,有 3 年水量大于 580 亿 m³,最大达 697 亿 m³(1958 年),最小也有 332 亿 m³(1957 年),比值为 2.1;而来沙量中有 5 年大于 15 亿 t,有 3 年大于 25 亿 t,最大达 31 亿 t(1958 年),最小为 8 亿 t(1952 年),比值为 3.9,产生这种变幅的主要原因是黄河水沙异源的基本特性造成的,随着降雨落区的不同而产生不同的水沙组合。

表 2-4　　　　　　　　　　　黄河下游三黑武水沙量

时段 (年-月)	水量(亿 m³)			沙量(亿 t)			汛期占年总量比例(%)	
	汛期	非汛期	年	汛期	非汛期	年	水量	沙量
1950-07 ~ 1951-06	237	213	450	11.32	2.36	13.68	53	83
1951-07 ~ 1952-06	289	208	497	9.32	2.63	11.95	58	78
1952-07 ~ 1953-06	249	147	396	6.15	2.02	8.17	63	75
1953-07 ~ 1954-06	253	180	433	15.97	2.76	18.73	58	85
1954-07 ~ 1955-06	378	216	594	23.93	2.95	26.88	64	89
1955-07 ~ 1956-06	347	234	581	10.5	3.63	14.13	60	74
1956-07 ~ 1957-06	270	157	427	14.36	2.27	16.63	63	86
1957-07 ~ 1958-06	196	136	332	8.36	2.2	10.56	59	79
1958-07 ~ 1959-06	465	232	697	28.28	3.02	31.3	67	90
1959-07 ~ 1960-06	274	118	392	24.85	2.22	27.07	70	92
平均	296	184	480	15.3	2.61	17.91	62	85

(二)水沙量年内分配

由表 2-4 可见,汛期占年水量的比例,各年有所不同,变化范围为 53% ~ 70%,多年平均约占 62%,而汛期沙量占年沙量的比例,变化范围为 74% ~ 92%,多年平均约占 85%。该时期非汛期沙量为 2.02 亿 ~ 3.63 亿 t,多年平均为 2.61 亿 t。

(三)洪峰流量大,次数多

表 2-5 为花园口站洪峰流量出现次数,可见,该时期洪峰流量大于 10 000m³/s 的洪水出现 7 次,大于 7 000m³/s 的洪水出现 21 次,大于 4 000m³/s 洪水出现 46 次,其中 1958 年洪峰流量为 22 300m³/s,是 1950 年以来最大洪水,1953、1954、1957 年均出现大于 10 000m³/s 的大洪水,洪水对塑造泄洪排沙通道十分有利。

黄河在 9、10 月也常发生洪水,称为秋汛,秋汛洪水的特点是:洪峰流量一般较小,历时较长,水量也大,但含沙量较低,对黄河下游河道有一定的冲刷作用。9、10 月水沙情况见表 2-6,可见,9、10 月水量较大,最大达 191 亿 m³,最小也有 68 亿 m³,10 年中有 7 年大于等于 100 亿 m³,多年平均水量为 130 亿 m³,占汛期水量的 30% ~ 55%,平均占 44%;而沙量较少,多年平均沙量为 4.43 亿 t,占汛期沙量的 16% ~ 53%,只有 3 年大于等于 40%,大

表 2-5 花园口站洪峰流量出现次数

年份 (年)	流量级(m³/s)		
	≥4 000	≥7 000	≥10 000
1950	2	1	—
1951	3	2	—
1952	4	—	—
1953	4	2	1
1954	5	3	2
1955	5	—	—
1956	7	2	1
1957	1	1	—
1958	9	7	2
1959	6	3	—
共计	46	21	7

表 2-6 花园口站 9、10 月水量、沙量

年份	水量(亿 m³)		沙量(亿 t)		9、10月占汛期(%)		冲淤量(亿 t)
	9、10 月	汛期	9、10 月	汛期	水量	沙量	9、10 月汛期
1950	131	237	3.86	11.32	55	34	−0.74
1951	156	289	3.78	9.32	54	41	−0.39
1952	95	249	1.68	6.15	38	27	−0.07
1953	120	253	2.87	15.97	47	18	−1.06
1954	183	378	12.68	23.93	48	53	4.54
1955	191	347	5.35	10.5	55	51	−1.89
1956	80	270	2.01	14.36	30	14	−0.19
1957	68	196	1.9	8.36	35	23	0.74
1958	175	465	4.55	28.28	38	16	−1.62
1959	100	274	5.58	24.85	36	22	−0.15
平均	130	296	4.43	15.3	44	29	−0.083

部分占 20% 左右,平均占 29%。总体看来,9、10 月水量较大,沙量较小。表 2-7 为历年秋汛洪水情况,可见,每年均有秋汛期洪水发生,有的年份还有数次,洪水历时一般为 10 ~ 20 天,洪峰流量一般为 4 000 ~ 7 000m³/s,最大达 12 300m³/s,平均含沙量一般为 20 ~ 40kg/m³,来沙系数一般小于 0.01,对冲刷河道十分有利。

表 2-7
花园口站秋汛洪峰流量

年份	最大洪峰流量 (m³/s)	历时 (d)	水量 (亿 m³)	沙量 (亿 t)	含沙量 (kg/m³)	来沙系数
1950	7 250	22	71.7	1.75	24.4	0.006
1951	5 974	12	42.6	1.40	32.9	0.008
1952	4 000	12	27.5	0.74	26.9	0.01
1954	12 300	8	47.5	8.36	176	0.026
1954	4 390	9	27.5	0.77	28	0.008
1955	6 800	17	70.5	2.5	35.5	0.007
1955	5 680	15	52.8	1.05	19.9	0.005
1956	5 340	6	18	0.73	40.6	0.012
1958	5 390	14	51.7	2.08	40.2	0.009
1958	4 840	8	23.0	0.59	25.7	0.008

(四)汛期各流量级水沙量的分布

黄河下游河道的冲淤状况除与总水量和总沙量有关外,还与水沙过程关系很大。在该时期各流量级的水沙量分配比较均匀(表 2-8),流量 1 000 ~ 3 000m³/s、3 000 ~ 5 000m³/s 和大于 5 000m³/s 的水量分别占汛期的 45.7%、33% 和 19.8%,也就是说各级流量的比例比较均匀,较大流量出现机遇较多,而沙量的比例更加均匀,各占 31.5%、33.9% 和 33.9%。因此,该时期不仅洪峰流量大,次数多,较大流量出现时机较多,泥沙基本集中在流量大于 3 000m³/s 时通过,其水量占汛期的一半,而沙量占 70% 左右。

表 2-8　　　　　　　　花园口站汛期各流量级的水沙量分配

流量级 (m³/s)	历时 (d)	水量 (亿 m³)	沙量 (亿 t)	各占汛期总量的比例(%)		
				历时	水量	沙量
< 500	0.5	0.2	0.001	0.4	0.1	0
< 1 000	6.4	4.4	0.084	5.2	1.5	0.7
1 000 ~ 3 000	77.4	134.2	4.037	62.9	45.7	31.5
3 000 ~ 5 000	29.5	97.1	4.344	24	33.0	33.9
> 5 000	9.7	58.1	4.351	7.9	19.8	33.9
总量	123	293.8	12.816	100	100	100

(五)沿程引水不大,水量损耗较小

该时期只有 1958 年和 1959 年引水,总的看沿程水量损耗较小。花园口站平均水量 475 亿 m³,而利津站为 464 亿 m³。

二、三门峡水库蓄水拦沙期(1960 ~ 1964 年)

三门峡水库 1960 年 9 月至 1962 年 3 月蓄水拦沙运用,除洪水期以异重流形式排出少量的细颗粒泥沙外,其他时间下泄清水。1962 年 3 月至 1964 年 10 月,水库改为滞洪排沙运用,但由于水库泄流能力小,滞洪作用大,以及泄流排沙设施底槛高于原河床 20m,水库死库容继续拦沙,出库泥沙仍较小,黄河下游河道继续冲刷。因此,将上述两个运用时期合起来视为水库拦沙期分析下游河道的冲刷演变。1960～1964 年黄河下游年均来水564.2 亿 m^3,较长系列均值偏多 21.4%,是各时期中水量最丰的时期,年均来沙 5.88 亿 t,较长系列均值偏少 60.1%,且均为细泥沙,含沙量仅 10.4kg/m^3(表 2-9 和图 2-3)。

表 2-9   黄河下游各时期年均来水来沙量

时段	水 量（亿 m^3）				沙 量（亿 t）			
（年-月）	非汛期	汛期	年	汛期占年（%）	非汛期	汛期	年	汛期占年（%）
1950-07～1960-06	184	296	480	62	2.61	15.3	17.91	85
1960-11～1964-10	244.0	320.2	564.2	56.8	1.59	4.29	5.88	73.0
1965-11～1973-10	199.5	225.9	425.4	53.1	3.48	12.82	16.3	78.7
1974-11～1980-10	166.9	227.9	394.8	57.7	0.34	12.03	12.37	97.3
1981-11～1985-10	183.8	297.9	481.7	61.8	0.35	9.35	9.70	96.4
1919-07～1985-06	187.8	277.1	464.9	59.6	2.22	12.50	14.72	84.9

（一）水库蓄水拦沙期黄河来水来沙条件和水库运用情况

由表 2-10 可知水库蓄水拦沙期进库的水沙特点是:1960 年和 1962 年为枯水少沙年,水量为 344.7 亿 m^3 和 391.7 亿 m^3,而沙量接近 10 亿 t;1961 年和 1963 年水量为 521.8 亿 m^3 和 503.3 亿 m^3,沙量为 14.68 亿 t 和 11.96 亿 t,水量略丰,沙量略少;而 1964 年是丰水多沙年,水量为 658.8 亿 m^3,沙量为 29.16 亿 t,在历史上都是较大的。但由于黄河下游来水量的 89% 来自三门峡以上,三门峡—花园口区间支流只占 11%(主要来自伊洛河及沁河),黄河下游来沙量的 98% 来自三门峡以上,三门峡—花园口区间的支流仅占 2%,因此三门峡水库的运用对黄河水沙条件起着很大调整作用,使进入下游的水沙条件起着根本的变化。

表 2-10   黄河龙门 + 华县 + 河津 + 洑头的来水来沙量

时段	水量（亿 m^3）			沙量（亿 t）			含沙量（kg/m^3）		
（年-月）	汛期	非汛期	年	汛期	非汛期	年	汛期	非汛期	年
1960-07～1961-06	187.4	157.3	344.7	8.08	1.23	9.31	43.1	7.8	27.0
1961-07～1962-06	319.0	202.8	521.8	13.13	1.55	14.68	41.2	7.6	28.1
1962-07～1963-06	201.3	190.4	391.7	7.76	2.99	10.75	38.5	15.7	27.4
1963-07～1964-06	262.3	241.0	503.3	9.33	2.63	11.96	35.6	10.9	23.8
1964-07～1964-10	437.2	221.6	658.8	27.77	1.39	29.16	63.5	6.3	44.3

三门峡水库的运用情况及进出库流量、含沙量和坝前水位过程见图 2-8、图 2-9 及表 2-11。自 1960 年 9 月 15 日至 1962 年 3 月 19 日为蓄水拦沙运用时期,在此期间两次蓄水拦沙超过 332m 高程,一次达到 332.58m(1961 年 2 月 9 日),一次达到 332.53m(1961 年 10 月 21 日)。蓄水时期除了通过异重流排出一部分泥沙以外,绝大部分泥沙都淤在库内,排沙比只达到 6.8%,而且都是粒径小于 0.025mm 的冲泻质泥沙。1962 年 3 月下旬起敞开 12 个深孔泄流至 1964 年 10 月,坝前最高蓄水位 325.9m,水库排沙比增加到 40%。

（二）来水过程的变化

三门峡水库下泄流量过程变化的基本特点是,洪峰流量大幅度削减,中水流量持续时间加长,流量过程趋于均匀化。表 2-12 为三门峡水库入库洪峰流量大于 5 000m^3/s 的洪

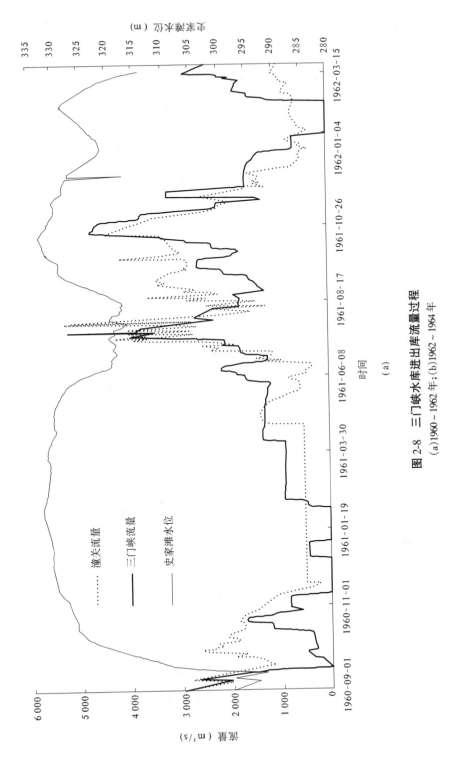

图 2-8 三门峡水库进出库流量过程

(a)1960~1962 年;(b)1962~1964 年

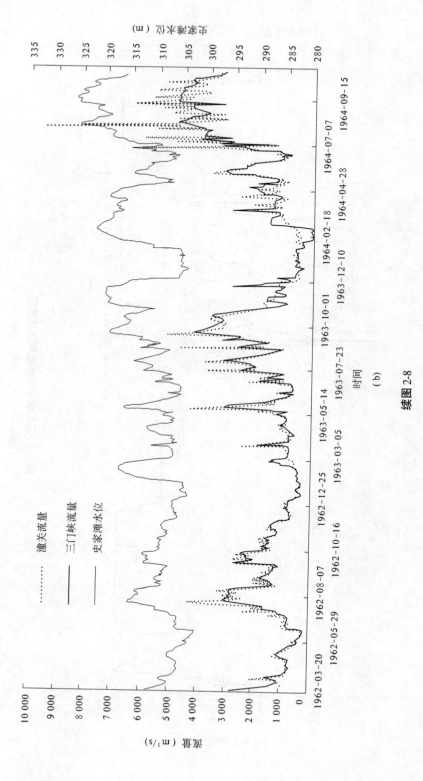

续图 2-8

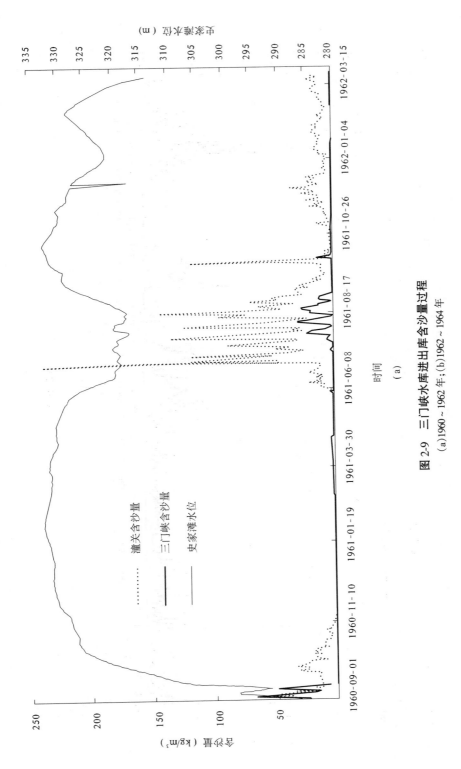

图 2-9　三门峡水库进出库含沙量过程

(a)1960～1962 年；(b)1962～1964 年

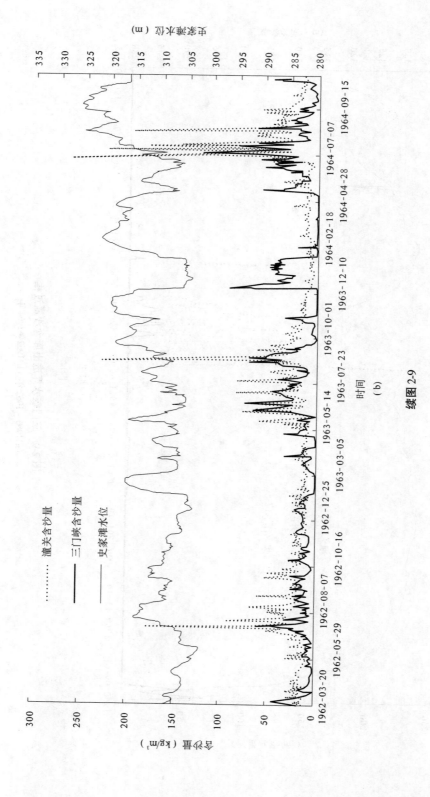

续图 2-9

(b)

表2-11

三门峡水库不同运用时期的基本情况

水库运用方式		时段（年-月-日）	基本情况	坝前水位(m)		水沙条件					
				最高	变幅	最大日平均流量（m³/s）			最大日平均含沙量（kg/m³）		
						潼关	三门峡	花园口	潼关	三门峡	花园口
蓄水运用时期	第一次蓄水期	1960-09-15 ~ 1961-06-20	水库蓄水，下泄清水，下游多次断流。自1960年12月1日起至1961年5月15日止，水位保持在330m以上，历时165天，最高水位达到332.58m。淤积发展到潼关以上，下游上冲下淤	332.58	40.58	2 610	2 210	2 210	33	0	18.3
	1961年汛期中水位运用期	1961-06-21 ~ 08-25	进入汛期，7月中旬全部闸门敞开，为期11天，其余时间部分闸门敞开，坝前水位维持在319m上下，上游有连续洪峰到来，坝前时水库排出异重流	319.9	3.2	5 200	3 950	4 310	241	30	31.5
	第二次蓄水期	1961-08-26 ~ 1962-03-19	水库蓄水，最高时蓄到332.53m，10月及11月上旬水位均保持在330m以上，在此期间渭河来2 700m³/s洪水，华县至渭河淤积十分严重，库内形成拦门坎，下游普遍冲刷，下游形成三角洲，2月下旬部分闸门已开始打开，水库水位下降，下游出现持续接近一个月的超过2 000m³/s的低含沙洪峰	332.53	20.3	4 360	4 670	6 000	119	12.2	15
滞洪排沙运用初期	水库腾空及非汛期维持水位期	1962-03-20 ~ 06-30	3月20日起全部闸门敞开，水库水位迅速降落，最低时到302.3m，一般维持在306m左右。水位下降初期大安以上发生溯源冲刷，部分泥沙搬至水库下游，在下游形成沙峰	312.4	10.2	2 030	1 500	3 050	28.7	43.3	46.2

续表 2-11

水库运用方式		时段（年-月-日）	基本情况	坝前水位(m)		水沙条件					
				最高	变幅	最大日平均流量（m^3/s）			最大日平均含沙量（kg/m^3）		
						潼关	三门峡	花园口	潼关	三门峡	花园口
滞洪排沙运用初期	1962年汛期低水位运用时期	1962-07-01～10-31	1962年汛期洪水不大，坝前壅水较低，最高未超过315.2m，60%以上的时间水位维持在310m以下。水库淤积主要在太安以下，渭河拦门坎在8月被冲开，但华县以下受前期淤积影响，淤积仍在发展，水库排出异重流，下游除艾山至泺口河段以外普遍发生冲刷	315.2	9.6	4 290	3 010	5 200	183	58.7	57.5
	非汛期低水位运用及防凌蓄水期	1962-11-01～1963-06-30	1963年2月防凌蓄水，4月下半月部分闭闸，5、6月之交渭河来洪峰，在这三个阶段水库水位较高，最高水位分别达到317.1、311.8m和316.6m，其余时间水位一般维持在305～307m之间。除防凌蓄水期下泄清水外，一般为明流排沙，5月洪峰通过、水位降落后大量排沙出库。水库淤积不多，渭河以华县为界，上游下冲，黄河下游有冲有淤，冲多于淤	317.1	13.3	4 170	3 060	5 170	73.2	73.7	43.2
	1963年汛期中水位运用时期	1963-07-01～10-31	1963年汛期洪峰不大，水库水位随进库流量大小涨落，未超过320m。7～9月坝前水位低时排沙较多，9月下旬至10月水库水位抬高期间下泄泥沙很少。10月底水位迅速降落，开始出现溯源冲刷，但因11月随即蓄水而未得到充分发展。水库淤积主要集中在太安以下，渭河及下游均有大量冲刷	319.3	14.1	5 010	4 100	5 910	259	72	67.5

续表2-11

水库运用方式	时段(年-月-日)	基本情况	坝前水位(m)		水沙条件					
			最高	变幅	最大日平均流量(m³/s)			最大日平均含沙量(kg/m³)		
					潼关	三门峡	花园口	潼关	三门峡	花园口
下游洪排沙运用初期 — 发电及人造洪峰试验时期	1963-11-01 ~ 1964-06-30	1963年汛防进行发电及人造洪峰试验,试验进行两次,第一次自1963年11月1日至1964年1月底,包括峰前蓄水期(最高水位320.05m),人造洪峰期(最大下泄流量3 260m³/s)及泄空冲刷期;第二次自1964年2月1日至汛前,包括防凌蓄水期(最高水位321.91m),人造洪峰期(最大下泄流量2 900m³/s)。峰后发电试验蓄水期(最高水位319.4m)及泄空冲刷期。第二次泄空冲刷期正逢5月中旬上游大量泥沙排出库外,坝前水位抬高,溯源冲刷未得到充分发展,6月初以后水位回落,泥沙大量排出库外。库区淤积主要发生在北村以上,渭河自船北以下普遍冲刷,下游河道水库蓄水时峰空时则几乎全部下泄泥沙均淤在下游主槽槽内,以花园口以上淤积最多	321.91	17.9	3 790	3 070	4 170	49.6	92.2	23
1964年汛期大水时期	1964-07-01 ~ 10-31	1964年汛期水丰沙多,坝前壅水及水库淤积十分严重。入汛后水位一直起涨,至8月上旬超过320m以上,此后除个别时期水位在320m以外,水位一直维持在320m以上,最高坝前水位尚不甚高,而当时上游大量来水,出库沙量亦大。除8月中有一次异重流大流量排沙以外,8月以后出库含沙量一般在20kg/m³以下,10月份最低。下游洪峰最大流量达8 630m³/s,流量长时期维持在5 000~6 000m³/s之间。水库淤积严重,有相当大一部分淤在潼关以上小汇流区。渭河华县以上继续冲刷,下游8月后冲刷较多	325.9	16.0	10 200	5 030	8 630	227	117	116

水削峰情况统计表。图 2-10 为三门峡水库修建前后不同时期潼关站最大洪峰流量与水库削峰比关系图。可以看出,在水库修建前,潼关—三门峡河段基本没有削峰作用,但水库拦沙期洪峰流量大幅度削减,削减幅度与水库运用情况及入库洪峰流量大小有关。例如 1964 年 8 月 4 日潼关站洪峰流量 12 400m³/s,经三门峡水库削减出库为 4 910m³/s,削峰比达 60.4%,1960 年 8 月 4 日潼关站洪峰流量 6 080m³/s,经削减出库只有 3 080m³/s,削峰比为 49.3%。1960～1963 年三门峡入库洪峰流量均大于 6 000m³/s,经水库调节后只有 2 000～3 000m³/s,1964 年也只有 4 910m³/s。可见,该时期水库削峰作用十分显著。

表 2-12　　　　　　　　　三门峡水库历年最大洪峰流量削减情况

时间	洪峰流量(m³/s)		削峰比 $\dfrac{Q_1 - Q_2}{Q_1}$(%)
(年-月-日)	潼关(Q_1)	三门峡(Q_2)	
1950-07-20	6 540	6 160	5.8
1951-08-16	10 000	10 500	增加 5
1952-08-18	6 400	5 950	7.0
1953-08-26	12 000	12 100	增加 0.8
1954-09-03	13 400	13 900	增加 3.7
1955-09-17	6 900	6 960	增加 0.9
1959-08-21	11 900	10 200	14.2
1960-08-04	6 080	3 080	49.3
1961-08-01	7 920	2 470	68.8
1963-08-30	6 120	2 030	66.8
1964-08-14	12 400	4 910	60.4
1965-07-22	5 400	3 650	32.4
1966-07-30	7 830	4 840	38.2
1967-08-11	9 530	5 740	39.8
1968-09-14	6 750	5 490	18.7
1969-07-28	5 680	3 750	34.0
1970-08-03	8 420	4 780	43.2
1971-07-26	10 200	5 380	47.3
1972-07-21	8 600	5 000	41.9
1973-09-01	5 080	4 570	10.0
1974-08-01	7 040	4 180	40.6
1975-10-04	5 910	4 090	30.8
1976-08-31	9 220	7 890	14.4
1977-08-06	15 400	8 900	42.2
1978-08-09	6 510	5 610	13.8
1979-08-12	11 100	7 350	33.8
1981-09-09	6 540	6 330	3.2
1983-08-02	6 200	5 800	6.5
1984-08-05	6 430	5 820	9.5
1986-06-28	4 620	3 340	27.7
1987-08-27	5 450	4 820	11.6
1988-08-07	8 260	5 680	31.2
1989-07-23	7 280	5 860	19.5
1990-07-08	4 430	3 970	10.4
1992-08-15	4 040	3 510	13.1

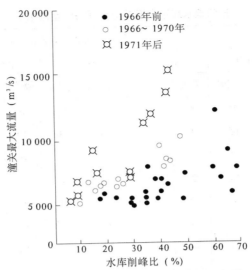

图 2-10　三门峡水库修建后不同时期潼关站最大洪峰流量与水库削峰比关系

另一方面,经水库调节后流量过程改变,中小流量级历时增长,水量增加,而大流量的历时和水量减少,使流量过程趋于均匀化。由表 2-13 和表 2-14 可知,各年流量过程的变化,随来水过程和水库运用水位的不同而变化,总的看来,1961～1964 年汛期流量过程的改变主要表现为流量大于 $3\,000\mathrm{m^3/s}$ 的历时减少了 37d,大于 $5\,000\mathrm{m^3/s}$ 的历时进库 25d,出库就没有发生,而小于 $3\,000\mathrm{m^3/s}$ 的历时增加了 37d。历时的改变也使水量发生变化,总体来看,1961～1964 年汛期大于 $5\,000\mathrm{m^3/s}$ 的水量经过水库调节,减少了约 125 亿 $\mathrm{m^3}$,以来水较丰、流量较大的 1964 年最为明显。

表 2-13　　　　　　　　　　三门峡水库汛期调节流量后各流量级天数

流量级 ($\mathrm{m^3/s}$)	各流量级天数(d)									
	1961 年		1962 年		1963 年		1964 年		1961～1964 年	
	潼关	三门峡	潼关	三门峡	潼关	三门峡	潼关	三门峡	潼关	三门峡
＜1 000	0	0	9	15	5	8	0	0	14	23
1 000～2 000	13	44	70	64	43	34	7	5	133	147
2 000～3 000	50	49	34	42	38	45	7	7	129	143
3 000～4 000	47	20	8	2	30	32	46	38	131	92
4 000～5 000	10	10	2	—	5	4	43	73	60	87
5 000～6 000	3	—	—	—	2	—	12	—	17	—
6 000～7 000	—	—	—	—	—	—	7	—	7	—
7 000～8 000	—	—	—	—	—	—	—	—	—	—
8 000～9 000	—	—	—	—	—	—	—	—	—	—
＞9 000	—	—	—	—	—	—	1	—	1	—

表 2-14   三门峡水库汛期调节流量后各流量级水量

流量级 (m³/s)	各流量级水量(亿 m³)									
	1961 年		1962 年		1963 年		1964 年		1961~1964 年	
	潼关	三门峡	潼关	三门峡	潼关	三门峡	潼关	三门峡	潼关	三门峡
<1 000	0	0	6	10	4	6	0	0	10	16
1 000~2 000	19	65	93	82	56	43	10	7	178	197
2 000~3 000	113	102	73	91	80	93	16	14	282	300
3 000~4 000	135	61	23	5	85	94	141	117	384	277
4 000~5 000	37	39	7	—	18	14	167	279	229	332
5 000~6 000	13	—	—	—	9	—	57	—	79	—
6 000~7 000	—	—	—	—	—	—	38	—	38	—
7 000~8 000	—	—	—	—	—	—	—	—	—	—
8 000~9 000	—	—	—	—	—	—	—	—	—	—
>9 000	—	—	—	—	—	—	8	—	8	—

(三)来沙过程的变化

在三门峡水库高水位运用时,泥沙只能通过异重流的形式出库。1961 年 7 月和 8 月、1962 年 3~10 月、1963 年 5 月底~1964 年 8 月曾多次出现异重流,随着淤积向坝前推进与运用水位降低,异重流潜入点向大坝靠近,异重流的排沙比逐年增大,在水库采用滞洪排沙运用时,排沙的基本方式是明流排沙,排沙比逐年增大。

三门峡水库,不仅拦截了大量泥沙,同时对于不同粒径组的泥沙起到不同的作用,水库排沙比随着粒径增粗而变小,水库泥沙淤积绝大部分是大于 0.025mm 的泥沙,水库调节后,进出库泥沙组成发生较大变化,水库起到了一定的"拦粗排细"作用。表 2-15 为三门峡水库 1961 年 7 月~1964 年 10 月对泥沙的调节作用,总体来看,粒径小于 0.025mm、0.025~0.05mm 和大于 0.05mm 泥沙的排沙比分别为 58%、24% 和 25%;进库泥沙组成分别为 53.6%、26% 和 20.4%,而出库泥沙组成分别为 73.2%、14.6%、12.2%。可见泥沙大大细化,73.2% 的细泥沙是下游河道的冲泻质,对河道并无害处,另一方面,随着水库运用水位的降低,汛期各组泥沙排沙比均在增加,泥沙粗则排沙比小,和出库泥沙组成细化规律基本一致(表 2-16)。1961 年汛期水库全沙排沙比只有 11%,1962 年、1963 年分别增至 35% 和 49%,三年中中泥沙排沙比分别为 1%、5% 和 27%;粗泥沙排沙比分别为 1%、5% 和 20%。但细泥沙排沙比仍远远大于中、粗泥沙,因此出库泥沙细化规律仍存在。1961 年及 1962 年汛期水库下泄细泥沙占 96% 和 93%,1963 年和 1964 年细泥沙与前两年相比比例略有减少,但仍占 78%~89%。总的来看,该时期水库下泄泥沙既少又细,对冲刷下游河道非常有利。因此,修建水库后,应充分利用水库的调节能力,尽量避免拦截细泥沙,对保持水库库容及充分发挥下游河道的输沙能力是十分必要的。

表2-15 三门峡水库1961年7月~1964年10月对泥沙的调节作用

项目	沙量（亿t）				各粒径组所占比例（%）		
	< 0.025mm	0.025 ~ 0.05mm	> 0.05mm	全沙	< 0.025mm	0.025 ~ 0.05mm	> 0.05mm
潼关（进库）	30.56	14.8	11.59	56.95	53.6	26	20.4
三门峡（出库）	17.6	3.5	2.92	24.02	73.2	14.6	12.2
排沙比（三门峡/潼关）（%）	58	24	25	42	—	—	—

表2-16 三门峡水库不同年份汛期对泥沙的调节作用

年份（年）	站名	沙量（亿t）				各粒径组所占比例（%）		
		< 0.025mm	0.025 ~ 0.05mm	> 0.05mm	全沙	< 0.025mm	0.025 ~ 0.05mm	> 0.05mm
1961	潼关	5.078	3.461	2.3	10.839	47	32	21
	三门峡	1.10	0.023	0.028	1.15	96	2.0	2
	排沙比（%）	22	1	1	11	—	—	—
1962	潼关	4.02	1.667	1.244	6.93	58	24	18
	三门峡	2.246	0.09	0.062	2.398	93	4	3
	排沙比（%）	56	5	5	35	—	—	—
1963	潼关	5.012	2.427	1.621	9.06	55	27	18
	三门峡	3.459	0.661	0.319	4.439	78	15	7
	排沙比（%）	69	27	20	49	—	—	—
1964	潼关	12.651	5.011	3.589	21.25	59	24	17
	三门峡	7.394	0.579	0.336	8.31	89	7	4
	排沙比（%）	58	12	9	39	—	—	—

1962年3月改变运用方式，坝前水位降低，当坝前水位降低至淤积面以下时，就会发生自下而上的溯源冲刷，大量泥沙排出库外。如1962年3月20日~6月30日、1963年12月16日~1964年1月31日和1964年5月12日~5月25日三次溯源冲刷（表2-17）。如1963年一次效果更为显著，排沙比可达662%，冲刷量达0.884亿t，1962年虽然全库段排沙比只有46.2%，但溯源冲刷效果较显著，但这种排沙对下游河道会造成一定的影响。

三、三门峡水库滞洪排沙期（1964年11月~1973年11月）

三门峡水库于1962年3月改为滞洪排沙运用，全年敞开闸门泄流排沙，前面已经说明，在水库改为滞洪排沙运用初期（1962年3月~1964年10月），死库容还未淤满，下泄泥

表 2-17　　　　　　　　　　　三门峡水库溯源冲刷排沙效果

时间	坝前水位变幅(m)	流量(m³/s)		含沙量(kg/m³)		冲淤量(亿t)	排沙比(%)	库区溯源冲刷		冲刷上溯速度(m/h)
		潼关	三门峡	潼关	三门峡			主要河段	冲淤量(亿t)	
1962-03-20～06-30	312.46～305.86	790	770	15	7.1	0.617	46.2	潼关—太安	-0.876	65～209
1963-12-16～1964-01-31	313.79～304.08	522	572	7.2	43.5	-0.884	662	太安—坝前	-0.888	198～685
1964-05-12～05-25	312.48～306.48	1 410	1 520	17.2	28.5	-0.218	178.6	太安—坝前	-0.315	

注:表中"－"表示冲刷。

沙很小,且泥沙较细,我们合并入蓄水拦沙期来分析。1964 年 10 月后,潼关以下死库容已淤满,又经过二次改建和增建,因此把 1964 年 11 月～1973 年 10 月作为滞洪排沙期来分析。

水库滞洪排沙运用对水沙过程的影响,一方面取决于入库的天然来水来沙条件,另一方面取决于水库的泄流能力。在一定的来水来沙条件下,如果水库的泄流能力较大,则其对出库水沙过程的改变较小。1966 年以后,三门峡水库增建的泄流排沙设施陆续投入运用,水库的泄流能力逐渐加大,出库的水沙过程也有所改善。因此,下游河道的来水来沙条件一方面取决于流域的来水来沙,另一方面取决于水库对水沙的调节作用。

(一)改变了泥沙的年内分配,非汛期沙量大大增加

该时期四站(龙门＋华县＋河津＋㳇头)年均来水量 395 亿 m³,来沙量 17 亿 t,为水略枯、沙略多系列年,其中最小年水量约 300 亿 m³(1969 年),最大年水量约 664 亿 m³(1967 年),有 2 年水量大于 550 亿 m³;最小年沙量 5 亿 t(1965 年),最大年沙量 29.6 亿 t(1967 年),有 6 年来沙量大于 15 亿 t,特别是 1969、1970 年和 1971 年汛期来水量较小,只有 100 多亿 m³,而来沙量大于 12 亿 t,致使汛期来沙系数达 0.098～0.067。

由于三门峡水库只起着自然滞洪削峰作用,因此对总水量调节不大,但对泥沙的年内调节较大(表 2-18)。由表 2-18 可知,该时期三门峡非汛期年均沙量为 3.46 亿 t,为潼关沙量的 149%,非汛期沙量占年沙量约 21%,大于天然情况下的多年平均沙量。非汛期增加的泥沙主要是由潼关以下库内的前期淤积物冲刷补给。其中有些年份这种改变更为突出,如 1964、1965、1966 年非汛期三门峡沙量分别为 7.48 亿、1.95 亿 t 和 4.88 亿 t,为潼关沙量的 338%、181% 和 161%,1964 年非汛期沙量竟为汛期沙量的 2 倍。

非汛期增加的泥沙主要是由冲刷潼关以下库内的前期淤积物,不但沙量增加,同时泥沙较粗,三门峡水库滞洪排沙期对不同粒径组泥沙的调节作用如表 2-19 所示,年均补给泥沙 1.13 亿 t,其中粒径大于 0.025mm 的泥沙 0.81 亿 t,占总补给量的 72%。其中 1964 年和 1965 年非汛期的影响更大,如 1965 年非汛期补给泥沙 0.87 亿 t 中,大于 0.025mm 的泥沙竟达 86%,使泥沙级配发生变化,潼关站大于 0.025mm 泥沙占总沙量的 59%,而三门峡站则上升为 72%。

可见水库的滞洪排沙运用,增加了非汛期沙量,而且泥沙又粗,由于非汛期流量较小,在自然状况下下游河道是淤积的,水库的调节对河道输沙更为不利。

表 2-18 三门峡水库滞洪排沙期对年内调节泥沙的作用

时间 (年-月)	水量（亿 m³）						沙量（亿 t）						排沙比（%）	
	非汛期		汛期		年		非汛期		汛期		年		非汛期	汛期
	潼关	三门峡	潼关	三门峡	潼关	三门峡	潼关	三门峡	潼关	三门峡	潼关	三门峡		
1964-11 ~ 1965-10	224	227	140	144	364	371	2.21	7.48	3.03	3.81	5.24	11.29	338	126
1965-11 ~ 1966-10	113	120	292	295	405	415	1.08	1.95	19.7	18.5	20.78	20.45	181	94
1966-11 ~ 1967-10	218	238	402	412	620	650	3.03	4.88	18.7	17.5	21.73	22.38	161	94
1967-11 ~ 1968-10	234	240	289	288	523	528	2.7	3.83	12.5	12.1	15.2	15.93	142	97
1968-11 ~ 1969-10	172	181	116	115	288	296	2.22	3.19	9.83	10.9	12.05	14.09	144	111
1969-11 ~ 1970-10	172	172	170	166	342	338	2.9	2.95	16.2	18.0	19.1	20.95	102	111
1970-11 ~ 1971-10	160	161	135	137	295	298	1.98	2.77	10.8	12.0	12.78	14.77	140	111
1971-11 ~ 1972-10	180	186	123	126	303	312	2.79	3.08	3.95	5.45	6.74	8.53	110	138
1972-11 ~ 1973-10	127	126	181	184	308	310	2.03	1.02	14.0	16.1	16.03	17.12	50	115
平均	178	183	205	207	383	390	2.33	3.46	12.08	12.71	14.41	16.17	149	105

表 2-19 三门峡水库滞洪排沙期对不同粒径组泥沙的调节作用

时期			站名	粒径组（mm）		
				< 0.025	> 0.025	全沙
滞洪排沙期	非汛期	沙量（亿 t）	潼关	0.80	1.53	2.33
			三门峡	1.12	2.34	3.46
		冲淤量（亿 t）		− 0.32	− 0.81	− 1.13
		各粒径组占冲淤量（%）		28	72	100
	汛期	沙量（亿 t）	潼关	6.5	5.58	12.08
			三门峡	6.83	5.88	12.71
		冲淤量（亿 t）		− 0.33	− 0.30	− 0.63
		各粒径组占冲淤量（%）		52	48	100
	年	沙量（亿 t）	潼关	7.3	7.11	14.41
			三门峡	7.95	8.22	16.17
		冲淤量（亿 t）		− 0.65	− 1.11	− 1.76
		各粒径组占冲淤量（%）		37	63	100
典型年	非汛期 (1965 年 11 月 ~ 1966 年 6 月)	沙量（亿 t）	潼关	0.44	0.64	1.08
			三门峡	0.56	1.39	1.95
		冲淤量（亿 t）		− 0.12	− 0.75	− 0.87
		各粒径组占冲淤量（%）		14	86	100
		各粒径组成（%）	潼关	41	59	100
			三门峡	28	72	100

(二)洪峰流量大幅度削减

由表 2-12 和图 2-10 可知,三门峡水利枢纽虽经过两次改建,但遇较大洪水,水库的自然滞洪削峰作用仍很大。三门峡水库滞洪排沙期潼关每年都有洪峰流量大于 5 000m³/s 的洪水,其中大于 6 000m³/s 的洪水就有 6 次,最大潼关洪峰流量为 10 200m³/s,而三门峡只有 5 380m³/s,削峰比为 47.5%,大部分洪水削峰比均在 34% ~ 40%。因此,减少了下游河道淤滩刷槽的机遇。

(三)调节水沙过程,使水沙关系更不协调,形成"大水带小沙、小水带大沙"

图 2-11 为典型年(1964 年)三门峡水利枢纽改建前水库敞泄情况下的进出库流量、含沙量过程线,可见 7 月中旬以后受水库自然滞洪的影响,出库的流量过程调匀,大水排沙少,形成"大水带小沙",而洪水过后水库降低水位冲刷,大量泥沙冲出库外,形成"小水带大沙"。除 1964 年外其他各年虽不如图 2-11 显示的那么典型,但基本趋势是一致的。总体来看,该时期水沙过程发生大的调整,一般来说当流量超过 5 000m³/s 后,三门峡站的沙量小于潼关站沙量(表 2-20),库区发生淤积,而流量 5 000m³/s 以下的冲刷量可占汛期总冲刷量的 238%,特别集中在流量小于 3 000m³/s,冲刷量可占汛期总冲刷量的 275%。因此,这种水沙调节的模式是洪水削峰滞沙,峰后排沙多而较粗,使水沙关系非常不协调,形成"大水小沙、小水大沙",不能发挥下游河道的输沙能力,对下游河道十分不利。

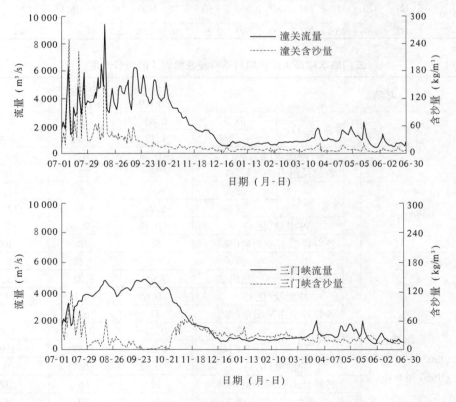

图 2-11　三门峡水库 1964 年 7 月 ~ 1965 年 6 月进出库水沙过程

表 2-20　三门峡水库滞洪排沙期汛期调节水沙过程的作用

流量级 (m³/s)	水量(亿 m³)		沙量(亿 t)		冲淤量(亿 t)
	潼关	三门峡	潼关	三门峡	
< 1 000	20.5	19.8	0.73	1.11	− 0.38
1 000 ~ 2 000	49.8	48	2.56	2.98	− 0.42
2 000 ~ 3 000	46.0	51.6	2.41	3.34	− 0.93
3 000 ~ 4 000	42.3	41.9	3.01	2.71	0.3
4 000 ~ 5 000	23.9	29.1	2.12	2.19	− 0.07
5 000 ~ 6 000	17.5	16.7	0.98	0.38	0.60
6 000 ~ 7 000	5.4	0	0.27	0	0.27
合计	205.4	207.1	12.08	12.71	− 0.63

(四)高含沙量洪水能在较小的水力条件下输送出库

1969、1970、1971、1973 年 4 年进入三门峡水库的 4 次高含沙量洪水,在水库自然滞洪壅水的条件下均可排出库外,进入下游(表 2-21)。1971 年进库最大含沙量 633kg/m³。出库含沙量为 666kg/m³。四年间最大日均含沙量大于 200kg/m³ 的历时最长可达 10d,短者为 5d,洪水期的排沙比均接近 100%,但落水期高含沙量历时加长。

表 2-21　　　　　　　　　　三门峡水库高含沙量洪水调节

时间 年-月-日 T 时	最大瞬时含沙量(kg/m³)		沙量(亿 t)		排沙比 (%)	日均含沙量大于 200kg/m³ 天数(d)
	潼关	三门峡	潼关	三门峡		
1969-07-28 T 05	404	435	4.03	4.85	120	6
1970-08-04 T 08	631	620	7.31	7.76	106	10
1971-07-26 T 12	633	666	1.92	1.86	97	5
1973-08-27 T 01	527	477	6.63	7.21	109	5
1977-07-07 T 06	616	589	7.32	7.25	99	3
1977-08-06 T 22	911	911	7.84	7.64	97	4

四、三门峡水库蓄清排浑控制运用期(1973 年 11 月 ~ 1999 年 10 月)

1973 年 11 月三门峡水库实行非汛期蓄水拦沙,汛期降低水位泄洪排沙的蓄清排浑控制运用。该时期进入下游的水沙特点既不同于蓄水拦沙期,也不同于滞洪排沙期。二十多年的实践证明,三门峡水库的调节库容较小,汛初为降低潼关高程大量排沙。因此,出库水沙过程虽比滞洪排沙期有所改善,但仍不能进行水沙的合理调节。对水沙过程的改变主要表现在:

(1)非汛期 8 个月水库基本下泄清水,流量过程有所调平,每年 3、4 月上游来的桃汛洪峰都被水库拦蓄,而汛期水库为尽快降低潼关高程,降低水位运用,也就是说 4 个月基本排泄全年泥沙,形成非汛期 8 个月清水,汛期 4 个月浑水,出现清浑水交替的过程。

(2)非汛期水库淤积的泥沙主要集中在汛初小水时下排,汛初小流量时常泄空排沙,使小水挟带大量泥沙进入下游,水沙关系更不协调。

(3)高含沙量洪水能通过水库进入下游,进出库含沙量变化大,但洪峰仍有削减。

(4)水库已有的泄流排沙设施由于种种原因不能及时全部使用,一般只达到设计能力的80%～90%,遇超过5 000m³/s的洪水,水库仍有自然滞洪削峰,但比前两个时期已大大减弱。

从各年的来水来沙情况看,大致可分为以下三个阶段。

(一)1974～1980年下游来水来沙的基本特点

1. 水库运用对来水来沙的调节

三门峡水库"蓄清排浑"控制运用后出库的水沙过程较进库的水沙过程有很大的改变(图2-12),主要为:

(1)非汛期8个月水库库水位一般控制在320m上下,最高不超过326m。水库基本下泄清水,流量过程有所调平,每年3、4月间上游来的桃汛洪峰都被水库调蓄。

(2)汛期水库降低水位排泄全年泥沙,泥沙年内分配发生根本性变化,非汛期沙量仅占年沙量的2.7%。这一时期汛期水库水位为300～305m,汛期平均排沙比达到144%。由于该时期水沙条件较为有利,潼关以下峡谷河段非汛期淤积,汛期冲刷,年内冲淤基本平衡。

(3)由于水库泄流能力的限制,遇超过5 000m³/s的洪水,水库仍自然滞洪削峰,使出库洪峰流量大大削减(表2-12)。1974～1980年内潼关最大洪水洪峰流量在5 000m³/s以上,水库削峰率都超过13%,1977年7、8月和1979年潼关洪峰流量分别为13 600、15 400m³/s和11 000m³/s,经三门峡水库削减后分别只有7 900、8 900m³/s和7 350m³/s,削峰率分别达到41.9%、42.2%和33.8%。

(4)由于潼关以下库区没有泥沙多年调节库容,无法等到汛期较大流量时排沙,同时为避免非汛期水库淤积对潼关高程的影响,三门峡水库需要在汛期及早将淤积泥沙排出库外,因此非汛期水库淤积的泥沙主要集中在汛期中小水时下排,而且多在每年汛初小流量时泄空冲刷排沙(表2-22),造成进入下游"小水带大沙"不相适应的水沙关系,来沙系数多在0.02kg·s/m⁶以上。

(5)高含沙量洪水能通过水库进入下游,进出库含沙量变化不大,但出库洪峰削减很多。如1977年7、8月潼关出现3场高含沙量洪水(图2-13),洪峰流量分别为13 600、12 000m³/s和15 400m³/s,经三门峡水库调节后出库流量只有7 900、7 550m³/s和8 900m³/s,削峰率达到41.9%、37.1%和42.2%,但由图2-13可见含沙量过程基本没有衰减,3场洪水潼关最大含沙量分别为616、238kg/m³和911kg/m³,三门峡为589、330kg/m³和911kg/m³,与潼关几乎相同。

2. 偏枯水沙系列

该时段黄河下游年平均来水量395亿m³,来沙量12.37亿t(表2-23),年平均含沙量31.3kg/m³。水沙量分别比长系列均值偏少15%,基本上是偏枯的水沙系列。但各年变化比较大,1974年和1980年水量不到300亿m³、沙量不到8亿t,是典型的枯水少沙年;1975年和1976年水量超过500亿m³,是丰水年,其中1976年水量高达583亿m³,是1950～1999年第四大水年份;而1977年水沙量分别为351亿m³和20.93亿t,分别较多年均值偏少25%和偏多42%,是枯水多沙年。

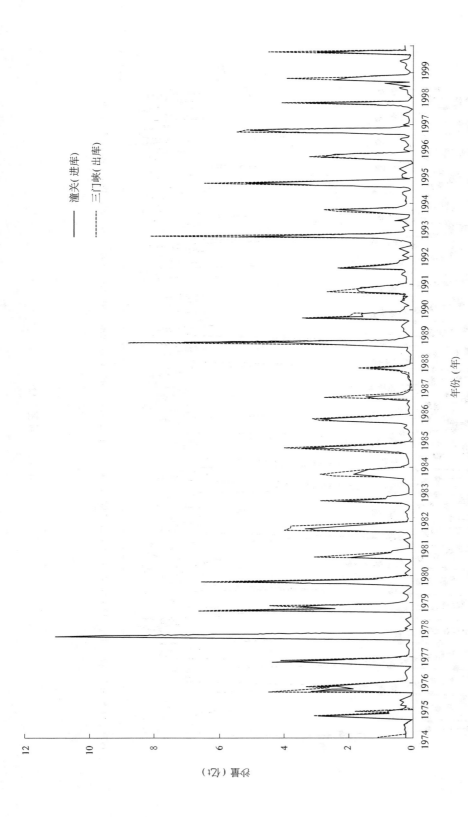

图 2-12　三门峡水库蓄清排浑期进出库水沙量变化过程

(a)沙量；(b)水量

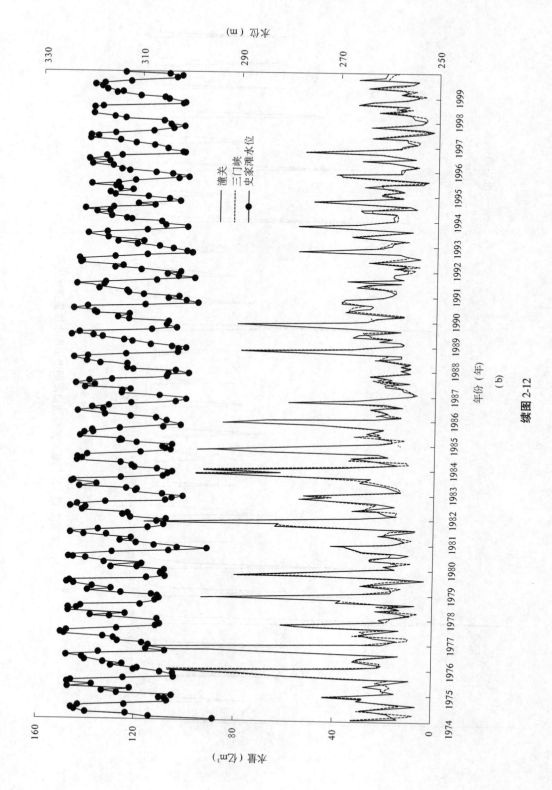

续图 2-12

表 2-22

三门峡水库汛初小水排沙情况

时段 (年-月-日)	潼关		三门峡					潼关—三门峡	下游河道冲淤量(亿t)				
	日均最大流量 (m³/s)	沙量 (亿t)	平均流量 (m³/s)	沙量 (亿t)	平均含沙量 (kg/m³)	来沙系数 (kg·s/m⁶)	排沙比 (%)	冲淤量 (亿t)	三门峡—花园口	花园口—高村	高村—艾山	艾山—利津	三门峡—利津
1975-07-10~07-14	2 470	0.171	1 740	0.651	86.8	0.049 9	381	-0.48	0.44	0.019	-0.032	-0.001	0.426
1975-07-15~07-12	1 950	0.099	1 760	0.626	58.5	0.033 2	632	-0.527	0.443	-0.008	-0.034 4	-0.037 4	0.363
1976-06-30~07-15	1 840	0.208	1 487	0.956	46.5	0.031 3	460	-0.748	0.728	0.106	-0.04	0.020 6	0.815
1976-07-16~07-27	2 040	0.275	1 874	0.620	31.9	0.017	225	-0.345	0.274	0.001	-0.112	-0.07	0.093
1978-07-11~07-19	2 050	1.84	1 481	2.38	207	0.14	129	-0.54	0.853	0.375	0.12	0.012	1.36
1978-07-20~07-27	2 730	2.04	1 863	2.41	189	0.101	118	-0.37	0.515	0.349	0.208	-0.004	1.068
1979-06-30~07-20	1 250	0.387	741	0.81	60.2	0.081 2	209	-0.423	0.414	0.128	-0.013	-0.022	0.507
1980-06-30~07-13	2 560	0.741	1 089	1.129	85.7	0.078 7	152	-0.388	0.492	0.133	-0.14	0.052	0.537
1980-07-14~08-03	2 390	1.178	1 360	2.021	165.3	0.122	172	-0.843	1.216	0.155	0.06	0.064	1.495
1981-07-03~07-14	4 250	1.231	2 286	2.086	81.2	0.035 5	169	-0.855	0.738	0.200	-0.287	0.054	0.705
1982-07-11~07-28	1 640	0.241	2 760	0.54	28.3	0.010 3	224	-0.299	0.307	-0.015	-0.004	-0.013	0.275
1983-06-23~07-04	1 660	0.196	1 355	0.318	22.6	0.016 7	162	-0.122	0.134	0.022	-0.038	0.062	0.18
1983-07-05~07-14	1 840	0.129	1 296	0.482	35.9	0.027 7	374	-0.353	0.765	0.003	-0.006	0.027	0.789
1984-06-23~07-01	1 830	0.281	1 531	0.585	49.1	0.032 1	208	-0.304	0.341	0.036	-0.051	-0.031	0.295
1984-07-02~07-06	3 320	0.186	1 379	0.604	56.4	0.040 9	325	-0.418	0.332	0.048	-0.165	-0.043	0.172
1984-06-30~07-06	594	0.009	525	0.037	11.7	0.022 2	411	-0.028	0.001	0.011	0.007	0.006	0.025
1986-07-02~07-08	3 140	0.416	1 934	0.89	76.1	0.039 3	214	-0.474	0.291	0.005	0.011	0.111	0.418
1986-07-09~07-25	3 690	0.937	2 494	1.588	43.4	0.017 4	169	-0.651	0.390	0.096	0.03	0.054	0.57
1988-07-01~07-15	2 760	1.152	1 425	1.892	102.4	0.071 9	164	-0.74	0.688	0.303	-0.023	0.065	1.033
1988-07-16~07-19	2 860	0.543	1 707	0.646	110	0.064 4	119	-0.103	0.255	0.143	-0.011	0.012	0.399
1990-06-30~07-06	1 990	0.185	1 265	0.57	74.5	0.058 9	308	-0.385	0.302	-0.271	0.04	0.005	0.076
1990-07-07~07-14	4 080	0.754	1 918	1.254	94.6	0.049 3	166	-0.500	0.467	-0.797	0.234	-0.057	-0.153
1993-07-21~07-31	2 800	0.549	1 758	1.516	90.7	0.051 6	276	-0.967	0.625	0.233	-0.101	-0.021	0.736
1996-07-16~07-21	2 280	1.51	1 399	2.41	332	0.237 6	160	-0.90	1.21	0.59	0.06	0.06	1.92
1996-07-22~07-26	1 550	0.34	1 116	0.62	129	0.115 6	182	-0.28	0.03	0.16	0.06	0.07	0.12
1996-07-28~08-01	2 040	2.16	1 535	2.33	351	0.228 7	108	-0.17	1.05	0.69	-0.08	-0.09	1.57

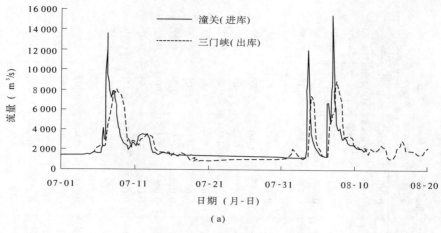

（a）

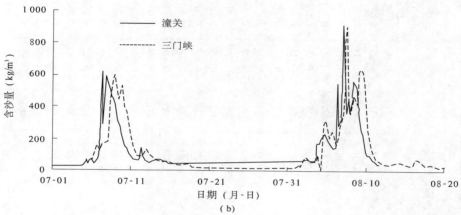

（b）

图 2-13　1977 年高含沙量洪水期三门峡水库进出库过程

（a）流量；（b）含沙量

表 2-23　　　　　　　　　　　　　　1974～1980 年下游河道来水来沙条件

时段	水量（亿 m³）			沙量（亿 t）			非汛期/年（%）	
（年-月）	非汛期	汛期	年	非汛期	汛期	年	水量	沙量
1973-11～1974-10	160	134	294	1.04	6.54	7.58	54	13.7
1974-11～1975-10	164	347	511	0.10	13.27	13.37	32	0.7
1975-11～1976-10	239	344	583	0.61	10.97	11.58	41	5.3
1976-11～1977-10	175	176	351	0.29	20.64	20.93	50	1.4
1977-11～1978-10	125	226	351	0.08	14.41	14.49	36	0.6
1978-11～1979-10	160	222	382	0.07	11.47	11.54	42	0.6
1979-11～1980-10	146	146	292	0.17	6.91	7.08	50	2.4
平均	167	228	395	0.34	12.03	12.37	42	2.7

3. 洪水较多

下游花园口站中大洪峰出现较多，6 000m³/s 以上洪峰出现 6 次，其中 1975 年和 1976

年洪水都发生漫滩,1977 年 7、8 月发生 2 场高含沙量洪水,8 月洪水花园口洪峰流量达 10 800m³/s,三门峡、小浪底最大含沙量分别达到 911、941kg/m³。另一方面,2 000m³/s 以下小流量历时较长,占到汛期的 55.9%。

(二)1980 年 11 月~1985 年 10 月下游来水来沙特点

1.水库运用对来水来沙条件的调节

水库运用对来水来沙条件的调节作用与蓄清排浑运用的第一时段基本相同,但具体作用的程度不同,主要是:

(1)非汛期水库抬高水位运用,下泄泥沙较少,出库沙量只占年沙量的 5%,改变了天然状况下的泥沙年内分配。

(2)该时期入库洪峰流量最大为 8 260m³/s(1988 年),水库削峰比达 31.2%,其他场次洪峰流量较小,水库削峰比小于 20%(表 2-12),比第一时段减小。

(3)由于入库水量较小和大中洪水较少,水库达不到年内冲淤平衡,对调节水沙过程的作用较小。

2.水沙条件有利

1981~1985 年黄河下游来水来沙条件十分有利,年均水量、沙量分别为 481.7 亿 m³ 和 9.702 亿 t(表 2-24),水量比长系列均值偏多 4%,基本为平偏丰,沙量却偏少达 34%,来沙较少,因此形成下游难得的少沙系列,年均含沙量只有 20.1kg/m³,小于长系列均值 31.7kg/m³。其中汛期水量偏多 8%,沙量偏少 25%,含沙量仅 31.4kg/m³,对下游河道冲淤演变来说是十分有利的。这 5 年除 1982 年水量偏少 15%外,基本上都是平水和丰水年,水量均在 450 亿 m³ 以上,最大水量为 551.1 亿 m³,而沙量除 1981 年偏少 4%为平沙年外,其余 4 年偏少幅度都在 28%以上,均为少沙年,尤其是 1982 年沙量仅 5.929 亿 t,较长系列均值偏少达 60%。

形成这一时期下游有利的水沙系列主要有三方面因素:

(1)少沙来源区水量偏丰。河口镇以上年均水量达 290.2 亿 m³,较长系列均值偏多 15%,水量很丰;下游伊洛河黑石关站年水量为 38.6 亿 m³,偏多 17%,也是丰水系列。

(2)多沙区来沙少。河龙区间年均沙量仅 3.39 亿 t,只有长系列均值 8.46 亿 t 的 40%。

(3)其他地区水沙变化有利。该时期龙门以下中游的几条主要来水来沙支流的水沙条件都比较好。首先,渭河和北洛河该时期为丰水少沙系列,水量分别为 97.8 亿 m³ 和 8.3 亿 m³,分别偏多 22%和 17%,而沙量分别只有 2.881 亿 t 和 0.459 亿 t,偏少 29%和 44%;其次,汾河和沁河虽然水沙量都有较大幅度减少,但沙量的减幅明显大于水量,两河水量较长系列均值减少 50%和 44%,而沙量减幅高达 87%和 60%。因此,1981~1985 年整个黄河流域的来水来沙条件都较好,水流含沙量普遍较长系列低,共同形成下游的平水少沙系列。

3.秋汛期水量较大

秋汛期下游洪水一般来自河口镇以上、渭河和伊洛沁河,含沙量低,对下游河道起到一定的冲刷作用。1981~1985 年下游 9、10 月来水除 1982 年偏少 25%外,其余 4 年都是偏多的,最大的 1981 年 9、10 月水量达 214.3 亿 m³,偏多 58%。 从各年各地区 9、10 月的

表 2-24

1981～1985 年黄河下游年均水沙量及年内分配

	年份(年)	非汛期	7、8月	较长系列均值(%)	9、10月	较长系列均值(%)	汛期	较长系列均值(%)	全年	较长系列均值(%)	水沙组合
水量 (亿m³)	1981	120.2	124.6	-12	214.3	58	338.9	22	459.1	-1	平水
	1982	179.2	114.6	-19	101.5	-25	216.1	-22	395.4	-15	枯水
	1983	189.7	174.0	23	182.0	34	356.0	29	545.7	17	丰水
	1984	226.6	184.8	31	139.7	3	324.5	17	551.1	19	丰水
	1985	203.2	74.3	-47	179.9	32	254.2	-8	457.3	-2	平水
	1981～1985	183.8	134.5	-5	163.5	20	297.9	8	481.7	4	平水
	1919～1985	188.0	140.9		135.9		276.8		464.8		
沙量 (亿t)	1981	0.192	7.759	-11	6.142	65	13.902	11	14.094	-4	平沙
	1982	0.081	3.934	-55	1.914	-49	5.848	-53	5.929	-60	少沙
	1983	0.245	5.213	-40	3.782	2	8.996	-28	9.240	-37	少沙
	1984	1.036	6.930	-21	2.581	-31	9.511	-24	10.548	-28	少沙
	1985	0.188	3.571	-59	4.939	33	8.510	-32	8.698	-41	少沙
	1981～1985	0.348	5.481	-37	3.872	4	9.353	-25	9.702	-34	少沙
	1919～1985	2.249	8.743		3.726		12.469		14.718		

水量来看,1981 年是河口镇以上和渭河来水;1983 年和 1984 年是伊洛河和渭河来水;1985 年上述各地区且包括沁河 9、10 月水量都大。因此,秋汛洪水在地域和时间的共同多发,形成了该时期秋汛期下游水量较多。

1981~1985 年流域伏汛期 7、8 月水量并不多,下游年均水量与长系列均值相比偏枯 5%。因此,秋汛期水量偏多是该时期水量能与长系列均值持平的主要因素。

4.中大流量历时较长,含沙量偏低

1981~1985 年汛期中大流量级出现概率较多,历时较长。由表 2-25 可见,该时期 3 000~5 000m³/s 的年均历时达 40 天,水量 140.1 亿 m³,都是各时期中这一流量级最大的;而沙量为 3.445 亿 t,并不很大,因此该流量级含沙量只有 24.6kg/m³,远小于 1950~1985 年平均 39.1kg/m³。从天数、水量和含沙量各因素占汛期总量的比例来看,该时期 3 000m³/s 以上中大流量级在汛期 42.3%的时间里用 64.3%的水量输送了 69.6%的沙量,因此大部分泥沙是在中大流量级输送的,这样的水沙搭配有利于河道输沙和冲刷。

表 2-25   花园口站不同时期汛期各流量级特征

项目	年份(年)	流量级(m³/s)						各流量级占汛期总量的比例(%)				
		<500	<1 000	1 000~3 000	3 000~5 000	>5 000	合计	<500	<1 000	1 000~3 000	3 000~5 000	>5 000
历时(d)	1950~1959	0.5	6.4	77.4	29.5	9.7	123.0	0.4	5.2	62.9	24.0	7.9
	1960~1964	9.4	13.8	61.6	31.4	16.2	123.0	7.6	11.2	50.1	25.5	13.2
	1965~1973	4.6	28.1	64.1	24.3	6.5	123.0	3.7	22.9	52.1	19.8	5.2
	1974~1980	5.0	25.0	70.7	23.0	4.3	123.0	4.1	20.3	57.5	18.7	3.5
	1981~1985	1.4	6.8	64.2	40.0	12.0	123.0	1.1	5.5	52.2	32.5	9.8
	1986~1999	23.8	61.1	55.3	5.8	0.8	123.0	19.3	49.7	44.9	4.7	0.7
	1950~1985	3.8	16.5	68.7	28.7	9.1	123.0	3.0	13.4	55.9	23.3	7.4
水量(亿 m³)	1950~1959	0.2	4.4	134.2	97.1	58.1	293.8	0.1	1.5	45.7	33.0	19.8
	1960~1964	1.8	4.8	108.3	107.3	77.6	298.0	0.6	1.6	36.3	36.0	26.1
	1965~1973	1.5	16.6	100.8	79.3	33.3	230.0	0.6	7.2	43.8	34.5	14.5
	1974~1980	1.5	14.7	113.5	77.5	24.5	230.2	0.6	6.4	49.3	33.7	10.6
	1981~1985	0.4	3.9	110.0	140.1	64.6	318.6	0.1	1.2	34.5	44.0	20.3
	1986~1999	6.1	29.9	78.9	18.0	4.3	131.1	4.7	22.8	60.2	13.7	3.3
	1950~1985	1.0	9.4	114.9	96.2	49.0	269.5	0.4	3.5	42.6	35.7	18.2
沙量(亿 t)	1950~1959	0.001	0.084	4.037	4.344	4.351	12.816	0.0	0.7	31.5	33.9	33.9
	1960~1964	0.027	0.090	2.057	2.339	1.240	5.726	0.5	1.6	35.9	40.8	21.7
	1965~1973	0.024	0.495	4.510	4.370	1.629	11.004	0.2	4.5	41.0	39.7	14.8
	1974~1980	0.012	0.284	4.185	3.378	1.901	9.748	0.1	2.9	42.9	34.7	19.5
	1981~1985	0.008	0.041	2.341	3.445	2.004	7.831	0.1	0.5	29.9	44.0	25.6
	1986~1999	0.060	0.500	3.480	1.437	0.369	5.786	1.0	8.6	60.2	24.8	6.4
	1950~1985	0.013	0.221	3.673	3.759	2.436	10.089	0.1	2.2	36.4	37.3	24.1

5.大流量洪水较多,秋汛洪水较多,洪水含沙量偏低

1981~1985 年黄河流域洪水较多,从潼关站洪水发生场次来看(表 2-26),虽然洪峰流量在 6 000m³/s 以上的大洪水不多,但 4 000m³/s 以上洪水较多,年均发生 5.8 场,而 1960~1985 年年均发生 4.0 场,1960~1999 年年均才发生 3.1 场。此期间伊洛河和沁河洪

水也较多,洪峰流量较大。因此,1981～1985年下游中大洪水较多,花园口洪峰日均流量在2 600m³/s以上和4 000m³/s以上的洪水年均达到4.8场和1.8场,是1950年以来各时期最多的。此期间除1984年最大洪峰流量为6 990m³/s外,其他4年最大洪峰流量都超过8 000m³/s,其中1982年发生了洪峰流量为15 300m³/s的新中国成立以来第二大洪水(图2-14)。

表2-26 　　　　　　　　　黄河中下游各时期年均洪水发生场次统计 　　　　　　　　(单位:场)

年份(年)	花园口洪峰日均流量(m³/s)				年份(年)	潼关洪峰日均流量(m³/s)			
	>2 600		>4 000			>4 000		>6 000	
	年	9、10月	年	9、10月		年	9、10月	年	9、10月
1950～1960	4.7	1.3	1.7	0.5	1960～1964	4.6	1.8	1.8	0.4
1961～1964	2.8	1.5	1.5	1.5	1965～1973	3.2	1.1	1.3	0.6
1965～1973	2.6	1.4	0.8	0.6	1974～1980	3.1	1.4	1.3	0.3
1974～1980	3.7	1.9	1.0	0.7	1981～1985	5.8	2.4	1.0	0.4
1981～1985	4.8	2.2	1.8	1.2	1986～1999	1.6	0.1	0.4	0.0
1986～1999	0.9	0.1	0.2	0.0	1960～1985	4.0	1.6	1.3	0.4
1950～1985	3.8	1.6	1.3	0.8	1960～1999	3.1	1.1	1.0	0.3
1950～1999	3.0	1.2	1.0	0.6					

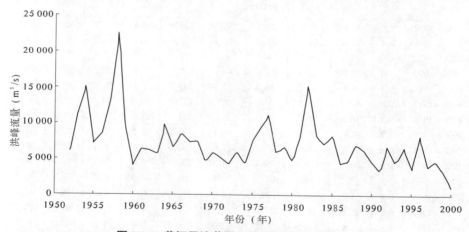

图2-14　黄河干流花园口站历年洪峰流量过程

1981～1985年秋汛期洪水较多,花园口年均发生洪峰日均流量在2 600m³/s以上的秋汛洪水2.2次,4 000m³/s以上的秋汛洪水1.2次,在各时期秋汛期也是比较多的。1981年和1985年的最大洪水都发生在9、10月,洪峰流量分别为8 050m³/s和8 260m³/s,列1949年以来秋汛洪水的第四位和第六位。

6.洪水期水量大、沙量小、含沙量低

1981～1985年洪水期水量较大,场次平均洪量为36.8亿 m³,较1950～1985年平均32.7亿 m³偏多13%,主要由于秋汛洪水多、洪量大,该时期秋汛洪水场次洪量达44.3亿 m³,同时洪水期沙量较小,场次平均为1.21亿 t,较长系列平均值偏小29%。因此,洪水含沙量较低,洪水期平均为32.7kg/m³,较长系列平均52.4kg/m³偏少38%。该时期花园口最大含沙量仅为 $139kg/m^3$，三黑小洪水期来沙系数平均只有 $0.009\ 6kg\cdot s/m^6$，是下游较为有利的低含沙洪水期。

(三)1986 年 11 月~1999 年 10 月下游来水来沙基本特点

黄河流域上中游地区从 20 世纪 80 年代开始进入降雨偏少时期，同时 1986 年龙羊峡水库投入运用，与刘家峡水库联合多年调节水量，沿黄引水量也基本上从 20 世纪 80 年代大量增加，同时水利水保措施也发挥了一定的减水减沙作用，上述气候变化和人类活动的共同影响，下游从 1986 年到 1999 年为特枯水少沙系列。

1.水库运用对来水来沙条件的调节

水库运用对来水来沙条件的调节作用与前一时段基本相同，但具体作用程度不同，主要是：

(1)非汛期水库抬高水位运用，下泄泥沙较少，出库沙量只占年沙量的 3%，改变了天然状况下的年内分配。

(2)该时期入库洪峰流量不超过 $7\ 000m^3/s$，水库削峰率均小于 10%（表 2-12）。比前一时段减小。

(3)非汛期淤积在水库的泥沙集中在汛期小水时下排状况仍然存在（表 2-22）。

2.枯水少沙

1)年均水沙量减少，但水沙关系更不协调

1986~1999 年下游年均来水量 273.9 亿 m^3（表 2-27），比长系列均值（1919~1985 年）偏少 41%。下游沿程各站水量偏少程度都较高，利津站年均水量只有 154.4 亿 m^3，偏少达 63%。该系列各年水量普遍减少，由图 2-15 可见，14 年水量都少于长系列均值较多，统计 1919 年以来水量最枯的前 10 年（运用年，见表 2-28），1986 年以后就有 8 年，而且位于前 5 年，其中 1997 年水量仅 166.4 亿 m^3，是水量最少的一年。

表 2-27   黄河下游 1986~1999 年年均水沙情况

水文站	水量（亿 m^3）			沙量（亿 t）		
	1986~1999 年 ①	1919~1985 年 ②	①较②（%）	1986~1999 年 ①	1919~1985 年 ②	①较②（%）
三黑小	273.9	464.8	-41	7.62	14.72	-48
高　村	242.4	442.0	-45	5.11	11.34	-55
艾　山	212.8	439.4	-52	5.11	10.78	-53
利　津	154.4	417.3	-63	4.01	10.50	-62

1986~1999 年下游年均来沙 7.62 亿 t，比长系列均值偏少 48%，其中 1987、1986、1997 年沙量分别为 2.89 亿、4.15 亿 t 和 4.28 亿 t，列 1919 年以来沙量最少的第二、第四、第五位。但来沙减少并不稳定，暴雨强度大的年份，沙量仍较大，如 1988、1992、1994、1996 年沙量分别为 15.5 亿、11.1 亿、12.4 亿 t 和 11.2 亿 t，含沙量均超过 $40kg/m^3$；水沙关系更不协调，汛期来沙系数呈增大趋势，高达 $0.017kg\cdot s/m^6$（图 2-3）。

2)沿程水量减少加剧，断流现象严重

下游来水来沙量的变化主要是上中游各种因素综合影响的反映，与此同时由于沿黄引水的影响,下游水沙量沿程也在发生变化,突出表现在:在来水量大量减少的前提下,各河段沿程水量减少增多,引起下游部分河段断流现象加剧。

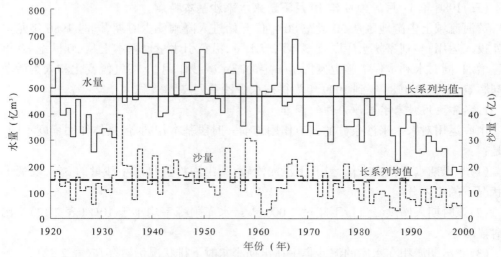

图 2-15　黄河下游历年来水来沙量过程

表 2-28　　　　　　　　　　　　黄河下游年水量历史最小前十位统计

位数	一	二	三	四	五	六	七	八	九	十
年份(年)	1997	1999	1998	1987	1991	1928	1992	1995	1996	1980
水量(亿 m^3)	166.4	181.2	196.2	220.8	249.0	251.1	255.2	258.2	267.0	292.5

由表 2-27 可见,长系列平均情况进入下游的水量沿程变化不大,1919～1985 年年均从三黑小到高村、艾山、利津水量分别减少 22.8 亿、25.3 亿 m^3 和 47.5 亿 m^3,分别仅占三黑小水量的 5%、5%和 10%,下游河道沿程的损耗量约为来水量的 10%;而 1986～1999 年从三黑小到高村、艾山、利津分别减少量达到 31.5 亿、61.1 亿 m^3 和 119.5 亿 m^3,分别占到三黑小水量的 12%、22%和 44%,近一半的来水量沿程损耗掉。

在下游来水量大大减少的条件下,沿程水量的损耗又在增加,造成下游部分河段来水量剧减,断流现象日益突出。由表 2-29 可见,黄河下游 1972～1990 年 19 年间添口、利津两站分别有 6 年和 13 年出现断流,断流历时一般在 1 个月内。而 20 世纪 90 年代以后断流次数增多、断流时间增长、断流长度增加(图 2-16),1991～1999 年 9 年间,黄河下游年年出现断流,1992～1994 年断流历时每年超过 2 个月,1995～1996 年断流历时每年长达 4 个月,至 1997 年黄河下游断流发展到最为严重,断流历时达 226 天,长度接近 700km,为 20 世纪 70 年代以来断流时间最长、断流次数最多、断流河段最长的年份。

自 1999 年黄河实行全河水量统一调度以来,下游河道断流现象逐步得到解决。由图 2-16 下游河道断流情况看,实施全河水量统一调度后,1999 年在水资源紧缺的情况下,下游河道断流当年就得到了缓解,与 1998 年相比在花园口站来水量相当的情况下,断流次数和断流天数明显减少。

表 2-29 　　　　　　　黄河下游来水(日历年)及断流情况统计

年份(年)	水量(亿 m³) 三黑小	利津	利津/三黑小(%)	断流长度(km)	利津断流次数	断流天数 夹河滩	高村	泺口	利津
1972	298.2	222.7	75	310	3			6	19
1974	291.8	231.6	79	316	2			10	20
1975	550.1	478.3	87	278	2			4	13
1976	539.7	448.9	83	166	1				8
1978	357.9	259.2	72	104	4				5
1979	374.3	269.9	72	278	2			5	21
1980	287.7	188.6	66	104	3				8
1981	468.8	345.9	74	662	5	2	11	16	36
1982	398.6	297.0	75	278	1			3	10
1983	580.1	490.8	85	104	1				5
1987	228.4	108.4	47	216	2				17
1988	349.2	193.9	56	150	2				5
1989	422.8	241.7	57	277	3				24
1991	237.1	123.3	52	131	2				16
1992	269.9	133.7	50	303	5			31	83
1993	311.4	185.0	59	278	5			1	60
1994	305.1	217.0	71	308	4			29	74
1995	243.4	136.7	56	683	3	4	8	77	122
1996	267.7	155.6	58	579	7		7	71	136
1997	149.2	18.6	12	700	13	18	25	132	226
1998	209.8	106.1	51	300	12			28	123
1999	170.6	68.4	40	300	2			10	38

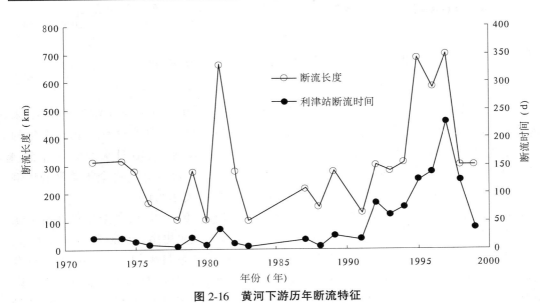

图 2-16　黄河下游历年断流特征

与此同时,近乎断流的小流量出现时间越来越长。由图 2-17 可见,20 世纪 70 年代以来利津站日均流量在 50m³/s 以下的历时逐年增加,由 70 年代的年均 30.9d 增加到 80 年代的年均 34.6d,90 年代达到年均出现 118.5d,1997 年和 1998 年最多,分别为 259d 和 181d。1999 年实行流域水量调度后断流现象基本得到控制,利津站日均流量在 50m³/s 以下的历时,1999、2000 年和 2001 年分别减少到 79、78d 和 61d。2002 年又有所增加达到 122d。

3. 水沙量在年内的分配发生改变

1)汛期、非汛期水量占年的分配发生根本性改变

1986～1999 年下游水量减少主要集中在汛期,年均汛期水量只有 125.8 亿 m³,较长系列均值减少 55%,个别年份如 1991 年和 1997 年汛期水量仅 61 亿 m³ 和 52 亿 m³,而非汛期减少不多,为 148.1 亿 m³,仅减少 21%。因此,下游水量年内分配发生了根本性改变(表 2-30)。长系列平均情况汛期水量较多,约占全年的 60%,非汛期水量少,仅占 40%;而 1986 年以后由于汛期水量的减少幅度远大于非汛期,因此汛期水量小于非汛期,水量只占到全年的 46%,相反非汛期水量占年水量的比例增大到 54%,而个别年份如 1991 年和 1997 年汛期水量仅占到年水量的 24% 和 32%。

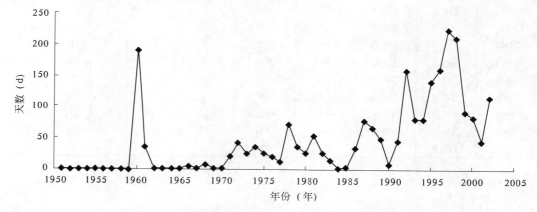

图 2-17　利津站历年流量小于 50m³/s 出现天数过程

2) 9、10 月份秋汛期减幅更大,9 月下旬～10 月水沙特征接近非汛期

汛期水沙量的大量减少,更主要地集中在 9、10 月。9、10 月为黄河下游的秋汛期,来水较大,含沙量较低,长系列均值水量、沙量分别为 135.9 亿 m³ 和 3.73 亿 t,占到全年的 29% 和 25%,占到汛期水沙量的一半和 30%。而 1986 年以后 9、10 月水沙量只有 52.4 亿 m³ 和 1.07 亿 t,较长系列均值的减幅分别达到 60% 和 67%。因此,占全年总量的比例也下降到 19% 和 14%,占汛期的比例也只有 41% 和 15%(表 2-30)。

9 月下旬～10 月水沙量减幅更大,除 1989 年下游水量偏多以外,其余年份 9 月下旬水量均较长系列减少一半以上,10 月减少 2/3 以上;沙量减少更多。1986 年后 9 月下旬、10 月水沙量年均只有长系列均值的 1/3 和 1/5,10 月份沙量最少的年份(1997 年)只有 100 万 t,水沙量占全年的比例明显下降。这一时段的水沙特征已与非汛期非常接近。以花园口站为例,1986 年以前 9 月下旬～10 月花园口的月均水量 68.9 亿 m³,是非汛期 11 月～次年 6 月和 4～6 月月均水量的 2.6 倍,而 1986 年后年均只有 22 亿 m³,与非汛期月均

水量接近,而且从图 2-18 可以看到基本上各年变化都与平均情况一致。沙量减少更大于水量,1986 年前花园口 9 月下旬~10 月月均沙量为 1.46 亿 t,是 1986 非汛期 11 月~次年 6 月和 4~6 月月均沙量的 6 倍,1986 年后只有 0.303 亿 t,与非汛期月均沙量相近。因此,从水沙量的平均和历年情况来看干流 9 月下旬~10 月的水沙特征已近似于非汛期。

表 2-30   1986~1999 年黄河下游水沙量及年内分配

项目		量值					占全年比例（%）			
		7、8 月	9、10 月	7~10 月	11 月~次年 6 月	全年	7、8 月	9、10 月	7~10 月	11 月~次年 6 月
1986~1999年	水量（亿 m³）	73.4	52.4	125.8	148.1	273.9	27	19	46	54
	沙量（亿 t）	6.14	1.07	7.21	0.41	7.62	81	14	95	5
	含沙量（kg/m³）	83.7	20.4	57.3	2.8	27.8				
1919~1985年	水量（亿 m³）	140.9	135.9	276.8	188	464.8	30	29	60	40
	沙量（亿 t）	8.74	3.73	12.47	2.25	14.72	59	25	85	15
	含沙量（kg/m³）	62.0	27.4	45.0	12.0	31.7				

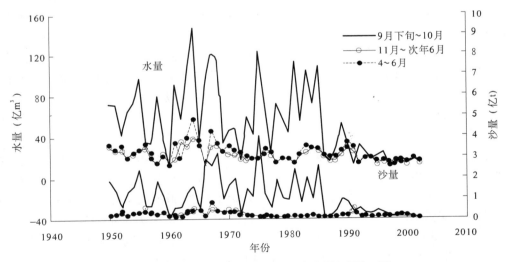

图 2-18   花园口站 9 月下旬~10 月水沙量与历年对比

4. 水沙过程发生变化

1)汛期中大流量减少、枯水流量增加

黄河下游汛期水沙量减少,水沙过程也发生了较大变化,主要是枯水流量级历时增长,中大流量历时及相应输水输沙量明显降低。

由图 2-19 明显可见,与 1950～1985 年平均情况相比,花园口站 1986～1999 年从各流量级的历时、水量和沙量来看,基本上都是 1 000m³/s 以下小流量数值增加,1 000～2 000 m³/s 数值变化不大,2 000m³/s 以上数值开始减少,3 000m³/s 以上较大流量级的减少最多。首先中大流量显著减少,由表 2-25 可见,3 000m³/s 以上流量级历时由 1950～1985 年的年均出现 37.8d 减少到 1986～1999 年的只有 6.6d,减少了 83%;而 1 000m³/s 以下的历时由 16.5d 增加到 61.1d,增加了 73%;特别是 500m³/s 以下的枯水流量级出现天数由 3.8d 增加到 23.8d,增加 84%,而流量大于 5 000m³/s 的历时由 9.1d 减小到 0.8d。

汛期水沙量的减少主要集中在 3 000m³/s 以上较大流量级。汛期水沙量 1986～1999 年分别为 131.1 亿 m³ 和 5.786 亿 t,较 1950～1985 年分别减少 138.4 亿 m³ 和 4.30 亿 t,减少为 51% 和 43%。而 3 000m³/s 以上流量级的水沙量减少值达 122.9 亿 m³ 和 4.389 亿 t,减少达 85% 和 71%,占汛期总减少量的 89% 和 102%。而 1 000m³/s 以下小流量的水沙量有一定程度的增加,较 1950～1985 年分别增加 20.5 亿 m³ 和 0.279 亿 t,增加为 213% 和 126%。

各流量级水沙量的变化不同,引起水沙量在各流量级分配的变化。由图 2-20 中各流量级水沙量占汛期总量的比例可见,1950～1985 年水沙量主要是流量大于 2 000m³/s 输送,而且各流量级水沙量占总量的比例比较接近,但 1986～1999 年各流量级水沙量占总量的比例与 1950～1985 年明显不同,输送水沙的主要流量级减小,主要在 3 000m³/s 以下流量级输送,占总水量、总沙量的 93% 和 85%,其中又以 1 000～2 000m³/s 流量级的输水输沙比例最高,占总水量、总沙量的 39% 和 33%。从河道输沙的角度综合对比来看,黄河下游花园口站 1950～1985 年在汛期 31% 的时间里以 3 000m³/s 以上流量级的水流,输送了 54% 的水量和 61% 的泥沙,而 1986～1999 年变为 3 000m³/s 以上流量级的水流仅能在 5% 的时间内,通过 17% 的水量输送了 31% 的泥沙。

图 2-20 和图 2-21 中分别为伏汛期 7～8 月和秋汛期 9～10 月各流量级的变化情况,可见变化特点基本与汛期相同。值得一提的是,秋汛期 2 000m³/s 以上中大流量级的水沙量减幅更大,大于非汛期和汛期,因此水沙量在 2 000m³/s 以下小流量的集中程度更高,分别占到总量的 77% 和 63%。

2)汛期水量在中小流量级的集中程度增大,出现优势流量级

水量是河床演变的主要动力条件,其在各流量级的分布情况对河道排洪能力的增减起决定作用。为更准确地分析水量分布的变化,以 200m³/s 为一流量级计算了下游花园口和艾山不同时期各流量级的水量分布,分别如图 2-22 和图 2-23 所示。由图可见,1986 年以前各时期汛期水量在各流量级的分布比较均匀,虽然由于大洪水的发生使得各时期有水量较大、较突出的流量级,但明显可见在 6 000m³/s 以下时各流量级水量相差不大,没有出现水量明显集中的流量级。但 1986～1999 年水量基本集中在 3 000m³/s 以下,花园口和艾山水量分别占到汛期总水量的 86% 和 89%,而其他流量级水量很少,不到 15%,可见 3 000m³/s 以下流量级的水量非常集中,因此我们定义这种集中水量的流量级为"优势流量级"。

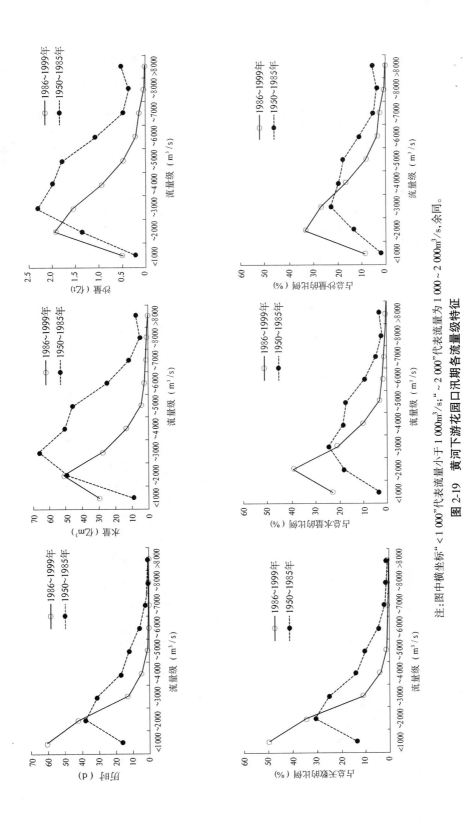

注：图中横坐标"<1 000"代表流量小于1 000m³/s；"~2 000"代表流量为1 000~2 000m³/s，余同。

图 2-19 黄河下游花园口汛期各流量级级特征

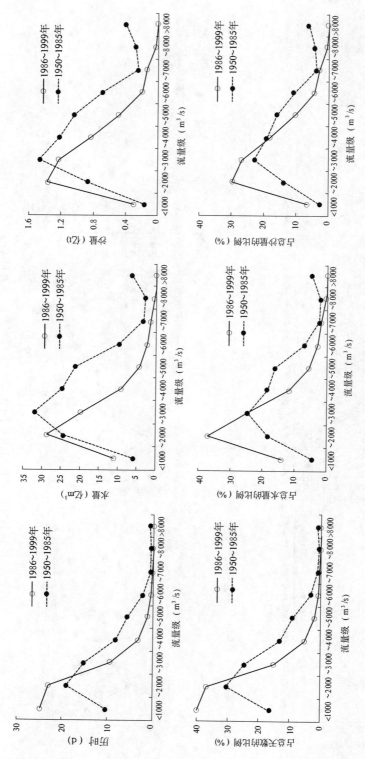

图 2-20 黄河下游花园口伏汛期 7～8 月各流量级级特征

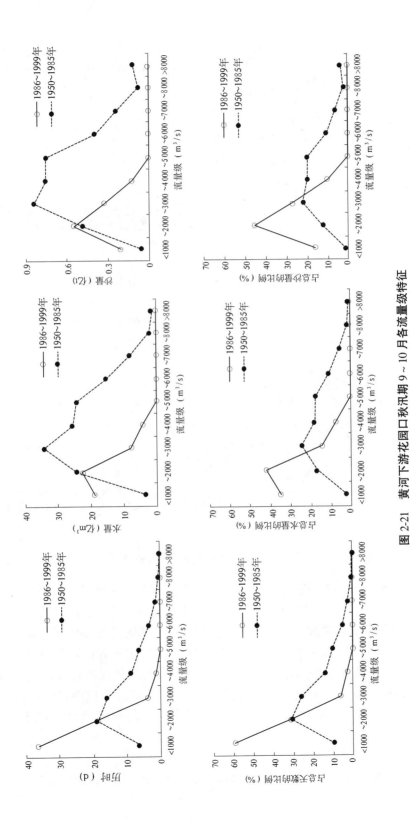

图 2-21　黄河下游花园口秋汛期 9 ~ 10 月各流量级特征

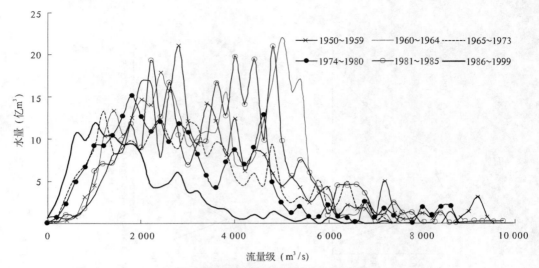

图 2-22 花园口站各流量级水量分布

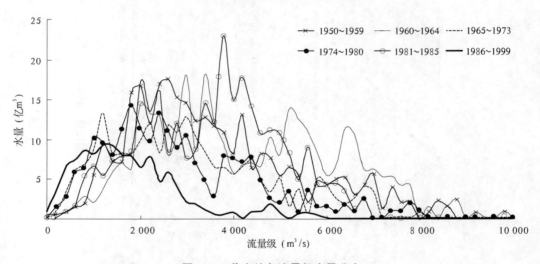

图 2-23 艾山站各流量级水量分布

　　水量是河道演变最主要的因素,不同流量级水量需要的河道过流面积不同,各流量级水量相近,说明必须有一个相当大的河道过流面积和宽度来适应各流量级的需要。因此,在 1986 年以前各时期河道过流的面积和宽度相对来说都比较大,即使在 1965 ~ 1973 年水少沙多的不利水沙条件时期,由于有较大流量级出现且维持一定的水量,形成水量在各流量级的分布仍比较均匀,因此尽管该时期河道淤积严重,但仍保持有较大的河宽,河道并未萎缩。而 1986 ~ 1999 年出现小流量的优势流量级,水量过分集中在中小流量级,大流量级水流出现时间很短,水量很小,不足以塑造相应的较大河宽,因此形成下游河道萎缩的局面。

　　3)汛期中大流量级含沙量增高

　　黄河下游 1986 年后汛期水量、沙量都在减少,因此汛期的含沙量与历史来沙量较多的时期相比变化并不大,而由于不同流量级水沙量减少的幅度不同,相应含沙量在各流量级的变化也不一致,与 1950~1985 年相比,1 000m³/s 以下流量级水流的含沙量减小,而 1 000m³/s 以上含沙量增大,特别是 3 000m³/s 以上较大流量含沙量增加较多,由表 2-31 可见,花园口站 1 000m³/s 以下流量级含沙量 1950~1985 年平均为 23.4kg/m³,1986~1999 年减小到 16.7kg/m³,而 1 000~3 000m³/s、3 000~5 000m³/s 和 5 000m³/s 以上流量级的含沙量分别从 32.0、39.1kg/m³ 和 49.7kg/m³ 增加到 44.1、79.8kg/m³ 和 85.8 kg/m³,后一时期含沙量为前一时期的 1.4 倍、2.0 倍和 1.7 倍。

表 2-31　　　　　　　　花园口站不同时期汛期各流量级的含沙量　　　　　　（单位:kg/m³）

时期	流量级(m³/s)					汛期
	< 500	< 1 000	1 000~3 000	3 000~5 000	> 5 000	
1950~1959 年	5.0	19.1	30.1	44.7	74.9	43.6
1960~1964 年	15.0	18.8	19.0	21.8	16.0	19.2
1965~1973 年	16.0	29.8	44.7	55.1	48.9	47.8
1974~1980 年	8.0	19.3	36.9	43.6	77.6	42.3
1981~1985 年	20.0	10.5	21.3	24.6	31.0	24.6
1986~1999 年	9.8	16.7	44.1	79.8	85.8	44.1
1950~1985 年	13.1	23.4	32.0	39.1	49.7	37.4

5. 洪水特点发生变化

1)大洪水减少,洪峰流量降低,但仍有发生大洪水的可能

统计 1950 年以来黄河下游花园口洪水发生场数(表 2-32),1986 年以前年均发生 3 000m³/s 以上和 6 000m³/s 以上的洪水分别为 5 场和 1.4 场,1986 年后分别减少到年均仅 2.6 场和 0.4 场,大洪水出现频率显著降低。而且 1986 年后洪峰流量普遍降低,由图 2-24 可见,1986 年后连续 13 年未出现大洪水,经常出现的是洪峰流量在 3 000m³/s 左右的小洪水。花园口最大洪峰流量仅为 7 860m³/s(1996 年 8 月),1991 年洪峰流量只有 3 120m³/s,是 1950~1999 年洪峰流量最小的一年。

表 2-32　　　　　　　　花园口站各时期年均洪水发生场次统计　　　　　　　　（单位:场）

时期	年洪峰流量(m³/s)		秋汛期(9~10月)洪峰流量(m³/s)	
	> 3 000	> 6 000	> 3 000	> 6 000
1950~1985 年	5	1.4	1.8	0.4
1986~1999 年	2.6	0.4	0.4	0

黄河下游 9~10 月为秋汛期,洪水多来自上游少沙来源区,因而洪峰流量较伏汛期低,洪水历时较长,含沙量小,是黄河下游洪水的一个重要组成部分。但 1986 年以来,9~10 月来水量大为减少,洪水发生概率大大降低。根据统计情况,1986 年以前年均发生洪峰流量在 3 000m³/s 以上和 6 000m³/s 以上的洪水分别为 1.8 场和 0.4 场,即秋汛期发生

3 000m³/s以上洪水的频率为1年近2场,发生6 000m³/s以上洪水的频率为5年2场,而1986年以后发生洪峰流量在3 000m³/s以上洪水的频率降低到5年2场,6 000m³/s以上洪水未再出现过。9~10月大部分处于平水期。同时由图2-24可见,秋汛期洪峰流量也明显降低。1986年前洪峰流量在4 000m³/s以下的小洪水只占全部秋汛洪水的45%,洪峰流量最大的是1954年达到12 300m³/s;而1986年后洪峰流量都在4 000m³/s以下,60%在3 000m³/s以下,最大的洪峰流量在1989年只有3 960m³/s。

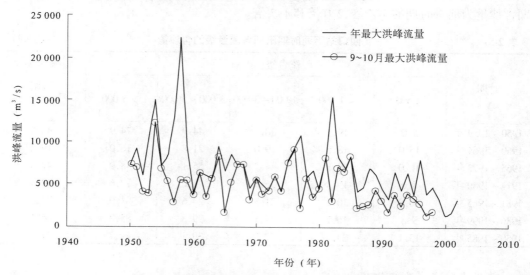

图2-24　黄河下游花园口站历年最大洪峰流量过程

但另一方面黄河洪水主要来源于黄河中游的强降雨过程,由于中游总体治理程度还比较低,现有水利水保工程对于一般洪水过程的影响比较明显,但对于由强降雨过程所引起的大暴雨洪水的影响程度较微弱,因此一旦遭遇中游的强降雨,仍有发生大洪水的可能。如龙门水文站在1986年后的1988、1992、1994、1996年都发生了洪峰流量10 000m³/s以上的大洪水,2003年府谷站又出现了13 000m³/s的实测最大洪水。

2)洪水含沙量增大

在洪峰流量降低的同时,洪水期的含沙量却明显增高,高含沙量洪水出现频率增大。1988、1992、1994年和1997年最大洪水都是中小洪水,三门峡站出库最大含沙量却都超过300kg/m³。其中1992年发生的高含沙量洪水,含沙量大于300kg/m³持续时间长达67h,为近年来黄河下游洪水中高含沙量持续时间最长的。

由图2-25洪水期水沙量关系的变化情况可见,图中点群可大致分成两部分,偏右部分洪水期在相同水量下沙量小,洪水含沙量较低,为一般洪水;偏左部分洪水沙量大,发生的是高含沙量洪水,如1973、1977年。而1986年后的点子都集中于左边部分,水沙关系与高含沙量洪水相近,尤其是水量很小、洪峰流量很低的一些小洪水,其沙量偏大。如1997年洪水洪量不到10亿m³,沙量却超过2亿t,洪峰流量只有4 020m³/s,花园口最大含沙量达到571kg/m³。

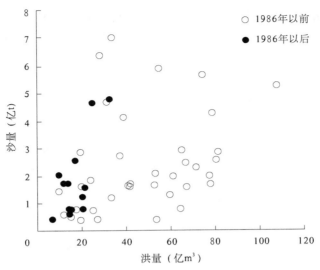

图 2-25　洪水期洪量与沙量的关系

3）洪水期洪量减少

河道基流的减少造成洪水期洪量变化,图 2-26 表明在相同洪水历时条件下,1986 年后的洪量大大减少。从平均情况来看,洪水期日均水量从 1986 年前的 3.87 亿 m^3/d 减少到 2.13 亿 m^3/d,减少达 45%,而且洪峰流量大于 5 000m^3/s 的中大洪水减少较多。洪量的减少与中大流量级的减少是并存的,这一洪水特性的改变不利于下游河道泥沙的输送,这是河道萎缩的重要原因。

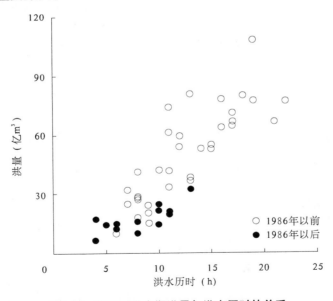

图 2-26　花园口洪水期洪量与洪水历时的关系

秋汛期洪水的洪量减少更加明显。图 2-27 表明除 1989 年外各年的洪量都很小,相同洪水历时洪量远小于 1986 年前洪水,而且是无论洪水历时长短,洪量基本都在 20 亿 m^3

以下,只有1989年上游龙羊峡水库汛期未大量蓄水,因此下游秋汛期水量较大。从这一点也可看出上游水库运用对下游水沙条件的影响极大。

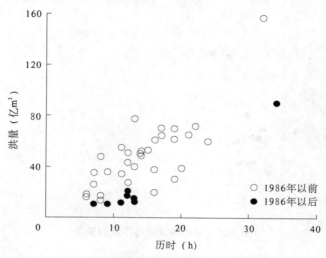

图2-27　秋汛期洪量与洪水历时的关系

4)汛期沙量在洪水期的集中程度增高

虽然洪峰流量降低了,但由于汛期洪水出现频率减少,平水期增长,因此沙量仍主要来自洪水期,而且集中程度增高。由图2-28可见,1986年前共36年只有2年洪水期沙量占汛期的比例超过40%,而1986年后的14年中就有4年超过40%,而且1997年这一比例达到64%,是各年中最高的。这表明下游汛期的沙量主要来自时间很短的洪水期,这期间水流含沙量很高,河道变化相对较大。而洪水期外汛期的其他时间,多是低含沙量的小流量过程,对河道冲淤的影响相对较小。

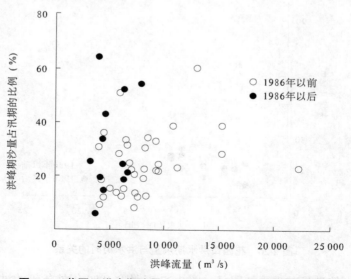

图2-28　花园口洪水期沙量占汛期的比例与洪峰流量的关系

5）汛初高含沙量中小洪水增多

1986年以来，由于7、8月来水量偏少，同时受三门峡水库汛初降低水位排沙的影响，下游汛初经常出现小水带大沙的不利来水来沙条件，多次发生低洪峰高含沙量洪水。由表2-22列出的1986年来各年汛初小洪水排沙的情况，14年中有5年在潼关洪峰流量仅1 800～4 000m³/s的情况下，潼关—三门峡河段排沙比均大于100，出库含沙量明显增高，来沙系数多在0.05kg·s/m⁶以上。1996年7月三门峡最大出库流量为2 700m³/s时，最大含沙量达603kg/m³。

第三节　水沙变化的主要原因

黄河水沙变化的原因是个很复杂的问题，本节仅从主要原因作一分析。

进入黄河下游的水沙条件与流域水沙条件是紧密相关的。黄河流域的水沙条件从20世纪80年代开始发生较大变化，其中沙量从80年代开始显著减少，水量的减少和水沙关系的恶化基本上是从80年代后期开始。造成黄河水沙变化的众多因素，归结起来就是自然因素（主要是气候变化导致的降水条件的变化）和人类活动影响。

一、降水条件变化

黄河流域的水沙主要来自三门峡以上的上中游地区，因此分析降雨变化时以上中游地区为代表。

（一）降水量减少是实测水量减少的主要原因

黄河洪水和泥沙主要来自汛期暴雨的产流产沙。1950年以来黄河上中游降水处于由丰向枯的变化阶段（图2-29和表2-33），与多年均值（1950～2001年）相比，20世纪90年代以来年均降水量411.5mm，较多年均值减少7.9%。天然径流量与降水量保持较好的一致性，90年代以来年均径流量415.9亿m³，较多年均值偏少达27.1%。说明降水减少引起的天然径流量减少，是近期实测水量减少的一个重要原因。

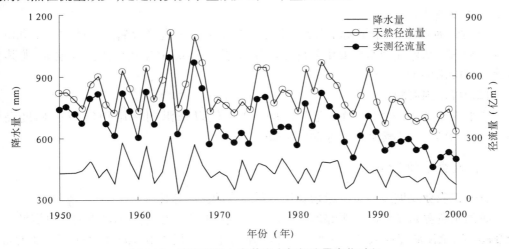

图2-29　黄河流域上中游降水与径流量变化过程

表 2-33　　　　　　　　　　黄河上中游降水量统计

河段	项目		1950～1959年	1960～1969年	1970～1979年	1980～1989年	1990～2001年	1950～1985年	1986～2001年	1950～2001年
上游	年	降水量(mm)	369.0	385.8	380.6	367.4	359.6	377.8	358.9	372.0
		距平(%)	-0.8	3.7	2.3	-1.2	-3.3	1.6	-3.5	
	6～9月	降水量(mm)	276.1	274.9	278.9	264.6	264.6	275.9	261.3	271.8
		距平(%)	1.6	1.1	2.6	-2.6	-2.7	1.5	-3.9	
	7～8月	降水量(mm)	173.0	164.8	171.4	143.1	165.0	166.4	155.9	163.5
		距平(%)	5.8	0.8	4.9	-12.5	0.9	1.8	-4.6	
中游	年	降水量(mm)	562.8	560.1	518.5	521.5	464.1	547.1	469.0	523.0
		距平(%)	7.6	7.1	-0.9	-0.3	-11.3	4.6	-10.3	
	6～9月	降水量(mm)	380.4	369.3	357.7	360.4	308.4	371.4	314.1	355.4
		距平(%)	7.1	3.9	0.7	1.5	-13.2	4.5	-11.6	
	7～8月	降水量(mm)	248.7	226.9	224.9	214.4	201.9	231.8	201.8	223.4
		距平(%)	11.4	1.6	0.7	-4.0	-9.6	3.8	-9.7	
上中游	年	降水量(mm)	465.1	472.3	449.0	443.8	411.5	461.8	413.5	446.9
		距平(%)	4.1	5.7	0.5	-0.7	-7.9	3.3	-7.5	
	6～9月	降水量(mm)	327.8	321.7	318.1	312.3	286.3	323.3	287.5	313.3
		距平(%)	4.7	2.7	1.5	-0.3	-8.6	3.2	-8.2	
	7～8月	降水量(mm)	210.6	195.6	197.9	178.5	183.3	198.8	178.7	193.2
		距平(%)	9.0	1.3	2.5	-7.6	-5.1	2.9	-7.5	

上游地区 20 世纪 50、60、70、80、90 年代降水量距平分别为 -0.8%、3.7%、2.3%、-1.2% 和 -3.3%,降水量年代间无大的变化,60、70 年代略丰。降水年际变差系数为 0.1。

中游地区 20 世纪 50、60、70、80、90 年代降水量距平分别为 7.6%、7.1%、-0.9%、-0.3% 和 -11.3%,50、60 年代降水偏丰,70 年代后降水偏少,90 年代偏少最多。降水年际变差系数为 0.2。

20 世纪 80 年代以来汛期降雨和高强度大暴雨的减少直接影响到流域的沙量和洪水的发生频次。从前述降水量变化分析可以看到,黄河流域 80 年代以来降雨偏少,尤其 90 年代流域降雨偏少 7.9%。

(二)降水强度减弱

洪水主要来源区河口镇—龙门区间,80 年代以来汛期暴雨历时减少幅度高达 54.1%,其中 7～9 月减少更高达 60%～80%。

二、人类活动影响

(一)工农业及城乡用水不断增长是水量减少的主要原因

黄河水资源是流域内与毗邻地区社会经济发展和人民生存必不可少的宝贵资源。截至 2000 年,全流域建成大、中、小型水库及塘堰等蓄水工程约 10 100 座,总库容 720 亿 m³,其中大型水库 22 座,总库容 619 亿 m³。引水工程约 9 860 处,提水工程 23 600 处,机井工程约 38 万眼,其中在下游兴建了引黄涵闸 90 座,提水站 31 座。为开发利用黄河水资源提供了主要基础设施。黄河流域及下游引黄地区灌溉面积由 1950 年的 80 万 hm² 发展到目前的 730 万 hm²(其中流域外 250 万 hm²)。

　　经统计资料分析和还原计算,黄河流域 1950～2001 年平均耗用河川径流 238.4 亿 m³。由图 2-30 给出的黄河流域河川径流耗水量 1950～2001 年逐年河川径流耗水量变化过程可以看出,河川径流耗水量呈稳步上升趋势,20 世纪 50、60 年代耗水量较低,1950～1970 年平均耗水 154.4 亿 m³,70 年代以后稳步上升,1971～1980 年平均耗水 263.3 亿 m³,1981～1990 年达到平均 318.3 亿 m³,90 年代以来平均为 303.4 亿 m³。从图 2-30 还可以看出,1960 年出现用水高峰,是大跃进生产所致,之后迅速回落至 50 年代水平,1965 年以后又逐年稳步上升,至 1989 年达到顶峰,国务院“87”分水方案实施后,用耗水量又有所回落。

图 2-30　黄河流域河川径流耗水量逐年对比

　　根据《黄河的重大问题和对策》提供的统计资料,1988～1992 年黄河供水地区年均引用河川径流量 395 亿 m³,占黄河流域天然径流量近 70%,耗用河川径流量 307 亿 m³,占黄河天然径流量的 53% 左右。其中农业灌溉是主要用水部门,目前年均引用河川径流量为362 亿 m³,耗用河川径流量 284 亿 m³,占总耗用河川径流量的 92%。可见,黄河水资源的利用程度达到了较高水平,一方面有力地推动了沿黄各省区的经济发展,取得了一定的社会效益和经济效益,另一方面也是黄河实测水量大大减少的主要原因。一定程度上挤占了输沙用水量,使下游河道断流,河槽萎缩,防汛形势严峻等。随着经济的发展,今后用水量将呈增加趋势,因此在相同降雨条件下,黄河水量减少可能是必然趋势。

　　流域引黄水量的增加,使实测水量大大减少,引水的同时必然引走泥沙,引走泥沙的多少一方面与引水量有关,另一方面也与来沙量大小有关,黄河上游引水量较大,但由于含沙量较低,引沙量不太大,年均约 0.32 亿 t,中游引水量虽较小,但含沙量高,年均引沙量约 0.43 亿 t,下游为多口门引水,引水量也较大,含沙量较高,年均引沙量约 1.2 亿 t,全黄河引沙约 2 亿 t。从以上分析可知,黄河引黄用水约占来水的一半左右,而引沙却只占黄河的 13%,也就是说,水引得多,沙引得少,使水沙关系更不协调。

(二)黄土高原的综合治理有明显的减水减沙作用,但降雨强度和落区不同,减沙作用有所区别

新中国建立以来,黄土高原开展了大规模综合治理,取得了显著的成效。特别在一些重点治理区,一些综合治理的小流域,其治理程度已达 70% 以上,成为当地发展农林牧副业的生产基地。截至 2000 年年底,水土流失初步治理面积总计 18 万 km²,其中建成治沟骨干工程 1 390 座,淤地坝 11.2 万座,塘坝、涝地、水窖等小型蓄水保土工程 400 多万处,兴建基本农田 646.7 万 hm²,综合治理营建林草 11.5 万 km²。支流的综合治理改善了部分地区的生态环境和当地群众的生产生活条件,同时也起到减水减沙作用。20 世纪 70 年代以来,水保措施年均减沙 3 亿~4 亿 t。

针对黄河中游水土保持减水减沙作用,多个项目开展了大量的研究工作,研究成果较多。从计算结果来看,各家成果之间存在着差异,有的差别还比较大。在第二期水沙基金汇总的时候,从方法、指标、含沙量等多方面曾对各家成果做过分析比较,因此第二期水沙基金的分析成果在目前来说是比较合适的。根据第二期水沙基金的综合分析成果 1970~1996 年上中游水土保持减水量年均达到 12.23 亿 m³,减沙量达到 3.42 亿 t,分别占天然径流量和天然沙量的 3% 和 22%,说明水土保持起到一定的减水作用和较大的减沙作用。

1. 一般降雨减水减沙效果显著,大暴雨效果降低

但由于目前各种治理措施标准尚不高,对一般降雨可起到较好的减水减沙作用,遇强暴雨,其作用则减少,甚至发生水毁等,增加入黄泥沙。由河龙区间降雨量—径流量关系(图 2-31)可见,1973 年前后可分出两组线,说明治理后相同降雨条件下径流量减少,但由洪水期降雨量—径流量关系(图 2-32)可见,治理前后基本上没有变化,说明发生暴雨洪水时,水土保持的作用有所降低。

以中游支流的几次暴雨洪水为例:1988、1992 年主要产沙区遇暴雨,来沙量均达 10 多亿 t;延水经综合治理,平均减沙 50% 左右,但 1977 年遇暴雨,泥沙又增加;1994 年河口镇—龙门区间有 4 次较大降水,8 月 5 日无定河最大洪峰流量 3 200m³/s,为有实测资料以来第三位洪水,白家川 3 次洪水总量 1.47 亿 m³,为历年最大值,龙门洪峰流量 10 900m³/s,为近年来最大洪水。

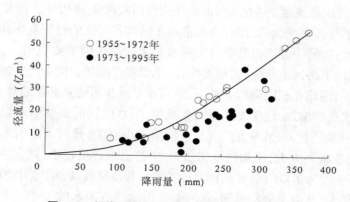

图 2-31 河龙区间 7、8 月降雨量—径流量的关系

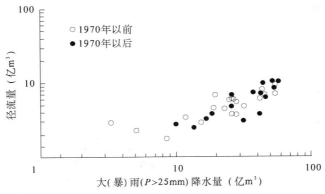

图 2-32　河龙区间大(暴)雨洪水降雨量—径流量的关系

2002年清涧河子长站发生500年一遇特大暴雨,洪峰流量4 670m³/s,是建站以来实测最大洪水,延川站年径流量达2.39亿 m³,年沙量达1.09亿 t,为历年第四位。

第二期黄河水沙变化研究基金中,钱意颖等研究并提出了"黄河中游河口镇—潼关地区水利水保工程对洪水的影响",建立了河龙区间的洪峰流量模数与区间平均雨深或平均雨强关系,以及无定河赵石窑—白家川区间、佳芦河和窟野河的洪峰(量)模数与最大一日降雨或时段平均降雨关系。主要结论是:"潼关的洪峰流量主要来自黄河中游地区,由于该地区各支流治理程度不同,对洪水的影响也不同,特别是河口镇至吴堡地区是洪水的主要来源区之一,目前水利水保工程对洪水的影响不大,故潼关仍可能出现大洪水。"

1999年黄河防洪规划项目中,徐建华等研究提出"河龙区间水利水保工程对吴堡、龙门暴雨洪水影响的初步分析",以支流为研究单元、次洪水为研究对象,考虑了次降雨量、次降雨强度、中心雨强等因子,研究分析了水利水保对中大洪水的影响程度。分析结果认为,河龙区间现有水利水保工程对一般暴雨洪水有一定拦截作用,对大暴雨或特大暴雨洪水影响不显著。各支流出现的特大洪水,主要是大暴雨造成,垮坝的负作用不明显。因此,河龙区间水利水保工程对吴堡、龙门大暴雨洪水的作用不明显。

从以上可以看出,一般情况下上中游支流综合治理有明显的减水减沙作用,但遇强暴雨时,其减水减沙作用大大减弱。

2.不同治理程度地区减水减沙效果不同

黄河中游地质条件复杂,各支流治理程度也不同,选择三条典型支流为代表,研究不同治理程度地区减水减沙效果的差异。

1)汾河

汾河是黄河支流中治理开发程度较高的一条支流。分析汾河7~8月降雨径流关系发现,径流量与降雨量成正比,1970年前后基本上分成两组线,说明在相同降雨条件,径流量有所减少,减少的幅度较大,明显看出综合治理的效果。汾河最大1日降雨量与洪峰流量关系分析结果显示(图2-33):虽然关系较分散,但大致可以看出,洪峰流量与1日降雨量成正比,1970年前后(除个别年份外)明显的分为两组线,即相同降雨条件下,洪峰流量有所下降,说明流域综合治理的影响较大。

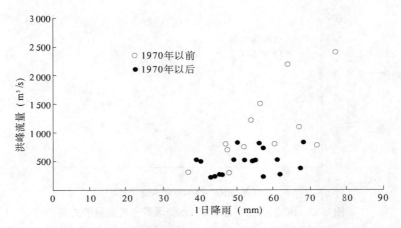

图 2-33 汾河洪峰流量与日最大降雨量的关系

2) 无定河

自 20 世纪 50 年代开始, 经过几十年综合治理, 生态环境一定程度上得到了改善, 改变了下垫面状况。逐年对比分析 7~8 月无定河降雨量—径流量关系(图 2-34), 发现 1970 年以前, 一般降雨条件下降雨—径流关系较好, 径流量与降雨量成正比; 而 1970 年以后的大多数年份的点子均在下方, 即在相同降雨条件下, 径流发生了明显的下降, 同时平均来看, 当降雨量小于 230mm 左右时, 随着降雨量增加, 相同降雨条件下, 径流量减少幅度明显增加, 大于 230mm 后, 径流减少幅度又有所减少。也就是说流域综合治理使产流减少, 减少量随着降雨不同而变化, 最大减少量在降雨量为 200mm 左右, 可减少 45% 左右。不过, 分析无定河最大 1 日降雨量与洪峰流量的关系, 发现治理前后没有明显的差别, 说明水土保持措施对洪峰流量的拦减作用不明显。

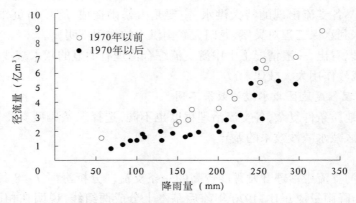

图 2-34 无定河降雨量与径流量关系

3) 皇甫川流域

皇甫川流域是黄河多沙粗沙来源区, 治理程度较低, 1970 年前后 7~8 月降雨—径流及最大 1 日降雨量—洪峰流量变化不大, 相同降雨条件径流量和洪峰流量变幅较大, 说明水土保持作用不明显。

3. 淤地坝减水减沙作用具有一定的时效性

统计河口镇至龙门区间各种水保措施的作用,结果表明:在 1970~1996 年的 27 年中,淤地坝的拦沙量占总拦沙量的 59%左右,但其拦沙作用正在减弱,拦沙量从 70 年代的 77%减至 90 年代的 45%,同时,坝地拦沙作用的增长幅度逐渐衰减,70~80 年代拦沙量增长 0.1 亿 t,而 80~90 年代反而减少 0.15 亿 t,说明淤地坝的作用已逐渐减弱。

2002 年 7 月 4 日清涧河子长水文站发生了建站以来的特大洪水,洪峰流量高达 4 670m³/s,延川水文站也出现建站以来实测洪峰流量为 5 580m³/s,为历史第二大洪水。本次暴雨主要在清涧河上游子长以上,子长以上只有一个中山川中型水库,其他小型水库早已淤满。同时据调查,清涧河近几年水土保持主要是退耕还林还草,几乎没有新修梯田和打坝,现有的林草措施在这种高强度的暴雨作用下不会有明显的拦蓄作用。在清涧河流域的各种治理措施中,淤地坝起着主要作用,但淤地坝绝大部分是 70 年代以前修建的,经长期运行,近期库容损失较大。截至 1999 年,清涧河流域淤地坝总库容 5.3 亿 m³,已淤库容 4.0 亿 m³,占总库容的 75%,这说明淤地坝已到了运用后期。随着库容的减少,淤地坝蓄水拦沙作用明显下降,呈衰减趋势。表 2-34 给出了清涧河控制区各年代水利水保措施减洪减沙作用。

可以看出,清涧河流域各种水土保持治理措施面积都是增加的,但增长幅度 80~90 年代都小于 70~80 年代,其中又以淤地坝面积增长最小,70~80 年代增长 1 773hm²,80~90 年代仅增长 744hm²。70 年代年均减洪量和减沙量分别达 2 740 万 m³ 和 1 210.3 万 t,分别占总量的 87.2%和 83%;但由于坝地已发生大量淤积,所起的作用减少迅速,90 年代的减洪量和减沙量仅有 59.9 万 m³ 和 120.5 万 t,只有 70 年代的 2%和 10%,因此淤地坝减洪减沙作用大大降低,只占到总量的 4.5%和 12.7%。

水土保持淤地坝措施是有时效性的,只能在一定时期发挥作用,2002 年清涧河流域的暴雨洪水深化了对这一问题的认识,说明如果治理措施力度不够,原有效益可能都达不到,应引起重视。

(三)干流水库的调节作用,改变水沙量年内分配,使流量过程均匀,沙量更集中

黄河干流建成了龙羊峡、刘家峡、盐锅峡、八盘峡、青铜峡、三盛公、天桥和三门峡等 8 座大中型水利水电枢纽,总库容达 410 亿 m³,有效库容 300 亿 m³,总装机容量 374 万 kW,年发电量 176 亿 kW·h,这些工程在防洪减淤、灌溉、供水和水力发电等方面发挥了巨大的综合利用效益,同时也调节了水沙。其中对黄河水沙条件起主要调节作用的是龙羊峡、刘家峡和三门峡水利枢纽。

龙羊峡、刘家峡水库控制了黄河主要水量来源区,而中游是黄河泥沙的主要来源区,这种"水沙异源"是黄河水沙的主要特点之一,上游来水对中游来水起着降低含沙浓度的作用。龙羊峡水库有效库容 193.6 亿 m³,刘家峡水库 41.5 亿 m³,刘家峡水库和龙羊峡水库先后于 1968 年 10 月和 1986 年 10 月投入运用,汛期拦蓄洪水,非汛期泄水,供发电灌溉,蓄水过程见图 2-35,两库联合调度至 1996 年 10 月,汛期年均蓄水 41.71 亿 m³,非汛期年均泄水 34.73 亿 m³,全年蓄水 6.98 亿 m³。因此,其影响主要是改变水量年内分配,使汛期丰水年成为平水年,平水年成枯水年,汛期水量占年水量比例大大减少,一般年份降至 50%,枯水年降至 30%(表 2-35)。

表 2-34　　　　　　　　　　清涧河控制区各年代水利水保措施减洪减沙量

项目	措施	70 年代	80 年代	90 年代 (1990～1996 年)	70～80 年代变化	80～90 年代变化
措施 面积 (hm²)	梯田	6 740	11 927	15 360	5 187	3 433
	造林	7 887	35 370	62 470	27 483	27 100
	种草	447	1 590	2 647	1 143	1 057
	坝地	2 137	3 910	4 654	1 773	744
	合计	17 211	52 797	85 131	35 586	32 334
减洪量 (万 m³/年)	梯田	171	205.5	237	34.5	31.5
	造林	147	522	859.5	375	337.5
	种草	4.5	10.5	15	6	4.5
	坝地	2 740	1 944.6	59.9	-795.4	-1 884.7
	水库	78.8	157.6	162.4	78.8	4.8
	合计	3 141.3	2 840.2	1 333.8	-301.1	-1 506.4
各措施 占总量 的比例 (%)	梯田	5.4	7.2	17.8		
	造林	4.7	18.4	64.4		
	种草	0.1	0.4	1.1		
	坝地	87.2	68.5	4.5		
	水库	2.5	5.5	12.2		
减沙量 (万 t/年)	梯田	102	93	149.3	-9	56.3
	造林	86.3	243	540.8	156.7	297.8
	种草	4.5	9	19.5	4.5	10.5
	坝地	1 210.3	872.5	120.5	-337.8	-752
	水库	55.5	183.6	120	128.1	-63.6
	合计	1 458.6	1 401.1	950.1	-57.5	-451
各措施 占总量 的比例 (%)	梯田	7.0	6.6	15.7		
	造林	5.9	17.3	56.9		
	种草	0.3	0.6	2.1		
	坝地	83.0	62.3	12.7		
	水库	3.8	13.1	12.6		

　　龙羊峡水库初期蓄水 3 年,两库汛期平均蓄水 64.6 亿 m³,非汛期泄水 14.8 亿 m³,年净蓄水 49.8 亿 m³,分别占下游水量的 38%、10% 和 16%,其中 1989 年汛期蓄水达 99 亿 m³,占下游实测水量的 46%,自 1989 年 11 月转入水库正常运用至 1993 年 10 月汛期平均蓄水 47.7 亿 m³,占下游实测水量的 39%,非汛期泄水 41.8 亿 m³,年均蓄水量不大,其中 1992 年汛期蓄水 101 亿 m³,如无两库蓄水,汛期水量可达 237 亿 m³,不是枯水,而是平水,汛期水量可恢复至天然状态。而非汛期泄水主要在冬 4 月(12 月～次年 3 月),年均增加水量 25 亿 m³ 左右,4、5 月虽泄水,但经宁蒙河段用水后,至河口镇一般年份只有 3 亿～7 亿 m³,改变了非汛期的月分配(表 2-36),进库水量各月悬殊较大,一般冬 4 月(12 月～次年 3 月)各占非汛期水量的 5%～9%,11、4 月各占 15% 左右。5、6 月各占约 20%,经水库调节后主要是冬 4 月(12 月～次年 3 月)比例增加,5、6 月比例减少。

图 2-35　龙羊峡、刘家峡水库蓄水过程

表 2-35　　　　　　　　　　　龙羊峡水库进出库水量变化

站名	时期(年)	水量(亿m³)			汛期/年(%)
		汛期	非汛期	年	
唐乃亥(进库)	多年平均(1919~1968年)	125.4	81.8	207.2	60.5
	1989年	192.3(丰)	92.4(丰)	284.7	67.5
	1992年	130.0(平)	87.8(平)	217.8	59.7
	1991年	86.6(枯)	70.5(枯)	157.1	55.1
贵德(出库)	多年平均(1919~1968年)	134.7	85.7	220.4	61.1
	1989年	137(平)	145.4(丰)	282.4	48.5
	1992年	48.1(枯)	125(丰)	173.1	27.8
	1991年	75.2(枯)	109.4(丰)	184.6	40.7

表 2-36　　　　　　　　　　龙羊峡水库进出库典型年非汛期水量分配变化

月份(月)	水量(亿m³)						各占非汛期比例(%)					
	1989-11~1990-06		1992-11~1993-06		1991-11~1992-06		1989-11~1990-06		1992-11~1993-06		1991-11~1992-06	
	进库	出库	进库	出库	进库	出库	进库	出库	进库	出库	进库	出库
11	16.5	13.7	10.3	14.1	10.2	19.0	18	9	12	11	14	17
12	8.5	12.1	5.2	18.5	5.5	9.2	9	8	6	15	8	8
1	6.8	17.0	4.6	14.8	3.9	18.2	7	12	5	12	6	17
2	6.0	16.0	4.3	15.8	3.6	10.0	7	11	5	13	5	9
3	7.6	18.2	6.3	13.6	4.9	9.6	8	13	7	11	7	9
4	9.4	17.2	12.6	13.1	9.5	10.4	10	12	15	10	14	10
5	18.7	27.8	18.8	16.0	12.1	14.7	20	19	21	13	17	13
6	18.9	23.4	25.7	19.0	20.8	18.3	21	16	29	15	29	17
非汛期	92.4	145.4	87.8	124.9	70.5	109.4	100	100	100	100	100	100

　　水库在拦蓄过程中,更主要的是削减洪峰使流量过程均匀化,中枯水流量历时加长,

如 1989 年为丰水年，入库洪峰流量大于 4 000m³/s，经拦蓄后出库流量只有 700m³/s 左右。又如 1992 年为平水年，7 月和 10 月两次洪峰均被拦蓄，出库流量均小于 1 000m³/s（图 2-36）。因此，汛期流量过程比较均匀，基本没有什么洪峰，大部分时间流量均小于 1 000m³/s。统计各流量级出现的时间变化（表 2-37）也可看出，1987～1993 年，除 1989 年因前期水库已基本蓄满，后期洪峰未被拦蓄外，基本全部拦蓄，进库流量大于 1 000m³/s 的天数达 384d，占总天数的 44%，而出库天数仅 78d，占 9%，而增加较多的是流量 500m³/s 以下的天数，从进库 21d 增加至 184d，从占总天数的 2.5% 增加至占 21.4%。可见流量过程变化是很大的。

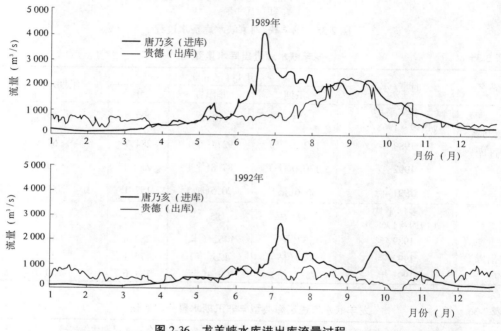

图 2-36　龙羊峡水库进出库流量过程

　　龙羊峡、刘家峡水库调节水量的同时，也调节了泥沙。龙羊峡水库自 1986 年 11 月～1997 年，水库淤积 1.796 亿 m³。刘家峡水库自 1968 年 11 月～1986 年 10 月水库淤积 10.93 亿 m³，自 1986 年 10 月～1997 年水库淤积 4.54 亿 m³。

　　三门峡水库 1973 年 11 月实行"蓄清排浑"运用后，对年水量调节不大，主要是调节泥沙，集中在汛期下排，造成汛期沙量占年沙量 90% 以上，形成下游汛期来浑水、非汛期来清水的清浑水交替过程。

三、对影响因素影响量的初步估算

　　从 1988 年至今，各单位对黄河上中游水沙变化进行了多次的研究，得出了大量成果。有第一期和第二期水沙变化研究基金、自然科学基金、治黄基金、"八五"攻关项目和水保基金等项目，采用方法也有多种，包括水文法、以洪算沙法、成因分析法、水保法等，成果有所差别，经对各家成果的综合分析，提出推荐成果。

表 2-37　　　　　　　　龙羊峡水库汛期进出库各级流量天数的变化　　　　　　　　（单位:d）

年份(年)	项目	流量级(m³/s)					
		< 500	500 ~ 1 000	1 000 ~ 1 500	1 500 ~ 2 000	2 000 ~ 2 500	2 500 ~ 3 000
1987	进库	14	61	28	17	3	
	出库	54	69				
1988	进库	7	78	38			
	出库	18	105				
1989	进库	0	11	22	42	44	4
	出库	7	39	39	11	27	
1990	进库	0	106	17			
	出库	9	114				
1991	进库	0	102	18	3		
	出库	20	103				
1992	进库	0	47	44	23	6	3
	出库	74	48	1			
1993	进库	0	51	40	28	4	
	出库	2	121				
1987 ~ 1993	进库	21	456	207	113	57	7
	占进库总天数(%)	2.5	53	24	13.1	6.6	0.8
	出库	184	599	40	11	27	0
	占出库总天数(%)	21.4	69.5	4.7	1.3	3.1	0

（一）对实测径流量的影响

1.二期水沙基金成果

以 1950 ~ 1969 年天然水量作为基准,计算各因素对减水量的影响。从表 2-38 可以看出,黄河上中游各年代的减水量随人类活动与降水量的大小而变化,但各年代两个因素所占的比重是不同的,20 世纪 70 年代降水影响占 23%,80 年代降水量因素未引起水量的减少,而 90 年代降雨偏少,在减水量中占 42%。70 ~ 90 年代平均情况,降水影响占 22%,人类活动影响占 78%。大致可认为 70 ~ 90 年代实测水量较 50 ~ 60 年代天然水量减少,1/4 由降水量减少引起,3/4 由人类活动造成。

统计龙门、河津、洑头、咸阳及张家山 5 站水利工程和水保措施等人类活动影响作用,发现水利工程减水量占天然水量的比例逐年代增加,从 50 年代的 19% 增至 90 年代的 36%;水保措施减水量占天然水量的比例也有所增大,但增大比例较小,至 90 年代仅为 3%。表 2-39 给出了 5 站人类活动对水量变化的影响。

2.其他成果

黄河水利委员会(以下简称黄委)勘测规划设计研究院 2001 年完成的"沁河流域水资源利用规划"报告中,对沁河五龙口河道水量 1986 年以来连续减少(1986 年以来年平均水量 7.16 亿 m³,占 1953 ~ 1985 年平均水量的 52%)的原因进行了初步分析,认为降雨量的减少导致河川径流减少作用占 49%,下垫面变化导致河道水量减少作用占 34%,泉水补给量减少(1986 年以前一般为 3.42 亿 m³,1986 年以后一般为 2.61 亿 m³)作用占 12%,

国民经济耗水量增加作用占5%。

表 2-38　　　　　　　黄河上中游降水量和人类活动对水量的影响　　　　　　（单位:亿 m³）

年份 (年)	实测	天然	与 50~60 年代比较			占总减水量(%)	
			总减 水量	降水 因素	人类 活动	降水 因素	人类 活动
1950~1969	427.46	541.16	113.7	—	108.84	0	100
1970~1979	346.86	497.37	194.3	43.79	150.51	23	77
1980~1989	352.56	541.23	188.6	-0.07	188.67	0	100
1990~1996	258.16	422.58	283	118.58	164.42	42	58
1970~1996	325.98	494.22	215.14	46.9	168.24	22	78

表 2-39　　　　　　　　　　　　　5 站人类活动对水量变化的影响　　　　　　　　（单位:亿 m³）

项目		1950~ 1959	1960~ 1969	1970~ 1979	1980~ 1989	1990~ 1996	1950~ 1969	1970~ 1996
5 站实测年水量		405.84	449.08	346.86	352.56	258.16	427.46	325.98
减水量	总减水量	95.65	132.03	150.51	186.67	164.42	108.84	168.25
	水利工程	95.28	129.58	141.10	174.25	153.38	112.43	156.56
	水保措施	0.38	2.72	9.9	15.07	11.71	2.91	12.28
	人为增水量	-0.01	-0.27	-0.49	-0.65	-0.67	-0.14	-0.59
5 站天然水量		501.21	581.11	497.37	541.23	422.58	541.16	494.22
占天然水量(%)	实测水量	81	77	70	65	61	79	66
	总减水量	19	23	30	35	39	21	34
	水利工程	19	22	28	32	36	20	31
	水保措施	0	1	2	3	3	1	3

注:5 站为龙门、河津、咸阳、洑头和张家山。

　　黄委会水文局 2002 年完成的"渭河流域综合规划"专题"渭河流域水资源评价"中,对地下水开采对河川径流的影响作用进行了一定的分析研究,认为降雨量的变化导致渭河入黄水量减少作用占 49%,国民经济用水量增加作用占 33%,水土保持工程建设占 4%,此外还有无效蒸发损耗量增加、集雨工程等作用占 14%。

　　(二)对实测沙量的影响

　　仍以 20 世纪 50~60 年代为比较基础,分析沙量变化与降水及人类活动的关系。从表 2-40 可以看出,黄河上中游各年代的减沙量随人类活动与降水量的大小而变化,但不同因素在各时期所起的作用不同。80 年代降水影响最大占到总减沙量的 50%,70 年代和 90 年代分别占 25%和 34%。70~90 年代平均降水因素占 39%,人类活动占 61%。

表 2-40 黄河上中游降水量与人类活动对沙量的影响

年份 (年)	实测 (亿 t)	天然 (亿 t)	与 50～60 年代比较(亿 t)			占总减少量(%)	
			总减少量	降水因素	人类活动	降水因素	人类活动
1950～1969	17.514	19.23	1.716	0	1.716	0	100
1970～1979	13.558	17.84	5.67	1.39	4.28	25	75
1980～1989	7.894	13.59	11.34	5.64	5.70	50	50
1990～1996	10	16.06	9.23	3.17	6.06	34	66
1970～1996	10.54	15.81	8.69	3.42	5.27	39	61

在人类活动影响中,水利工程措施和水保措施的影响不同(表 2-41)。在 20 世纪 70 年代以前,水利工程起到主要的减沙作用,减沙量占总减沙量的 78%,水保措施占 22%;70 年代以后水利工程减沙作用相对逐渐减弱,水保措施减沙作用相对逐渐增强,到 90 年代,水保措施减沙量占到总减沙量 65%,水利工程减沙量只占总减沙量的 35%。

表 2-41 黄河上中游人类活动对沙量变化的影响

项目		1950～1959	1960～1969	1970～1979	1980～1989	1990～1996	1950～1969	1970～1996
5 站实测年沙量(亿 t)		17.725	17.303	13.558	7.894	10	17.514	10.54
减少量 (亿 t)	总减沙量	0.965	2.466	4.283	5.696	6.06	1.716	5.27
	水利工程	0.991	1.696	2.369	2.494	2.076	1.344	2.31
	水保措施	0.109	1.145	2.519	3.676	4.055	0.627	3.42
	河道冲淤 + 人为增沙	－ 0.135	－ 0.375	－ 0.605	－ 0.474	－ 0.071	－ 0.255	－ 0.38
5 站天然沙量(亿 t)		18.69	19.77	17.84	13.59	16.06	19.23	15.81
占天然沙量(%)	实测	94.8	87.5	76	58.1	62.3	91.1	66.5
	总减沙量	5.2	12.5	24	41.9	37.7	8.9	33.8
	水利工程	5.3	8.6	13.3	18.4	12.9	7.0	14.6
	水保措施	0.6	5.8	14.1	27.0	25.2	3.3	21.6
	河道冲淤 + 人为增沙	－ 0.7	－ 1.9	－ 3.4	－ 3.5	－ 0.4	－ 1.3	－ 2.4

第三章 三门峡水库蓄清排浑调水调沙控制运用以前黄河下游河道河床演变

黄河下游现行河道是在不同历史时期内所形成,孟津铁谢—沁河口原是禹河故道,沁河口—兰考东坝头河段已有 500 多年历史,东坝头—陶城铺是 1855 年铜瓦厢决口后在泛区内形成的河道,陶城铺以下鱼山—黄河河口原为大清河故道,铜瓦厢决口后为黄河所夺,由于河道的历史背景不同,在河床演变特性上有所差别。

第一节 黄河下游河道的历史变迁及形成过程

一、黄河下游河道的较大变迁

黄河下游河道的较大变迁见图 3-1。较大变迁有 5 次。

(一)河决宿胥口

传说在四千多年前的夏禹时代,疏浚了黄河河道,这条河道就是历史上的"禹河"。根据"禹贡"上的记载,它所流经的地区为:"东过洛汭(今河南巩县洛水入黄处)至于大伾(一说在荥阳,一说在浚县),北过降水(今漳水)至于大陆(大陆泽),又北播九河,同为逆河入于海。"其大致流路为:经今河南孟津、荥阳、武陟、原阳、浚县、滑县、内黄和河北省广宗至巨鹿北(所谓大陆泽)分播九河由今静海入于渤海。

公元前 602 年(周定王五年)河徙浚县古宿胥口,从此大河自宿胥口以下,东至濮阳向东北,经今内黄、清丰、南乐及河北省大名,馆陶东至黄骅入渤海,即西汉大河。公元前 132 年(汉武帝元光三年),河决濮阳瓠子堤,溃水流向东南,会泗入淮,于公元前 109 年(汉元封二年)才堵合。公元前 17 年(汉鸿嘉四年)清河一带河决,使馆陶以下河道泛滥纵横 20 余年。当时"河从魏郡以东,北多溢决,水迹难以分明"(《汉书·沟洫志》),说明河道失治,又有决口改道的危险。

(二)河决魏郡

公元 11 年(王莽始建国三年),黄河在魏郡决口(今濮阳西)当时王莽执政,认为"及决东去,元城不忧水,故遂不堤塞"(《后汉书·王莽传》)。元城(今河北大名东)是王莽祖坟所在地,黄河东决后,其祖坟不再受河患,故决而不堵,造成这次大改道,改道后的基本流路走山东聊城以东,大清河以北,而濮阳以上仍是西汉的原河道。自濮阳以下,河水自由泛滥近 60 年。至公元 69 年(汉明帝永平十二年)王景治河时,才筑堤使大河经今濮阳、范县及山东高唐、平原至利津一带入海。历经魏、晋、南北朝及唐、宋时代,到晚唐及宋代初期黄河在澶州(今濮阳)、滑州(今滑县)之间,决溢较频繁。

(三)河决濮阳商胡

1034 年(宋仁宗景祐元年),河决澶州横陇埽,溃水经今高唐、平原,会于原河道的分

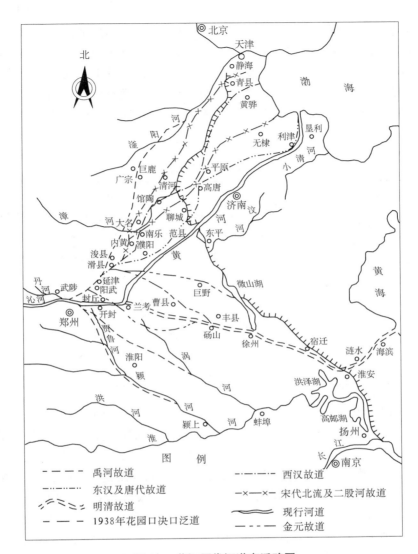

图 3-1 黄河历代河道变迁略图

支赤、金、游三河入海,久而不塞。到 1048 年(宋仁宗庆历八年),黄河在濮阳商胡埽决口向北改道,其基本流路自今濮阳以东经馆陶、清河、冀县东到乾宁军(今青县)入海,宋代称"北流"。1060 年(宋嘉祐五年)黄河在魏郡第六埽(今南乐西)决口,分出一支岔河叫"二股河",经高唐、平原至利津北入海,宋代称"东流"。先是北流、东流并行入海,曾进行三次回河东流,均未成功,直到北宋灭亡。

从以上河道变迁可以看出,其变迁范围以河南浚县、滑县之间为顶点,入海地点一是黄骅、二是利津、三是青县。各河道行河时间不同,见表 3-1。

(四)杜充决河

1128 年(南宋建炎二年),南宋赵构王朝,为了阻止金兵南进,开封留守杜充,在河南滑县以西决河,河分数股入淮,以河南武陟为顶点,河势渐由北向南发展。1194 年(金章宗明昌五年)河决阳武(今原阳),其流路大致经今原阳、封丘、长垣、砀山到徐州入泗夺淮入黄海。元、明两代治河,以保漕运为主,堤防修建重北轻南,15世纪初,大河在郑州以下南岸分出四路入淮。1495年(明弘治八年)于黄河北岸加修了遥堤,上自河南胙城(今延津县),下到江苏丰县,称太行堤。自此河势益形南趋,使一淮受黄河全河之水。1546年(明嘉靖二十五年)后,自开封至砀山修建了南岸堤防,大河有了固定河道,经今兰考、商丘、砀山、徐州、宿迁、涟水入于黄海,即"明清故道",行河700余年,两岸堤防有400~500年的历史。

表3-1 各故道行河时间

故道名称	河段	行河时间(年)	说明
西汉故道	武陟—浚县	1 700	该河段年代久远,难以考证,但这一河段断流时间约在1194年以后,若从战国时期有堤防算起行河1 700余年
	浚县—濮阳	1 700	经历西汉、东汉及唐宋时期,其断流时间约在12世纪70年代,行河期亦有1 700年
	濮阳—馆陶	579	公元前602年河徙宿胥口后形成的,除去西汉瓠子决口23年外,实际行河为579年
东汉故道	濮阳以东	1 037	公元11年魏郡决口改道东流,于1048年断流,行河1 037年,公元69年后才有堤防,有900多年历史
北宋故道	濮阳以北	80	自1048年到1128年,约行河80年

(五)河决铜瓦厢

1855年(清咸丰五年)6月19日,兰阳(今兰考县境)铜瓦厢险工河势下挫,险工以下无工段溃决,20日全河夺溜。决口后,从封丘祥符折向东北的水流,在兰通集溜分两股,一股在东明县分成南北两支,大致沿着明代的黄河北道,经濮县、范县至张秋镇穿过运河;另一股出曹州东赵五河及曹州西陶北河,最后三股流在张秋镇穿运河,经小盐河在鱼山入大清河,由利津入海。决口后,铜瓦厢以下,无一定河槽,泛滥有20余年。北岸有古金堤作屏障,而南岸则漫延至山东定陶、单县、曹县、成武、金乡等县,到1877年(清光绪三年)以后,沿河两岸的堤防逐渐修建,与铜瓦厢以上到孟县的堤防相连,形成黄河下游现行河道。该河道除花园口扒口南泛9年外,实际行河已140多年。

从以上河道变迁来看,整个三角洲似一把扇子,扇轴在孟津一带,左边是禹河故道,右边是1938年国民党反动统治集团扒开花园口大堤后,沿贾鲁河汇淮入江的故道,最北经海河出大沽口,最南经淮河入长江,水灾波及的范围,北可至天津,南可至长江下游,威胁着25万km²成千上百万人民的安全。

二、铜瓦厢决口后下游河道的历史演变

1855年,铜瓦厢决口是最晚一次大改道,对上下游带来深远的影响,下游河道的一些演变特点,均与此改道有密切关系。

(一)孟津—东坝头河段

根据以上河道变迁情况,可以看出黄河下游河道自孟津至沁河口原是禹河故道,几千年没有太大的变化。自沁河口至东坝头仍为明清时代的老河道,行河有 500 余年的历史。在明、清时代,两岸滩槽高差较小,尤其清嘉年间以后洪水漫滩的机遇很多(表 3-2)。同时滩地有串沟堤河,汛期洪水,串沟过水,堤河行洪,不断出险。如清道光十五年(1835 年),北岸阳武汛三堡一带,由于串沟分溜下注,几乎掣动全河,当时紧急抢险达 40 昼夜。南岸祥符(开封)下汛到陈留(现属开封),堤长 30 余 km,地势低洼,伏秋盛涨,堤根水深达 2 ~ 3m。该河段自明初到清末两岸决口计有 36 次。

表 3-2   1855 年前沁河口—曹县涨水漫滩情况

年代	漫滩情况	资料来源
1817 年(嘉庆二十二年)	下游各段已普遍漫滩	河督叶观潮 6 月 14 日奏
1819 年(嘉庆二十四年)	下游滩地水与堤顶相平,而上游不漫滩,各段堤根积水 4 ~ 7 尺	河督叶观潮 7 月 22 日奏
1822 年(道光二年)	各段涨水,普遍漫滩水深 1 ~ 7 尺	河督严烺 6 月 25 日奏
1824 年(道光四年)	普遍漫滩	河督严烺 9 日 2 日奏
1826 年(道光六年)	下游水漫抵堤根深 1 ~ 9 尺,上游未漫滩处亦出槽	河督严烺 8 月 25 日奏
1827 年(道光七年)	漫滩水到堤根自尺余至五六尺	河督严烺 5 月 15 日奏
1828 年(道光八年)	普遍漫滩	河督严烺 8 月 2 日奏
1830 年(道光十年)	普遍出槽	河督严烺 6 月 4 日奏
1831 年(道光十一年)	两岸漫滩,堤根水深 2 ~ 8 尺	河督严烺 7 月 17 日奏
1832 年(道光十二年)	处处漫滩,情形十分险恶,祥符下汛 32 堡滩水由堤顶漫溢	河督吴邦定 8 月 3 日奏;8 月 25 日又奏

　　1855 年铜瓦厢发生决口,这是一次大改道,给上下游河道带来深远的影响,目前下游河床演变中的某些特点与此次改道关系极大。决口时口门刷宽甚速,初尚分溜三股,到次日即全行夺溜,下游正河断流。决口处临背河相差十分悬殊,同治十二年(1873 年)李鸿章的奏疏中说:"见在铜瓦厢决口宽约十里,跌塘过深,水涸时犹逾一二丈;旧河身高决口以下水面二三丈不等,如欲挽河复故,必挑深引河三丈余,方能吸溜东趋。"说明临背河差达 7 ~ 10m,水流通过这么大的跌差,进入下游时,形成一个冲积扇。由此造成的冲刷必向上游延伸,产生溯源冲刷,对该河段的河床演变带来深远的影响。
　　为了说明溯源冲刷带来的影响,以分析 1938 年花园口的决口为例。1938 年 6 月 9 日国民党政府在花园口扒开大堤,黄河南流夺淮入江,至 1947 年 3 月 15 日堵口合龙,河归故道。根据李西河及秦厂的水位分析,决口后李西河水位迅速下降,至 1942 年似已基本稳定,刷深 3m 左右,上游 14km 的秦厂刷深 2m 左右,因中间河段没有实测资料,假定溯源冲刷沿程作直线分布,则这一次决口在口门上游 42km 的河段内都造成冲刷,说明溯源冲刷的影响范围是较远的。铜瓦厢决口,临背差约为花园口决口临背差的 3 倍,初步估计,造成的溯源冲刷可能超过 100km。因此,东坝头以上河段,由于溯源冲刷,滩槽高差加大,低滩变成高滩,一般洪水不出槽。如光绪年间刘成忠所说:"河由山东入海,下游宽广,因而豫省河面低于道光年间四、五、六尺,虽当伏秋之盛涨,出槽之时颇少。"(《豫河志、刘成忠河防刍议》)又据光绪十二年成孚调查:"黄河北徙已历 30 余年……乾口门之南(指老河道),积年沙滩挺峙,现高出水面二丈至三丈余尺。"(《再续行水金鉴》)近百年来,北岸除 1933 年大水在武陟詹店曾一度漫溢外,其余段堤防均未决口。南岸除荥泽决口一次,郑州决口两次外(包括 1938 年扒口)、其余段堤亦未决口。因此,北岸自原京广铁路桥至陈桥及南岸自开封至兰考交界的老滩,为明清时代决口较多的河段,近百年来未上过滩。但由于河道的严重淤积,使该河段的高滩也显得不高,如 1977 年黄河下游遇高含沙量洪水,部分高滩也上了水,如封丘丁庄黑石高滩都进了水,原阳高滩出水只有 0.2 ~ 0.3m,出现了"高滩不高"的局面。1996 年花园口至柳园口河段的新淤滩面已与 1855 年的高滩齐平,如来童寨、黑石、柳园口等断面,柳园口至东坝头河段的新淤滩面仅比 1855 年前的老滩略低一些。

(二)东坝头以下河道

1. 铜瓦厢决口后下游泛区的变化

铜瓦厢决口后,水流通过很大的落差进入下游,形成一个冲积扇。根据历史记载,可以大致勾出冲积扇的范围,如图 3-2 所示。决口后大河东注,北岸只有北金堤作屏障,南岸无堤防。如遇水涨,一片汪洋,河宽自 5km 至 15.2km。黄河所到之处,地面不断淤高,冲积扇一侧淤高,水流必然朝另一侧摆动。同治二年(1863 年)在兰阳决口,同治七年(1868 年),河决郓城赵王河东岸的红川口,同治十年(1871 年),河决郓城沮河东岸的侯家林,同治十二年(1873 年)又决东明的岳新庄、石庄户,光绪六年(1880 年)在石庄户下游菏泽贾庄堵口,黄河大溜合并为一,归入大清河。到 1875 年(光绪元年)开始修建东平以上至兰考南岸大堤,1877 年(光绪三年)初步建成。北岸自 1877 年后开始在北金堤以南筑民埝,东自东河西至濮县;南岸西起濮县李升屯,东到梁山黄花寺,两端均与大堤相接,类似缕堤,原有北金堤和南岸大堤,似遥堤(过去这一河段的民埝,即现在的临黄大堤),基本形成现今的黄河。可见,铜瓦厢决口后的 20 多年内,水流在冲积扇上自由漫流,左右摆动,没有受到任何约束。由于河流自由摆动,大量黏土落淤在三角洲上,靠近冲积扇顶点的地区流速大,摆幅小,流势集中,愈往下游水流分散,流速降低,摆幅加大。大致可以东坝头(铜瓦厢)为圆心,通过东明县城画一圆弧,弧线以上地区看成是冲积扇顶点区,顶点区的水流条件和冲积扇下游不同,使东坝头至高村及高村以下河道的演变特性不同。如前所述,北金堤以东地区原是黄河故道,当黄河入淮后,留下了很复杂的小水道网。铜瓦厢决口后,黄水所到之处,遇河即夺,遇渠即灌,将濮阳东南诸水连成一片,大部分填平,剩下的一些断河残流在南北大堤建成后成了串沟和堤河。据 1955 年统计,从东坝头至陶城铺,南岸有串沟 25 条,北岸有 31 条,其中有一半左右在高村以上河段。此外,在冲积扇顶点区,由于水流集中,流速较大,黏土落淤范围不太普遍,从钻探资料来看,东坝头表层都是沙土,表层以下 8m 处分布有亚黏土和片断的黏土,河流在这样的土质条件下仍有游荡的可能,而高村以下冲积扇的下部分,土质比较复杂,主槽及滩地,深层和表面均有亚黏土及黏土分布,一定程度限制了大溜自由摆动的范围,一般弯顶部分,滩岸上有黏土夹层,两个

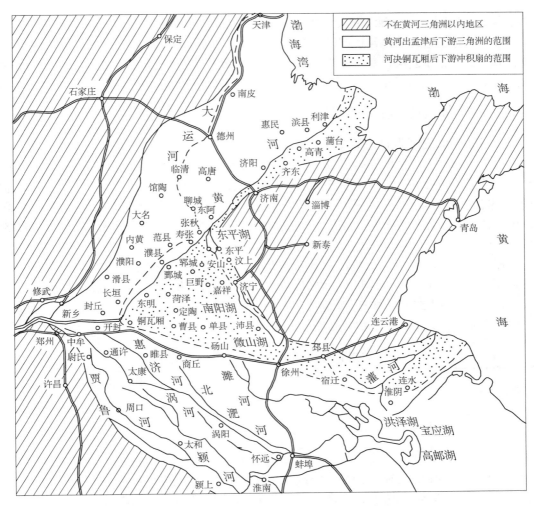

图 3-2 1855 年铜瓦厢决口以后下游冲积扇的范围

弯道的过渡段则位于沙土地区,说明河流在摆动过程中受到黏土沉积物的作用,只有改变方向朝另一岸发展,使河道具有游荡和弯曲的两重性。在个别河段处于亚黏土或黏土沉积区,能保持顺直外形。从以上 1855 年铜瓦厢决口后下游泛区的变化看,高村以上属于游荡性河道,高村至陶城铺属过渡性河道,是有历史演变原因的。

2. 黄河夺大清河后的变化

黄河未夺大清河之前,大清河是东路运盐故道,只有两岸地区的雨水由大清河分流入海,是一条窄深多弯的地下河。光绪年间李秉衡说:"大清河自东阿鱼山以下,至利津海口,原宽不及一里,深至四五丈……"当时入海口在铁门关以北肖神庙,两岸壁陡,单式矩形河槽,自岸边至河底深 15~20m,水深一般在 6~9m,铁门关当时的房屋都建在靠河岸,可以看出,当时洪水溢槽机会不多,河岸坍塌也不严重。铜瓦厢决口后,由于黄水自由泛滥,上游不断决口,进入大清河的水沙都比较少,到 1871 年(同治十年)"大清河自东阿鱼山到利津河道,已刷宽半里余,冬春水涸尚深二三丈,岸高水面又二三丈,大汛时河槽能容五六丈"(《历代治黄史》),说明河床淤积不严重。自 1875 年后,东坝头以下泛区开始修建两岸堤防,河道有一定约束,进入大清河的洪水泥沙增多。1896年(光绪十二年)山东巡抚李秉衡奏称:"迨光绪八年桃园(山东历城境)决口以后,遂无岁不决……虽加修两岸堤埝,仍难抵御,距桃园决口又十五年矣,昔日之水行地中者,今已水行地上……"(《再续行水金鉴》)。说明光绪元年之后,大清河才逐渐由地下河变为地上河。

三、不同时期的河床冲淤演变

(一)较长历史时期的河床淤积情况

历史上河臣上朝庭的奏折中,对黄河决口所造成的灾害及改道有较详细的记载,但缺乏对泥沙淤积情况的记载,更没有系统的观测,加以旧社会决口改道频繁,每次决口改道后,大量泥沙被带至堤外,减缓了河床上升速度,因此对较长历史时期河道的淤积情况难以确切估计。仅能根据有水文泥沙观测、地形图及一些历史文物的调查资料,作一个粗略估计。

根据河床淤高后所造成的堤内外高差估计,自沁河口至东坝头北岸高滩是1493~1855年淤积而成的,与堤外滩面平均相差6m,估计年均淤积厚度1.66cm;自谢寨至刘庄长37km,大堤系光绪元年修筑,谢寨以上25km,原系豫、冀交界之一段,为光绪四年修筑,堤内外高差平均约2m,年平均升高约2.6cm(表3-3)。

表3-3   黄河下游较长时期内河床淤积速度估计

资料来源	情况说明	估计年平均淤积厚度(cm)	
		全河床	滩地
根据堤内外高差及两堤间河床面积估计	自沁河口至东坝头北岸高滩是在1493~1855年内淤积而成的,与堤外地面平均相差6m	1.66	—
	自谢寨至刘庄长37km,大堤系在光绪元年修筑,谢寨以上25km原系豫、冀交界之一段,乃光绪四年所筑。堤内外高差平均达2m	2.60	—
根据工程修建中挖出的文物估计	洙口北岸滩地上在地面以下7~8m处挖出咸丰六年石碑	—	6.72
	王旺庄枢纽北岸滩地上在地面以下7m处挖出光绪年间石碑	—	8.23

又根据1/50 000地形图分析(表3-4和表3-5),自1722年至1972年,沁河口御坝、武陟秦厂圈堤和中牟十里店,分别年均抬高3.7、2.1cm和1.7cm。此外根据工程修建时挖出文物资料粗略估计,如花园口在南堤堤外修工程时,在地面下10m处挖出唐天祐六年的墓碑(墓碑平放于墓顶),因黄河流经这一地区的时间很难考核,估计平均淤高最多不超过2cm。根据下游枢纽工程修建时挖出的文物资料加以粗略估计,如洙口北岸滩地上地面以下7~8m处,挖出咸丰六年碑,估计年均淤高6.72cm,王旺庄枢纽北岸滩地上在地面以下7m处,挖出光绪年间石碑,粗略估计年均淤高8.23cm。又分析了1970~1990年淤积情

况,东坝头至位山河段自筑堤后近80～90年滩地年均淤高2.6～4.7cm,位山以下近70年年均淤高4～5cm。由于黄河下游在该时期滩地与主槽基本上是平行上升的,所以滩地的淤高厚度也可代表河床的淤高厚度。必须指出,上述数字包括了新中国成立后20年滩地的淤积,由于新中国成立后下游河道未决口,河床淤高速度加大,因此新中国成立前河床的淤高速度要比上述数字小。

表3-4　　　　　　　　　　　　黄河下游位山以上滩面淤高情况

岸别	地点	年份(年)	年数(年)	淤高厚度(m)	年均淤高厚度(cm)	说明
北	沁河口御坝	1722～1972	241*	9.0	3.7	1/50 000地形图
北	武陟秦厂圈堤	1724～1972	239*	5.0	2.1	
南	中牟十里店	1724～1972	239*	4.0	1.7	
南	东明阎潭	1875～1972	88*	3.0	3.4	
南	东明高村	1875～1972	88*	4.0	4.6	
南	梁山路那里	1877～1972	86*	4.0	4.7	

注:扣除未走河的1938～1947年共9年。

表3-5　　　　　　　　　　　　黄河下游位山以下滩面淤高情况

岸别	地名	1891年临背差	1972年临背差	滩面淤高厚度(m)	年均厚度(cm)	说明
南	三教堂	1.4	4.0	2.6	3.8	(1)所列地点系受决口影响较小处兰家以下利津决口较多未列;
	段家庄	2.1	5.0	2.9	4.3	
	徐 庄	1.7	5.0	3.3	4.9	
	丁家庄	1.6	5.0	3.4	5.0	
	大鲁庄	1.6	5.0	3.4	5.0	
	吉家庄	1.4	5.0	3.6	5.3	
	孟家圈	1.2	4.0	2.8	4.1	
	席家道口	0.1	3.7	3.6	5.3	
北	位 山	0.6	3.0	2.4	3.5	(2)1891～1972年计81年除花园口决口9年和位山以上较大决口4年(1917、1925、1933、1936年)不计外,实为68年;
	王家坡	0.3	2.5	2.2	3.2	
	旧 城	0.6	3.0	2.4	3.5	
	姜 庄	1.0	4.5	3.5	5.1	
	渭 口	0.6	4.0	3.4	5.0	
	孙 溜	0.1	3.5	3.4	5.0	
	李 溃	0.1	3.1	3.0	4.4	(3)1891年临背差由光绪十六年测图查出
	董 寺	0.3	4.0	3.7	5.4	
	齐 河	1.7	5.0	3.3	4.9	
	史家坞	1.3	3.6	2.3	3.4	
	代 家	0.8	3.5	2.7	4.0	
	兰 家	0.3	3.5	3.2	4.7	

(二)历史时期下游河道的淤积情况

黄河下游有水文记录的历史以泺口站最早,1919 年有水位、流量记录。秦厂、高村及利津站在 1933～1935 年开始设站,其余孙口、艾山站都是在新中国成立后才建的,早期资料残缺不全。此外黄河下游自 20 世纪 30 年代开始有比较可靠的地形资料,这些资料是非常可贵的,分析这些资料,可以看出近期下游河道的冲淤情况。

1.1934～1960 年河道冲淤情况

这一时期下游河道变化较大,1934 年 8 月,黄河于河南封丘贯台决口,分流占全河流量的十分之四,漫水沿金堤与大堤之间下行至陶城铺回入正河(1935 年 4 月堵复);1935 年 7 月 10 日山东鄄城董庄决口,大部分水流入江苏,1936 年 3 月 27 日堵复;1938 年 6 月,国民党政府在郑州花园口扒口,花园口以下断流,至 1947 年 3 月 15 日堵复,断流 9 年。据分析,花园口以上河道的冲淤过程大体为:1934～1937 年处于微淤状态,1938～1946 年发生溯源冲刷,溯源冲刷的影响范围约 42km,堵口后,又发生溯源淤积。而花园口以下河道,1938～1947 年 9 年未走河。利用宝贵的 1934～1937 年所测地形资料与 1960 年作一对比(表 3-6),得出 1934～1960 年铁谢—利津河道淤积 43.8 亿 t 泥沙。

表 3-6 　　　　　　　　　　黄河下游 1934～1960 年淤积量　　　　　　　　(单位:亿 t)

河段	1934～1937～1960 年	1954～1960 年	1937～1953 年	说明
铁谢—花园口	3.1	6.4	−3.3	地形图及大断面计算所得
花园口—夹河滩	7.5	5.8	1.7	
夹河滩—高村	9.5	8.2	1.3	
高村—艾山	20.0	10.0	10.0	
艾山—利津	3.7	1.10	2.6	
共计	43.8	31.5	12.3	

该时期河床的淤积厚度见表 3-7 和表 3-8。对比表 3-4 和表 3-5 可以看出,年均抬高速度较前一时期较大。

根据地形资料得到黄河下游河道自 1934～1960 年平均淤积量约为 2.58 亿 t(扣除未走河 9 年),如用天然的来水来沙条件,若下游河道不发生决溢改道,初步估算下游河道自 1930～1960 年的平均淤积量约为 3.5 亿 t(表 3-9),后者比前者大。主要是 1947 年以来伏秋大汛未决口,加重了河道的淤积。

2.1934～1937 年至 1985 年冲淤情况

由于 1960 年的资料较不系统,又对比了 1934～1937 年至 1985 年河道总淤积情况,得到 1934～1937 年至 1985 年黄河下游河道(铁谢—利津)淤积泥沙约 86 亿 t,年均淤积约 2.05 亿 t(扣除未走河 9 年)。沿程分布见图 3-3,呈现出两头淤得少,中间淤得多的特点,官庄峪以上基本没有淤积,秦厂—东坝头平均淤高 1m;东坝头—河道淤高 1.5m,高村—南桥淤高 2.5～3.5m,南桥以下逐渐减少,大文屯—付辛庄淤高 1～2m,刘家园以下为 0.5～1m。横向分布如图 3-4 所示。

表 3-7   黄河下游河道 1934～1960 年河床淤高情况

断面	年限(年)	全断面年均厚度(cm)	断面	年限(年)	全断面年均淤积厚度(cm)
铁谢	26	5.8	三刘寨	17	2.5
铁炉	26	3.6	辛寨	17	6.2
裴峪	26	1.3	韦城	17	8.2
伊洛河口	26	0.9	曹岗	17	1.6
氾水口	26	1.1	夹河滩	17	1.9
官庄峪	26	0.8	东坝头	17	1.5
保合寨	26	0.7	马寨	16	5.4
小刘庄	26	0	杨小寨	16	7.4
李西河	26	0.8	高村	16	8.1
来童寨	17	1.6	南小堤	16	7.9
孙庄	17	3.8	魏寨	16	7.8

表 3-8   黄河下游山东河段滩面年均淤积厚度

河段	年份(年)	年数	淤积厚度(m)	年均淤积厚度(cm)
高村—苏泗庄	1936～1959	14	1.29	9
苏泗庄—旧城	1936～1959	14	1.54	11
旧城—路那里	1936～1959	14	2.54	18
路那里—艾山	1936～1960	15	2.60	17
艾山—董渡	1936～1960	15	0.90	6
董渡—韩刘庄	1936～1960	15	1.99	13
泺口—济阳	1935～1960	16	0.89	6
济阳—邹平	1937～1960	14	0.73	5
邹平—董家	1937～1960	14	0.70	5
董家—利津	1937～1960	14	0.91	6

表 3-9   黄河下游年均来水来沙量、河道淤积量

时间(年-月)	来水量(亿 m^3)			来沙量(亿 t)			含沙量(kg/m^3)			冲淤量(亿 t)		
	汛期	非汛期	年	汛期	非汛期	年	汛期	非汛期	年	汛期	非汛期	年
1920-07～1930-06	239	149	388	9.74	2.13	11.9	40.8	14.3	30.6	(1.59)	(0.67)	(2.26)
1930-07～1940-06	305	185	490	15.3	2.6	17.9	50.2	14.1	36.5	(3.72)	(0.68)	(4.40)
1940-07～1950-06	328	210	538	14.6	2.8	17.4	44.5	13.3	32.3	(2.25)	(0.49)	(2.74)
1950-07～1960-06	296	184	480	15.3	2.6	17.9	51.7	14.1	37.3	2.9	0.71	3.61

注:括号内数字为估算数字。

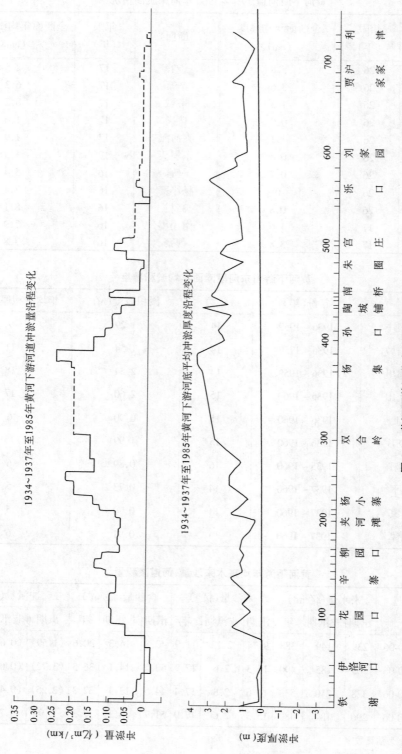

图 3-3 黄河下游河道冲淤量沿程变化

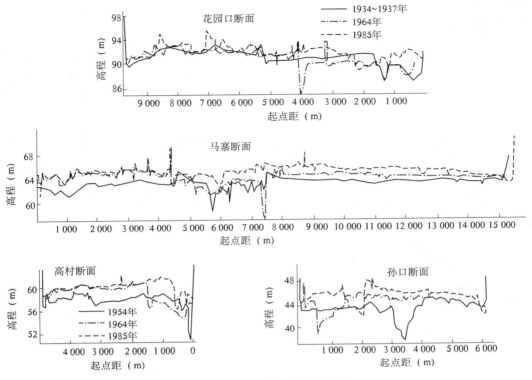

图 3-4　黄河下游典型横断面变化

第二节　天然情况下(1950 年 7 月~1960 年 6 月)黄河下游河道河床演变

黄河在 1950~1960 年,受人类活动的干预较少,因此它基本代表着天然情况。该时期黄河下游年均来水量 480 亿 m³,来沙量 17.91 亿 t,洪峰较大而多,花园口洪峰流量大于 10 000m³/s 的有 7 次,6 000~10 000m³/s 的有 25 次。三门峡水库修建前下游河床演变特点在钱宁先生著的《黄河下游河床演变》一书中已有详细论述,在此仅作简单的补充。该时期河床冲淤演变主要有以下几大特点。

一、淤积量大而年际变化很不均衡

黄河下游河床冲淤演变主要取决于流域的来水来沙条件及河床边界条件。由于黄河下游是一条冲积性河流,河床的边界条件随来水来沙条件而变化,所以来水来沙条件起着主导作用。长期以来下游河道河床是淤积的,但非单向淤积,而是有冲有淤。河道年淤积量的多少随水沙条件的自然波动而波动,时多时少,呈周期性变化(图 3-5),如遇水丰沙少年份,河床淤积较少,甚至还可发生冲刷,如 1955 年,来水量 581 亿 m³,来沙量 14 亿 t,河床冲刷约 1 亿 t,而遇枯水多沙年份,如 1959 年来水量 392 亿 m³,来沙量 27 亿 t,来沙系数高达 0.055、河床淤积约 7 亿 t。该时期下游河道淤积泥沙 36.1 亿 t(已扣除进入东平湖泥沙),年均 3.61 亿 t,约占来沙量的 20%。

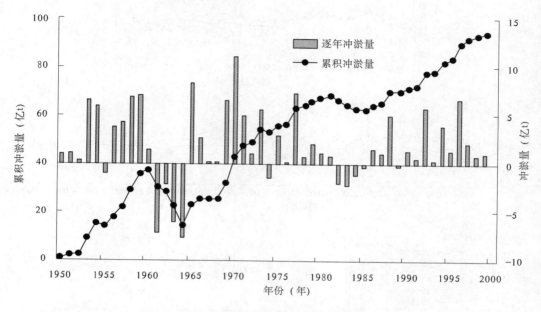

图 3-5　黄河下游河道冲淤量过程

二、淤积集中在汛期,更集中在洪水期

　　表 3-10 为黄河下游在天然状况下的水量、沙量和冲淤量,由于水沙集中于汛期,因此冲淤量也集中在汛期,由表 3-10 可以看出,汛期的淤积量可占年淤积量的 80%,而非汛期只占 20%,但是非汛期的淤积主要在主槽,而且全下游各河段均淤积,汛期的淤积则分布在主槽和滩地。

　　汛期的淤积更集中在洪水期,洪水期淤积量约占年淤积量的 75% 左右,占汛期淤积量的 94% 左右。进一步分析表明,洪水期的淤积与洪峰流量大小有关。该时期洪峰流量较大(最大洪峰流量达 22 300m³/s),而且场次多,流量大于 10 000m³/s 的有 6 次,6 000~10 000m³/s 的有 25 次,当水流漫滩后由于滩槽水沙的横向交换,一般情况下,滩地发生淤积,主槽发生冲刷。根据大断面测验资料,结合水沙和水位资料的综合分析,得出各级洪水期的下游河道冲淤量(表 3-10)。可以看出,大漫滩洪水(洪峰流量大于 10 000m³/s),下游河道全断面淤积 9.4 亿 t,滩地淤积约 27.9 亿 t,主槽冲刷约 18.5 亿 t;小漫滩洪水(洪峰流量 6 000~10 000m³/s),全断面淤积约 15 亿 t,实际上此时嫩滩亦有部分淤积,由于缺乏资料,很难分开滩地淤积量。因此,将漫滩洪水统一考虑,则滩地淤积约 27.9 亿 t,主槽冲刷约 3.5 亿 t,而不漫滩洪水和平水期分别淤积约 2.8 亿 t 和 1.8 亿 t,加上非汛期的淤积 7.1 亿 t,共淤积泥沙 11.7 亿 t,这部分泥沙均淤积在主槽。也就是说从全断面冲淤量看,漫滩洪水造成淤积量占年淤积量的 67% 左右,但主槽是冲刷的,而造成主槽淤积的,主要是小洪水期、平水期及非汛期。

表 3-10　　　　　　黄河下游河道 1950 年 7 月～1960 年 6 月年内淤积分布

项目	水量 （亿 m³）	沙量 （亿 t）	冲淤量 （亿 t）	各占年的百分比（%）		
				水量	沙量	冲淤量
年	4 800	179	36.1	100	100	100
一、汛期	2 960	153	29.0	62	85	80
1. 洪峰期	2 086	129	27.2	44	72	75
洪峰最大流量 > 10 000m³/s 大漫滩洪水	350	29	9.4	7	16	26
洪峰最大流量 6 000～10 000m³/s 小漫滩洪水	706	54.6	15.0	15	30	41
洪峰最大流量 4 000～6 000m³/s 不漫滩洪水	544	28.3	2.5	12	16	7
洪峰最大流量 2 000～4 000m³/s 不漫滩洪水	486	17.1	0.30	10	10	1
2. 平水期	874	24.0	1.8	18	13	5
二、非汛期	1 840	26.0	7.1	38	15	20

三、宽窄河段淤积量差异很大，沿程分布不均

表 3-11 和图 3-6 为黄河下游河道淤积沿程分布，从中可以看出，由于黄河下游河道特性不同，在一定的水沙条件下，冲淤量的沿程分布很不均匀。就全断面来说，艾山以上宽河段的淤积量年均淤积 3.16 亿 t，占全下游河道淤积量 3.61 亿 t 的 87% 左右，其中又以夹河滩—孙口河段淤积量最多，占全下游淤积量的 47%，淤积强度最大。主槽淤积分布更不均匀，艾山以下年均淤积仅占全下游淤积的 1%，可以认为基本不淤。

表 3-11　　　　1950 年 7 月～1960 年 6 月黄河下游河道年均淤积量沿程分布

河段	冲淤量（亿 t）			各占全下游的百分比（%）			主槽/全断面 （%）
	主槽	滩地	全断面	主槽	滩地	全断面	
铁谢—花园口	0.32	0.30	0.62	39	11	17	52
花园口—夹河滩	0.16	0.41	0.57	20	15	16	28
夹河滩—高村	0.14	0.66	0.80	17	24	22	18
高村—孙口	0.15	0.78	0.93	18	28	25	16
孙口—艾山	0.04	0.20	0.24	5	7	7	17
艾山—泺口	0.01	0.19	0.20	1	6	6	5
泺口—利津	0	0.25	0.25	0	9	7	0
铁谢—利津	0.82	2.79	3.61	100	100	100	23

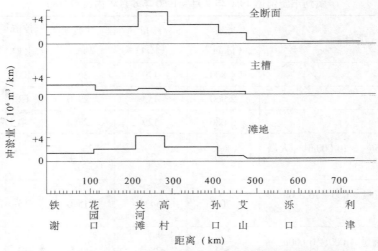

图 3-6   1950 年 7 月 ~ 1960 年 6 月黄河下游滩槽冲淤量沿程变化

四、横向分布不均匀

下游河道为主槽和滩地组成的复式断面,主槽过流能力大,一般可占 80% 以上,因此主槽淤积造成的危害大于滩地。该时期洪水大而多,造成横向分布很不均匀(表 3-11)。可以看出,全下游主槽淤积量占全断面淤积量的 23% 左右,但沿程变化不一,从上段往下段主槽淤积量占全断面的淤积量逐渐减少,铁谢—花园口河段主槽淤积量占全断面的 50% 左右,而高村—艾山河段占全断面的 18% ~ 16%,而艾山以下河段主槽基本不淤。这与来水来沙及河道边界条件密切相关。

五、同流量($3\,000m^3/s$)水位上升中间大、两头小

泥沙淤积导致水位抬高,同流量($3\,000m^3/s$)水位基本反映了主槽的冲淤变化,沿程水位升降见图 3-7、图 3-8、表 3-12。如花园口、夹河滩和高村站年均抬高 0.12m 左右,孙口站年均抬高 0.22m,而艾山以下年均抬高 0.06 ~ 0.02m,水位的抬高,使过洪能力降低。

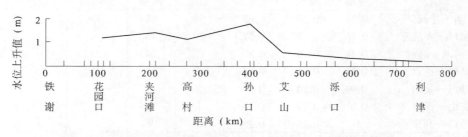

图 3-7   黄河下游河道 1950 ~ 1960 年同流量($3\,000m^3/s$)水位变化

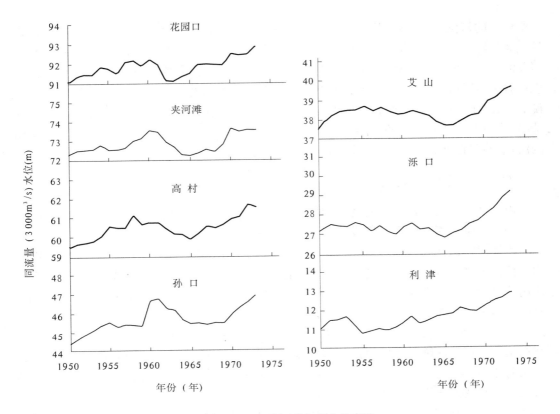

图 3-8　黄河下游河道各站水位变化

表 3-12　　　　　　黄河下游 1950～1960 年汛末同流量(3 000m³/s)水位年均升高值　　　　　(单位：m)

站名	总值	年均	站名	总值	年均
花园口	1.2	0.12	北店子	0.35	0.035
夹河滩	1.4	0.14	泺口	0.26	0.026
高村	1.2	0.12	张肖堂	0.22	0.022
刘庄	1.1	0.11	道旭	0.23	0.023
孙口	1.76*	0.22	利津	0.20	0.020
艾山	0.56	0.056			

注：＊为 1952～1960 年。

六、在天然情况下下游河道河床演变的基本模式

从以上的分析可知,该时期在此特定的来水来沙和河床边界条件下,下游河道河床冲淤演变的模式大致为:漫滩洪水使滩地淤高,主槽刷深,而不漫滩洪水,平水期及非汛期使主槽淤积。当然,游荡性河道的滩槽是相对的,滩地的淤积为主槽冲刷创造了条件,而主槽的冲刷也为水流漫滩创造条件,再由于游荡性河道的流路变化不定,通过主流的摆动,

主槽位置的移位,使泥沙较均匀地淤积在主槽和滩地上,虽然滩地淤积量大于主槽的淤积量,但滩地面积大,主槽面积小,而淤积厚度两者基本一致。因此,长时期下游河道游荡性河段的主槽和滩地基本趋于同步上升,滩槽高差变化不大,大致保持在 1~1.2m。同时,也可看到,黄河的较大洪水对增大主槽的过洪排沙能力起着决定性的作用,也就是人们常说的"大水出好河"。因此,在黄河泥沙还没有得到有效控制前,下游河道淤积不可避免的情况下,只要不危及下游的防洪安全,不要人为地削减洪水,并尽量地避免小洪水平水期的淤积,使河道朝有利方向发展。

七、河道的平面变化

由于河型不同,黄河下游各河段河道的平面形态及变化规律很不一样。

(一)孟津—高村游荡性河段

本河段河床宽浅,河心多沙洲。由于沙洲移动迅速,主槽摆动频繁是游荡性河道的基本特征。东坝头以上河段在高滩(1855 年铜瓦厢改道后因溯源冲刷形成的高滩)与大堤之间几乎无处不行过河,逐年之间主槽位置有很大变化,甚至一场较大的洪水就能造成主槽南北易位。图 3-9 为典型河段河槽变化,可以看出 1933~1960 年河槽摆动范围一般为 5~8km,伊洛河口附近最大达 10km 以上,由于主槽摆动,造成严重坍滩,如 1949~1958 年平均每年原郑州铁桥至孙口河段坍塌滩地约 53km^2。河槽的摆动一般有两种类型,一种是在河床堆积抬高至一定程度后,主流移夺另一股汊流后,老河道逐渐死亡,河道的摆动常是通过渐变的积累,最后以突变的形式完成的,可达较大的摆幅;另一种是由于边滩的移动,沙洲的冲刷下移,河湾的裁直及滩岸的坐弯刷尖引起的,河槽平面位置发生变化后,由于山嘴、险工挑流角度的改变或滩岸的坐弯刷尖,河势变化会向下游传播,沿河群众有"一弯变,弯弯变"的经验。

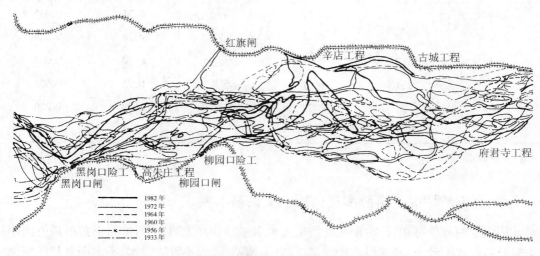

图 3-9　黄河下游典型河段河槽变化图

从历年河势变化看,河势变化虽十分剧烈,但黄河下游存在许多控制河势的节点,这些节点限制了河流的平面摆动,长期以来似有一定的基本流路。该河段有如麻花的两股流路,如原郑州铁路桥以上,一种河势是主流在磨盘山、化工、孤柏嘴等处坐弯,另一种是在裴峪沟、温县、仑头弯、花坡堤坐弯。表3-13为孟津至高村河段河道节点上下游摆幅统计表。从表中可知,收缩段的摆幅一般为2~3km,扩张段的摆幅一般为5~7km,扩张段摆幅为收缩段的2~2.5倍,收缩段长度一般为1~2km,扩张段长度一般为10~20km之间。这些节点对河势有一定的控制作用。除某些节点因外形不规则或过分突出而挑乱流势外,在一般情况下,如果上游流向有了变化,通过节点的理顺作用,下游河势的变化就比较小,甚至没有改变。因此,增加沿河节点的数目,是控导主流、稳定河势的一个重要途径。

表3-13   孟津—高村河段河道节点上下游摆幅统计

节点名称	收缩段摆幅(km)	扩张段摆幅(km)
铁　谢	2.0	6~7
磨盘山	2.5	5~11
孤柏嘴	4.0	6~7.5
骨头峪	3.0	6
原郑州铁桥	3.0	5~7
花园口险工	1.5	5~6
赵口险工	3.5	6~7
黑岗口险工	2.5	4
柳园口险工	3.0	7
府君寺—曹岗险工	2.5	4
贯台险工	2.5	5
东坝头险工	3.0	6~7
杨坝控导工程	3.5	4~4.5
堡城险工	2.0	3~4
高村险工	2.5	3~4

游荡性河段的节点具有两种不同的类型(图3-10)。一种两岸皆有依托,位置固定,在中水位以上起着控制河势的作用,称为一级节点;另一种只有一岸有依托,位置经常上下移动,在中水位以下起到控制河势的作用,称为二级节点。黄河下游典型一级节点的形成条件,除了原京广铁路郑州铁桥上下游完全是受两岸约束的束窄段外,其余的节点一岸不是凸出的山嘴(如凸出的邙山崖坎),便是险工和控导护滩工程,另一岸则为天然胶泥嘴(如郑州花园口对岸的盐店压胶泥嘴),控制了水流。一级节点在深槽普遍过水时所起的作用较大,如果大水漫滩,或水位降落,在束窄段内出现沙洲和边滩时,对河势的控制作用就会减弱。二级节点有在节点所在的束窄段范围之内的,也有在宽浅段中的,它们多在一

岸有依托的地区(如险工或控导工程)生成,另一岸则为缺乏抗冲能力的嫩滩。当水流方向恰好在那里形成一个弯道,弯道的凹岸与固定的河岸相重合,位于凸岸的嫩滩受到环流作用带来泥沙的补给,不致为水流所冲走,能够较长时期保留下来。只有在上游流向朝相反方向发生改变,破坏了凸岸的嫩滩以后,二级节点才失去作用。在河势或边滩的变化过程中,在某一个地区出现过两岸都是嫩滩,中间河槽窄深的二级节点。但是这种二级节点的生命都不长,不论上游来溜方向朝哪个方向有了改变,总有一岸嫩滩会受到破坏,控制河势的作用也就不存在。因此,由于嫩滩的消长,二级节点的位置也不是固定的。

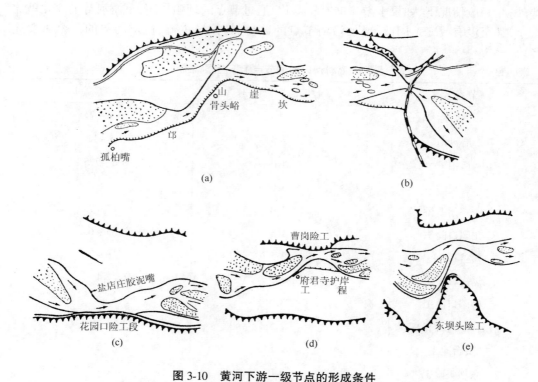

图 3-10　黄河下游一级节点的形成条件

(a)凸出的邙山崖坎;(b)人工建筑物的控制作用;(c)险工及不易冲动的老滩沿的对峙;
(d)险工及护滩工程的对峙;(e)凸出的险工

黄河下游堤防是在过去的老堤加修的,而堤防老险工的型式也有多种,大致可分为凸出型险工、平顺型险工和凹入型险工三种,不同型式的险工对控制河势作用也不同(图 3-11)。

(1)凸出型险工凸入河中,有显著的挑流作用,但由于险工的着溜点不同,出流方向变化很大,易造成险工以下河道宽浅散乱。

(2)平顺型险工整个外形比较顺直或呈微凸微凹相结合的外形,当靠溜部位和来溜方向改变时,出溜方向变化也大,不能很好控导河势。

(3)凹入型险工的外形是一个凹入的弧线,当来溜方向和靠溜部位不同时,但当水流入弯后,经工程的调整流向,出流方向基本一致,对控制河势作用较好。

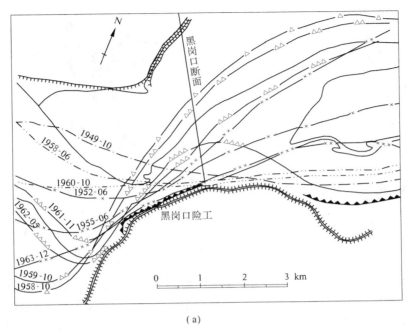

(a)

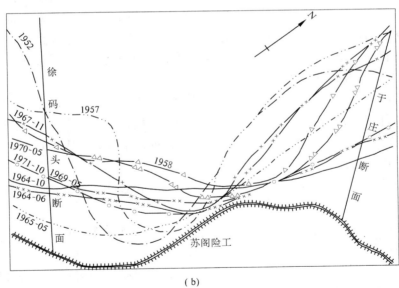

(b)

注:图中数字代表年份。

图 3-11 黄河下游三种不同形式的险工对控制河势的作用

(a)凸出型险工;(b)平顺型险工;(c)凹入型险工

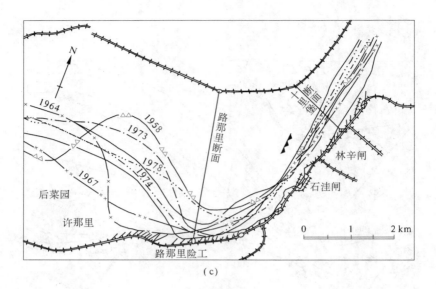

续图 3-11

黄河下游孟津至高村游荡性河段主槽摆动剧烈是其基本特点,平面变化的一般规律是:大水河走中泓,水流集中,淤滩刷槽,河变窄深;小水坐弯,坍滩淤槽,河变宽浅;河势变化一般在洪峰落水阶段最为剧烈,峰后水流归槽,流路变弯,河势变化进入渐变阶段。河槽平面变化后,由于险工挑溜角度的改变或滩岸的坐弯刷尖,河势向下游传播,所以有"大水走中,小水坐弯,一弯变,弯弯变"的规律。游荡性河道存在着若干节点对河势起控导作用,长期以来仍有一定的基本流路,可供制定河道整治规划设计治导线时参考。

(二)高村—陶城铺过渡性河段

过渡性河段的平面形态及变化规律与游荡性河段截然不同,主槽基本上只有弯曲的单一外形,局部河段有鸡心滩,弯曲段与直线段相间,弯曲度在 1.3 左右。主槽虽有摆动,但摆幅比游荡性河段小,而且速度慢,仅有个别河湾处摆幅较大。从河湾的发展演变特征看,大体可分以下几种类型:

(1)弯顶单向发展。如习城弯及密城弯,从 1951～1959 年主流线的变化看,河湾始终向左岸发展。

(2)弯顶逐年下移,如季胡庄河湾,从 1955～1959 年,弯顶逐年下移。

(3)河湾比较固定,流路变化较小,如俞付庄弯。

(4)河湾变化频繁,流路很不固定。如邢庙—苏阁河段,弯道多,变动快,河湾很不固定。这一段河道两岸险工相距较远。对水流的控制作用不强,加之河段内土质分布很不均匀,流路有变化时,遇到局部抗冲性较强的沉积物,就会发生转折。一般来说,如果连续几年洪水流量较小,则河湾趋于陡峻,遇到大水年后,流路又趋于顺直。

(三)陶城铺以下弯曲性河段

由于该河段大堤间距较窄,险工多,限制了河道的变化范围,历年主槽变化不大,河湾得不到充分发展。因此,一般平面变化不大,主要表现为水流顶冲点在弯内的上提下挫。

第三节　三门峡水库蓄水拦沙期下游河道的冲刷调整

在多沙河流上修建水库后,一方面进行流量的调节改变出库的流量过程,从而改变下游的来水条件,另一方面,由于水库的淤积和冲刷,改变出库的输沙过程及颗粒组成,从而改变下游的来沙条件。因此,在多沙河流修建水库后,下游冲积河床原来的相对平衡受到破坏,并产生一系列的影响,重新建立新的造床过程。

黄河下游河道为堆积性河道,三门峡水库的修建,改变来水来沙条件,下游河道将由堆积转为冲刷,其发展趋势如何,大家很关注,所以经过大量的蓄水水库下游演变规律的分析研究,结合三门峡水库情况,作出演变趋势预报。

一、三门峡水库蓄水拦沙运用下游河道演变趋势预报及治理

1958 年,中国水利水电科学研究院泥沙所派出以钱宁先生为领队的技术队伍到郑州,与黄委会水利科学研究所(现为研究院)合作组成"黄河下游研究组"开始研究黄河下游河道的演变规律,取得了大量研究成果,得到了许多对黄河的新认识。1959 年结合三门峡水库的修建,对黄河下游河道的演变趋势及治理作出了预报。在预报中紧紧抓住来水来沙变化特点(来水量及其过程,来沙量及其过程,来沙颗粒组成及水沙组合等),根据对黄河下游河床演变规律性的认识,总结其他多沙河流修建水库后的经验,采用实测资料分析,模型试验,河床变形计算,相似河流的对比分析等方法综合分析作出预报,为黄河下游的治理提供科学依据。在黄河下游研究组技术领导钱宁和麦乔威先生的文章中,着重讨论了当时看法比较不一致的河型转化及断面形态变化两个问题。

(一)河型转化问题

水库调节径流,拦截泥沙后,下游河道游荡强度转弱,整个河型也会有质的改变。荷兰的工程师们在研究了非洲尼日利亚河及班纽河的河床演变性质后,得出了修建水库后,下泄洪峰流量减小,河床坡降调平,游荡性河流将向弯曲性转化的结论。苏联波波夫(И.B.ПопоB)认为,在伏尔加河斯大林格勒水电站下游的斯大林格勒至阿斯特拉罕河段,以及依尔第什河水电站下游自谢米巴拉金斯克至奥姆斯克河段,均有可能由多汊河逐渐发展成单股河床。苏联马克维也夫(H.И.MakkeBeeB)等曾通过模型试验,证明在含沙量不变而流量变化得到调平或径流过程不变而下泄沙量减小的条件下,河型将向弯曲方向发展,断面趋于窄深。亚罗斯拉夫契夫(И.A.Ярославцев)在类似的试验中,也得到在长期的平水作用下,汊流减少,弯曲程度增加的结论。

1958～1959 年,下游研究组在水库下泄清水后,进行了黄河下游游荡性河道演变趋势的模型试验。试验是在模型内做成游荡性小河(图 3-12(a)),然后调平洪峰过程;停止加沙,观察下游河道在冲刷过程中的变化。图 3-12(b)和图 3-12(c)为放清水 160、1 212h 后的河道平面变化,可以看出在发生冲刷的上段,江心洲显著减少,河流有向弯曲发展趋势。

弯曲性河流的形成条件虽尚待进一步研究,但经验表明,弯曲性河流的比降和流量与游荡性河流不在同一范围。同样大小的河流,比降愈平,愈易形成弯曲性河流,相反,同一

坡降,流量愈大,愈易形成游荡性河流。图3-13为44条河流的比降 J 与平滩流量 Q_n 的关系,包括我国的10条河流和美国的34条河流。可以看出,大致划分两个区域,直线方程 $J = 0.01Q_n^{-0.44}$ 的上方为游荡性河流,直线下方为弯曲性河流。河流受水库调节后,比降调平,河流有可能自游荡性向弯曲性发展。

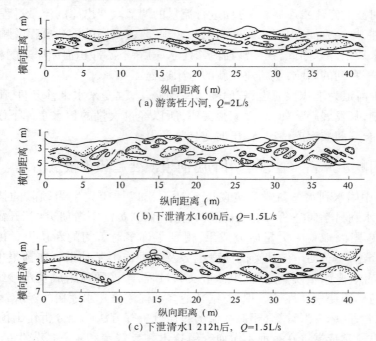

（a）游荡性小河，$Q=2L/s$

（b）下泄清水160h后，$Q=1.5L/s$

（c）下泄清水1 212h后，$Q=1.5L/s$

图3-12　上游下泄清水后游荡性河流河型转化的模型试验结果

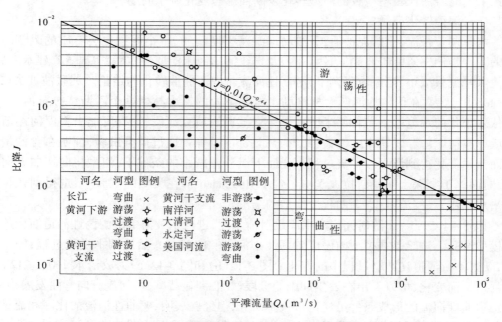

图3-13　不同河型河流的比降与平滩流量关系

根据上面这些例子。可以看出,由于一是流量过程调平,改变洪峰暴涨猛落的特性;二是来沙量减小,下游河道自堆积转变为冲刷;三是河床比降在冲刷过程中逐步调平,河床组成发生粗化,流速减小,泥沙可动性相对降低,故有可能由游荡性逐步向弯曲性转化。如果不具备这些条件,也有可能向相反方向发展。

同时指出,这里所谓向弯曲性发展,并不一定就是指会发展成类似下荆江的河曲。从治河的角度考虑,也有必要在弯曲性河道发展到一定阶段后,适当固定凹岸,使其形成曲度适宜的平顺河湾。

(二)断面形态变化问题

多沙游荡性河流一般属于堆积性河流。水库下泄清水自河床中取得泥沙的补给,含沙量逐渐达到饱和,自此而下,河流又恢复原来的本色。因此,水库下游河道一般分为冲刷段、过渡段和堆积段,各段的性质不同。

在冲刷段,水流的纵向侵蚀能力将使断面趋于窄深,这在马卡维也夫等试验中已得到说明,黄河下游虽是一条堆积性河流,但当来水含沙量偏低时,河道会发生冲刷。图3-14为黄河下游河道在发生冲刷和淤积时的断面形态(以$\sqrt{B/H}$表示,B和H分别为水面宽及平均水深)和滩槽高差的变化,可以看出当来沙量小、河床发生冲刷时,主槽断面趋于窄深,滩槽高差加大;相反地,如来沙量大,河床发生淤积,则断面趋于宽浅,滩槽高差减小。

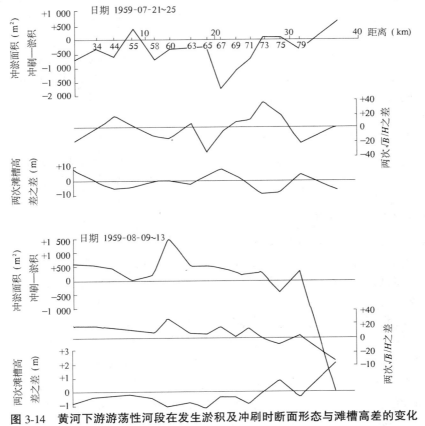

图 3-14 黄河下游游荡性河段在发生淤积及冲刷时断面形态与滩槽高差的变化

另一方面,主流的不断摆动是游荡性河流的主要特色。在主槽摆动过程中,滩岸大量坍塌,但因泥沙又在别的地方落淤还滩,长期内塌滩与成滩作用保持着一定的平衡,河宽的变化不太大。水库下泄清水后,河流的游荡特色有所减弱,但这种改变需要有一个过程。在建库初期,主流的摆动及滩岸坍塌仍不可避免。由于泥沙来量减少破坏了成滩与塌滩作用的平衡,损失的滩地不能完全得到补偿,这样就造成滩坎的后退和主槽的展宽。除此之外,河流在向弯曲外形发展时,由于凹岸的淘刷,也会引起滩地的后退,在水流坐弯较死时,这样的滩地坍塌也可能相当严重。

因而,上游下泄清水后将会有两种不同的力在起作用,水流纵向侵蚀能力使河槽下切,主流的摆动及河湾的发展却引起河槽的展宽。前者在长时间起作用,主要在游荡强度尚未充分削弱或河湾发展未加限制以前产生影响。至于河床近期以下切为主,或是以展宽为主,就要看两种力量对比消长的结果。

在模型试验中研究了下泄清水后各种流量过程下的断面形态变化,从试验中观察到几点主要现象:

(1)从总的趋势来说,冲刷段以下切为主,$\sqrt{B/H}$ 因下泄清水历时的加长而减小。

(2)冲刷段的上段最明显。如洪峰流量较建库前有明显减小,则水流迅速归槽,断面趋于窄深,两岸出现阶地;如仍有较大洪峰流量下泄,由于大水冲刷,断面形态不如前一种窄深,随着河流弯曲发展和弯顶下移,河流的凹岸存在侧向展宽。冲刷段下段由于水流已经取得部分泥沙补给,河床下切缓慢,滩槽高差增加不多,大水期仍有摆动,引起河道展宽。

(3)主流摆动在各级流量下都有可能发生,但大幅度的摆动主要发生在水流漫滩后。

(4)在大水期间,一方面因主流摆动、滩地坍塌而展宽,另一方面也会引起强烈的纵向冲刷,使冲刷段迅速向下游延伸。经过一次大水后,由于河槽过流能力增大,以后即使遇到同样或甚至更大的洪水,水流基本归槽,摆动强度将会大大减弱。

(5)继大水后而来的小水,在通过大水塑造的河床时,由于不需要那样大的河床,会发生再造床作用,形成犬牙交错的边滩、河床更趋于弯曲,淘刷两岸滩地。从模型试验的结果看,如流量控制在河道的平滩流量以下,则冲刷段河床基本以下切为主,如水流经常漫滩,则可能引起较大的摆动,在下切的同时,产生展宽现象,甚至后者居主导地位。

(三)河道治理的几点看法

从以上预估河床演变趋势出发,对河道治理得出几点看法:

(1)修建蓄水拦沙水库后,下游河道将由堆积性转向侵蚀性,游荡强度减弱,河型朝弯曲性转化,断面趋于窄深,但这个过程自上往下逐步发展,达到全河稳定,可能需要几十年或相当长的时间。

在建库初期,河床失去了旧的平衡,而新的平衡犹未建立,这时必然会出现很多新问题。河道治理,一方面是为了充分发挥人的主观能动性,加速河道的调整过程;另一方面,也是为了及时解决过渡时期的各种困难,变不利因素为有利因素。

(2)在整体布局上,应把水库调节和下游河道治理结合起来考虑,尽量使水库下泄水流不超过河道平滩流量,以充分利用水流能力,促使冲刷段及早达到稳定。

(3)在河型向弯曲转化过程中,应选择适当时机,固定弯道凹岸,避免弯顶下延,造成扭曲过甚的河湾,并使河身展宽。

(4)冲刷段在大水期间摆动展宽,仍不可免,冲刷段以下的河道则更是在各种水情下都有展宽的可能,因此必须保护滩地。不然滩地冲失以后,不但河流游荡性长期不能得到控制,险情会进一步发展,而且也将使以后的河道整治失去前进的阵地。

(5)河道治理必须在水库建成初期立刻抓紧进行,不能坐视河道展宽。如滩地得到保护,水流冲刷作用主要朝纵深发展,则由于主槽行洪能力不断加大,漫滩机会日益减少,河流将会较好地朝好的方向发展。

由于三门峡水库下泄清水时间不长,清水冲刷河道调整的过程远没有完成,但因实际来水量比原估计大,因而冲刷发展速度比原估计要快。另外,原估计下游还有六级枢纽,后都陆续拆除或未修建,河道情况发生根本性变化,同时,原预报对水库调平流量过程使中水流量增长,下游河道长期顶冲弯顶造成的严重塌滩的局面估计不足。总的看来,预报是符合实际的。

二、三门峡水库蓄水拦沙期下游河道冲刷调整

三门峡水库蓄水拦沙运用期(1960 年 9 月~1962 年 3 月),出库流量削减,下游输沙能力降低,但大量泥沙淤积在库内,水库下泄清水,来沙量的减少远甚于输沙能力的降低,下游河道发生冲刷。在此期间,水库在汛期曾排泄异重流,泥沙颗粒较细,属于下游河道的冲泻质,一般不参与造床作用,不影响河道冲刷的发展。1962 年 3 月改为滞洪排沙运用后,至 1964 年汛期,水库仍为淤积状态,库水位的降低,主要起到调整库内泥沙淤积部位的作用,出库泥沙很少且较细,1962 年 3 月~1964 年 10 月下游河道都处于冲刷状况。因此我们把蓄水拦沙期(1960 年 9 月~1962 年 3 月)及滞洪排沙初期(1962 年 4 月~1964 年 10 月)统一作为一个时期来分析下游河道的冲刷调整特点。

(一)下游河道的沿程冲刷

清水下泄后,下游河道发生冲刷,冲刷发展的距离与流量大小、冲刷历时、河床边界条件(河床组成、河床比降等)密切相关。河流比降大,河床组成细,流量大、历时长,则冲刷能力强,冲刷距离远;反之,则冲刷能力弱,冲刷距离近。

河床冲刷的过程,是在下游河道来水变清的情况下重新建立平衡的过程,在一定的水流条件下,这个过程的开始阶段发展较为迅速,随着时间的推移,逐步趋于缓慢,最后趋向于建立新的相对平衡。三门峡水库蓄水拦沙期下游河道共冲刷泥沙 23.1 亿 t,年均 5.78 亿 t。各年冲刷量的大小与来水量的大小有关,如 1962 年来水量为 440 亿 m³,下游河道冲刷 3.5 亿 t;1963 年来水量为 574 亿 m³,下游河道冲刷量为 5.3 亿 t;而 1964 年汛期水量达 754 亿 m³,下游河道冲刷达 8.5 亿 t。

冲刷量的沿程分布见图 3-15 及表 3-14。三门峡—小浪底河段为峡谷型河段(长 130km),河床由基岩与砂、卵石组成,除边滩及碛石滩上游的深潭有少量细沙可以冲刷外,泥沙补给不多。小浪底—铁谢(长 26km)河床亦为砂和卵石,三门峡水库下泄清水,含沙量从铁谢以下才开始恢复。冲刷在很短时间内就发展到距坝 900 多 km 的利津附近(利津以下由于河口下处于神仙沟流路的后期,产生自河口向上发展的溯源淤积,限制了自上向下发展的沿程冲刷),由于水库拦沙期仅 4 年,冲刷主要集中在距坝 449km 的高村以上

河段,其冲刷量占下游河道冲刷量的73%,而建库前这一段的淤积也占全下游淤积量绝大部分,表明建库前的强烈堆积河段正是冲刷期的强烈冲刷河段。

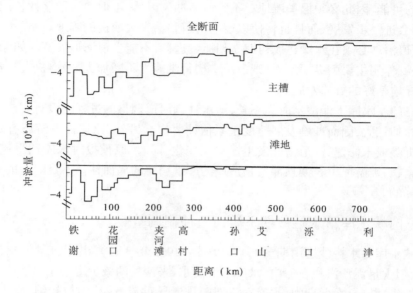

图 3-15 1960 年 10 月～1964 年 10 月黄河下游滩槽冲淤量沿程变化

表 3-14   黄河下游蓄水拦沙期下游河道年均冲淤量

河　段	冲淤量(亿 t)			各河段所占百分比（%）			主槽/全断面
	全断面	主槽	滩地	全断面	主槽	滩地	（%）
铁谢—花园口	-1.90	-0.97	-0.93	33	24	53	51
花园口—夹河滩	-1.47	-1.11	-0.36	25	28	20	76
夹河滩—高村	-0.84	-0.45	-0.39	15	11	22	53
高村—孙口	-1.03	-0.96	-0.07	18	24	4	93
孙口—艾山	-0.22	-0.21	-0.01	4	5	1	95
艾山—泺口	-0.19	-0.19	0	3	5	0	100
泺口—利津	-0.13	-0.13	0	3	3	0	100
全下游	-5.78	-4.02	-1.76	100	100	100	70

从横向分布来看,全下游河道主槽冲刷量占全断面的70%左右,约有30%主要是滩地坍失引起的,共约7亿 t,年均1.76亿 t左右。其中主槽的冲刷主要集中在高村以上河段,占全下游的63%左右,相反滩地坍失量占全下游河道的95%左右。

(二)含沙量的沿程恢复

图 3-16 为三次含沙量沿程变化情况,表明含沙量沿程增大,但与流量及历时有关。三门峡至小浪底为峡谷型河段,河床由砂和卵石组成,除边滩外,没有细沙淤积物,因此小

浪底以上河段冲刷极少,含沙量在小浪底以下才开始恢复。如1964年4月一时段平均流量仅为1 370m³/s,而含沙量到夹河滩达最大值,冲刷距离较长,但随着冲刷历时的加长,一方面同流量的最大含沙量减小,同时最大含沙量位置往下移,表明冲刷在向下游发展,到了1963年时段平均流量仅为550m³/s,最大含沙量往下发展,大致到了泺口,表明了冲刷发展过程。同时还可看出,冲刷期含沙量沿程恢复对不同粒径组的泥沙是不一样的。图3-16为1961年6月实测分组含沙量沿程变化。可以看出,细泥沙(粒径小于0.025mm)的含沙量一直至利津都是沿程递增的,而粒径大于0.025mm的三组泥沙则不然,都是先沿程递增,然后递减,由递增至递减的转折点是粒径越粗越靠上游,例如粒径0.025~0.05mm的转折点在艾山,粒径0.05~0.1mm的转折点在高村,而粒径大于0.1mm的泥沙到花园口即开始递减。这种过程表明含沙量恢复时沿程的悬移质与床沙是不断交换的,这种不等质不等量的泥沙交换,决定了冲刷距离的长短。

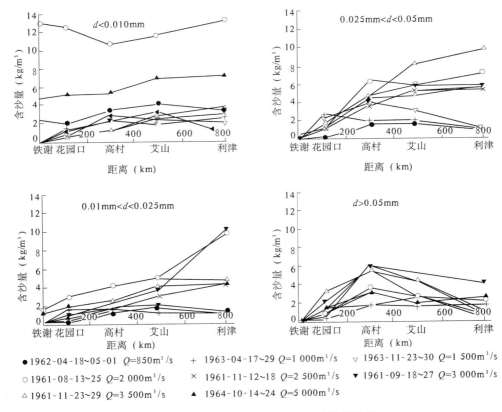

图3-16　清水冲刷下各粒径组泥沙沿程恢复

(三)下游河道的输沙率变化

如以流量与输沙率关系表示河道的输沙关系,经分析,对全沙而言,冲刷较强烈的河段,其关系变化有如下特点(图3-17)。

(1)冲刷期的流量与输沙率均比冲刷前降低,即同流量下的输沙率减小。

(2)1962~1964年点群非常集中,表明调整过程很短。

（3）冲刷前与冲刷后的斜率不同,有变小趋势,但对于粒径大于 0.025mm 的泥沙,其斜率变化较小。

产生这种变化的原因,经分析认为一是冲泻质(粒径小于 0.025mm)来源大大减少,下游河道除坍滩得到一些补给外,主槽补给量较少;二是冲刷过程中河床粗化作用,使床面细颗粒泥沙的补给量减少,并使床面阻力增大,使同流量的输沙率降低。黄河下游经过长距离的调整,到达利津床沙质泥沙基本得到恢复,不能恢复的是淤积在水库的冲泻质泥沙。

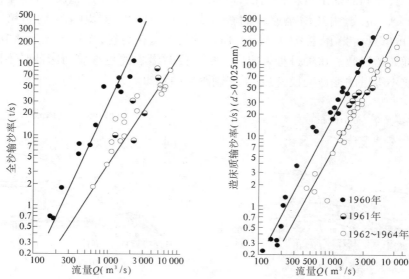

图 3-17　花园口站洪水冲刷前后流量与输沙率关系

(四)下游河床床沙的粗化

黄河下游河床由于清水冲刷发生粗化,河床粗化现象可分为 3 种类型:

（1）卵石夹沙河床在冲刷过程中,卵石不能被水流带动,聚集于河床表面,形成抗冲铺盖层。这在小浪底至白坡河段十分明显,三门峡水库下泄清水后,夹在卵石中间的细沙很快被冲走,床面剩下大小不同的卵石,形成抗冲铺盖层,冲刷停止。

（2）河床表层为细泥沙,下层有卵石层,当表层细沙被冲走,卵石层露头后,河床急剧粗化,河床下切也受到抑制。黄河下游白坡以下河床表层为沙质河床,底层为卵石层,往下游卵石层高程迅速降低(图 3-18)。清水冲刷时,表层的细沙被冲走,卵石层出露,冲刷停止。经过四年的冲刷,1964 年 10 月花园镇以上 30km 的细沙覆盖层在深槽部分全被冲走,露出卵石层,使冲刷停止,三门峡以下直至花园镇,除有时滩岸崩塌,补给少量泥沙外,一般皆为清水。

（3）细沙河床由于水流的分选作用,细颗粒泥沙被冲走,河床发生粗化。三门峡水库下游冲积性河段,河床在冲刷过程中全河均有粗化现象(表 3-15)。花园口以上河段河床粗化主要是由于水流的分选作用,床面的细泥沙被冲走,留下较粗的泥沙,由于冲刷强度大,粗化发展得很快,铁谢—官庄峪河段,经过一年的冲刷,河床就已粗化,随后床面的泥沙中数粒径基本不再变粗,而花园口以下河段在冲刷过程中,一方面由于水流的分选作用,细颗粒比粗颗粒冲走得多,同时还由于下游河道比降上陡下缓,沿程比降逐渐减小,水流从上河段带来的一部分较粗颗粒的泥沙落淤下来,通过悬沙与床沙的交换而发生粗化,黄河下游粗化后的河床质中数粒径一般为冲刷前的 1.5~2.0 倍,上段粗得多,下段粗得少,由于冲刷历时尚短,花园口以下河段的粗化还没有完成。

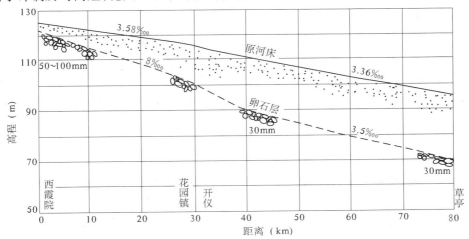

图 3-18　黄河下游孟津河段的纵剖面及河床质组成

表 3-15　　　　　　　　　冲刷过程下游河道各断面床沙中径变化

断面	床 沙 中 径(mm)					
	建库前平均	1961-09 ~ 11	1962-10	1963-05	1964-05	1964-10
铁谢	0.164	0.379	0.520	0.565	0.366	0.608
官庄峪	0.097	0.191	0.251	0.139	0.191	0.192
花园口	0.092	0.128	0.168	0.145	0.133	0.187
辛寨	0.072	0.113	0.132	0.173	0.154	0.156
高村	0.057	0.062	0.096		0.110	0.118
杨集	0.059	0.090	0.076	0.077	0.100	0.104
艾山	0.057	0.097	0.082	0.074	0.080	0.085
泺口	0.057		0.091		0.096	0.091
利津	0.057		0.082		0.080	0.091

床沙的粗化,使床面补给细颗粒泥沙和数量减少,同时加大河床的阻力。床沙粗化将导致沙粒阻力的增加,必将使河流阻力曼宁系数 n 值加大。

清水冲刷期沙浪条件有无质的变化也影响 n 值的变化。钱宁先生用 ψ' 作为判别沙浪出现指标

$$\psi' = \frac{\gamma_s - \gamma}{\gamma} \cdot \frac{D_{35}}{R'_b J}$$

式中　　γ_s、γ——泥沙和水流的密度;

　　　　D_{35}——河床质中以重量计 35% 均较之为小的粒径;

　　　　R'_b——与沙粒阻力有关的水力半径;

　　　　J——比降。

也有学者采用弗劳德数

$$Fr = v/\sqrt{gh}$$

式中　v——流速；

　　　g——重力加速度；

　　　h——水深。

在黄河花园口河段进行过沙浪观测，实测的 ψ' 与 Fr 值及沙浪出现情况的关系表明，当 $\psi' = 0.5 \sim 1.2$ 或 $Fr = 0.2 \sim 0.6$ 时出现沙浪。黄河下游冲刷后，床沙粒径与水深增加属同一数量级，ψ' 值变化不大(同流量时)。经计算，同流量的 Fr 虽然减小，但仍在 $0.2 \sim 0.6$ 之间，因此冲刷后形成沙浪条件变化不大，从而形状阻力变化不大。阻力增加的主要原因是床沙粗化沙粒阻力加大和含沙量减小。

(五)下游河道河床形态变化

1. 纵比降的调整

河床在冲刷过程中，纵比降的变化很复杂，主要取决于原河床比降与河床质组成，亦取决于冲刷强度与冲刷发展的距离。如果河床组成物质比较细而均匀，沿程变化不大，在冲刷时不易形成抗冲铺盖层，则冲刷发展距离较短，在冲刷过程中比降趋向调平，如近坝河段的床沙组成较粗，而形成铺盖层，则纵比降还有可能加大。如果冲刷可以发展较远的距离，则纵比降的调平并不明显。三门峡水库下泄清水期，铁谢以上卵石夹沙河段细沙含沙量很少，很快被冲走，纵比降没有发生什么变化，铁谢—花园口河段，河床以下切为主，同流量水位下降的幅度自上而下递减，纵比降有调平趋势，花园口以下—孙口河床接近平行下切，纵比降变化不大；孙口—刘家园河段河床刷深，而刘家园以下受河口影响，冲刷甚微，因而孙口—刘家园河段纵比降也略有调平。表 3-16 为流量 3 000m³ 时各河段的纵比降，可见对于长河段而言，纵比降变化不大。

表 3-16　　　　　　　　　　下游河道各河段纵比降变化

时间(年-月)	纵　比　降　(‰)			
	铁谢—花园口	花园口—高村	高村—艾山	艾山—利津
1960-10	2.55	1.65	1.27	1.05
1964-10	2.40	1.65	1.25	1.00

为了研究强烈冲刷河段的比降调整过程，对铁谢—官庄峪河段(长 68.8km)的纵比降变化作进一步分析。图 3-19 为流量及两断面水位差过程线，为消除流量的影响，把流量为 1 000m³/s 的水位差连接成线，可见同流量水位差逐渐减小，即纵比降变小，同时比降调整时间不长，至 1962 年完成了调整过程，但遇 1964 年大水冲刷纵比降进一步减小。

2. 断面形态变化

河床在冲刷过程中，断面形态的变化取决于水库下泄流量的大小、过程、历时、冲刷强度及河床边界条件，河床的边界条件可用河底与河岸的相对抗冲性衡量。因此，下游河道在冲刷过程中是以下切深蚀为主还是以侧蚀展宽为主，是一个十分复杂的问题，对不同的河流或同一河流不同的河段，以及处于冲刷发展过程的不同阶段，应进行具体的分析。对于比降较大，河岸与河床均由细沙组成的、可动性大的游荡性河道，一般清水下泄初期，冲刷强度大的河段,其深蚀作用大于侧蚀作用,河道以下切为主,断面形态变得窄深,后期河床粗化,侧蚀作用有可能属主导地位,断面形态又会变得较宽浅。

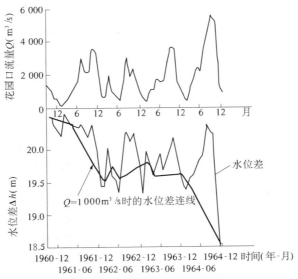

图 3-19 花园口流量与铁谢—官庄峪河段流量和水位差变化

三门峡水库下泄流量小于平滩流量时,冲刷较强烈的铁谢—花园口河段,一岸有邙山崖坎控制,河床冲刷以纵向下切为主,河宽减小,滩槽高差加大,断面趋于窄深。图 3-20 为根据航空像片所得出的三门峡水库 1960～1964 年铁谢—陶城铺河段河宽的沿程变化,在花园口至高村河段,边界控制较差,河床冲刷既有下切又有展宽,河槽宽度平均展宽约 1km,与此同时,水深也有所加大,$\sqrt{B/H}$(B 为河宽,H 为水深)基本保持不变。在高村—艾山河段,两岸土质较游荡性河段好,又有较多的工程控制,冲刷以下切为主,河槽宽度增加不多,$\sqrt{B/H}$ 变小。艾山以下河段两岸控制性好,河宽变化不大,水深在 1964 年汛期有所增加,$\sqrt{B/H}$ 相应减小(表 3-17)。

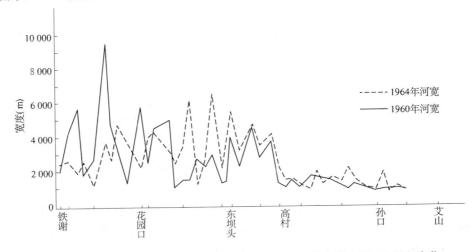

图 3-20 黄河下游三门峡水库 1960～1964 年铁谢—陶城铺河段河宽沿程变化

表 3-17　　　　　　　　　三门峡水库蓄水拦沙期黄河下游断面形态变化

河段	平均河宽 B(m)			平均水深 H(m)			$\sqrt{B}/H$		
	1960-11	1962-05	1964-08	1960-11	1962-05	1964-08	1960-11	1962-05	1964-08
铁谢—官庄峪	3 850	3 820	3 460	0.99	1.73	2.27	62.7	35.7	25.9
秦厂—高村	2 450	3 050	3 590	1.53	1.76	1.92	32.4	31.4	31.2
苏泗庄—王坡	1 230	1 090	1 000	1.85	2.83	3.45	18.9	11.7	9.2
艾山—利津	492	481	485	4.7	4.90	6.74	4.7	4.5	3.3

　　图 3-21 为典型断面的变化,花园镇断面在建库前是一个宽浅散乱的断面,滩槽高差很小,建库后下切,又经过 1964 年大水冲刷,河床下切,经过冲刷调整,建库前的嫩滩已成了高滩。1964 年汛期亦未上水,而在高滩之间又出现新的嫩滩和深达 10m 的主槽。东坝头至高村间的油房寨断面,在 1964 年虽有冲刷,但低滩多汊并未改变,1964 年后,才出现一个深槽。刘家园断面在泺口以下,深槽位置固定,在深槽内有冲有淤。

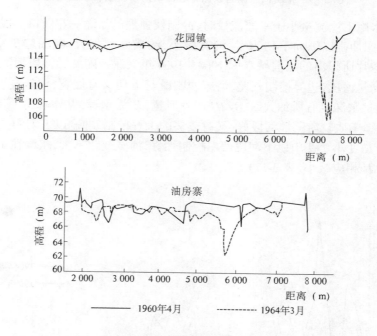

图 3-21　清水冲刷典型断面变化

　　又分析了铁谢和辛寨两个断面的流量与 $\sqrt{B}/H$ 关系(图 3-22),可以看出,位于下切为主的铁谢断面,冲刷后同流量的 $\sqrt{B}/H$ 变小;而位于塌滩为主的辛寨断面,冲刷后的 $\sqrt{B}/H$ 是增大的。这与两个断面所处的河段变化一致。

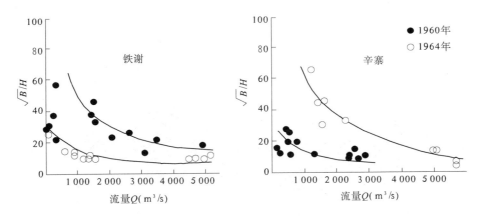

图 3-22 　流量 Q 与 $\sqrt{B/H}$ 关系

3. 平面形态变化

在冲刷期,铁谢—裴峪河段主流靠右岸邙山,断面以下切为主,水流归槽,河势规顺,由图 3-23 可见,1960 年 8 月水流分散,沙洲众多,河势散乱,经过冲刷至 1963 年 7 月水流已集中右股,水流向单一河槽转化,1964 年水量特丰,经大水冲刷主槽进一步缩窄。而黑岗口—府君寺和油房寨—周营两个河段,经过 4 年清水冲刷,平面形态不但没有改善,甚至变得更为散乱(图 3-24)。高村以下河段经过清水冲刷后河道形态,仍维持原有的单一规顺的窄深河槽。

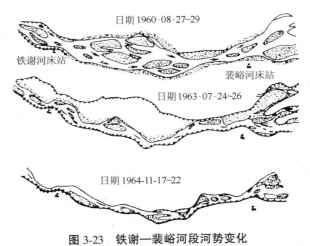

图 3-23 　铁谢—裴峪河段河势变化

4. 河势变化,滩地坍塌及险情

三门峡水库下泄清水期,黄河下游发生过两次大的河势变化,一次是在 1961 年,一次是在 1964 年。1961 年是三门峡下泄清水的第一年,来水来沙剧烈改变,下游河道有一个适应的过程,这一年的河势变化较大。经过调整以后,1962 年及 1963 年两年流量仍与 1961 年一样,流量没有超过 6 000m³/s,下游河道比较稳定,1964 年水量突然增大,河势有新的变化。

黄河下游的河势变化有"大水下挫、小水上提"的规律,即随着流量的变化,水流顶冲

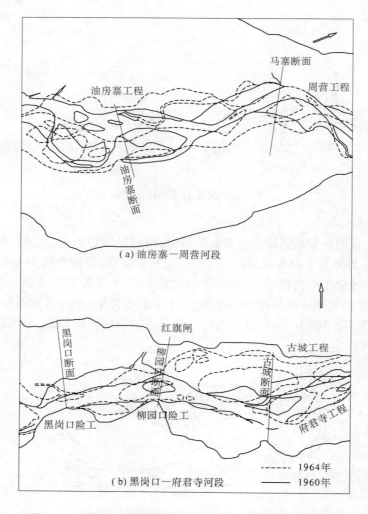

（a）油房寨—周营河段

（b）黑岗口—府君寺河段

-------- 1964年
———— 1960年

图 3-24　黑岗口—府君寺河段和油房案—周营河段河势变化

位置会自动调整。三门峡水库蓄水拦沙运用后,黄河下游由于中水流量历时增长,1961
年汛期流量连续保持在 4 000～6 000m³/s 的范围内的历时达 20 多天;1964 年汛期有好几
个月一直维持在 5 000～7 000m³/s 之间。由于中水流量历时长,水流主流顶冲位置较稳
定,坐弯很死,加上清水冲刷能力强,长时间的中水淘刷滩地及险工坝头,造成滩地大量坍
塌和险情增加。图 3-25 和表 3-18 为根据航空照片所得出的黄河下游铁谢—陶城铺河段
滩地坍塌沿程变化,4 年内共坍塌滩地约 300km²,塌滩最严重的是花园口—高村河段,除
北岸常堤附近塌到 1855 年形成的老滩以外,一般坍失的都是 1958 年、1959 年形成的二
滩。由于主流摆动,坍掉的滩地高程高,淤出的滩地高程低,成滩与塌滩作用之间不能保
持平衡,二滩滩坎之间的河槽逐渐展宽,不同于建库前含沙高,滩地此塌彼淤,滩地总面积
变化不大,给滩区人民的生活和生产带来很大的困难。

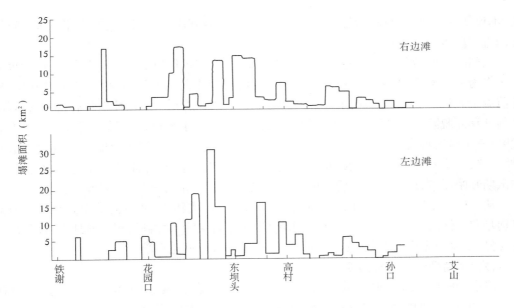

图 3-25　黄河下游 1960～1964 年滩地坍塌沿程变化

表 3-18　　　　　　　　　　三门峡水库蓄水拦沙期下游河道滩地坍塌情况

河段	滩地坍塌面积	二滩间宽度(m)	
	(km²)	1960 年	1964 年
铁谢—花园口	82.2	4 115	2 580
花园口—东坝头	125.2	2 563	3 633
东坝头—高村	70.2	2 340	3 610
高村—陶城铺	49.0	1 240	1 415
共计	326.6		

影响滩地坍塌因素很多,如来水来沙条件,河势变化,滩地土质等。在这些条件相同时,滩槽高差也影响滩地坍塌宽度,图 3-26 为黄河下游伊洛河口至夹河滩河段各小河段断面展宽 ΔB 与原滩槽高差 ΔZ 之间的关系,表明二者成反比关系。

滩地坍塌与河势变化互为因果,河势变化引起滩坎的冲失,而边界条件的变化又会导致出流角度及下游河势的改变。1964 年花园口以下河段塌滩严重与 1963 年花园口破除以后来水主流北移 4.4km 有

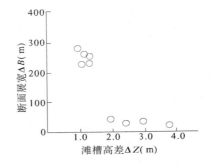

图 3-26　黄河清水冲刷前后断面展宽
ΔB 与滩槽高差 ΔZ 关系

关,而 1960 年以后东坝头以下姚寨、油房寨、林口等护滩工程相继冲毁,岸线发生巨大变

化,不仅使这一河道的基本流路进一步下移,甚至导致刘庄至苏泗庄之间多年以来比较稳定的直河段也趋于恶化。

三门峡建库后黄河下游的险情也有新的变化,一是各年的工程出险次数(一道坝抢险一次作为一次出险)及抢险石料,由于河势多变,比建库前增多;二是抢险的历时延长,建库前流量起伏多变,河势时而上提,时而下挫,一道坝在遭到水流顶冲出险后,不久就因河势的外移而脱险,建库后,因受水库的调节,来水过程趋于平稳,工程靠溜后,长时间不能脱险;三是险工坝头的局部冲刷深度普遍加大,过去黄河险工坝头的护脚根石深度一般有"够一够,三丈六"的说法,清水冲刷时普遍增加到"四丈五"左右;四是三门峡水库有时在非汛期开闸泄流,使下游在汛后也出现抢险,改变了过去非汛期一般不抢险的局面。

从三门峡水库蓄水拦沙以后黄河下游河床演变的实践中,使我们认识到在多沙河流特别是游荡性河流上游修建蓄水拦沙水库后,为了避免清水冲刷过程中滩地大量坍塌,稳定河势,限制河床横向展宽,促使河床下切,应同时进行河道整治。

(六)下游河道排洪能力变化

清水冲刷使下游河道过洪能力增加,水位下降(表 3-19 和图 3-27)。同流量(3 000 m³/s)水位从上段的下降 2.8m 逐渐衰减至利津站基本没下降,反而上升 0.01m,年均 0.7~0.002m。表 3-20 为各站于 1960 年及 1964 年汛后同水位时的过洪能力,可见 1960 年通过流量 1 000m³/s 的水位,对应于该水位,1964 年下游各站可过流 9 000~2 250m³/s,增加了 8 000~1 250m³/s,其中高村以上河段增加最多。河道的冲刷,水位下降,使平滩流量加大,夹河滩和高村站平滩流量分别为 11 500m³/s 和 12 000m³/s。

表 3-19   黄河下游蓄水拦沙期(1960~1964 年)汛末同流量(3 000m³/s)水位变化

站名	水位下降值(m)		站名	水位下降值(m)	
	总值	年均		总值	年均
铁谢	- 2.8	- 0.70	孙口	- 1.56	- 0.39
裴峪	- 2.16	- 0.54	南桥	- 0.64	- 0.16
官庄峪	- 2.08	- 0.52	艾山	- 0.76	- 0.19
花园口	- 1.32	- 0.33	官庄	- 0.44	- 0.11
夹河滩	- 1.32	- 0.33	北店子	- 1.12	- 0.28
石头庄	- 1.44	- 0.36	泺口	- 0.68	- 0.17
高村	- 1.32	- 0.33	刘家园	- 0.17	- 0.043
刘庄	- 1.32	- 0.33	张肖堂	- 0.22	- 0.055
苏泗庄	- 1.36	- 0.34	道旭	- 0.30	- 0.075
邢庙	- 1.80	- 0.45	麻湾	- 0.40	- 0.10
杨集	- 1.84	- 0.46	利津	0.01	0.002

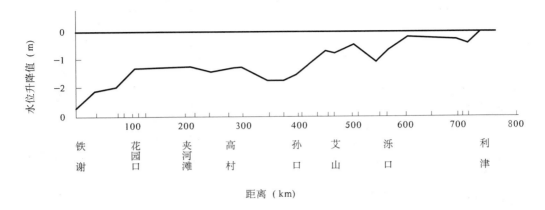

图 3-27　1960～1964 年黄河下游河道各站同流量(3 000m³/s)水位变化

表 3-20　　　　　　黄河下游各站 1960 年和 1964 年过洪能力对比

站名		花园口	夹河滩	高村	艾山	泺口
水位(m)		92.3	72.95	60.7	37.15	26.3
流量 (m³/s)	1960 年	1 000	1 000	1 000	1 000	1 000
	1964 年	7 800	9 000	7 285	2 250	2 300
1964 年比 1960 年 增加流量(m³/s)		6 800	8 000	6 285	1 250	1 300

(七)三门峡水库人造洪峰试验下游河道的冲淤情况

在一定的河床边界条件下,黄河下游河道的输沙率与流量的高次方(≈2)成正比。因此,对于同样的水量,人为地利用水库调节流量,以形成洪峰过程,则有利于加大河道的输沙率,这就是"人造洪峰"的依据。

在三门峡水库改为滞洪排沙运用后,为了减少河道的淤积,1963 年汛后及 1964 年汛前,曾利用三门峡水库进行了两次人造洪峰试验。两次人造洪峰的出库水沙过程及下游河道的冲淤情况见表 3-21。可以看出,人造洪峰对冲刷下游河道有一定的作用,第一次试验冲刷泥沙 0.19 亿 t,第二次冲刷泥沙 0.14 亿 t,但因洪峰流量仅 3 000m³/s 左右,水量只有 8 亿～15 亿 m³,冲刷只达到艾山,艾山以下略有淤积。

非汛期蓄放人造洪峰,由于流量突然加大与减小会引起河势的变化,造成滩地坍塌。因此,为了有效地发挥人造洪峰的作用,减少滩地坍塌,必须进行河道整治,以控导主流、稳定河势、护滩保堤,使清水冲刷主要向纵深发展,取得更好的冲刷效果。由于三门峡水库潼关以下库容有限,蓄放一次水量 30 亿 m³ 的人造洪峰有一定难度,但它不失为减少下游河道淤积的一种措施。

(八)河型转化问题

冲积河流的河型取决于流域加诸于河流的条件,而且主要取决于来水来沙条件。三

表 3-21

三门峡水库泄放人造洪峰时下游河道冲淤情况

项　目		第一次人造洪峰 （1963-12-04 ~ 12-15）	第二次人造洪峰 （1964-03-29 ~ 04-02）
进入下游河 道水沙特征	历时(d)	12	5
	最大流量(m³/s)	3 260	2 900
	平均流量(m³/s)	1 477	1 870
	水量(亿 m³)	15.3	8.1
	最大含沙量(kg/m³)	11.9	3.44
	平均含沙量(kg/m³)	0.22	0.87
河道冲淤量 （亿 t）	三门峡—小浪底	− 0.016	− 0.035
	小浪底—花园口	− 0.109	− 0.044
	花园口—夹河滩	0	− 0.025
	夹河滩—高村	− 0.072	− 0.010
	高村—艾山	− 0.054	− 0.089
	艾山—利津	0.063	0.064
	三门峡—利津	− 0.188	− 0.139

门峡水库蓄水拦沙运用后来水来沙条件发生了根本的改变,有可能使下游河道的河型发生转化。但河型转化问题很复杂,三门峡水库蓄水拦沙期时间很短,清水冲刷河床的调整过程远没有完成,黄河下游游荡性河道的上段河床下切,水流归槽,游荡强度是减弱了,但河型转化还谈不上,花园口以下河段河床依旧宽浅散乱。另外黄河下游游荡性河道的河床组成物质为十分松散的沙土,而且表层细、深层粗,滩地细、主槽粗,上段粗、下段细的分布特点,河岸可动性很大,如果清水冲刷时间延长,则河槽由于粗化相对稳定之后,滩岸又较容易冲蚀,在没有工程控制的地方,侧蚀还有可能发展,使河床重新变得宽浅散乱。所以,黄河下游游荡性河道的河型转化是一个十分复杂的问题,目前积累的资料远不足以说明问题。国内外一些河流的资料只能看出一种大体趋势,情况与黄河也不同。随着三门峡水库运用方式的改变,没有再进行研究。因此,关于河型转化问题,有待于今后进一步研究和实践。

第四节　三门峡水库滞洪排沙运用期下游河道淤积调整

一、三门峡滞洪排沙运用后下游河道演变趋势预报

三门峡水库 1962 年 3 月决定改变运用方式,转为滞洪排沙运用,并研究加大泄流排沙措施,下游河道河床演变与来水来沙条件密切相关,因此,三门峡水库改变滞洪排沙运用后下游河床演变趋势问题,便成为非常重要的问题。当时没有这方面的经验,黄河下游研究组从 4 个方面进行分析,提出了一个总报告(三门峡水库低水位运用后黄河下游河床演变预报)及 3 个附件。3 个附件分别为附件 1(三门峡水库低水位运用后黄河下游河床变形计算),附件 2(三门峡水库低水位运用后黄河下游游荡性河床演变过程试验研究)与附件 3(类似河流河床演变对比分析——闹德海水库修建后柳河下游河道演变初步分析),最后综合对下游河道演变趋势做了预报,并在 1963 年水利电力部召开的三门峡水利枢纽座谈会上做了汇报,取得较好评价。

(1)由于三门峡水库拦洪,下泄泥沙少而细,下游河道发生冲刷,但水库腾空排沙,下泄沙量远较过去为大,下游转为淤积,进入非汛期,淤积更为严重;水库降低水位排沙后,沙峰落后于洪峰,小流量挟带高含沙量,首先淤积在下游河道的主槽里,淤积强度将会进一步加大。

(2)淤积影响波及全下游。花园口以上河段将首先发生严重淤积,而且由于下游河道在中低水流量时淤积距离较远,淤积将涉及全下游,河道的淤积比天然情况更严重。

(3)河槽过水断面减少,排洪能力降低,河床趋向宽浅,河道恶化,河势散乱等,对河道的发展非常不利。

(4)从河床变形计算成果看,三门峡水库即使不改建,水库下排的沙量仅为进库的60%左右,下游河道因输沙能力降低仍有淤积,淤积强度达到建库前的40%,滩地淤积比重减少,主槽比重增加。如果三门峡水利枢纽进行增建和改建,增加泄流能力,则水库排沙比接近100%,但出库水沙过程不适应,下游河道的淤积量可达建库前的2倍。淤积首先集中在下游河道的上段,但很快发展到下段,由于黄河下游上宽下窄,同一淤积量下水位抬高下段比上段大,对防洪很不利。模型试验证明,枯水期淤积使高村以上河道迅速淤浅,水流十分散乱,主流经常发生摆动,而且出现斜河现象,主流窜到久不行流的地方,平工变险工,给防洪和滩区农业生产带来新的困难。根据以上预报,建议水库改建的规模应大些,并对水库进行控制运用。如非汛期水库蓄水发电,避免小水排沙及控制水库前期淤积物下排速度,尽可能减少下游河道主槽的淤积。

这些预报对河道的治理和水库的运用起到了很重要的作用。实践证明,下游河道演变趋势预报基本是可信的。

二、三门峡水库滞洪排沙运用期下游河道的淤积调整

三门峡水库在1962年3月改为滞洪排沙运用,全年敞开闸门泄流排沙,经过两次改建,1973年11月开始控制运用。前面已经说明,在水库已经改为滞洪排沙初期(1962年3月~1964年10月),水库死库容还未淤满,库内淤积泥沙向坝前搬移,下泄泥沙很小且细,下游河道仍处于冲刷状态,因此我们把1964年10月~1973年10月作为滞洪排沙期来分析。本时期年均来水量426亿 m^3,来沙量16.3亿t,年均含沙量38.3kg/m^3,分别相当于多年平均的92%、104%和103%。由于水库运用的影响,下游河道在前期冲刷的基础上发生回淤,主要冲淤特点如下所述。

(一)淤积量增大,改变年内淤积分配

该时期下游河道年均淤积4.39亿t,淤积量占来沙量的27%,大于建库前1950~1960年天然状况下的年均淤积量3.61亿t。历年冲淤量变化如图3-5所示。9年中有5年来沙量超过15亿t,而水量较枯,1969年和1970年水量分别为329亿 m^3 和366亿 m^3,而沙量分别为14.3亿t和21.8亿t,下游河道淤积量竟分别达6.5亿t和10.9亿t。更主要的是改变年内淤积分配(表3-22),由于水库的滞洪运用,非汛期下泄泥沙增多,平均来沙量由建库前的2.6亿t增加为3.5亿t,个别年份增加更多,如1964年和1966年非汛期,进入下游河道的泥沙竟达7.5亿t和4.9亿t,在这种情况下,下游河道的年内淤积分配发生变化,非汛期由建库前年均淤积0.71亿t,增加为1.19亿t,后者为前者的1.6倍,其中1964年非汛期淤积达6.6亿t,因此引起年内淤积分配的变化,非汛期的淤积量占年淤积量的比例由建库前的20%增至27%。

表 3-22　　　　　　　黄河下游 1964 年 11 月～1973 年 10 月平均下游河道冲淤量

项目		1950～1960 年	1964～1973 年
来水量(亿 m³)	非汛期	184	200
	汛期	296	226
	年	480	426
来沙量(亿 t)	非汛期	2.6	3.48
	汛期	15.3	12.82
	年	17.9	16.3
含沙量(kg/m³)	非汛期	14.1	17.4
	汛期	51.7	56.7
	年	37.3	38.3
冲淤量(亿 t)	非汛期	0.71	1.19
	汛期	2.90	3.2
	年	3.61	4.39
占年水量的百分比（%）	非汛期	38	47
	汛期	62	53
占年沙量的百分比（%）	非汛期	15	21
	汛期	85	79
占年冲淤量的百分比（%）	非汛期	20	27
	汛期	80	73

(二)三门峡水库滞洪排沙运用的影响波及全下游

全下游均发生淤积,两头淤积比重增大,中段淤积比重减小。淤积的沿程分布如图 3-28 和表 3-23。

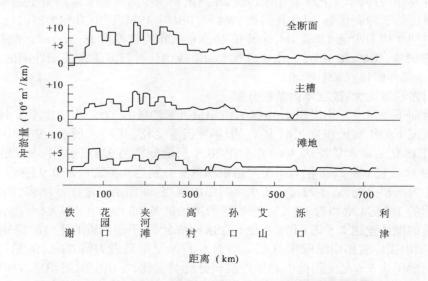

图 3-28　1964 年 10 月～1973 年 10 月黄河下游滩槽冲淤量沿程变化

表 3-23

三门峡水库滞洪排沙期(1964 年 11 月～1973 年 10 月)

黄河下游河道冲淤量纵横向分配

河段	年 均 淤 积 量 (亿 t)				
	主槽	滩地	全断面	主槽/全断面(%)	各河段/全下游(%)
铁谢—花园口	0.47	0.48	0.95	49	22
花园口—夹河滩	0.74	0.34	1.08	69	25
夹河滩—高村	0.51	0.43	0.94	54	21
高村—孙口	0.35	0.09	0.44	79	10
孙口—艾山	0.23	0.07	0.3	77	7
艾山—泺口	0.22	0.01	0.23	96	5
泺口—利津	0.42	0.03	0.45	93	10
铁谢—高村	1.72	1.25	2.97	58	68
高村—艾山	0.58	0.16	0.74	78	17
艾山—利津	0.64	0.04	0.68	94	15
铁谢—利津	2.94	1.45	4.39	67	100

对比表 3-11 和表 3-23 可看出,铁谢—高村河段全断面的淤积量占下游淤积量的比重由建库前的 55% 增加至 68%;下段艾山—利津河段的淤积比重由建库前的 13% 增至 15%;中段的高村—艾山河段的淤积比重由建库前的 32% 降至 17%。就淤积的绝对量而言,铁谢—高村和艾山—利津河段分别由建库前的年均淤积量 1.99 亿 t 和 0.45 亿 t,增至 2.97 亿 t 和 0.68 亿 t,后者是前者的 1.5 倍,而高村—艾山河段则由建库前的 1.17 亿 t 降至 0.74 亿 t,可见全断面的沿程淤积调整是较大的。这种淤积状况是前期河床条件及来水来沙条件造成的。上段河道经清水冲刷,河床粗化,比降变缓,输沙能力降低,而水库小水大量排沙后,来沙量远远大于河道的输沙能力,造成河道回淤也特别多,通过先冲后淤,河道主槽的淤积反而加大,而艾山—利津河段的冲淤状况不仅取决于进入下游河道的来水来沙条件,另一方面还与上段河道的调整有关。应该指出,滞洪排沙运用所造成的河道淤积,不仅限于近坝的上段,这是因为小水排沙的淤积在上段较大,但通过汛期较大流量可以把淤积物向下游搬移,使全下游都发生淤积。黄河下游发生的这种情况不同于枯水流量小、洪水流量持续时间短的多泥沙河流。在这些河流修建滞洪水库后,由于汛后水库下泄流量特别小,下游淤积距离近,而汛期又没有经常大流量把淤积物搬移下游。因此,影响范围较短,如东北柳河闹德海水库就是这种情况。

此外,黄河下游河道的平面形态上宽下窄,在天然情况下,汛期洪水在艾山以上宽河道漫滩淤积,进入艾山的含沙量大大减小,艾山—利津河段是冲刷的,而三门峡水库滞洪排沙运用后,由于水库泄流规模不足,下泄流量较小,大流量的机遇减少,进入艾山的水沙条件变得不利,造成该河段严重淤积。

(三)改变横向淤积部位,主槽淤积比重增加,局部河段形成"二级悬河"

三门峡水库滞洪排沙运用对下游河道的影响更主要的是从根本上改变了下游河道的横向淤积部位,局部河段形成"二级悬河",使河道向不利方向发展。对比表 3-11 和表 3-23 可以看出:从全下游来看,主槽淤积量由天然状况下的 0.82 亿 t 增至 2.94 亿 t,主槽占全断面淤积量由 23%增加至 67%,各河段的变化也不尽相同,高村以上河段主槽淤积量由 0.62 亿 t 增至 1.72 亿 t,占全断面的比例由 31%增加到 58%,高村—艾山河段主槽淤积量由 0.19 亿 t 增至 0.58 亿 t,占全断面的比例由 16%增至 78%,而艾山—利津河段主槽淤积量由 0.01 亿 t 增至 0.64 亿 t,占全断面的比例由 2%增至 94%,可见,主槽的淤积不仅绝对量大,而且比例大增,特别是对艾山—利津窄河道影响更大,由建库前的微淤变为严重淤积。

表 3-24 为 1964 年 11 月~1973 年 10 月黄河下游汛期不同流量级来水来沙量及冲淤量情况,可以看出,与 20 世纪 50 年代相比横向淤积部位的改变,主要是大流量洪水的机遇减少,中小流量的机遇增加,而且沙量增加很多,其中超过 10 000m³/s 的大漫滩洪水没有发生一次;6 000~10 000m³/s 的洪水,由于水库的滞洪滞沙,出库含沙量较低,又没有漫滩,下游河槽发生冲刷;但流量为 4 000~6 000、2 000~4 000m³/s 和小于 2 000m³/s 的平水期,其水量分别占汛期总量的 30%、35%和 16%,其沙量分别占总沙量的 39%、39%和 10%,

表 3-24　　　　　　1964 年 11 月~1973 年 10 月黄河下游汛期不同流量级洪水
来水来沙量及冲淤量

项目	次数	天数(d)	三黑小			全下游	不同项目占汛期总量的百分比(%)			
			水量(亿 m³)	沙量(亿 t)	含沙量(kg/m³)	冲淤量(亿 t)	天数	水量	沙量	冲淤量
汛期		1 110	2 014	113.2	56.2	29.9	100	100	100	100
1. 洪峰期	53	710	1 684	101.8	60.4	25.0	64	84	90	84
花园口流量 > 10 000m³/s										
花园口流量 6 000~10 000m³/s	5	120	386	13.5	35	-3.2	11	19	12	-10
花园口流量 4 000~6 000m³/s	18	207	593	43.8	73.9	11.4	19	30	39	38
花园口流量 2 000~4 000m³/s	30	383	705	44.5	63.1	16.8	34	35	39	56
2. 平水期		400	330	11.4	3.5	4.9	36	16	10	16

而淤积量分别占总淤积量的 38%、56% 和 16%。如果与 50 年代相比,中小水挟带的沙量造成淤积是非常明显的,以流量小于 6 000m³/s 作为比较,其水量占汛期水量的比例由 50 年代的 67% 增至 81%,沙量占汛期沙量的比例由 46% 增至 88%,冲淤量占汛期淤积量由 16% 增至 110%。因此,中小流量使主槽淤积加重,滩槽高差减少,平滩流量降低至历史最低值,花园口的平滩流量只有 2 600～3 500m³/s(表 3-25),排洪能力急剧降低。当然滩槽高差的减少以及平滩流量的降低,也给一般洪水的漫滩创造条件,但是,1958 年开始下游河道两岸滩地修有生产堤,一般洪水漫滩后,只能在两岸生产堤之间发生淤积,而生产堤与大堤之间的滩地并不能淤高,这样就形成了两岸生产堤之间的河床高于生产堤与大堤之间滩地。过去黄河下游本来就是横贯华北大平原的地上河,两岸大堤之间的河床高于大堤以外的地面,成为"悬河"。而由于三门峡水库滞洪排沙运用和两岸生产堤的影响,在局部河段两岸生产堤之内又形成了一条河床高于生产堤以外的滩地的"悬河",成为"二级悬河"。一些典型断面见图 3-29。

表 3-25　　　　　　　　　三门峡水库滞洪排沙期下游河道平滩流量变化

断　面	时间(年-月-日)	滩槽高差(m)	平滩流量(m³/s)	滩地横比降(‰)
花园口	1964-10-23	2.24	9 000	1.86
	1973-06-18	0.57	3 500	
	1973-09-21	1.15	7 000	
夹河滩	1964-10-23	左 2.24　右 2.34	11 500	3.6
	1973-06-19	0.95	2 600	
	1973-09-23	1.12	3 000	
高村	1964-10-23	2.44	12 000	5.12
	1973-06-20	1.02	3 000	
	1973-09-24	1.09	3 800	
孙口	1964-10-23		8 400	左 3.08　右 1.08
	1973-06-21	左 1.19　右 1.49	4 000	
	1973-09-25	左 1.26　右 1.56	4 500	
泺口	1964-10-23		8 500	5.3
	1973-06-23	4.03	5 000	
	1973-09-27	4.25	5 000	

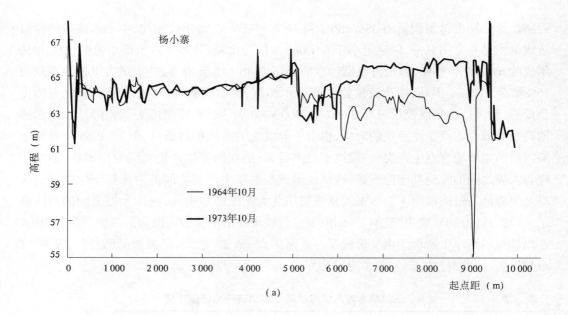

(a)

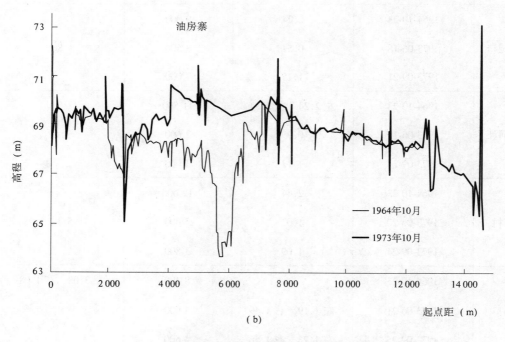

(b)

图 3-29 黄河下游河道典型断面
(a)杨小寨断面;(b)油房寨断面;(c)高村断面;
(d)彭楼断面;(e)大田楼断面;(f)泺口断面

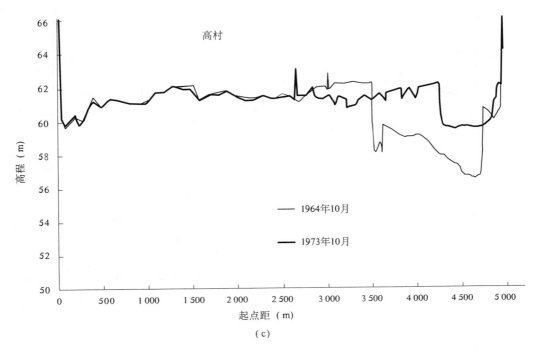

（c）

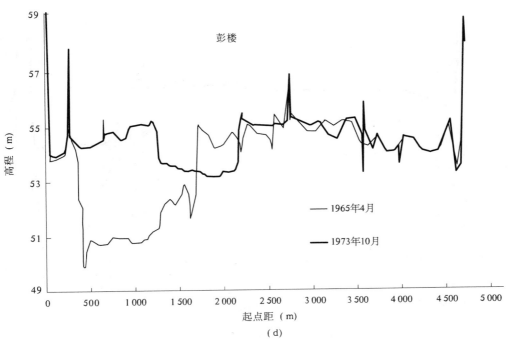

（d）

续图 3-29

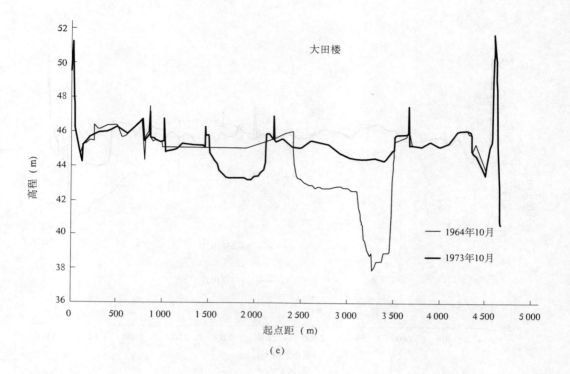

（e）

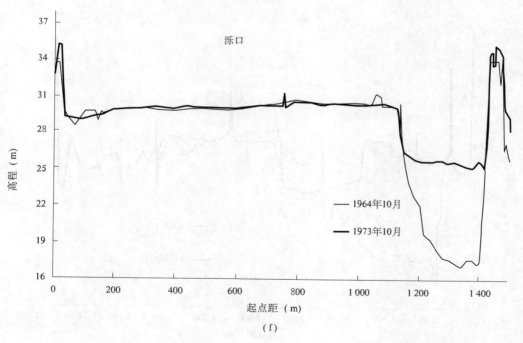

（f）

续图 3-29

(四)过洪能力急剧降低

由于河道的淤积,过洪能力急剧降低,从水位—流量关系可明显看出(图3-30),如花园口断面,1964年前的冲刷,至1965年汛前同流量水位反而高于1964年汛前水位。如以同流量(3 000m³/s)的水位作比较(图3-31),可以看出,三门峡建库以来,下游河道先冲后淤,孙口、艾山以下各断面同流量水位,1966~1969年先后超过了1960年的水位,1970年花园口—高村河段也达到了1960年的水位。

整个滞洪排沙期各水文站同流量(3 000m³/s)水位上升值如图3-31和表3-26所示。除铁谢—裴峪河段外,官庄峪—利津长达700km的河段抬高了2m左右(其中邢庙—北店子附近河段上升了3m)。明显看出,水位上升速度大于20世纪50年代的上升速度。1973年黄河下游出现花园口洪峰流量为5 890m³/s的洪水,大部分水文站的水位比1959年花园口洪峰流量9 480m³/s的洪水位还高,可见排洪能力下降较多,特别是艾山以下河道,由建库前的微淤变为严重淤积,使得下游河道排洪能力上大下小的矛盾更加突出,1963年加高山东大堤时,是按泄洪流量13 000m³/s设计的,由于河道淤积,平均每年降低流量500~600m³/s,防洪形势非常严峻。1974年起在黄河下游进行了第三次加高加固大堤工程建设。

(五)河势变化大,主流摆动频繁

由于主槽严重淤积,滩槽高差减少,河道宽浅散乱,主流摆动频繁,如铁谢—高村河段,1965~1972年各主要断面平均摆幅为3 360m,比1950~1959年摆幅还大(表3-27),最大摆动范围在东坝头以下禅房附近达5 400m,就一次摆动的幅度来看,在所统计的24个断面中,超过3 000m的就有6个,24个断面每年汛前汛后主流线的平均摆幅为900m,与20世纪50年代的平均摆幅1 070m接近;高村—陶城铺过渡性河段,尽管1964年以来修了不少河道整治工程,但滞洪排沙期整个河段主流平均摆幅也超过了1 000m,

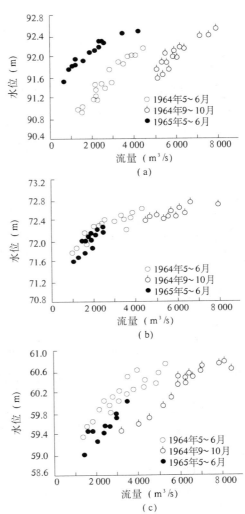

图3-30 黄河下游花园口、夹河滩、高村水位—流量关系

(a)花园口;(b)夹河滩;(c)高村

比三门峡水库蓄水拦沙期还大,在控制性较差的河段,徐码头断面最大摆动范围达2 375m;陶城铺以下河段,由于两岸控制较好,主流较稳定。

由于主流变化大,常出现"横河",造成严重险情,如1967年汛期,郑州赵兰庄平工堤段和封丘辛店平工堤段等处都因"横河"顶冲,发生了严重险情。

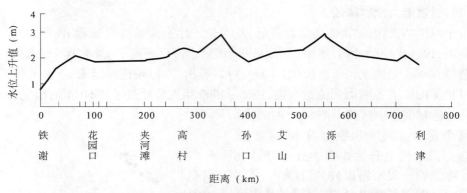

图 3-31　1964～1973 年黄河下游河道同流量(3 000m³/s)水位变化

表 3-26　黄河下游滞洪排沙期(1964～1973 年)汛末各水文站同流量(3 000m³/s)水位升高值

(单位:m)

站名	总值	年均	站名	总值	年均
铁谢	0.63	0.07	孙口	1.89	0.21
裴峪	1.53	0.17	南桥	2.25	0.25
官庄峪	1.98	0.22	艾山	2.25	0.25
花园口	1.89	0.21	官庄	2.34	0.26
夹河滩	1.98	0.22	北店子	2.88	0.32
石头庄	2.07	0.23	泺口	2.61	0.29
高村	2.34	0.26	刘家园	2.16	0.24
刘庄	2.34	0.26	张肖堂	1.98	0.22
苏泗庄	2.16	0.24	道旭	1.98	0.22
邢庙	2.97	0.33	麻湾	2.16	0.24
杨集	2.25	0.25	利津	1.62	0.18

表 3-27　　　　　　　黄河下游主流线摆动情况　　　　　　　(单位:m)

年份(年)	河段			
	铁谢—高村		高村—陶城铺	
	平均	最大	平均	最大
1950～1959	2 972	6 200	1 178	2 050
1965～1972	3 360	5 395	1 006	2 240

　　通过以上的分析可以看到,三门峡水库滞洪排沙运用对下游河道的主要影响是改变了来水来沙过程,从根本上改变下游河道的横向淤积部位,使河道朝不利方面发展。在天然情况下,下游河道的淤积主要发生在几次较大洪水,洪水在下游漫滩,滩地大量淤积。一般情况下,主槽发生冲刷,并有所扩宽,如果洪水含沙量很大,则主槽和滩地都发生淤积。因此,在天然的来水来沙条件下,不同的水沙条件对滩地和主槽冲淤的影响也不同,但是在长期的发展过程中,滩地和主槽可以通过相互间的调整和转化,形成滩槽同步抬高的趋势,滩槽高差和断面形态不会发生根本性的改变。水库滞洪排沙运用后,由于水库滞

洪削峰作用,下游水流一般不漫滩,从根本上改变了天然洪水漫滩的冲淤特性,滩地不能淤高。另一方面,在汛后水库排沙,下泄流量较小,挟带大量的泥沙,这些泥沙只淤积在主槽内。这种"主槽淤得多,滩地淤得少"的冲淤过程,实质上是把天然情况下可以在滩地淤积的泥沙,通过水库的滞洪作用,暂时把它留在库内,然后通过洪水过后的小水排沙,把这些泥沙淤在下游河道的主槽内,这样对防洪非常不利。下游河道的排洪能力,主槽比滩地大得多,主槽通过的流量一般可占全断面的80%以上。显然,在下游河道淤积不可避免的前提下,淤滩较为有利,而淤槽是不利的。同时,加重艾山—利津窄河道的淤积,下游河道防洪能力上大下小的矛盾更加突出。

三门峡水库滞洪排沙期下游河道出现的情况说明,在多沙河流上修建滞洪水库,如果水库不承担拦沙任务,一般年份,泥沙基本是全部排出库外,则下游河道处于淤积状态,而且由于水库的滞洪削峰作用和出库水沙过程极不适应,下游河道将向不利方向发展。

第四章 三门峡水库蓄清排浑调水调沙控制运用期下游河道河床演变特点

吸取三门峡水库蓄水拦沙和滞洪排沙两个不同运用期的经验教训,根据黄河泥沙85%来自汛期,非汛期来沙量较少的特点,以及"在两个确保(确保西安、确保黄河下游)的前提下,合理防洪、排沙放淤、径流发电"的原则,三门峡水库自1973年11月开始采用"蓄清排浑"的调水调沙控制运用方式,非汛期(11月~次年6月)来沙较少,三门峡水库适当抬高水位蓄水,进行发电、防凌、灌溉综合利用,水库基本下泄清水,河道发生冲刷。来沙多的汛期7~10月则降低水位防洪排沙,下泄浑水,河道的冲刷或淤积,随来水来沙条件而异。

这种演变过程不同于建库前,也不同于滞洪排沙期,主要是改变年内过程。在这种特定的条件下,全下游河道淤积泥沙约39.04亿t,年均约1.5亿t。但随着来水来沙条件的不同,下游河道经历了淤积—冲刷—淤积的演变过程。依据1973年11月~1999年10月黄河的来水来沙条件和河道演变特点,可分为1973年11月~1980年10月、1980年11月~1985年10月和1985年11月~1999年10月3个时期,进行下游河道的河床演变分析。

第一节 1973年11月~1980年10月下游河道河床演变

一、下游河道冲淤特点

该时期实行"蓄清排浑"运用方式,非汛期下泄清水,汛期集中排泄全年泥沙,年内水沙量及过程的变化,改变了年内的冲淤过程及纵横向淤积部位,整体来看是非汛期下泄清水,部分河段发生冲刷;汛期水库排沙,加大来沙量,增加了河道淤积。

(一)淤积量较小

该时期基本属于略偏枯的水沙系列,洪峰较多。因此,下游全断面总淤积量为12.67亿t,年均淤积1.81亿t,只有20世纪50年代淤积量的50%。对比各时期冲淤情况,河道淤积量及淤积比都是较少的一个时期(表4-1和图4-1)。

表4-1　　　　　　　　　黄河下游河道年均年内冲淤分配

时段	年均冲淤量(亿t)			各占年冲淤量的比例(%)		年来水量	年来沙量	年河道淤积比(%)
(年-月)	汛期	非汛期	年	汛期	非汛期	(亿m³)	(亿t)	(冲淤量/来沙量)
1950-07 ~ 1960-06	2.9	0.71	3.61	80	20	480	17.9	20
1964-11 ~ 1973-10	3.0	1.39	4.39	68	32	425	16.3	27
1973-11 ~ 1980-10	2.7	-0.89	1.81	149	-49	395	12.4	15
1980-11 ~ 1985-10	-0.04	-0.93	-0.97	-4	-96	482	9.7	-10
1985-11 ~ 1999-10	2.88	-0.65	2.23	129	-29	273	7.6	29

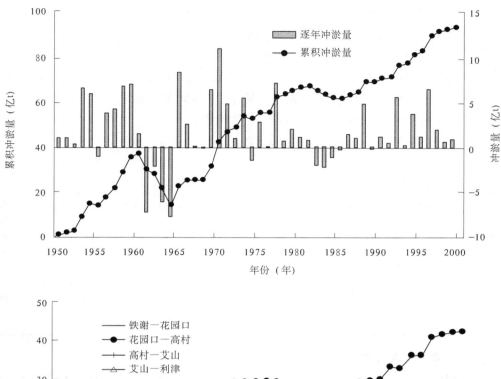

图 4-1　黄河下游河道各河段累积冲淤量过程

(二)年内冲淤分配发生变化

天然情况下,非汛期下游河道发生淤积,20 世纪 50 年代年均淤积 0.71 亿 t,占全年淤积量的 20%,滞洪排沙期年均淤积 1.29 亿 t,占全年淤积量的 32%。该时期转为冲刷,平均每年冲刷 0.89 亿 t,汛期淤积量年均为 2.7 亿 t,与 50 年代接近。非汛期的冲刷对减少河道的淤积起到一定的作用。全年的淤积比小于前两个时期,仅为 15%。

(三)淤积沿程分布变化特点

由表 4-2 可知,该时期花园口以上河段发生冲刷,以下沿程淤积,淤积集中在花园口—孙口河段,占全下游淤积量的 63%,所占比例大于 20 世纪 50 年代的 47%。同时,艾山以下窄河段的淤积比例升高,该时期艾山以下淤积量年均为0.46亿t,与50年代0.45亿t接近,但占全下游的比例达到25%,而50年代仅占13%。造成艾山淤积比例升高的原因主要在于非汛期下游冲淤特点的变化,分析研究表明,冲刷量大小及冲刷距离与流量大小有关,流量大冲刷距离远,一般流量大于2 500m³/s,水量22亿m³左右,冲刷才有可能遍及全下游,而蓄清排浑运用后非汛期流量较小,冲刷范围一般到夹河滩或高村附近,这样就会造成下游宽河道发生冲刷,窄河道则发生淤积。

表4-2 黄河下游河道冲淤量纵向分配比例

河 段	全断面冲淤量(%)(各河段/全下游)				主槽冲淤量(%)(各河段/全下游)				冲淤量(%)(主槽/全断面)			
	1950-07~1960-06	1964-11~1973-10	1973-11~1980-10	1985-11~1999-10	1950-07~1960-06	1964-11~1973-10	1973-11~1980-10	1985-11~1999-10	1950-07~1960-06	1964-11~1973-10	1973-11~1980-10	1985-11~1999-10
铁谢—花园口	17	22	-12	19	39	16	-900	17	52	49	-81	64
花园口—夹河滩	16	25	19	29	20	25	50	28	28	69	3	67
夹河滩—高村	22	21	29	23	17	18	150	22	18	54	6	71
高村—孙口	25	10	33	11	18	12	500	10	16	80	17	64
孙口—艾山	7	7	6	5	5	8	150	6	17	77	27	82
艾山—泺口	6	5	9	7	0	7	150	10	5	96	19	100
泺口—利津	7	10	16	6	0	14	0	7	0	93	0	92
铁谢—利津	100	100	100	100	100	100	100	100	23	67	1	73

(四)淤积的横向分布变化特点

该时期由于发生了1975、1976年的大漫滩洪水,黄河下游整个河段淤积的滩槽分布见表4-3,绝大部分泥沙淤积在滩地,主槽年均仅淤积0.02亿t,但不同河段有所差别,花

表4-3 黄河下游各时期平均冲淤量纵横向分配 (单位:亿t)

时间(年-月)	项目	铁谢—花园口	花园口—夹河滩	夹河滩—高村	高村—孙口	孙口—艾山	艾山—泺口	泺口—利津	铁谢—高村	高村—艾山	艾山—利津	铁谢—利津
1950-07~1960-06	主槽	0.32	0.16	0.14	0.15	0.04	0.01	0	0.62	0.19	0.01	0.82
	滩地	0.30	0.41	0.66	0.78	0.20	0.19	0.25	1.37	0.98	0.44	2.79
	全断面	0.62	0.57	0.80	0.93	0.24	0.20	0.25	1.99	1.17	0.45	3.61
1960-07~1960-08	全断面	0.19	-0.32	0.6	0.11	0.6	0.1	0	0.47	0.71	0.35	1.53
1960-09~1964-10	全断面	-1.9	-1.47	-0.84	-1.03	-0.22	-0.19	-0.13	-4.21	-1.25	-0.32	-5.78
1964-11~1973-01	主槽	0.47	0.74	0.51	0.35	0.23	0.22	0.42	1.72	0.58	0.64	2.94
	滩地	0.48	0.34	0.43	0.09	0.07	0.01	0.03	1.25	0.16	0.04	1.45
	全断面	0.95	1.08	0.94	0.44	0.30	0.23	0.45	2.97	0.74	0.68	4.39
1973-11~1980-10	主槽	-0.18	0.01	0.03	0.10	0.03	0.03	0	-0.14	0.13	0.03	0.02
	滩地	-0.04	0.33	0.50	0.49	0.08	0.13	0.3	0.79	0.57	0.43	1.79
	全断面	-0.22	0.34	0.53	0.59	0.11	0.16	0.3	0.65	0.70	0.46	1.81
1980-11~1985-10	主槽	-0.30	-0.34	-0.29	-0.13	-0.01	-0.07	-0.12	-0.93	-0.14	-0.19	-1.26
	滩地	-0.07	-0.10	-0.09	0.53	0.07	-0.04	0	-0.26	0.59	-0.04	0.29
	全断面	-0.37	-0.44	-0.38	0.40	0.06	-0.11	-0.12	-1.19	0.45	-0.23	-0.97
1985-10~1999-10	主槽	0.27	0.46	0.36	0.16	0.09	0.15	0.12	1.09	0.25	0.27	1.61
	滩地	0.15	0.20	0.15	0.09	0.02	0	0.01	0.50	0.11	0.01	0.62
	全断面	0.42	0.66	0.51	0.25	0.11	0.15	0.13	1.59	0.36	0.28	2.23
1950-07~1999-10	全断面	9.89	19.01	22.16	19.19	7.16	6.17	9.49	51.06	26.35	15.66	93.07

园口以上滩槽皆冲,主槽、滩地冲刷量分别为年均0.18亿t和0.04亿t,滩地冲刷是由于发生塌滩引起的;花园口以下滩槽皆淤,对主槽而言,冲刷主要发生在花园口以上,以下沿程微淤。主槽淤积具有两头小、中间大的特点,高村—孙口主槽淤积量相对较多,年均达0.1亿t。绝大部分河段滩地淤积量占全断面的80%以上,滩地淤积主要集中在夹河滩—孙口河段,年均淤积0.99亿t,占全河段滩地淤积量的55%。

同时由图4-2可看到,虽然大滩区泥沙淤积分布相对于1964~1973年有所好转,但滩唇高、堤根洼的局面未得到根本缓解,"二级悬河"的形势仍十分严重。

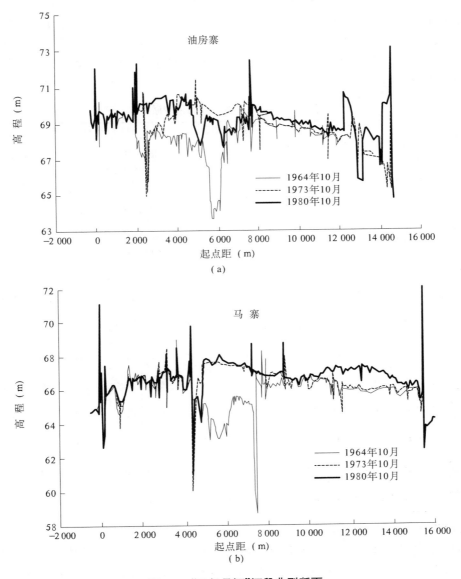

图4-2 "二级悬河"河段典型断面

(a)油房寨断面;(b)马寨断面

(五)较大洪水年份河道冲淤特点

该时期由于洪峰流量较大而且次数较多,大洪水对河道非常有利,以下重点分析典型洪水的情况。

1.1975年和1976年洪水

1975年和1976年9、10月发生多场秋汛洪水,含沙量低,水量大,其中两年的最大洪水相继发生漫滩,对河道冲淤影响较大(表4-4)。1975年9月29日~10月5日花园口洪峰流量为7 580m³/s,水量为33.8亿m³,沙量为1.48亿t,来沙系数仅0.005kg·s/m⁶,下游发生漫滩,花园口—利津主槽冲刷2.68亿t,滩地淤积3.39亿t。1976年8月25日~9月6日,花园口洪峰流量为9 210m³/s,水量为75.5亿m³,沙量为2.86亿t,来沙系数仅0.006kg·s/m⁶,下游也发生漫滩,花园口—利津主槽冲刷1.06亿t,滩地淤积2.81亿t。从洪水期下游河道全断面冲淤量来看是淤积的,但由于是淤滩刷槽,因此对增加下游河道过洪能力是十分有利的。

表4-4　　　　　　　　　　　历年漫滩洪水下游河道滩槽冲淤量

时段 (年-月-日)	花园口				花园口—艾山(亿t)			艾山—利津(亿t)			花园口—利津(亿t)		
	洪峰流量 (m³/s)	水量 (亿m³)	沙量 (亿t)	来沙系数 (kg·s/m⁶)	主槽	滩地	全断面	主槽	滩地	全断面	主槽	滩地	全断面
1953-07-26~ 08-14	10 700	68.0	3.01	0.011	-1.79	2.20	0.41	-1.21	0.83	-0.38	-3.0	3.03	0.03
1953-08-15~ 09-01	11 700	45.8	5.79	0.043	1.06	1.03	2.09	0.43	0	0.43	1.49	1.03	2.52
1954-08-02~ 08-25	15 000	123.2	5.90	0.010	-3.34								
1954-08-28~ 09-09	12 300	64.7	6.32	0.017	2.17	3.43	2.26	-0.91	1.47	0.56	-2.08	4.90	2.82
1957-07-12~ 08-04	13 000	90.2	4.66	0.012	-3.23	4.66	1.43	-1.1	0.61	-0.49	-4.33	5.27	0.94
1958-07-13~ 07-23	22 300	73.3	5.60	0.010	-7.1	9.20	2.10	-1.5	1.49	-0.01	-8.60	10.69	2.09
1975-09-29~ 10-05	7 580	37.7	1.48	0.006	-1.42	2.14	0.72	-1.26	1.25	-0.01	-2.68	3.39	0.71
1976-08-25~ 09-06	9 210	80.8	2.86	0.005	-0.11	1.57	1.46	-0.95	1.24	0.29	-1.06	2.81	1.75
1982-07-30~ 08-09	15 300	61.1	1.99	0.005	-1.54	2.17	0.63	-0.73	0.39	-0.34	-2.27	2.56	0.29
1988-08-11~ 08-26	7 000	65.1	5.00	0.016	-1.05	1.53	0.48		-0.25		-1.30	1.53	0.23
1996-08-03~ 08-15	7 860	44.6	3.39	0.019	-1.50	4.40	2.90	-0.11	0.05	-0.06	-1.61	4.45	2.84
2002-07-04~ 07-15	3 170	27.5	0.357	0.005	-0.569	0.564	-0.005	-0.197	0	-0.197	-0.766	0.564	-0.202

2.1977年高含沙量洪水

1977年为枯水多沙年,汛期平均含沙量高达117kg/m³,沙量主要集中在7、8月份两场高含沙洪水,三门峡站洪峰流量分别为7 900m³/s和8 900m³/s,最大含沙量为589kg/m³和911kg/m³,花园口洪峰流量分别为8 100m³/s和10 800m³/s,最大含沙量为546kg/m³和809kg/m³(表4-5)。由于河道沿程淤积,含沙量沿程降低,但孙口—利津含沙量衰减较小。

表4-5

表4-5　　　　　　　　　　　　1977年洪水最大含沙量沿程变化　　　　　　　　　（单位：kg/m³）

时间 （年-月）	三门峡	小浪底	花园口	夹河滩	高村	孙口	艾山	泺口	利津
1977-07	589	535	546	405	405	227	218	216	196
1977-08	911	941	809	338	284	235	243	195	188

　　两场高含沙量洪水下游河道深槽发生强烈冲刷，而嫩滩大量淤积，因此主槽是淤积的，花园口—艾山河段淤积5.91亿t，主槽淤积达3.33亿t，占全断面的56%。高含沙量洪水全断面表现为严重淤积，全河淤积量达9.43亿t，但淤积距离较短，高村以上宽河道淤积量占总量的80%以上，艾山—利津淤积量仅占3%~5%（表4-6）。

表4-6　　　　　　　　　1977年两场高含沙量洪水河道淤积沿程分布　　　　　　　（单位：亿t）

时段 （年-月-日）	项目	花园口 以上	花园口— 夹河滩	夹河滩— 高村	高村— 艾山	艾山— 利津	全下游
1977-07-06~13	冲淤量	1.55	0.59	1.48	0.56	0.13	4.31
	占下游（%）	36	14	34	13	3	100
1977-08-07~10	冲淤量	1.58	1.73	0.93	0.62	0.26	5.12
	占全河（%）	31	34	18	12	5	100

　　洪水过程中，深槽刷深，嫩滩普遍淤高，主槽缩窄，形成明显的窄深断面。由表4-7及图4-3可见，洪水前7月7日花园口测流断面比较宽浅，全断面流量只有2 290m³/s时，水面宽近1 500m，主槽宽为432m，平均水深只有2m，河相系数$\sqrt{B/H}$为12.8；经过7月9日洪峰流量为8 100m³/s、最大含沙量为546kg/m³的洪水作用后，从7月10日的断面可见，部分滩地被淤积，主槽刷深，形成比较窄深的单一过水断面，平均水深增加1倍多，河相系数减小到8.2；其后8月份的洪水洪峰流量及含沙量都更高，高含沙量洪水塑造较为窄深断面的特点更为突出，8月8日在7月份已经较窄的主槽中又发生大量淤积，将主槽近岸边的浅水部分全部淤起，主槽缩窄了350m，同时河底进一步冲深约1m，河相系数仅4.9，河槽极为窄深。

表4-7　　　　　　　1977年高含沙量洪水前后花园口测流断面主槽特征值

时间 （年-月-日）	流量（m³/s）	面积（m²）	宽（m）	水深（m）	河相关系 $\sqrt{B/H}$
1977-07-07	2 290	700	432	1.62	12.8
1977-07-10	6 360	2 766	804	3.44	8.2
1977-08-08	10 800	1 988	455	4.37	4.9
1977-08-12	2 790	1 207	449	2.69	7.9

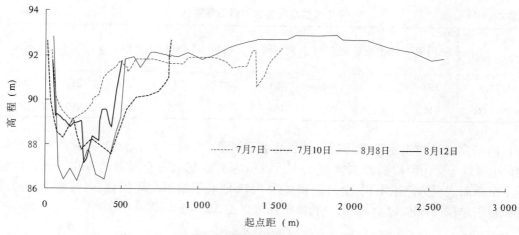

图 4-3　1977 年高含沙量洪水前后花园口测流断面变化

1977 年 8 月洪水期间小浪底—花园口河段的支流在没有流量入汇的情况下,发生小浪底洪峰流量至花园口、花园口以上河段短时段内水位大幅度猛涨猛落的异常现象。当小浪底水位开始上涨,含沙量猛增时,相应花园口流量不仅未曾上涨,反而发生降落(图 4-4),在 8 小时内流量从 6 180m³/s 下降为 4 600m³/s,相应水位从 92.02m 下降到 91.77m,随后又在 4.8h 内增加到 10 800m³/s,相应水位达 92.95m,峰前涨水过程变陡,流量的涨率为小浪底站的 3.3 倍,达每小时 1 300m³/s。与此同时,在赵沟—夹河滩间水位出现不同程度的陡涨陡落的现象,其中以武陟驾部的水位变化最明显,在涨水过程中,首先在 6 小时内水位突降 0.95m,后又在 1.5 小时中猛升 2.84m,以致多处险工出险。

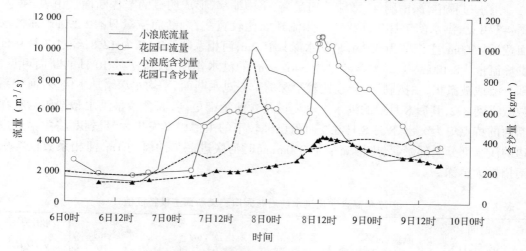

图 4-4　1977 年 8 月高含沙量洪水水沙过程

二、游荡性河段平面变化较大

铁谢—高村河段 1973 年以来虽然修建了一些控导护滩工程,对控导主流、稳定河势有一定作用,但因控导工程尚少,在来水来沙条件急剧变化的影响下,河床调整频繁剧烈,从而引起主流的不断摆动与河势的变化(图 4-5)。1973~1980 年,铁谢—高村河段的平均摆动范围约为 2 870m,在所统计的 24 个断面中摆动范围在 3 000m 以上的就有 10 个,超过 4 000m 的也有 4 个,与 1950~1959 年的情况相接近,如果没有新修的节点控导工程,情况将更坏。因此,抓紧铁谢—高村宽浅散乱的游荡性河道整治是刻不容缓的。

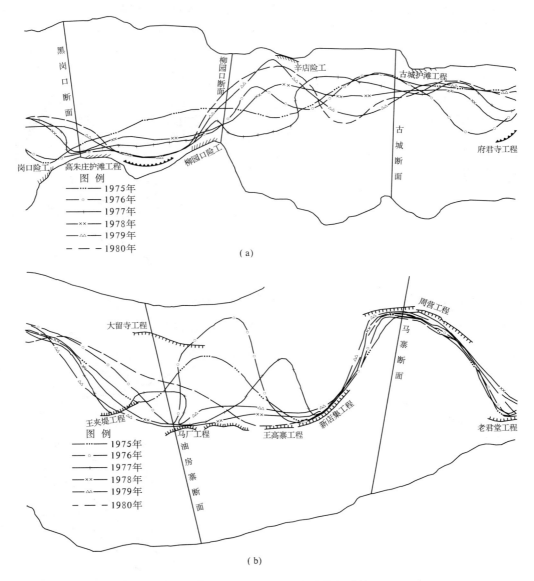

图 4-5 黄河下游典型河段主流线摆动情况

(a)黑岗口—府君寺河段 (b)油房寨—周营河段

1977 年高含沙洪水期河势变化剧烈,突出特点是畸形河势增加,工程脱河现象严重,险情不断。铁谢—原郑州铁桥河段河势北滚、下挫,右岸控导工程多数脱河,花园镇工程远离水边近 3 000m,较汛前北滚 1 000 多 m;右岸赵沟工程全部靠大溜,主流集中顶冲,左岸化工工程6~12号坝全部出险,其中9~11号坝被冲毁。原京广铁桥—东坝头河段因桃花峪河势南移,马庄工程前坐弯,工程上首靠溜,花园口险工靠溜偏上,引起双井工程脱河;大河在北岸常堤工程以下嫩滩坐弯,斜经南岸中王庄,绕贯台大坝在东坝头控导工程坝前坐弯后,返流靠三义寨闸下(图4-6),贯台工程出现少见的脱河现象。东坝头以下河势较汛前的主要变化是东明王高寨以上河势继续向右岸发展,王夹堤及马厂先后靠河;周营工程基本全部靠河,于林河湾恶性发展,呈"S"状(图4-7)。

图4-6　1977年和1982年东坝头附近河势

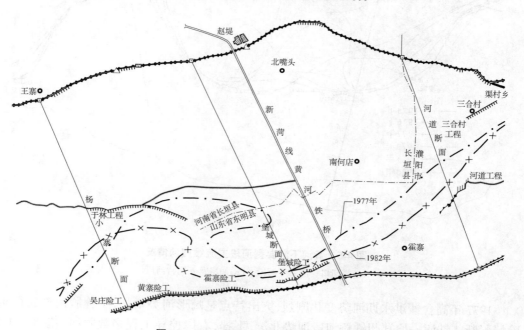

图4-7　1977年和1982年霍寨附近河势

三、排洪能力变化

同流量水位和平滩流量的变化直接反映了不同时期下游河道冲淤演变所引起的排洪能力的变化。

(一)同流量(3 000m³/s)水位变化

1973 年汛后三门峡水库"蓄清排浑"控制运用后,下游年内水位变化为:每年非汛期花园口、夹河滩等站经过三门峡水库下泄清水冲刷,主槽刷深,水位下降,而高村以下(特别是孙口以下)则表现为河道淤积,水位升高;每年汛期河道冲淤决定于来水来沙量及过程,水位有升有降。从各年变化过程看,下游各站的水位变化与河道冲淤变化过程是一致的(图 4-8)。

该时期黄河泥沙主要淤积在滩地,主槽淤积较小,滩槽冲淤分布对河槽排洪有利,因此虽然该时期全断面是淤积的,但河槽的排洪能力减少不多。由表 4-8 可见,水位表现呈两端上升小、中间上升大的特点。花园口以上同流量水位有所下降;花园口—泺口只有苏泗庄、邢庙两站年均上升约 0.10m 外,大部分站均小于 0.05m,泺口以下年均上升仅 0.03m 左右,根据图 4-8 逐年同流量水位的变化可见,游荡性河段经过 1977 年高含沙洪水后水位明显上升,其后到 1980 年都未发生较大洪水,水位变化不大,因此到 1980 年汛后同流量水位与 1973 年汛后接近,甚至略有升高,主槽排洪能力未大幅度增加。

表 4-8　　　　　黄河下游各时段汛末同流量(3 000m³/s)水位升降值

站名	年均水位升、降(-)值(m)						总抬升值(m)	
	1950~1960	1960~1964	1964~1973	1973~1980	1980~1985	1985~1999	1960~1999	1950~1999
铁　谢		-0.70	0.07					
裴　峪		-0.54	0.17	-0.05	-0.16	0.10	-0.38	
官庄峪		-0.52	0.22	-0.02	-0.09	0.09	0.57	
花园口	0.12	-0.33	0.21	0.02	-0.11	0.10	1.56	2.76
夹河滩	0.12	-0.33	0.22	0.02	-0.14	0.12	1.78	2.98
石头庄		-0.36	0.23	0.04	-0.10	0.10	1.81	
高　村	0.12	-0.33	0.26	0.06	-0.07	0.12	2.77	3.97
刘　庄	0.11	-0.33	0.26				2.85	
苏泗庄		-0.34	0.24	0.10	-0.15	0.15		
邢　庙		-0.45	0.33	0.09	-0.08			
杨　集		-0.46	0.25	0.05	-0.10	0.14	2.22	
孙　口	0.22	-0.39	0.21	0.05	-0.06	0.12	2.06	4.26
南　桥		-0.16	0.25	0.05	-0.05	0.13	3.53	
艾　山	0.06	-0.19	0.25	0.04	-0.06	0.14	3.43	4.03
官　庄		-0.11	0.26	0.07	-0.09			
北店子	0.04	-0.28	0.32	0.09	-0.13	0.14	3.70	4.10
泺　口	0.03	-0.17	0.29	0.05	-0.09	0.15	3.93	4.23
刘家园		-0.043	0.24	0.00		0.11	3.43	
张肖堂	0.02	-0.055	0.22	0.05	-0.14	0.12	3.09	3.29
道　旭	0.02	-0.075	0.22	0.03	-0.14	0.14	3.15	3.35
麻　湾		-0.10	0.24	0.02	-0.16	0.12	2.78	
利　津	0.02	0.002	0.18	0.02	-0.14	0.12	2.75	2.95

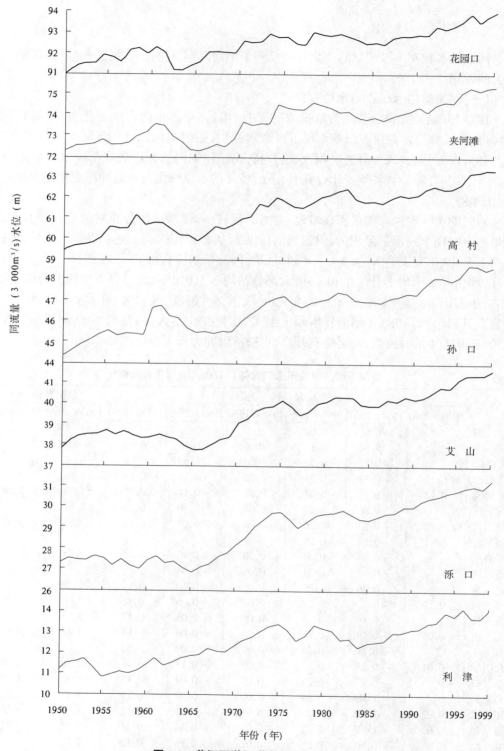

图 4-8 黄河下游河道各站水位变化

(二)平滩流量变化

黄河下游河道断面多呈复式,滩槽不同部位的排洪能力存在很大差异,因此平滩流量的变化在相当程度上反映了主槽的过洪能力(表4-9和图4-9)。1973～1980年受1975、1976年漫滩洪水淤滩刷槽的影响,河道排洪能力增加,到1980年汛前下游河道的平滩流量增大到4 300～5 500m³/s,但1980年水沙条件不利,平滩流量又有所减小。整个时期来看,这一时期平滩流量约增加1 000m³/s,河道过洪能力较1973年汛后有所增加。

表4-9 黄河下游典型年份平滩流量变化 (单位:m³/s)

项 目	花园口	夹河滩	高村	孙口	艾山	泺口	利津
1958 年汛后	8 000	10 000	10 000	9 800	9 000	9 200	9 400
1964 年汛后	9 000	11 500	11 000	8 500	8 400	8 600	8 500
1973 年汛前	3 500	3 200	3 500	3 700	3 300	3 100	3 310
1980 年汛前	4 400	5 300	4 300	4 700	5 500	4 400	4 700
1985 年汛前	6 900	7 000	6 900	6 500	6 700	6 000	6 000
1997 年汛前	3 900	3 800	3 000	3 100	3 100	3 200	3 400

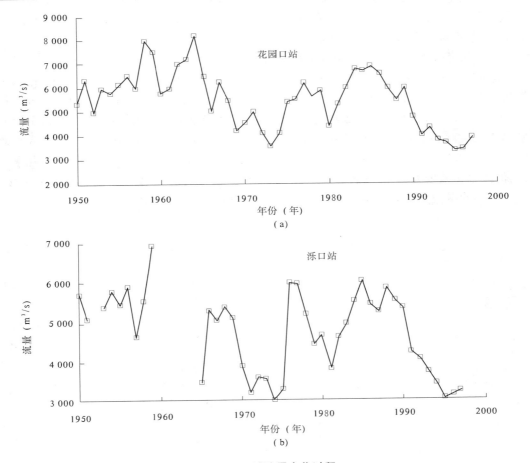

图4-9 平滩流量变化过程

(a)花园口站;(b)泺口站

第二节　1980年11月~1985年10月
下游河道河床演变

一、下游河道冲淤特点

1981~1985年蓄清排浑控制运用期来水较大来沙少,年均来水量480亿 m³,年均来沙量接近10亿 t,来水来沙条件十分有利,除1961~1964年三门峡蓄水拦沙期外,该时期是历史上进入下游含沙量最少的时期。同时河口条件较为有利(1980年河口区河道归股成槽,进入输水输沙能力强的中期阶段),下游河道累积冲刷泥沙4.85亿 t,年均冲刷约1亿 t,是除三门峡水库拦沙期外,下游河道少有的有利时期。

(一)下游河道连续4年冲刷

该时期下游河道发生了较大幅度的冲刷(表4-1),1981~1985年5年中只有1981年淤积了0.84亿 t,1982~1985年连续冲刷,共冲刷5.69亿 t,年均达1.41亿 t,其中1982年和1983年冲刷量分别为2亿 t和2.2亿 t。

(二)各年冲淤情况与水沙条件密切相关

总的来看该时期河道发生了较大冲刷,但各年情况是不同的,冲刷量的大小与来水来沙量及其组合密切相关。由图4-10可见,冲刷年份含沙量均小于22kg/m³。1983、1984年都是丰水少沙年,来水量约为550亿 m³,来沙量约为10亿 t,下游河道冲刷量较大,两年分别达2.22亿 t和1.12亿 t;1982年水量约为400亿 m³,但沙量不到6亿 t,又发生了大漫滩洪水,河道冲刷量也较大,达到2亿 t。对比1981年和1985年水沙情况,两年水量几乎一样,但沙量相差较大,1981年沙量与长系列均值持平,而1985年较长系列均值减少41%,因此两年冲淤截然不同,1981年淤积了0.84亿 t,1985年冲刷了0.31亿 t。

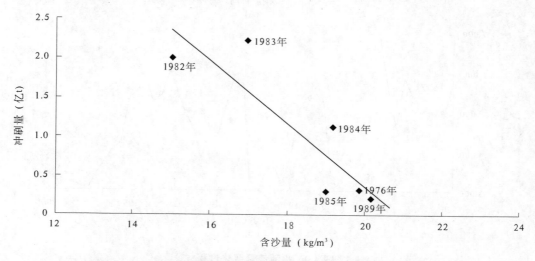

图4-10　三门峡水库蓄清排浑运用后下游年冲刷量与平均含沙量关系

(三)下游河道非汛期、汛期都发生冲刷,但不同河段差别较大

非汛期三门峡水库下泄清水,下游河道发生冲刷,5 年共冲刷 4.85 亿 t,年均冲刷 0.97 亿 t。

黄河下游汛期一般以淤积为主,除 1960~1964 年三门峡水库"蓄水拦沙"期外,其余各时期大都是淤积的(表 4-1)。但 1981~1985 年汛期下游发生了少量冲刷,年均冲刷 0.04 亿 t,主要发生在 1982、1983 年和 1985 年,三年汛期冲刷都在 1 亿 t 左右。从汛期冲淤的沿程分布来看,冲刷主要发生在花园口—高村和艾山—利津河段;而花园口以上河段在非汛期大冲的前期条件下汛期大淤,年均淤积达 0.49 亿 t;高村—艾山河段淤积量也达到年均 0.48 亿 t。

(四)沿程冲淤分布呈两头冲、中间淤的格局,艾山以下冲刷较多

1981~1985 年下游河道发生冲刷,但冲刷集中在高村以上和艾山以下,年均冲刷量分别达 1.19 亿 t 和 0.23 亿 t。高村以上是由于非汛期和汛期都冲,其中花园口—夹河滩河段冲刷最为剧烈,年均冲刷强度达 45 万 t/km;艾山以下是汛期的冲刷量大于非汛期的淤积量,因此全年为冲刷。而中段高村—艾山河段非汛期冲刷量较小、汛期淤积量较大,造成年内河道淤积,年均淤积 0.45 亿 t(表 4-3)。

1981~1985 年河道冲淤的另一特点是艾山以下冲刷较多。对比各时期艾山以下冲淤量可见(表 4-3),艾山以下基本为淤积的,只有 1960~1964 年发生了冲刷,年均冲刷 0.3 亿 t,大于 1981~1985 年的年均 0.23 亿 t。但从艾山以下河段冲刷量占全下游的比例来看,1981~1985 年达到 24%,远高于 1960~1964 年的仅占 6%。艾山以下冲刷较多除了因为来水来沙条件有利外,还与河口地区河道演变对下游河道的有利反馈影响有关。1976 年河口改道走清水沟流路,1980 年以后河道单股入海、河势规顺、水流集中,同时遇 1981~1984 年有利水沙条件,河口河道溯源冲刷与沿程冲刷相结合,近河口段水位普遍下降,增加了近河口段下游河道的冲刷强度。

(五)主槽连续 5 年冲刷,各河段滩槽冲淤不同

该时期河道的横向调整较好,主槽连续 5 年发生冲刷,年均冲刷达 1.26 亿 t,而滩地淤积了 0.29 亿 t。

主槽是沿程冲刷,但高村以上冲得多,高村以下冲得少。高村以上主槽年均冲刷 0.93 亿 t,占全下游主槽冲刷量的 75%;高村以下年均仅冲刷 0.33 亿 t,占全下游的 25%,其中孙口—艾山冲刷最少,年均仅 0.01 亿 t。

滩地的沿程变化情况与主槽不同。高村以上滩地年均冲刷 0.25 亿 t,高村—艾山滩地淤积较多,年均达 0.59 亿 t,艾山以下滩地变化不大,稍有冲刷。高村以上滩地冲刷主要在于塌滩,这一时期平水少沙,尤其是低含沙量洪水持续时间较长,大漫滩洪水少且含沙量低,水流侧蚀强烈,主流线的大幅度频繁摆动造成滩地的坍塌,而含沙量低又导致新淤滩地达不到原滩地高程。高村—艾山河段淤积主要是 1982 年大漫滩洪水淤滩刷槽的作用,其中又以高村—孙口河段最明显。

因此,各河段的滩槽冲淤情况各不相同,高村以上是滩槽皆冲,但主槽冲刷量大,占全断面的 79%;高村—艾山是槽冲滩淤,但滩地淤积量大,全断面表现为淤积;艾山以下也是滩槽皆冲,主槽冲刷量占全断面的比例更大,达到 83%。

(六)洪水冲淤情况

1.1982 年大洪水冲淤特点

1982 年 8 月 2 日受 9 号台风影响,三花间、山陕区间及泾、渭、北洛、汾河普降暴雨,局部地区降特大暴雨,各支流普遍涨水出现洪水过程,沁河武陟站和伊洛河黑石关站洪峰流量分别为 4 110m³/s 和 4 130m³/s,分别是有记载以来的第一大和第六大洪水。各区间来水演进后形成花园口最大洪峰流量 15 300m³/s 的新中国成立以来第二大洪水。因洪水主要来自三门峡以下,含沙量较低,洪峰尖瘦,三黑武历时 11d,洪量为 46 亿 m³,来沙量 2.1 亿 t,平均含沙量 45kg/m³。"82·8"洪水的特点是伊洛黄沁并涨、涨势猛、洪水量大且峰高、泥沙少、持续时间长,传播速度慢(图 4-11)。

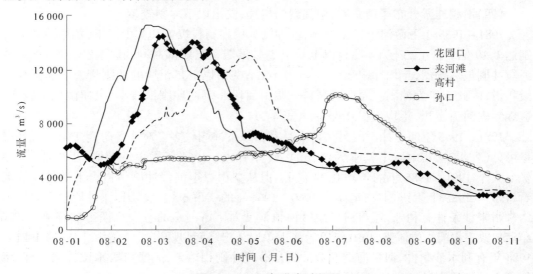

图 4-11　1982 年洪水过程图

这次洪水自起涨到峰顶的历时,水位为 29h,流量为 32h,水位升高 0.88m,流量增加 10 000m³/s,其平均增长率,水位为 0.03m/h,流量 313m³/(s·h),涿口站不到 20h 水位上涨 3m,可见这次洪水的第一个特点是涨势猛;洪水基本来自三花区间,洪水的含沙量一般都较小,花园口站洪水平均含沙量仅为 32.5kg/m³,洪水的最大含沙量也仅达 63.4kg/m³,因此含沙量小是洪水的第二个特点;花园口站最大洪峰流量 15 300m³/s,4d 洪量为 35.67 亿 m³、10d 洪量为 59.80 亿 m³,是新中国成立以来历次洪水中,洪水总量和最大洪峰流量都仅次于 1958 年 7 月的大洪水,故量大峰高是本次洪水的第三个特点;花园口站这次大洪水流量在 10 000m³/s 以上的历时达 52h,流量在 8 000m³/s 以上的历时达 63h,仅次于 "58·7" 洪水("58·7" 大洪水,流量在 10 000m³/s 以上的历时为 75h,流量在 8 000m³/s 以上的历时为 92h),洪峰持续时间长是这次洪水的第四个特点;"82·8"洪水洪峰从花园口站经历了 108h 才到达孙口站,洪峰传播的平均速度为 3.15km/h,即 0.87m/s,而 1954 年 8 月大洪水的洪峰传播也是较慢的,从花园口至孙口洪峰传播的平均速度为 3.38km/h,即洪水平均流速为 0.94m/s,略大于 "82·8" 大洪水,因此洪峰传播慢是本次洪水的又一特点。

这场洪水下游除涿口以下河段外,滩区普遍进水,是多年来漫滩最严重的一次

（表 4-10）。洪水总计淹没滩地 25 块，淹没面积达 1 477.8km²，最大滞洪量 25.23 亿 m³。漫滩主要集中在孙口以上，淹没面积和最大滞洪量分别占全下游的 82％和 88％，其中最严重的高村—孙口河段滩区最大滞洪量达 11.5 亿 m³，占全下游的 46％。这次洪水期间，下游生产堤各种破口口门 156 处，大多数口门宽 100m，最大达 600m，过流量一般为 100～2 000m³/s。

表 4-10   1982 年洪水期黄河下游淹没滩地情况统计

河　　　　段	淹没面积（km²）	淹没平均水深（m）	最大滞洪量（亿 m³）
花园口—夹河滩	245.6	1.4	3.45
夹河滩—高村	464.9	1.6	7.22
高村—孙口	504.6	2.3	11.5
孙口—艾山	139.8	1.42	1.98
艾山—泺口	47.5	1.17	0.55
泺口—利津	75.4	0.7	0.53
合　　　　计	1 477.8		25.23
高村以上占下游的百分比（％）	48		42
孙口以上占下游的百分比（％）	82		88

受生产堤破口和滩地进退水的影响，给洪水预报造成被动，这进一步表明，废除生产堤，利用滩区滞洪淤沙，防止"二级悬河"程度的加剧和减轻山东窄河段防洪的压力，是十分必要的。

洪水期间也发生了淤滩刷槽，但由于生产堤的阻水作用，槽滩水体得不到充分交换，淤滩刷槽作用明显较 1958 年洪水减弱。花园口—艾山河段主槽冲刷 1.54 亿 t，滩地淤积 2.17 亿 t，全断面淤积 0.63 亿 t，艾山以下主槽冲刷 0.73 亿 t，滩地淤积 0.39 亿 t，全断面冲刷 0.34 亿 t。可见，黄河下游洪水的作用是很大的。

2．其他洪水

1981 年 9 月花园口最大洪峰流量 8 060m³/s，历时 17d，来沙量 2.42 亿 t，洪水期平均含沙量为 37.8kg/m³，花园口—艾山河段部分漫滩，艾山以下冲刷 0.073 亿 t，全下游淤积 0.062 亿 t。

1983～1985 年，下游多次发生洪峰流量为 6 900～8 100m³/s 的含沙量较低的洪水，但随着平滩流量逐渐增大，洪水均没有漫滩，洪水期下游河道以冲刷为主。从上可以看出，该时期河道的冲刷，主要是有较大洪水的作用。

二、平面变化特点

黄河下游各河段由于河型不同，河道的平面形态、断面形态及其变化规律很不一样。随着来水来沙条件的改变，通过泥沙的冲淤，河床迅速进行调整。

（一）下游河道河槽面积减小，滩地面积增大

由于大力开展河道整治，下游河槽有所缩窄，河槽平面面积减小。宽河道整治工程大多数修建于 20 世纪 70 年代，因此从表 4-11 可见，1972 年与 1956 年相比，河槽面积减少并不明显，而 1982 年与 1956 年相比则减少较多，铁谢—利津共减少 220.69km²，占 1956 年河

槽面积的 17.8%,其中花园口—夹河滩、夹河滩—高村和高村—孙口河段减少分别达 67.08、117.76km^2 和 37.19km^2,孙口以下也略有减少。

表 4-11 　　　　　　　　　　　黄河下游河道平面面积统计 　　　　　　　　　　（单位:km^2）

河段	年份(年)	铁谢—花园口	花园口—夹河滩	夹河滩—高村	高村—孙口	孙口—艾山	艾山—泺口	泺口—利津	总面积
河槽	1956	288.86	378.09	236.71	137.69	41.05	62.07	93.36	1 237.83
	1972	334.76	368.08	222.06	89.93	33.68	53.43	93.36	1 195.3
	1982	309.43	311.01	118.95	100.5	38.86	50.16	88.23	1 017.14
内滩	1956								
	1972	256.26	55.88	73.3	119.1	30.74	53.46	207.4	796.14
	1982	266.38	101.57	167.02	162.23	35.43	57.06	179.62	969.31
外滩	1956								
	1972	217.26	550.33	439.9	465.15	70.86	8.52	66.94	1 818.96
	1982	233.88	560.84	450	410.49	59.03	4.32	99.54	1 818.1
全滩	1956	438.23	594.65	499.63	535.14	78.07	31.72	274.34	2 451.78
	1972	473.52	606.21	513.2	584.25	101.6	61.98	274.34	2 615.1
	1982	500.26	662.41	617.02	572.72	94.46	61.38	279.16	2 787.41
全断面	1956	727.09	972.74	736.34	672.83	119.12	93.79	367.7	3 689.61
	1972	808.28	974.29	735.26	674.18	135.28	115.41	367.7	3 810.4
	1982	809.69	973.42	735.97	673.22	133.32	111.54	367.39	3 804.55

相应滩地面积增加,其中外滩(生产堤—大堤之间)增加不多,增加的主要是内滩(滩唇到生产堤之间)。1982 年与 1972 年相比,铁谢—利津内滩共增加 173.17km^2,其中花园口—孙口河段共增加 182.54km^2,占总增加面积的 105%。

(二)高村以上河段平面调整较大

黄河下游高村以上游荡性河道,新中国成立以来虽修建了一些控导护滩工程,对控导主流、稳定河势有一定作用,但工程尚少,在来水来沙急剧变化条件下,主流仍不断摆动,引起河势相应变化。统计 1981~1985 年下游主流线摆动情况,铁谢—花园口河段年均摆幅为 592m,其中铁谢—官庄峪河段在冲刷过程中主流摆动幅度大,一些断面年平均摆幅超过 1 000m;花园口—夹河滩河段年均摆幅为 740m,夹河滩—高村河段年均摆幅为 805m。同时通过分析铁谢—高村河段主流线及深泓点最大摆幅的变化,可以看到,深泓点平面位置一般受主流线变化制约,但滞后于主流线的变化,两者的趋势一致,幅度有所差别。

溜势变化更加剧烈是该河段 1981~1985 年平面变形的特点(图 4-12)。由夹河滩以上摆动范围大致在 2.5km 以上,以马峪沟—伊洛河口、孤柏嘴—官庄峪河段摆幅分别为 3.5km 和 4km 最为剧烈,其中罗村坡摆幅达 5.5km;原郑州铁桥、韦城、古城断面附近摆幅也达 4~5km;东坝头以下主流线摆幅一般在 1.5km 以内,仅有杨小寨附近摆幅达 3km。由表 4-12 可以看出,5 年主流最大摆幅基本与 1960~1964 年相近,显示了清水较一般洪水侧蚀更加剧烈的特性。同时由于工程控制越来越严密的控导作用,主流线平均摆动幅度较历史各时期减小。

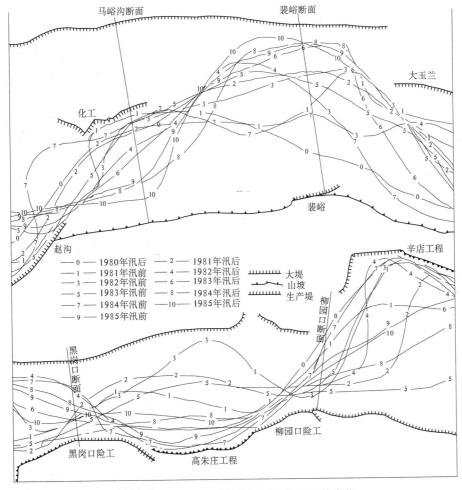

图 4-12　1981～1985 年黄河下游典型河势变化

表 4-12　　　　　　　　　　　　主流线摆动幅度比较　　　　　　　　　　　（单位:m）

项目	1950～1959 年	1960～1964 年	1965～1972 年	1973～1983 年	1981～1985 年
平均摆幅	2 972	2 914	3 360	2 870	2 348
最大摆幅	6 200	5 950	5 395	4 750	5 675

(三)高村以下河势基本稳定

高村—陶城铺河段,由于工程控制较好,主流虽有摆动,但其摆幅远较上游宽河道为小,除河湾处有一定变化外,河势基本稳定。

陶城铺以下河道工程密布,其长度占河道长度的 70%,有效地控制了河势,平面变化不大,冲淤主要在纵深方向发展。

(四)重大险情较多

1981～1985 年下游来水平,来沙小,中水流量持续时间长,含沙量低,水流冲刷能力强,高村以上游荡型河段曾多次发生横河、斜河,造成重大险情,而且一些河段主流顶冲位置稳定,坐弯很死,加上长时间中水淘刷滩地、控导工程及险工坝头,也造成滩地大量坍塌,河槽展宽,险情增加。

1981年因河势变化,控导工程修筑长度又不足,主流南移北滚,上提下挫变化显著,温县大玉兰和开封欧坦控导工程曾一度出现抄后路的危险;1982年由于上游河势的变化,东坝头险工挑流角增大,主流上提顶冲禅房工程上首,造成贯孟堤决口;原阳大张庄至开封黑岗口,开封柳园口至封丘辛店险工两河段发生横河,造成黑岗口险工19～29护岸发生大墩大蛰、土胎裸露的大险情;北围堤从1960年以来从未靠过河,1983年7月,主流在桃花峪以上陈沟坐弯,直走原铁桥北端,在河心滩坐弯后直冲北围堤造成大险,共抢险56d(图4-13);1984年因中北河势变化及中水历时较长,主流在大玉兰控导工程上首坐弯淘刷,造成230m的背河抢险;1985年汛期赵沟以下至温县和孟县交界处,都曾在洪峰落水期,上游来溜受心滩所阻,发生横河、斜河,长时期顶冲滩岸,造成了严重险情(图4-14);1984年老君堂控导工程26号、27号坝,因河势变化迅速,抢护不及,垮坝退守。

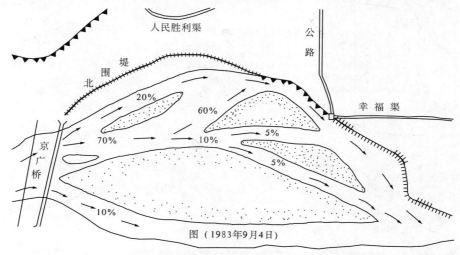

图4-13　北围堤抢险河势图(1983年9月4日)

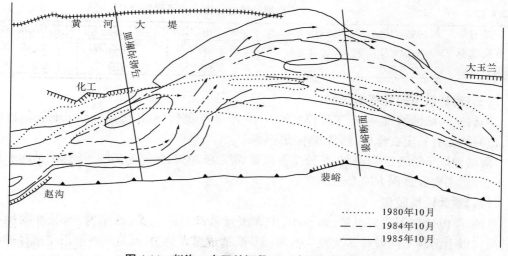

图4-14　赵沟—大玉兰河段1984年和1985年河势

另外,高村以下河道两岸工程控制较好,河势比较稳定,但连续几年的河道冲刷,使根石走失严重,不少坝岸发生坦石下挫、坝身断裂、滑塌甚至垮坝等险情。

1981～1985年汛期重大险情较多主要是低含沙量中常洪水持续时间较长造成的,具体表现在以下3个方面:

(1)大水河走中泓,同时因水流含沙量低,工程下首滩地大多有明显冲失,在河道整治工程送溜长度不够时,主流外移下挫,致使流路散乱,甚至形成"麻花"状河势。5年间,原郑州铁桥—东坝头的大部分河段、花园口以上的花园镇—伊洛河口、孤柏嘴—官庄峪及东坝头以下的老君堂—堡城河段均出现不同程度的"麻花"状格局,造成了大玉兰两次背河抢险、北围堤抢险等重大险情。

(2)随着水沙条件的剧烈变化,河势发生迅速调整,尤其在大洪水的落水期,主流趋于弯曲,河床调整强烈,极易形成"横河"、"斜河",造成突发性的重大险情,如1982年8月黑岗口大险,给下游防洪造成了巨大的负担。

(3)低含沙量中常洪水刷槽作用明显,尤其在高村以下溜势比较稳定的河段,主槽的冲刷尤其深泓点的下切十分强烈,极易造成根石走失、坦石下蜇,甚至出现坝身断裂、滑塌乃至垮坝的重大险情。如1982年东阿井圈、历城王家梨行和台前韩胡同工程均有垮坝险情发生。因此,为了确保黄河下游防洪安全,并为配合小浪底水库初期拦沙运用,应加强现有整治工程对低含沙量洪水的适应性研究。

三、排洪能力变化

黄河下游为复式断面且具有宽广的滩地,河道的排洪能力主要取决于主槽的冲淤变化及断面阻力变化。下游河床冲淤演变的一个主要规律就是洪水漫滩后,滩槽水流泥沙交换十分强烈,大量泥沙通过水流交换,由主槽进入滩地,造成了滩地大量淤积,主槽强烈冲刷,"淤滩刷槽"使得涨水过程中主槽迅速扩大,排洪能力增加,洪水漫滩后,增加了过水面积,滩地阻力随着水深增加不断减少,滩地流速相应增大,故黄河下游洪水的涨率随着流量增大而有不断减少的趋势,滩地起着决定性作用。此外,黄河下游河道平面形态上宽下窄,滩地主要集中在陶城铺以上宽河道,洪水漫滩后大量泥沙在宽河道滩地落淤,降低了进入窄河道的含沙量,有利于窄河道的冲刷,故有"洪水漫滩,艾山以下河道冲刷"的冲淤演变规律。

1981～1985年下游河道普遍冲刷,河道排洪能力也基本以增大为主。

(一)同流量水位变化

1981～1985年下游河道同流量水位的变化过程,与河道的冲淤调整过程一致(表4-8和图4-8),水位明显下降,1984年汛后水位最低,到1985年汛末花园口、夹河滩水位继续下降,孙口、艾山等站变化不大,高村、泺口、利津等站明显升高。

由图4-8还可以看出,随着水沙条件及河床边界条件、河口条件的不同,水位的变化幅度和过程是有很大差异的。1980～1985年汛后,同流量水位高村以上河段降低0.3～0.6m,高村—艾山降低0.2～0.5m,艾山以下河段降低0.4～0.8m。其中高村以上河段受频繁的低含沙量中常洪水的影响,河床基本处于持续的冲刷状态,汛期及非汛期水位均有所降低。艾山以下河段主要受河口区有利条件的影响,冲刷幅度及过程自下而上发展,尤其 1979~1984 年汛后,刘家园以下近河口段同流量水位降低 1m 多(表 4-13),并且全年持续冲刷,可见河口区边界条件变化对近河口区河段排洪能力的影响是明显的。

表 4-13   艾山以下 1979~1984 年汛末同流量(3 000m³/s)水位变化   (单位:m)

项目	艾山	北店子	洛口	刘家园	张肖堂	道旭	麻湾	利津
累积变化	-0.25	-0.64	-0.50	-0.30	-0.98	-0.97	-1.12	-1.12
年均变化	-0.05	-0.13	-0.10	-0.06	-0.20	-0.20	-0.22	-0.22

为了更清楚地了解 20 世纪 80 年代河道排洪能力的变化情况,选择了典型相似洪水进行分析(表 4-14),两场洪水分别发生在 1981 年 9 月和 1985 年 9 月,花园口洪峰流量分别为 8 060m³/s 和 8 260m³/s,洪水期平均含沙量分别为 37.8kg/m³ 和 37.6kg/m³。可以看出,虽然 1985 年洪水较 1981 年洪水水位升降在量值上与 5 000m³/s 水位有所区别,但在定性上同样反映了中水河槽排洪能力增大的特点。

表 4-14   相似洪水水位对比

站名	1981 年 9 月		1985 年 9 月		流量差 (m³/s)	水位差 (m)	流量为 5 000m³/s 时水位差(m)
	洪峰流量(m³/s)	水位	相应流量(m³/s)	相应水位			
花园口	8 060	93.56	8 260	93.44	200	-0.12	-0.43
夹河滩	7 730	75.31	7 670	74.95	-60	-0.36	-0.73
高村	7 390	63.37	7 370	63.31	-20	-0.06	-0.60
孙口	6 500	48.75	6 480	48.48	-20	-0.27	-0.35
艾山	6 260	42.02	6 200	41.92	-60	-0.10	-0.35
洛口	5 380	31.06	5 310	30.90	-70	-0.16	-0.36
利津	5 000	13.92	5 120	13.72	120	-0.20	-0.18

(二)平滩流量的变化

下游河道为复式断面,不同部位的排洪能力存在很大差别,中水河槽(高村以下河段为主槽)是输水排沙的主要部分,即使对于大漫滩洪水,河槽排洪能力也占 60%~80%。因此,平滩流量的变化在相当程度上反映了河道的排洪输沙能力。分析 1981~1985 年平滩流量的变化过程可见(图 4-9),该时期平滩流量是逐渐增大的变化过程。1980 年水沙条件不利,平滩流量均明显减小,平均减少约 330m³/s,只有利津以下近河口段的平滩流量有所增大。1981~1984 年平滩流量明显增大,其中孙口以上河段主要由 1981 年和 1982 年汛期淤滩刷槽引起,孙口以下河段则因主槽的持续冲刷而逐渐增大,到 1985 年汛前下游平滩流量一般为 6 000~7 000m³/s,平均为 6 544m³/s,较 1981 年汛前(平滩流量为 4 000~6 000m³/s,平均为 5 040m³/s)明显偏大。

从以上情况表明,黄河下游河道只要维持较大的水量和洪峰流量,就能通过河床自动调整,恢复一定的平滩流量和排洪能力,河槽并不发生萎缩。

(三)滩槽行洪条件变化与洪水涨率增大

按照黄河下游河道各部位行洪能力的不同,将河道断面分为中水河槽(包括嫩滩及心滩)、内滩和外滩三部分。滩唇—生产堤之间称为内滩,生产堤—大堤之间称为外滩,如大堤—河槽之间没有生产堤,则划为内滩。

从1982年航测平面图上量得(表4-11),铁谢—利津内滩面积约969km²,外滩面积约1 818km²,外滩面积几乎是内滩的2倍。中水河槽面积约1 017km²,占下游河道总面积的26.7%,内滩与外滩分别占总面积的25.5%与47.8%。内滩由于主流摆动,滩地坍塌,没有村庄等阻水建筑物,植被也较外滩稀疏,阻力较外滩小,洪水漫滩后流速较大,过流较多。前述分析表明,1981～1985年下游滩面横比降增大,局部河段"二级悬河"发展。东坝头—高村河段滩地很大,泥沙淤积不均衡,特大洪水时,有可能发生"滚河"的危险。

滩地行洪能力减少(表4-15),滞洪能力增加,淤滩刷槽作用减弱,使得洪水漫滩后同流量洪水涨率变大,洪水位变高,断面排洪能力降低。如花园口站1982年8月洪峰流量为15 300m³/s的洪水与1954年8月的洪峰流量为15 000m³/s的洪水沿程流量基本相同,但沿程各站流量6 000m³/s的水位与最高洪水位的差值,在夹河滩—孙口河段,1954年为0.4～0.7m,而1982年为1.0m左右,比1954年增加0.3～0.6m。

表4-15　　　　　　　　　　高村站1958年与1982年洪水对比

流量级(m³/s)	滩地分流比(%)		滩地过水面积(%)		主槽流速(m/s)		滩地流速(m/s)	
	1958年	1982年	1958年	1982年	1958年	1982年	1958年	1982年
<5 000	5.8		9.8		2.28	2.24	0.14	
5 000～8 000	6.8	1.4	17.4	10.5	2.51	2.43	0.32	0.25
>8 000	15.2	11.7	30.9	41.7	2.91	2.44	0.68	0.23

还需指出的是,在平面形态分析中业已表明,1982年与1956年及1972年相比,中水河槽有所缩窄,面积减少,1972～1982年中水河槽面积减少了178km²,这种变化不仅对大洪水时河道排洪不利,而且还会促使洪水涨率增大。

第三节　　1985年11月～1999年10月
下游河道河床演变

一、下游河道冲淤特点

1986年以后,受龙羊峡和刘家峡两大水库的调节、水资源的开发利用、上中游地区的综合治理及降雨等因素的影响,进入黄河下游的水沙条件发生了很大变化,汛期来水比例减小,非汛期比例增加,洪峰流量大幅度减小,枯水历时增长,主河槽行洪面积明显减小,河槽萎缩是本时期主要演变特点。

(一)河道冲淤量不大,但淤积比较大

1986～1999年下游河道总淤积量为31.22亿t,年均淤积量为2.23亿t(见表4-1)。从淤积的绝对量值看,淤积并不多,淤积量约为20世纪50年代天然情况下游河道年均淤积量3.61亿t的62%,为滞洪排沙期年均淤积量4.39亿t的51%。但是这一时期来沙量少,年均仅7.62亿t,因此淤积比较大,达到29%,也就是说来沙量的近1/3淤积在河道内,是1950年以来下游各淤积时期中淤积比最高的。淤积过程见图4-1。

1986年以来下游来水量减少,特别是枯水历时增长,中大流量减少,河道输沙能力降低,造成即使来沙量很小,河道仍发生淤积,而且淤积比较大。如1997年,来水量为166

亿 m³,来沙量仅 4.29 亿 t,淤积量为 2.14 亿 t,淤积比接近 50%(表 4-16)。1997 年是 1920 年到 1999 年近 80 年下游来水量最小的一年,也是下游断流时间最长、断流长度最长的一年,由此看来水量的减少和大流量过程的减少严重降低了河道的输沙能力。此外 1986 年、1987 年来水量只有 315.6 亿 m³ 和 220.8 亿 m³,来沙量分别只有 4.15 亿 t 和 2.89 亿 t 的水沙条件下,淤积比高达 36.9% 和 40.1%。因此可见,即使来沙量减少至 3 亿~4 亿 t,但随着水量的减少,特别是大流量过程的减少,河道仍会发生淤积,淤积比仍较大。

(二)年际间冲淤变化较大,淤积主要集中在发生高含沙量洪水的年份

这一时期各年水沙条件有所差异,因此冲淤量年际变化也较大。发生高含沙量洪水、来沙量大的年份淤积量较大,1988、1992、1994 年及 1996 年的淤积量分别达到 5.01 亿、5.75 亿、3.91 亿 t 和 6.65 亿 t(表 4-16),4 年淤积量占时段总淤积量的 68%,而且这几年淤积比也较大,都在 30% 以上,1996 年高达 59%。而来水相对较多、来沙较少的年份淤积量较少,甚至冲刷,如 1989 年水量达 400 亿 m³,沙量仅有长系列的一半,年内河道略有冲刷。因此,河道演变仍遵循丰水少沙年河道冲刷或微淤,枯水多沙年则严重淤积的基本规律。

表 4-16　　　　　黄河下游 1986~1999 年来水来沙及河道冲淤情况

年份(年)	来水量(亿 m³)	来沙量(亿 t)	含沙量(kg/m³)	淤积量(亿 t)	淤积比(%)
1986	315.6	4.15	13.1	1.53	36.9
1987	220.8	2.89	13.1	1.16	40.1
1988	345.7	15.50	44.8	5.01	32.3
1989	399.7	8.06	20.2	-0.22	-2.7
1990	367.1	7.23	19.7	1.35	18.7
1991	249.0	4.87	19.5	0.58	11.9
1992	255.2	11.07	43.4	5.75	51.9
1993	316.2	6.09	19.3	0.31	5.1
1994	296.9	12.31	41.4	3.91	31.8
1995	258.2	8.24	31.9	1.34	16.3
1996	267.0	11.24	42.1	6.65	59.1
1997	166.4	4.29	25.8	2.14	49.9
1998	196.2	5.75	29.3	0.80	13.9
1999	181.2	4.98	27.5	1.03	20.7
年均	273.9	7.62	27.8	2.23	29.4

(三)非汛期冲刷减少,汛期淤积比重加大

由于三门峡水库蓄清排浑运用,汛期下泄浑水、非汛期下泄清水,非汛期冲刷、汛期冲淤与来水来沙条件有关。非汛期冲刷量的大小与水量有一定关系,如图 4-15,可以看出冲刷量随水量的增大而增大,也就是单位水量的冲刷量随水量增大而增加(表 4-17)。该时期年均水量 148 亿 m³,冲刷量 0.64 亿 t,但应指出,非汛期一般流量较小,冲刷不能普及全下游,根据以往的研究,当流量大于 2 500m³/s,水量达 22 亿 m³ 左右时,冲刷才能普及全下游。因此,艾山以下河道非汛期大多数年份是淤积的。图 4-16 为非汛期全下游冲刷量与艾山—利津淤积量关系,下游冲刷量大,艾山—利津淤积量也大,在水流不能普及全下游冲刷的条件下,上段冲得多,下段淤积得多。从多年平均情况看,全下游冲刷1亿t泥沙,艾山—利津要淤积0.35亿t,也可以说艾山以上河段冲刷1.35亿t左右,艾山—利津约淤积0.35亿t,淤积量约占上段冲刷量的26%。1992年在同一冲刷量条件下艾山—利津淤积量偏大,是否与1992年断流时间增长有关,值得研究。

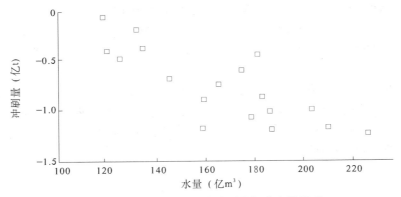

图4-15 黄河下游非汛期冲刷量与来水量关系

表4-17 非汛期单位水量冲刷量

水量(亿 m³)	冲刷量(亿 t)	单位水量冲刷量(t/m³)
120	0.2	0.001 7
150	0.6	0.004 0
180	0.95	0.005 3
210	1.2	0.005 7

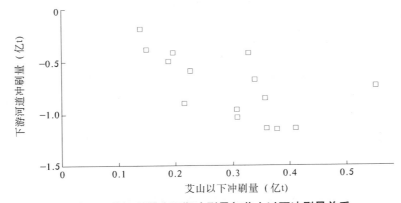

图4-16 黄河下游非汛期冲刷量与艾山以下冲刷量关系

对汛期河道冲淤量而言,除来水来沙总量外,还与水流过程关系极大,黄河下游的输沙能力与流量关系密切,流量大,输沙能力大。根据以往的研究,作为汛期平均情况,平滩流量时输沙能力最大,枯水流量排沙能力小。因此,在总水量相同的情况下,流量过程均匀则输沙能力较小。历年汛期含沙量与下游单位水量的冲淤量有一定的关系(图4-17),从图上可看出单位水量的冲淤量与含沙量有关,淤积量随含沙量的增加而增加,冲刷量随含沙量的增加而减少。从1986年以前的平均情况看,汛期维持河道平衡的含沙量约

30kg/m³ 左右,但从这几年连续枯水且枯水流量历时长的特点可以看出(图 4-17)。在相同含沙量情况下,淤积量相差较大,仔细分析与流量过程有关,如 1995 年与 1997 年相比(表 4-18),含沙量较接近,分别为 67.4kg/m³ 和 68.8kg/m³,但单位水量淤积量相差较远,1995 年单位水量淤积量 0.017t/m³,而 1997 年为 0.040t/m³,主要原因一方面虽然含沙量基本接近,但 1997 年水量小,沙量也少,另一方面是因为 1997 年汛期流量大于 2 000m³/s 的天数只有 10d,没有大于 3 000m³/s 的流量,相反 500m³/s 以下的流量历时长达 78d;而 1995 年大于 2 000m³/s 的流量有 65d。对比看来,水流过程的变化对河道冲淤的影响极大。

由此认为,如果遇汛期枯水流量历时很长,水量又很小(水量约小于 140 亿 m³),那么下游河道维持平衡的含沙量要减到 20kg/m³ 左右。枯水的作用近几年更突出,这些概念还需在今后实践中检验,目前只是根据现有的认识粗略的探讨。全年的冲淤情况视汛期、非汛期水沙条件的互相对比。

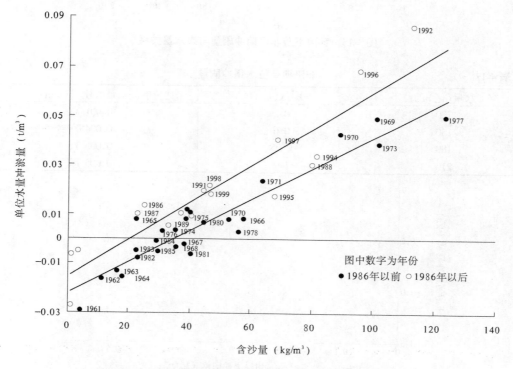

图 4-17 黄河下游汛期单位水量冲淤量与含沙量的关系

表 4-18   黄河下游典型年份汛期冲淤与水沙条件对比

年 份 (年)	水量 (亿 m³)	沙量 (亿 t)	含沙量 (kg/m³)	花园口各流量级出现天数(d)		冲淤量 (亿 t)	单位水量冲淤量(t/m³)
				< 500m³/s	> 2 000m³/s		
1995	122	8.23	67.4	20	65	2.02	0.017
1997	62	4.26	68.8	78	10	2.45	0.040

(四)淤积横向分布不均,主槽淤积严重

由于该时期枯水流量历时长,流量2 000m³/s以下的时间占80%,而且前期河床是在1981～1985年来水来沙系列塑造成的较大河槽,因此最主要的河道演变特点是主槽淤积严重。由表4-3滩槽泥沙分布可见,1986～1999年下游河道主槽年均淤积量达到1.61亿t,占全断面的72%,大部分淤积在主槽里,艾山以上主槽淤积量约占全断面的70%,艾山以下几乎全部淤积在主槽里。与20世纪50年代相比,1986～1999年滩槽泥沙的淤积分配发生了较大的变化,该时期全断面年均淤积量只有50年代下游年均淤积量的62%,而主槽淤积量却是50年代年平均淤积量的近2倍,因此50年代主槽淤积量仅占全断面淤积量的23%。

(五)艾山—利津河段主槽淤积严重

艾山—利津河段主槽淤积严重,由20世纪50年代的冲淤基本平衡转为淤积,占全下游淤积量的比重加大。表4-3为各时段冲淤量沿程分配,对比1950～1960年及1964～1973年的变化,可以看出,全断面的沿程淤积分布与1964～1973年三门峡水库滞洪排沙期相似,由于流量较小,泥沙集中淤积在上段,如花园口—夹河滩河段占全下游比重最大达29%,而1950～1960年所占比重仅16%;而艾山—利津窄河道年均淤积量达到0.28亿t,占全下游淤积量的17%,与50年代年均淤积量0.45亿t相比淤积量虽然少,但50年代艾山—利津河段淤积量仅占全下游淤积量的12%,因此淤积比例升高。尤其是艾山—利津河段主槽年均淤积量达到0.27亿t,占到全断面淤积量的96%,几乎全部淤积在主槽里。而50年代该河段主槽基本冲淤平衡,可见变化很大。根据以往的研究认为,艾山—利津河段的冲淤不仅受流域来水来沙的影响,还受上段河道的调整作用,一般认为在浑水情况下,当流量大于4 000m³/s,艾山—利津河段可以冲刷,而在清水条件下,当流量大于2 500m³/s以上才能冲刷,小水是造成该河段淤积的主要原因。由此可知,近期大部分时间均不满足这个条件,不能发挥大水冲、小水淤的作用,使该时期汛期不但没有冲刷反而有淤积。因此,淤积加重是难以避免的,是汛期与非汛期两重作用的结果。另一方面,泺口以下经常断流也会造成淤积加重。必须指出,由于该河段较窄,同样的淤积量水位上升就快,该河段是防洪的重点,上段宽河道能通过22 000m³/s的洪水,该段只能通过10 000m³/s,因此如何控制窄河段尽量少淤或不淤是一个重要课题。

(六)漫滩洪水期间,一般主槽发生冲刷,对河道排洪有利

漫滩洪水在下游河道演变中起到很大的塑造、维持河槽的作用,洪水漫滩后,滩槽水流泥沙交换,大量泥沙不断从主槽进入滩地,滩地发生淤积,主槽发生冲刷,主槽面积特别是平滩下主槽过水面积得以明显扩大,从而增大了主槽的过洪排沙能力。同时,泥沙在孙口以上宽河段滩地大量落淤,降低了进入艾山以下河段的含沙量,也有利于艾山以下河段的冲刷。近期黄河下游大洪水出现概率减少,洪水漫滩次数少是下游河道严重萎缩的重要原因之一。

在河道萎缩过程中,漫滩洪水仍起到较好的淤滩刷槽作用。1996年8月花园口洪峰流量为7 860m³/s的洪水过程中,下游出现了大范围的漫滩,淹没损失很大,这从经济角度看是不利的;但从河道演变角度看,发生大漫滩洪水对改善下游河道河势及增加河道过洪能力非常有利。"96·8"洪水期间,滩槽水流泥沙进行交换,主槽刷深,滩地淤高,洪水期花

园口来沙量3.39亿t,下游花园口—利津河段滩地淤积4.45亿t,主槽冲刷1.61亿t,全断面淤积泥沙2.84亿t。可见下游中、大洪水的发生虽然会使防洪形势紧张,但这类洪水的发生,对提高下游河道的过洪能力及改善河势起到了重要的作用。

（七）高含沙洪水机遇不少,主槽及嫩滩严重淤积,对高村以上防洪威胁较大

1986年以来,黄河下游高含沙洪水较多。高含沙洪水主要来源于多泥沙粗泥沙区,泥沙较粗,洪水过程中河床变化迅速,淤积量大,淤积主要集中在高村以上,特别是夹河滩以上河段。河床淤积,使断面形态窄深,水位陡涨猛落,如前期河槽淤积严重,则往往出现高水位,洪水传播过程中洪峰变形,这些特殊性的变化对下游防洪构成严重威胁,高含沙洪水具有以下演变特点:①河道淤积严重,如1992年高含沙洪水期下游河道淤积3.58亿t,占全年淤积量的62%。淤积主要集中在高村以上河段的主槽和嫩滩上。②1996年高含沙洪水期三门峡来沙5.54亿t,高村以上淤积4.02亿t,占全下游淤积量的73%。③洪水水位涨率偏高,易出现高水位,如"92·8"、"94·8"洪水。④洪水演进速度慢,出现下站较上站洪峰流量大的洪峰变形现象,如"92·8"花园口站洪峰流量为小浪底站洪峰流量的1.34倍。

（八）洪水冲淤情况

1986～1999年下游大洪水较少,最大的1996年8月洪水花园口洪峰流量仅为7 860m³/s,而高含沙量洪水出现的次数较多,1988、1992年和1994年的最大洪水都是高含沙量洪水。这几场洪水对该时期河道冲淤的影响较大,下面介绍1988、1992年和1996年的洪水冲淤情况。

1.1988年洪水

1988年汛期中游多沙区连续降大暴雨,下游来沙量偏多,而龙羊峡水库蓄水,河口镇以上来水明显减小,形成1988年汛期枯水多沙的水沙条件。而这种水沙条件与前期1981～1985年平水少沙系列所塑造的河床条件不相适应,引起下游河道的强烈调整。

1988年汛期下游水少沙多,三黑武水量为209亿m³,较长系列均值偏少24.6%,而沙量为15.16亿t,偏多21.3%。汛期平均含沙量达到72.5kg/m³。水沙主要集中于7、8月洪水期间(表4-19),7、8月洪水期间的水沙量分别占汛期水沙量的71%和94%,尤其来沙更加集中于8月中旬以前的几场高含沙量洪水。7月份洪峰多而集中,其中3次花园口日均最大流量在3 310～3 740m³/s,三黑武相应最大含沙量为198～263kg/m³,来沙系数均大于0.05,是引起1988年汛期下游淤积较为严重的几场洪水。8月份洪水不仅多而且洪量也较大,其中8月5～26日的4次洪水中,花园口相应的最大日均流量为5 490～6 380m³/s,三黑武相应的日均最大含沙量为92～395kg/m³。尤其8月5～14日的两场洪水,来沙系数均在0.045左右,是整个汛期对下游影响最大的两次洪水。

对下游河道影响较大的洪峰主要集中于7、8月份的5场含沙量较高的洪水(表4-19)。第一次洪水(7月1～16日)正值三门峡水库降低水位排沙阶段,该时段内平均含沙量为88kg/m³,来沙系数为0.062kg·s/m⁶,下游河道淤积量为1.07亿t,占时段来沙量的62.2%,淤积主要集中在高村以上,往下逐渐减少;7月21～30日连续出现两次洪峰,历时分别为4d和6d,下游淤积量分别为0.95亿t和0.86亿t,分别占时段来沙量的63.4%和57.7%,主要淤积部位集中在高村以上。 8月5～14日中游多沙地区连降暴雨,两场洪水水沙条

表 4-19

	洪峰序号	1	2	3	4	5	6	7
花园口	时间(月-日)	07-01-16	07-21-24	07-25-30	08-05-10	08-11-14	08-15-19	08-20-26
	历时(d)	16	4	6	6	4	5	7
	日均最大流量 (m^3/s)	3 310	3 740	3 480	5 490	6 090	6 240	6 380
三黑武	最大含沙量 (kg/m^3)	198	178	263	395	340	119	92
	水量(亿 m^3)	19.5	10.3	10.7	16.2	16.0	21.2	23.3
	沙量(亿 t)	1.72	1.48	1.5	2.27	3.13	1.4	1.11
	平均流量 (m^3/s)	1 410	2 990	2 064	3 125	4 630	4 907	3 850
	平均含沙量 (kg/m^3)	88	143.7	140.2	140.1	195.6	66	47.6
	来沙系数 ($kg \cdot s/m^6$)	0.062	0.048	0.068	0.045	0.042	0.013	0.012
冲淤量 (亿 t)	三门峡—高村	1.03	0.90	0.72	1.135	1.365	-0.20	-0.07
	高村—艾山	-0.03	-0.01	0.07	0.027	0.237	0.02	0.01
	艾山—利津	0.07	0.06	0.07	0.121	-0.068	-0.05	0.02
	三门峡—利津	1.07	0.95	0.86	1.283	1.534	-0.23	-0.04

件的剧烈变化从而引起了下游河床的强烈调整。花园口站日均最大流量分别为5 490m^3/s
和 6 090m^3/s 的洪水,三黑武的日均最大含沙量达 395kg/m^3 和 340kg/m^3。在历时6d和4d
内下游淤积泥沙分别达 1.28 亿 t 和 1.53 亿 t,分别占相应来沙量的 54.6% 和 49%,淤积主
要集中于高村以上。

以上 5 次洪峰历时 36d,时段内总水量为 72.7 亿 m^3,仅占汛期来水量的 34.8%,而时
段内沙量为 10.1 亿 t,占汛期总沙量的 68.8%,淤积量则高达 5.65 亿 t,为汛期淤积量
5.01 亿 t 的 1.13 倍。但 8 月中下旬发生了两场洪峰流量分别为 6 240m^3/s 和6 380m^3/s、
洪峰平均含沙量分别为 66kg/m^3 和 48kg/m^3 的洪水,洪峰平均来沙系数较低,约为 0.012,
下游河道略有冲刷,说明洪峰流量较大、含沙量较低的洪水对抑制河道的淤积起到较好的
作用。

2.1992 年洪水

1992 年 8 月上中旬黄河中游地区连续出现 3 个降水过程,相应黄河下游相继出现 4
场洪水过程,持续时间为八九天,其中第四场洪水洪峰流量最大、含沙量最高,花园口站洪
峰流量达到 6 430m^3/s、三门峡最大含沙量达到 488kg/m^3,而含沙量大于 300kg/m^3 的持续
时间长达 67h(图 4-18),为近年来进入黄河下游洪水中高含沙量持续时间最长者。"92·8"
洪水有以下主要特点:

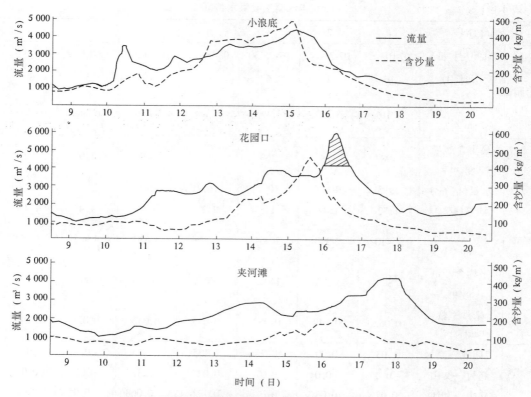

图 4-18　黄河下游 1992 年 8 月洪水过程

（1）淤积量大、淤积集中在高村以上。1992 年 8 月洪水历时 9d（表 4-20），三门峡、黑石关、武陟来沙量共为 5.56 亿 t，全下游淤积达 3.89 亿 t，占来沙量的 70%。从淤积的河段分布看，淤积主要集中在高村以上，淤积 3.58 亿 t，占全下游淤积量的 92%。高村—艾山河段淤积量仅为 0.20 亿 t，占全河的 5%，艾山以下淤积 0.11 亿 t，仅占全河淤积量的 2.8%。

表 4-20　　　　　　　　　　1992 年 8 月 10～19 日洪水特征

花园口最大流量（m³/s）		6 430		三门峡—花园口	0.955
三门峡最大含沙量（kg/m³）		488	冲 淤 量 （亿 t）	花园口—夹河滩	1.858
三 黑 武	水量（亿 m³）	23.6		夹河滩—高村	0.769
	沙量（亿 t）	5.56		高村—孙口	0.296
	平均流量（m³/s）	3 035		孙口—艾山	-0.098
	平均含沙量（kg/m³）	236		艾山—利津	0.109
	来沙系数（kg·s/m⁶）	0.078		全下游	3.889

（2）河道淤积面积的大小与洪水漫滩宽度有关。从图 4-19 给出的高村以上河段 5 月底～8 月底河道大断面的测量结果可知，全河段均发生严重淤积，淤积面积沿程分布特征呈中间大两头小，淤积最严重的河段位于来童寨—黑岗口河段，断面淤积面积为 3 000～

5 000m²,最大淤积发生在韦城断面,达 7 300m²,平均淤厚 0.85m。其他河段的断面淤积面积在 1 000~3 000m²。河道断面淤积面积的大小与洪水漫滩宽度的大小有关。其中黑石、韦城两断面的漫水宽度最大,达 8~10km,淤积也最为严重。其次是孤柏嘴—秦厂河段,漫水宽度在 5.5~6.1km,相应的淤积量也较大,断面淤积面积一般在 2 000m² 以上,而漫水宽度在 2~3km 范围内时,河槽的断面淤积面积在 1 000~2 000m² 之间。

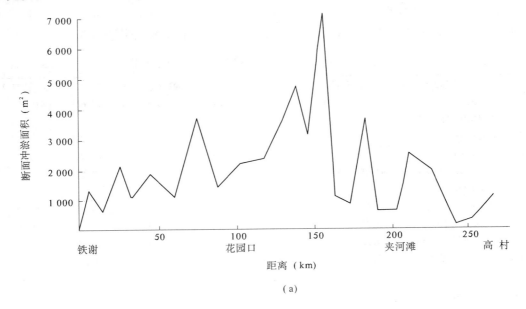

(a)

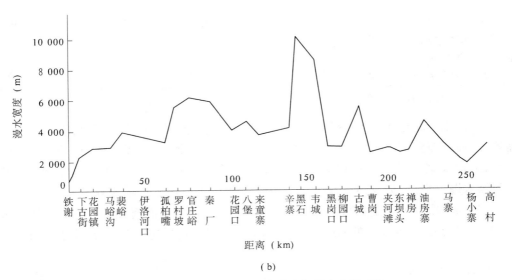

(b)

图 4-19　1992 年汛期淤积沿程分布与漫水宽度对比

(a)1992 年汛期洪水淤积沿程分布；(b)1992 年 8 月洪水漫水宽度沿程分布

(3)水位表现高。表 4-21 给出铁谢—夹河滩河段的"92·8"最高洪水位与 1973 年 8 月高含沙洪水、1982 年 8 月花园口站最大洪峰流量 15 300m³/s 洪水、以及 1977 年 7、8 月两场高含沙洪水在夹河滩以上河段沿程的最高洪水位的比较。花园口—赵口河段"92·8"洪水位最高,其中花园口站达 94.33mm。马庄以上河段 1973 年洪水位最高,黑岗口—夹河滩河段 1982 年 8 月洪水位最高。"92·8"洪水位与"82·8"洪水位比较,在赵口以上河段"92·8"洪水位最高,一般高出"82·8"洪水位 0.3～1.5m;"92·8"洪水位与 1977 年 7、8 月两场高含沙洪水的最高洪水位比较,在赵口以上河段一般高出 0.1～1.0m。从以上分析可知,在花园口至赵口的 60 多 km 河段内,"92·8"洪水位是有记载以来最高者。

表 4-21　　　　　　　"92·8"洪水位与"82·8"、"73·8"及"77·7"洪水位比较　　　　　　（单位:m）

站　名	"92·8"	"82·8"	"92·8"较"82·8"	"73·8"	"92·8"较"73·8"	"77·8"	"92·8"较"77·8"	"77·7"	"92·8"较"77·7"
铁　谢	118.21			<u>120.01</u>	−1.81	117.63	+0.58	117.66	+0.55
逯　村	116.97	115.45	+1.52	<u>118.40</u>	−1.43				
赵　沟	113.35					112.36	+0.99	112.29	+1.06
化　工	111.89					112.29	−0.40	111.79	+0.1
裴　峪	110.64	109.83	+0.81	<u>110.68</u>	−0.04	109.61	+1.03	109.82	+0.82
大玉兰	109.56								
驾　部	103.68	103.10	+0.58	103.08	+0.60	<u>103.76</u>	−0.08	103.19	+0.49
官庄峪	100.83	100.8	+0.03	<u>100.94</u>	−0.11	100.40	+0.43	100.05	+0.78
马　庄	94.94	94.78	+0.16	<u>95.55</u>	−0.61	94.85	+0.11	94.38	+0.56
花园口	<u>94.33</u>	93.99	+0.34	94.18	+0.15	93.19	+1.14	92.92	+1.41
双　井	<u>93.09</u>	92.72	+0.37			91.62	+1.37	92.03	+1.06
马　渡	<u>91.84</u>	91.70	+0.14						
赵　口	<u>89.24</u>	88.91	+0.33			88.77	+0.47	88.22	+1.02
黑岗口	82.82	<u>83.39</u>	−0.57	82.38	+0.44	83.08	−0.26	83.06	−0.24
柳园口	81.49	<u>82.47</u>	−0.98			81.62	−0.13	81.65	−0.16
古　城	78.45	<u>79.09</u>	−0.64	78.03	+0.42				
府君寺	77.521	<u>78.15</u>	−0.63						
夹河滩	74.88	<u>75.62</u>	−0.74	74.22	+0.66	75.46	−0.42	75.53	−0.65

注:下划线者为历年最高水位值。

（4）洪水传播异常。"92·8"洪水在小浪底—花园口河段的演进过程中,除了水位表现高外,还有两点异常,其一是在区间加水很少的情况下,洪峰流量异常增加,花园口洪峰流量 6 430m³/s,较上站小浪底洪峰流量 4 570m³/s 增加 29%;其二是洪水演进速度较一般同流量洪水慢一半,一般流量 4 000～5 000m³/s 洪水从小浪底传播至花园口约需 15h,而"92·8"洪水传播时间长达 30h。高含沙量洪水在冲积性河流上演进是一个十分复杂的问题,据初步研究,造成异常的原因主要是主槽冲刷、洪水传播速度变化、漫滩水流回归主槽对峰型产生影响的综合结果。

3.1996 年洪水

1996 年 8 月 5 日、13 日黄河下游花园口站出现了洪峰流量为 7 860m³/s 和 5 560m³/s 两次洪峰（简称"96·8"洪水）。由于洪水水位高,演进速度慢,洪峰变形异常,不少河段水位超过历史最高记录,造成多处控导工程漫顶,堤防工程出险,滩区大部分漫滩,上百万人受灾,141 年未曾上水的河南原阳高滩亦发生漫滩。这场洪水的最大含沙量只有 126kg/m³,不属于高含沙洪水,洪水量级也只属中常洪水,但黄河下游抗洪抢险出现了十分紧张的局面。

1996 年 7 月 31 日~8 月 10 日,在晋陕区间和三门峡—花园口(简称三花区间)及泾、渭河下游分别出现 3 场强降雨过程,其中第一场主要在晋陕区间的降雨和第二场主要在三花区间的降雨形成了"96·8"洪水花园口 1 号洪峰,第三场晋陕区间和渭河下游的降雨形成了"96·8"洪水花园口的 2 号洪峰(表 4-22)。花园口 1 号洪水洪峰流量 7 860m³/s,是 1986 年以来的最大洪水,相应水位 94.73m 是有实测资料以来的最高水位,花园口 2 号洪水洪峰流量 5 560m³/s。两场洪水在下游河道的传播过程中(图 4-20),由于 1 号洪峰传播速度异常缓慢,2 号洪峰在孙口附近追上 1 号洪峰,两个洪峰合为一个洪峰,形成一个矮胖的洪水过程,经艾山、泺口、利津入海。"96·8"洪水是 1986 年以来河道严重淤积萎缩条件下发生的最大洪水。

表 4-22　　　　　　　　　　　　　黄河下游"96·8"洪水特征

项目	站名	最大流量 (m³/s)	相应水位 (m)	最大流量 出现时间 (日 T 时:分)	最大含沙量 (kg/m³)	出现时间 (日 T 时:分)	水量 (亿 m³)	沙量 (亿 t)	平均含沙量 (kg/m³)
1 号洪峰	三门峡	4 130	278.32	3T8:00	328		35.73	4.91	125.6
	小浪底	5 020	136.31	4T0:00	268				
	黑石关	1 980	113.32	4T9:00			6.97	0.03	2.7
	武陟	1 500	107.35	5T8:00			6.41	0.04	4.8
	花园口	7 860	94.73	5T15:30	126	4T20:00	53.49	4	75
	夹河滩*	7 150	78.34	6T17:30	43.9	6T17:30	53.28	3.1	61.8
	高村	6 810	63.87	9T23:00	12.3	9T5:48	53.56	1.59	34.6
	孙口	5 800	49.66	15T0:00	4.45	15T18:00	49.22	0.95	24.3
	艾山	5 030	42.75	17T4:30	13.7	17T12:00	52.37	1.18	24.1
	泺口	4 700	32.34	18T5:48	14.1	18T0:00	49.72	0.99	21.5
	利津	4 130	14.7	20T22:48	22.7	20T20:00	47.74	1.17	25.2
2 号洪峰	三门峡	5 100	279.01	11T18:30	355	13T4:00			
	小浪底	5 090	136.65	12T4:00	319	13T16:00			
	花园口	5 560	94.11	13T3:30	155	14T20:00			
	夹河滩	4 390	77.84	14T4:00	119	16T0:00			
	高村	4 360	63.34	15T2:00	69.1	16T16:30			

注:2 号洪峰在孙口附近加在 1 号洪峰的退水段,两次洪峰合二为一;水、沙量、平均含沙量为两场洪水合计。

* 夹河滩水文站 1995 年断面上移 10km。

第一个主要特点是下游河道淤积严重,而且淤积主要集中在高村以上。由表 4-23 可见,全下游洪水期共淤积 3.55 亿 t,占来沙量 4.98 亿 t 的 71%。其中高村以上淤积量达 3.03 亿 t,占全下游淤积量的 85%。

第二是淤滩刷槽效果显著。洪水期间下游全断面淤积达 3.55 亿 t,但主槽冲刷 1.78 亿 t,滩地淤积 5.33 亿 t,滩地淤积量是洪水期来沙量的 1.2 倍。孙口以上淤滩刷槽的作用最为显著,滩地淤积达 5.2 亿 t,主槽冲刷 1.63 亿 t。据对下游水文站断面"96·8"洪水期的变化分析,大部分河段主槽涨水冲刷、落水淤积,洪水过后主槽平均河底高程降低,增加了河道的排洪能力,花园口、高村、艾山站断面分别冲深 0.45、0.2m 和 0.29m。

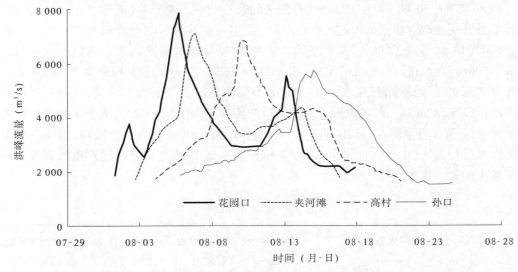

图 4-20　黄河下游"96·8"洪水过程

表 4-23　　　　　　　　　　　"96·8"洪水期下游河道冲淤量　　　　　　　　　（单位:亿 t）

河段	全断面	滩地	主槽
花园口以上	0.71	0.88	− 0.17
花园口—夹河滩	0.79	1.33	− 0.54
夹河滩—高村	1.53	1.66	− 0.13
高村—孙口	0.54	1.33	− 0.79
孙口—艾山	0.04	0.08	− 0.04
艾山—泺口	0.07	− 0.03	0.1
泺口—利津	− 0.13	0.08	− 0.21
高村以上	3.03	3.87	− 0.84
高村以下	0.52	1.46	− 0.94
全下游	3.55	5.33	− 1.78

　　第三是水位表现高,漫滩范围广。"96·8"洪水在下游河段演进过程中,除高村、艾山、利津站水位略低于有记录的历史最高水位,其余各站出现历史最高值(表 4-24)。据调查,"96·8"洪水在夹河滩以上河段全线超历史最高水位,夹河滩以下 52% 的河段超历史最高水位,41% 的河段达历史第二高水位。花园口本次洪水位为 94.73m,比"82·8"15 300m³/s 的洪水水位偏高 0.74m,比原历史最高水位("92·8"洪水)高出 0.40m。夹河滩本次最高水位 76.44mm(老断面),比"82·8"洪水最高水位偏高 0.82m,比原历史最高水位("76·8"洪水)高出 0.79m。以上说明,"96·8"洪水虽属中常洪水,但洪水位很高,特别是夹河滩以上河段。

表 4-24   黄河下游主要水文站洪水比较

站名	1958 年洪水		1976 年洪水		1982 年洪水		1992 年洪水		1996 年洪水		水位差(1996年水位 − 历年最高水位)	
	流量	水位	流量	水位	流量	水位	流量	水位	流量	水位	水位差	历年最高水位
	(m³/s)	(m)	(m³/s)	(m)	(m³/s)	(m)	(m³/s)	(m)	(m³/s)	(m)	(m)	年份(年)
花园口	22 300	93.82	9 210	93.42	15 300	93.99	6 410	94.33	7 860	94.73	0.40	1992
夹河滩*	20 500	74.31	9 010	75.65	14 500	75.62	4 510	74.88	7 150	76.44	0.79	1976
高村	17 900	62.87	9 060	62.86	13 000	64.13	4 100	63.12	6 810	63.87	− 0.26	1982
孙口	15 900	49.28	9 100	49.19	10 100	49.6	3 480	48.24	5 800	49.66	0.06	1982
艾山	12 600	43.13	9 100	42.64	7 430	42.7	3 310	41.10	5 030	42.75	− 0.38	1958
泺口	11 900	32.09	8 000	32.14	6 010	31.69	3 150	30.45	4 700	32.24	0.10	1976
利津	10 400	13.76	8 020	14.71	5 810	13.98	3 080	13.48	4 130	14.70	− 0.01	1976

注：* 夹河滩水位是老断面水位。

1855 年黄河铜瓦厢改道后溯源冲刷形成的原阳、封丘、开封等高滩由于"96·8"洪水水位高,大面积上水。据调查,"96·8"洪水滩地平均水深约 1.6m,临黄大堤偎水长度 952km,占全部临黄大堤的 70%,堤根水深一般 2～4m,最深处达 5.7m,原阳高滩幸福渠以南的滩地水深也有 0.8m。由于漫滩使广大滩区积蓄了大量的水体,例如花园口—夹河滩区间,至 6 日滩区蓄水超过 6 亿 m³,夹河滩—高村区间至 8 日,滩区蓄水近 10 亿 m³,高村—孙口区间至 13 日滩区蓄水达 12.4 亿 m³。洪水过程中有 127 处控导护滩工程和 1 346 道坝漫顶,是历年来漫顶最多的一年,坝顶水深一般为 0.5m。这次洪水使滩区 50 个县、2 898 个村庄、241 万人不同程度受灾。是新中国成立以来漫滩范围最大、工程出险最多的一年。

第四是洪峰传播时间长,洪峰沿程变形剧烈。"96·8"洪水 1 号洪峰从花园口—孙口传播历时 224.5h(9d 多),是同流量级洪水平均传播时间的 4.7 倍,比历史上传播时间最长的 141h(1976 年)还要长 83.5(约 3.5d),其中花园口洪峰传播到夹河滩历时 30h(老断面),从夹河滩到高村历时 73.5h,从高村到孙口历时 121h。它们分别比历史上最长的传播时间还要长 1h(比 1994 年)、7.5h(比 1976 年)、63h(比 1981 年)。2 号洪峰从花园口传播到孙口历时 44.5h,接近平均传播时间。两峰合并后,从孙口到利津的传播时间为 142.8h(约 6d),是正常平均传播时间的 3 倍,比历史上传播时间最长的 136h(1975 年)还要长 6.8h(表 4-25)。

表 4-25   "96·8"洪水传播时间和速度比较

区间	花园口—夹河滩	夹河滩—高村	高村—孙口	孙口—艾山	艾山—泺口	泺口—利津	花园口—利津
断面间距(km)	105	83	130	63	108	174	663
历次同流量平均传播时间(h)	14	14	20	12	16	20	96
历次洪水最长传播时间(h)	26	28	36	12	78	46	226
"96·8"洪水传播时间(h)	30	73.5	121	52.5	25.3	65.0	367.3
历次同流量平均传播速度(m/s)	2.08	1.65	1.80	1.46	1.88	2.42	1.92
历次洪水最慢传播速度(m/s)	1.12	0.82	1.00	1.46	0.38	1.05	0.81
"96·8"洪水传播速度(m/s)	0.97	0.31	0.30	0.33	1.19	0.74	0.50

"96·8"洪水花园口洪峰流量 7 860m³/s,到利津洪峰流量仅 4 100m³/s,洪峰削减了 47.8%,但洪峰流量削减程度沿程变化不一,从花园口到夹河滩、高村、孙口、艾山、泺口、利津各站洪峰依次削减:8.8%、5.0%、16%、10.9%、5.5% 和 14.2%,削峰最大的在高村—孙口河段。分析与"96·8"洪水洪峰流量相近的洪水可见(表 4-26),1981、1985、1988 年和 1996 年洪水,花园口洪峰流量均在 8 000m³/s 左右,但由于河床边界条件的不同,洪峰流量沿程削减也不同。1985 年和 1988 年洪水前,河道平滩流量较大,洪峰在下游传播过程中,没有发生明显漫滩,因此洪峰削减不明显,花园口到孙口的削峰率分别为 19.4% 和 14%。1996 年洪水过程中,受 1986～1996 年河道持续淤积的影响,平滩流量仅 3 000～4 000m³/s,在花园口洪峰流量 7 860m³/s 的条件下,下游河道发生大范围漫滩,同时由于下游主槽淤积抬升幅度大于滩地,滩地水深大,滞洪作用强,洪峰沿程坦化明显,孙口洪峰流量仅有 5 800m³/s,较花园口削减了 26%。

表 4-26   典型洪峰削减情况统计

站 名	洪 峰 流 量 (m³/s)					河 段	削 峰 率 (%)				
	同流量级年份		大漫滩年份				同流量级年份		大漫滩年份		
	1981 年	1985 年	1958 年	1982 年	1996 年		1981 年	1985 年	1958 年	1982 年	1996 年
花园口	8 060	8 260	22 300	15 300	7 860	花园口—夹河滩	4.1	-0.7	8.1	5.2	9.0
夹河滩	7 730	8 320	20 500	14 500	7 150	夹河滩—高村	4.4	9.8	13.2	10.3	4.8
高 村	7 390	7 500	17 800	13 000	6 810	高村—孙口	12.0	5.3	10.7	22.3	14.8
孙 口	6 500	7 100	15 900	10 100	5 800	花园口—孙口	19.4	14.0	28.7	34.0	26.2

通过对近期及"96·8"洪水期间黄河下游水沙条件、河道边界条件、河道演变等方面的系统分析,认识到近期水沙条件的巨大变化导致河道萎缩,同时河道边界条件发生较大变化,这是"96·8"洪水河道演变及洪水传播特点产生的主要原因。1986 年以来黄河下游主槽淤积严重,河宽变窄,河道排洪能力降低,造成洪水前期水位偏高,下游沿程各站同流量(3 000m³/s)水位较 1958 年升高 1.8～3.9m,同时主槽缩窄引起漫滩前洪水涨率偏大,这两个因素是水位高的主要原因。而"96·8"洪水前 7 月中下旬小流量高含沙洪水主槽严重淤积,夹河滩以上河段淤积泥沙 3.45 亿 t,河槽平均河底高程抬升 0.48～0.74m。特别是伊洛河口以上河段淤积最为严重,同流量(2 000m³/s)水位抬升约 1.30m,是花园口以上河段水位高的另一直接原因。近期黄河下游的边界条件也发生了很大变化,由于漫滩洪水减少,部分嫩滩已稳定成为二滩的一部分,滩地糙率增加;二滩道路、渠堤、房屋等建筑物的增加,造成滩地水流阻力增大,漫滩水流损失加大,"滩唇高仰、堤根低洼"加剧形成滩地"水盆";控导工程和生产堤封闭了滩地,控制了漫滩水流和退水的走向,阻碍了滩槽水沙的正常交换。因此,滩地水流速度慢,减小了全断面的洪水传播速度,增长了洪水传播时间;而滞蓄水量增加造成滩地进退水对洪水演进的影响增大,增加了洪水传播的不确定性和偶然性,同时造成洪水峰型的异常变化。

(九)断面形态调整特点

1985 年前黄河下游河道长期以来是淤积抬高的,但 1986 年以来,长期的枯水少沙,使黄河下游河道横断面形态发生极大的调整,发生严重的萎缩,萎缩的形式不仅与来水来沙条件有关,还与所处河段的特性有关,不同河型的萎缩特点及发展过程各有差异。以下对不同河段断面形态调整模式进行分析。

1. 夹河滩以上河段

处于游荡性的夹河滩以上河段,断面形态的调整主要表现为两个特点:一是宽河道嫩滩大量淤积,一般嫩滩淤高1~2m,使嫩滩又淤成一个新的滩唇;二是随着嫩滩淤积,中水河槽宽度明显缩窄,一般缩小几百米至2 000m,过水面积大幅度减小,逐步形成一枯水河槽。

如秦厂断面布设较早,能较好地反映不同时期断面变化特点(表4-27和图4-21),由图4-21可以看出,该断面1950年全断面河宽约5 600m,中水河槽宽3 734m,其中主槽河宽1 126m,在2 608m的嫩滩范围内滩地横比降不太明显,至1975年汛前,中水河槽宽4 086m,其中主槽河宽1 588m,之后遇1976~1985年有利水沙条件,断面还有所扩大,但至1997年汛前中水河槽也仅为1 003m,仅为50年代的河槽宽度的27%。另外,从标准水位(99m)下面积也可看出,50年代中水河槽过水面积为15 343m²,主槽过水面积为5 209m²,至1975年分别为10 513m²和4 459m²,基本维持在一个数量级变化,但至1997年则为2 057m,仅分别为50年代的14%和39%,可见过水面积大量减少,原中水河槽内的广大嫩滩逐渐趋于稳定并开始耕种,滩面横比降发育。通过统计滩唇高程及平滩水位下面积(表4-28)可见,滩唇高程下的中水河槽过水面积和河槽宽度,1950年分别为4 172m²和3 734m,1975年为4 801m²和4 080m,1997年为1 453m²和1 003m,而主槽河宽和过水面积也大为减少。从上可以看出,1975年前黄河下游河道虽淤积抬高,但中水河槽的萎缩并不突出,1985年后严重萎缩。

表4-27   秦厂断面标准水位(99m)下面积比较

时间	河宽(m)			面积(m²)		
(年-月)	全断面	中水河槽	主槽	全断面	中水河槽	主槽
1950-05	5 602	3 734	1 126	21 843	15 345	5 209
1975-05	5 738	4 086	1 588	13 529	10 513	4 459
1997-05	5 780	1 003	1 003	10 189	2 057	2 057
1975年5月与1950年5月差值	136	352	462	− 8 314	− 4 832	− 750
1997年5月与1950年5月差值	178	− 2 731	− 123	− 11 654	− 13 288	− 3 152

表4-28   秦厂断面滩唇高程及平滩水位下面积比较

年份	中水河槽			主槽		
(年-月)	滩唇高程 (m)	河槽宽度 (m)	面积 (m²)	嫩滩高程 (m)	主槽宽度 (m)	面积 (m²)
1950-05	96	3 734	4 172	95.5	1 126	1 831
1975-05	97.6	4 080	4 801	97.1	1 588	2 236
1997-05	98.4	1 003	1 451	98.4	1 003	1 453
1975年5月与1950年5月差值		346	629		462	405
1997年5月与1950年5月差值		− 2 731	− 2 721		− 123	− 378

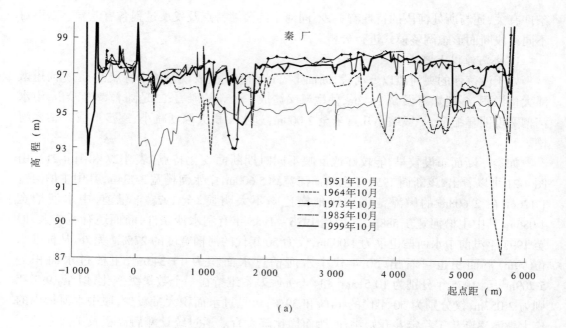

(a)

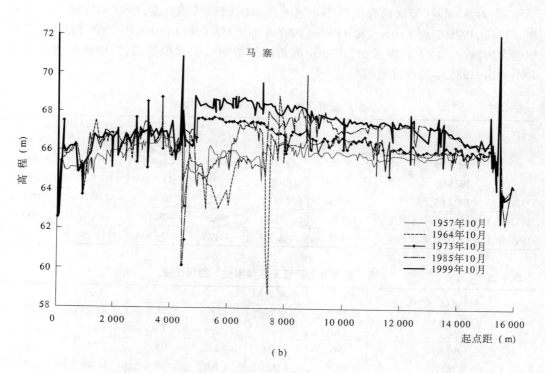

(b)

图 4-21　秦厂断面和马寨断面的变化过程

(a)秦厂断面；(b)马寨断面

2．夹河滩—孙口河段

该河段的断面调整，除具有上述中水河槽变化特点外，两生产堤间滩地(内滩)大量淤积，而生产堤至大堤向外滩淤积较少，"滩唇高仰、堤根低洼"的不利局面进一步加剧。

如杨小寨断面的变化过程(图4-22(a)和表4-29)可以看出，1958年杨小寨断面标准

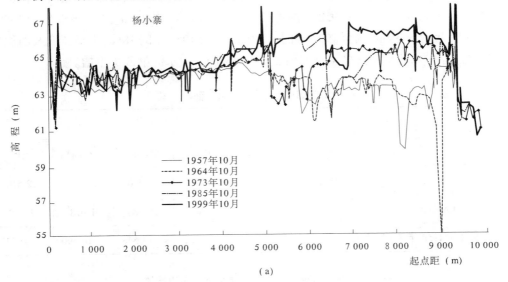

（a）

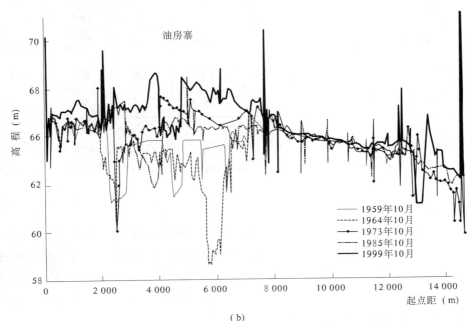

（b）

图4-22　杨小寨断面和油房寨断面的变化过程

(a)杨小寨断面；(b)油房寨断面

水位(68m)下宽约9 500m,中水河槽宽约4 200m,其中主槽宽约2 700m,至1997年中水河槽宽和主槽宽仅620m。而1958年标准水位下全断面中水河槽面积和主槽过水面积分别为39 336、18 574m² 和12 510m²,至1997年汛前,三部分过水面积分别为25 788、1 978m² 和1 978m²,分别为1958年的66%、11%和16%;此外,滩唇高程下的中水河槽宽及面积也大大减少(表4-30),河槽宽度由1958年的4 212m减至1997年的620m,仅为1958年的15%,面积由1958年的6 594m² 减至1997年的1 210m²,仅为1958年的18%;主槽宽度及面积也大大减少。原中水河槽中的嫩滩全部转变成二级滩地,中水河槽成了主槽。

表4-29   杨小寨断面标准水位(68m)下面积比较

年份 (年-月)	河宽(m)			面积(m²)		
	全断面	中水河槽	主槽	全断面	中水河槽	主槽
1958-05	9 527	4 212	2 732	39 336	18 574	12 510
1997-05	9 499	620	620	25 788	1 978	1 978
1997年5月与1958年5月差值	−28	−3 592	−2 112	−13 548	−16 596	−10 532

表4-30   杨小寨断面滩唇高程及平滩水位下面积比较

年份 (年-月)	中水河槽			主槽		
	滩唇高程 (m)	河槽宽度 (m)	面积 (m²)	嫩滩高程 (m)	主槽宽度 (m)	面积 (m²)
1958-05	65.15	4 212	6 594	64.44	2 732	2 815
1997-10	66.6	620	1 210	66.60	620	1 210
1997年10月与1958年5月差值		−3 592	−5 384		−2 112	−1 605

由于嫩滩的大量淤积,1997年前该断面滩唇高程较堤河低洼地带高约2.5m,滩地平均横比降4‰,其中生产堤附近2~3km范围内滩面高差2m,最大横比降可达8‰,为纵比降的5倍。

3. 过渡性河段

过渡性河段的断面形态调整主要是在原深槽淤积的同时,以贴边淤积为主,进而使主槽明显缩窄。原有的窄深断面的底部都有不同程度的淤积,深泓点高程也在不断地淤积,一般淤高1~2m,主槽平均淤高1.7m左右,主河槽内过水面积大幅度减少,平滩水位下面积,有的断面减小一半左右。如梁集、大田楼1999年与1986年相比,过水断面面积减小1 635m² 及1 400m²,分别减少56%和53%(图4-23)。

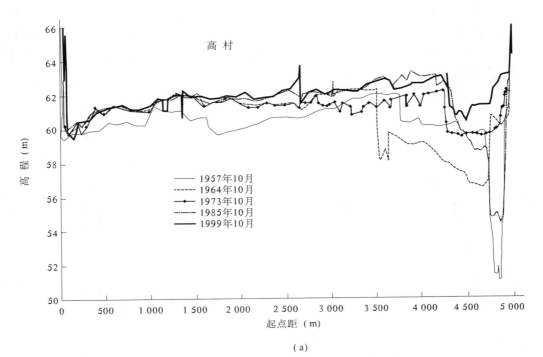

(a)

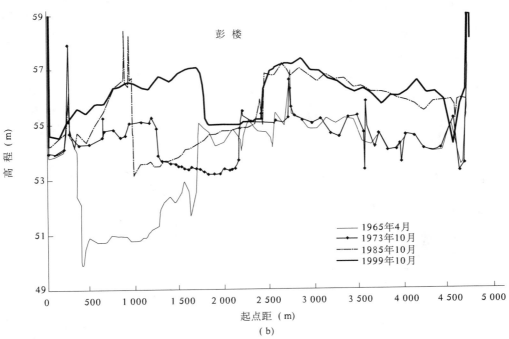

(b)

图 4-23 高村断面和彭楼断面变化过程

(a)高村断面；(b)彭楼断面

4.弯曲性河段

艾山以下弯曲性河段,深槽发生淤积,深泓点高程持续抬高,如泺口断面深泓点淤高近4m。在宽约300m的主槽内淤积1 000m²,淤高达3.0m左右。在深槽淤积的同时,内壁也发生严重的淤积,过水断面面积都有不同程度的减小(图4-24)。

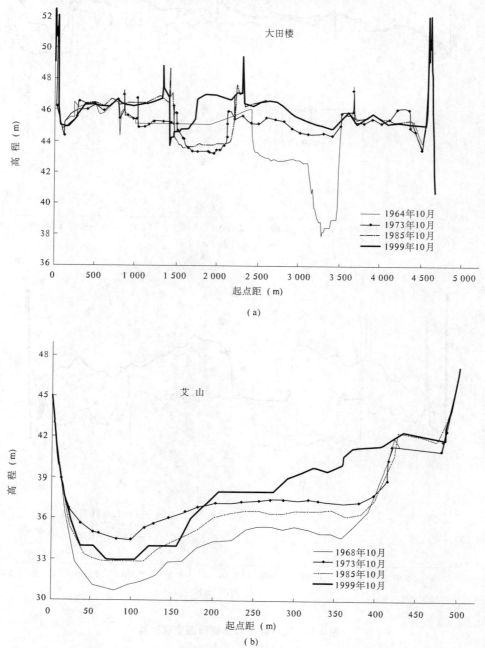

(a)

(b)

图4-24　大田楼断面、艾山断面及泺口断面变化过程

(a)大田楼断面;(b)艾山断面;(c)泺口断面

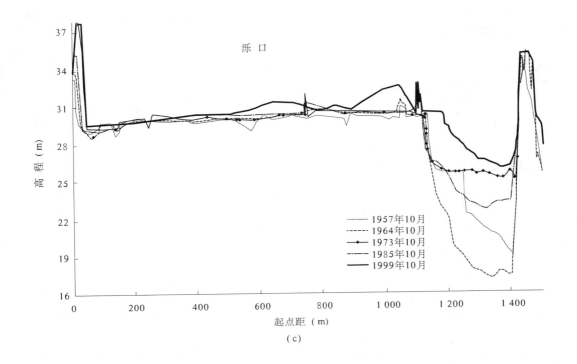

续图 4-24

综上所述,无论以什么淤积形式进行断面形态调整,1986～1999 年黄河下游河道的断面都处于严重萎缩状态,平滩水位下的面积在减小,平均河底高程抬高,主河宽都有不同程度的缩窄。这种调整过程随水沙条件的改变和时间的推移而不断发生调整,主要集中在高含沙量洪水期,频繁的高含沙量洪水是萎缩的主要原因,随后长期的小水作用又加剧萎缩的发展。萎缩原因机理及影响见第六章。

二、过洪能力变化

(一)同流量(3 000m³/s)水位大幅度升高

表 4-8 和图 4-8 为黄河下游历年同流量水位变化过程,该时期河道在 1981～1985 年冲刷的基础上进行冲淤调整,河槽发生严重淤积,水位急剧上升。花园口以上年均水位上升 0.10m 左右,花园口—高村水位年均上升 0.12m 左右,苏泗庄—泺口水位年均上升 0.15m 左右,泺口以下水位年均上升 0.12m 左右。

(二)平滩流量大大减小

河床的淤积抬高,断面的缩小使平滩流量大大减少,可以看出,大部分水文站平滩流量已降至历史最低值,为 3 000～3 900m³/s。高村站平滩流量最小值为 3 000m³/s。

根据 1998 年汛后的河道边界条件,如遇 1958 年洪峰流量 22 300m³/s 洪水,沿程相应水位变化由表 4-31 可以看出,下游沿程水位与 1958 年同流量级洪水位相比偏高 1.9～

3.9m,相应 1958 年洪水位,1999 年只能排泄洪峰流量 2 000 ~ 5 000m³/s,可见排洪能力极大地降低,防洪形势非常严峻。

表 4-31   黄河下游主要站洪水位比较

站 名	1958 年洪峰流量 (m³/s)	1958 年洪水位 (m)	相应 1958 年洪峰流量的 1999 年洪水位 (m)	1999 年与 1958 年水位差 (m)	相应 1958 年水位下的流量 (m³/s)
花园口	22 300	94.42(93.82)	95.72	1.9	2 000
夹河滩	20 500	74.52(76.73)	79.50	2.77	2 000
高村	17 900	62.96	65.46	2.5	2 500
孙口	15 900	48.91	51.81	2.9	3 000
艾山	12 600	43.13	46.43	3.3	5 000
泺口	11 900	32.09	36.05	3.96	4 000
利津	10 400	13.76	17.06	3.3	3 000

注:括号中数值为换算成 1999 年同一断面位置的水位。

三、河道平面形态变化

1986 年以后黄河下游河势变化的特点,有以下几个方面。

(一)游荡性河段主流摆动幅度减弱,支汊、心滩减少

游荡性河道的基本特点是河身宽浅,多沙洲,水流散乱,表现在河势上就是主流线散乱,摆动幅度大,因此支汊、心滩发育。1986 年以后主流摆动幅度明显减弱,对比下游各个时期主流线摆动情况可见(图 4-25)。1986 ~ 1999 年除个别河段外,主流摆动幅度普遍较其他时期小,尤其是花园口以上和东坝头—高村河段,平均摆动幅度分别减弱 26% 和 75%。花园口—东坝头河段变化较大,主流摆幅没有明显减小,局部河段如赵口—柳园口河段还有所增加,其原因主要是上游挟带的泥沙容易在该河段落淤所造成,其次是该河段河道整治工程不配套,对制约水流的能力不够。

(二)河道弯曲程度增加,河湾个数增多,弯曲半径减小,弯曲系数增大

经 1986 年后十多年中小水沙条件作用下,河道的弯曲程度增加。由表 4-32 统计的典型河段典型年份的河势资料可见,1996 年和 1998 年铁谢—伊洛河口河段和花园口—黑岗口河段的河湾个数在 10 个左右,明显多于 1975 年和 1980 年的大约 5 个,禅房—高村河段受工程控制影响,河湾个数变化不是很大。

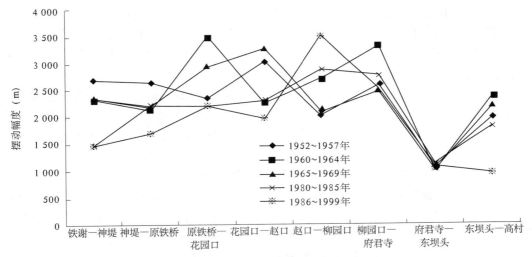

图 4-25 各河段主流平均摆动幅度

表 4-32　　　　　　　　　　　　河湾个数、主流线长度及弯曲半径

河段	年份 (年)	河湾个数 (个)	主流线长度 (m)	弯曲系数	弯曲半径 (m)
铁谢—伊洛河口	1975	5	44 850	1.03	5 185
	1980	4	46 200	1.09	4 905
	1985	5	47 500	1.12	6 500
	1996	8	52 500	1.21	2 630
	1998	9	52 500	1.20	3 192
花园口—黑岗口	1975	5	36 168	1.16	5 189
	1980	6	60 027	1.07	12 500
	1985	8	62 500	1.09	4 250
	1996	11	66 750	1.16	6 030
	1998	11	69 500	1.23	2 516
禅房—高村	1975	8	65 175	1.20	3 160
	1980	11	61 710	1.19	4 068
	1985	8	63 600	1.09	3 657
	1996	10	77 000	1.39	2 634
	1998	10	73 500	1.34	2 516

　　最直接反映河道平面弯曲程度的指标是主流线的长短和弯曲系数的大小,同一河段主流线越长、弯曲系数越大则河道弯曲程度越大。1996 年和 1998 年三个河段的主流线长度分别为 52.5m、66.7~69.5m 和 77~73.5m,比 1975、1980 年和 1985 年增加 20%以上,最大增加 80%;相应弯曲系数都大于 1.16,个别年份达到 1.34 和 1.39,而 1975 年、1980 年和 1985 年各河段弯曲系数基本上都在 1.2 以下,一般在 1.1 左右,反映出 1986 年以后河道弯曲程度的增大。

　　弯曲半径的大小代表了河湾的大小,弯曲半径越大则河湾越大;河段弯曲半径表示河段内所有河湾的平均情况,弯曲半径越大则河道内的河湾越大,河道弯曲程度越小。对比1986年前后典型年份河段弯曲半径可见,1996年和1998年除个别河段外,弯曲半径基本上在2 500～3 200m,而1975、1980年和1985年大都在3 000～6 500m,1986年后河段弯曲半径远小于1986年以前。

从表4-32中可看到各典型河段的情况不尽相同。禅房—高村河段游荡程度原本就较另两河段弱,而且河道整治较早,工程布置比较完善,对水流的控制相对较强,因此在水沙变异条件下河势的调整幅度稍弱。花园口—黑岗口河段是3个河段中工程控制作用最差的,河势变化较大,明显反映出水沙变异条件下河势的调整趋势。

(三)工程靠溜部位上提现象增多,工程上首塌滩严重

由于目前游荡性河道基本是按中水流量进行整治的,工程间距大、送溜段长,变异的水沙条件,使水流动力大大减弱,许多工程不能完全适应水沙变异条件下河势调整的新情况,因而出现了工程靠溜部位的上提现象。1986年以来,下游许多河道整治工程靠溜部位不断上提,有些已达工程上界靠溜的极限,如双井、大宫、蔡集、李桥、杨集、伟庄、韩胡同等工程靠溜部位均不断上提,李桥、伟庄、韩胡同等工程还被迫修建了上延工程。

由于上延工程基础差,难以承受大溜顶冲,使上首工程出现墩蛰等重大险情,上首滩地出现严重坍塌。

(四)畸形河湾增加,工程脱河和半脱河现象增多

长期小水作用不仅使河道弯曲、河势上提,还容易造成横河、斜河和"Ω"、"S"、"M"、"〰"等畸形河湾的形成。如1987年东坝头出现的畸形河湾;1993年汛末黑岗口、柳园口、古城、王夹堤等出现的畸形河湾;1994年汛末又增加马庄、大宫畸形河湾,特别是古城断面(图4-26),形成了一个罕见的倒"S"形河湾和大宫工程前的"〰"形河湾。2003年蔡集工程上首生产堤决堤,兰考、东明滩区近乎全部漫滩,就是因为蔡集工程上首的"〰"形河湾弯顶冲刷所造成。这些情况都说明长期中小水流量容易促成畸形河湾的形成。

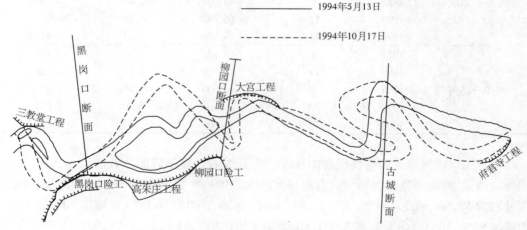

图4-26　黑岗口—府君寺河段河势

产生上述现象的原因,主要在于随着流量的减小,曲流带宽度(两条平滑的曲线分别连接左右两岸弯道的顶点,这两条曲线之间的平均距离即为曲流带的宽度)及河湾形态指标(如跨度、弯道半径等)也将减小。这样,就可能造成某一岸原来受到水流顶冲的险工脱离水流。按照弯道的发育规律,在这一点上弯顶失去控制后将向下游移动,而下一个弯顶则可能仍会受到节点的控制而保持固定位置。这时就会使弯道形态变形,若弯顶继续下移,当它移动到下游方的弯顶以下时,则畸形河湾便会出现。

畸形河湾对其下游河势产生极大影响,造成工程脱河和半脱河现象增多。如 1994 年汛末,受古城畸形河湾的影响,其下游府君寺、曹岗、贯台基本上都脱河。对比 1993 年和 1985 年工程靠河着溜情况,在统计的 28 处工程中,严重上提的有 8 处,下挫的有 3 处,脱河或基本脱河的有 4 处,亦即 50% 以上的工程河势向不利方向发展。

(五)横河、斜河增多,小水易出险

持续小水作用造成横河、斜河出现概率增多,从表 4-33 可见,典型河段 1985～1994 年横河、斜河年均出现 1.1～1.9 次,比 1950～1984 年增加 21%～37%,特别是花园口—黑岗口河段年均出现近 2 次,增加较多。

表 4-33　　　　　　黄河下游典型河段各时期横河、斜河年均发生次数　　　　(单位:次/a)

河段	1950～1959 年	1960～1964 年	1965～1974 年	1975～1979 年	1980～1984 年	1985～1994 年	1950～1984 年
铁谢—伊洛河口	0.4	0.8	1	0.6	0.8	1.1	0.7
花园口—黑岗口	1.8	0.8	1.1	1.2	0.8	1.9	1.2
禅房—河道	0.5	1	1.7	1.8	0.8	1.4	1.1

受横河、斜河顶冲,河道整治工程容易出现较大险情,并威胁到堤防安全。如 1994 年 8 月 17 日以后,花园口流量 2 000m³/s 左右,横河顶冲九堡下延工程,致使 137～141 坝相继出险,137、138 坝险情较大。1993 年 9 月,横河顶冲黑岗口和高朱庄工程之间 840m 长的空当,造成 600m 长的滩地坍塌后退,主流距大堤最近处仅 64m,被迫抢修护岸坝垛 8 个。

第四节　黄河下游河道 50 多年来河床演变总体概貌

黄河下游河道各时期的河床演变特点在第三章及本章前三节作了较为详细的阐述,为了有一个总体概念,在本节概括如下:

(1)黄河下游河道的冲淤状况,主要取决于来水来沙条件及河床边界条件。从长期看,冲淤量随水文条件的自然波动、时多时少的周期性变化而变化,如遇多沙水文系列年组,下游河道淤积量可达 4 亿～6 亿 t;遇少沙水文系列年组,则还可发生冲刷。影响黄河下游河道沿程冲淤分布的主要因素除来水来沙条件外,还受前期河床演变状况、三门峡水库运用和河口条件的影响。1950 年以来河道经受了淤积—冲刷—淤积—冲刷—淤积的剧烈调整,1950～1999 年下游河道共淤积泥沙约 93 亿 t,淤积主要集中在花园口—孙口河段,其中花园口—夹河滩河段,夹河滩—高村河段和高村—孙口河段约分别占全下游河道淤积量的 20%、24% 和 20%。横向的淤积分布与前期河床条件及洪水出现机遇、持续时间长短以及滩区生产堤状况有关,滩地淤积分布很不均匀,生产堤内淤积厚度大,生产堤

外淤积厚度小,堤根甚至没有淤高,加大了滩面横比降,局部河段形成"二级悬河"(表4-3、图4-1、图4-21～图4-24)。

(2)黄河下游河道各站同流量(3 000m³/s)水位都在升高,意味着过洪能力的减少,呈现出两头小、中间略大的格局。1950～1999年夹河滩以上和泺口以下约上升3m,夹河滩—泺口各站约上升4m(表4-8和图4-8)。黄河下游1958年出现了有实测资料以来的最大洪峰流量22 300m³/s,由于河床的淤高,在1999年河床边界条件下,如遇1958年相应洪峰流量,其洪水位将比1958年高2～4m,如以1958年洪水位为比较,则在相应洪水位下,1999年只能通过2 000～5 000m³/s的洪水,可见河道的排洪能力大大的降低。同时使平滩流量大大降低,大部分水文站已降至历史最低值,为3 000～3 900m³/s。

(3)黄河下游河道主槽是泄洪排沙的主要通道,洪水对维持河道的较大断面起着很重要的作用,1973年以前河床虽淤积抬高,但并未表现出萎缩的局面,主要有较大洪水塑造较大的断面形态,而1986年以来,随着降雨的减少,引黄用水的增加以及水量主要来源区(上游)大型水利枢纽(龙羊峡水库和刘家峡水库)的调节径流,使水量大大减少,同时流量过程调平,洪峰流量大大减小,中枯水流量历时加长,高含沙量洪水频繁出现,使下游河槽严重萎缩,嫩滩淤积河宽缩窄,过水断面大大减少,逐步形成枯水河槽(图4-21～图4-24),河槽的萎缩对防洪十分不利。实践表明,在黄河治理开发中,要十分重视洪水的作用,在防洪的允许范围内,不要人为地削减洪水。

(4)黄河下游经过30多年的河道整治,兴修了大量控导护滩工程,取得了显著成效,起到了控导主流、稳定河势、护滩保堤的作用。总的看来,目前孟津—高村河段的游荡摆动范围有所缩小,但由于控导工程较少,有时主流摆动仍频繁,有的断面最大摆幅可达4 000～5 000m。在来水偏丰、来沙少、含沙量低、中水流量持续时间长的情况下,冲刷能力较强,滩地坍塌严重,曾发生斜河、横河,造成重大险情。高村—陶城铺河段由于工程基本控制,河势较稳定,但遇少沙年份,发生根石走失和坝岸发生坦石下蛰等现象。陶城铺以下河段已成为受控制的弯曲性河道,变化较小。

(5)由于三门峡水库的特定条件,没有较大的调节库容,非汛期抬高水位,汛期迅速降低水位排沙,因此减淤效果较差。根据20多年运用的实践,尽管水库调节能力不大,但汛期还是有条件调节的,可适当控制汛初小水期的排沙,将非汛期淤在库内泥沙及汛期小水期一部分泥沙,尽量地调节到较大流量时下排,充分发挥大流量的排沙能力,使其有利于水库上下游。同时,水库的调节还应根据来水来沙条件的变化,适当地调整运用指标,这是多沙河流水库运用的特点之一。因此,根据库区及下游河道演变规律进一步探索兼顾上下游要求的、更为合适的水库运用方式是十分必要的。

第五章 黄河下游河道输沙特性和河床冲淤演变主要规律

第一节 黄河下游河道的输沙特性

影响冲积河流输沙特性的因素很多。河流的来水条件反映了水流的能量,在一定的河床边界条件下,一定的流量形成一定的河道水力特性,因此流量及其过程是影响河流输沙特性的一个因素。但是对多沙细沙的冲积性河流来说,在一定的来水条件下,来沙量、来沙组成及来沙过程不同,河床几何形态及床沙组成发生变化,均能使河道的水力特性改变,从而影响河流的输沙特性。多沙细沙的冲积性河流,在来水来沙条件发生变化的情况下,河床冲淤调整非常迅速。即使来水条件没有改变,但来沙条件改变,河床也迅速调整,使输沙能力发生大幅度变化,这种变化影响的范围可达很远的距离。由于黄河下游泥沙来源分布的不均匀性,同样的来水条件可产生不同的来沙条件,来自粗泥沙来源区的洪水,下游沿程床沙质含沙量都高,而来自少沙区的洪水,沿程床沙质含沙量都低,经过几百公里的河道仍然存在。因此,下游河道的输沙有不同于一般河流的独特性质。

一、输沙基本特性

(一)清水条件下的输沙特性

黄河下游河道在来水含沙量较小的条件下和三门峡水库蓄水拦沙期下泄异重流泥沙条件下,河道的输沙与一般少沙河流没有太大的差别,一定的流量挟带一定的含沙量,流量与输沙率一般具有较稳定的关系,如图5-1所示。流量与输沙率关系可写成如下形式

$$Q_s = AQ^n \tag{5-1}$$

式中　A——系数;

　　　Q_s——悬沙输沙率,t/s;

　　　Q——流量,m^3/s;

　　　n——指数,下游河道沿程各站稍有不同,n一般等于2。

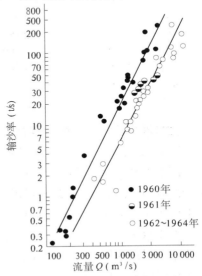

图5-1　花园口站流量—输沙率关系

式中由于$n>1$,输沙率随流量增大而增大,水流的输沙能力随流量的加大而加大,即

$$S = \frac{Q_s}{Q} = AQ^{n-1} \qquad (5\text{-}2)$$

式中　S——含沙量，$\mathrm{kg/m^3}$。

以上指出，在一定的河床边界条件下，输沙率与流量的高次方成正比，因此在同一水量条件下，水流集中下泄，形成洪峰比小流量均匀泄放能挟带更多的泥沙，这就是人造洪峰的理论基础。三门峡水库非汛期抬高水位运用，下泄清水，流量经常维持在 $600\sim800\mathrm{m^3/s}$ 之间，这种均匀泄放的方式不但冲刷不了多少泥沙，而且还造成上段宽河段的冲刷，下段窄河段的淤积，如能形成流量大于 $2\,500\mathrm{m^3/s}$ 的洪峰，输沙能力就能增加 $4\sim5$ 倍，而且冲刷可达全下游河道，对减轻河道淤积起到很大的作用。

从图 5-1 可以看出，经冲刷后同流量的输沙率有所降低，但调整时间较短，$1962\sim1964$ 年的流量与输沙率关系与 1961 年基本不变。输沙率降低的主要原因是：冲泻质补给量的减少，天然状况下黄河下游多年平均冲泻质（$d<0.025\mathrm{mm}$）约占来沙量的 50%，而这部分泥沙在主槽淤积较少。水库拦沙后下泄清水，河槽冲刷补给量大为减少；冲刷过程由于水流的分选作用，使床沙粗化，阻力增大，各站床沙组成均发生粗化（表 5-1），冲刷后水深加大，水力因素 v^3/h 减少（v 为流速 $\mathrm{m/s}$，h 为水深）等都将导致同流量输沙率减小。

表 5-1　　　　　　　　　　冲刷过程下游河道各断面床沙中径变化

断面	床沙中径（mm）					
	建库前平均	1961 年 9～11 月	1962 年 10 月	1963 年 5 月	1964 年 5 月	1964 年 5 月
铁谢	0.164	0.379	0.520	0.565	0.366	0.608
官庄峪	0.097	0.191	0.251	0.139	0.191	0.192
花园口	0.092	0.128	0.168	0.145	0.131	0.187
辛寨	0.072	0.113	0.132	0.173	0.154	0.156
高村	0.057	0.062	0.096	—	0.11	0.118
杨集	0.059	0.090	0.076	0.077	0.10	0.104
艾山	0.057	0.097	0.082	0.074	0.08	0.085
泺口	0.057	—	0.091	—	0.096	0.091
利津	0.057	—	0.082	—	0.08	0.091

（二）浑水条件下的输沙特性

1. 多来、多淤、多排，少来、少淤或冲刷少排

图 5-2 为黄河下游两次洪水的流量与床沙质含沙量关系，其中 1958 年洪水主要来自少沙区，含沙量较低，而另一次 1959 年洪水主要来自中游多沙区，含沙量较高，在同一流量下含沙量差别很大，经过几百公里的调整，这种现象仍然存在，说明下游河道的输沙特性随着来水来沙条件而变。在来水来沙条件发生变化的情况下，河床冲淤调整非常迅速，即使来水条件相同，来沙条件改变，河道的输沙能力发生变化。因此，河流的输沙率不仅是流量的函数，还与来水含沙量有关。图 5-3 为孙口站流量与床沙质输沙率的关系，点群分布极广，如按上站床沙质含沙量加以区别，从大到小自然分带，可写成函数形式

$$Q_s = KQ^a S^b_{\text{上}} \qquad (5\text{-}3)$$

式中　Q_s——孙口站床沙质输沙率，$\mathrm{t/s}$；

Q——孙口站流量，m^3/s；

$S_上$——上站来水床沙质含沙量，kg/m^3；

K——输沙系数，与河床前期冲淤状况有关；

a、b——指数，与来沙组成和边界条件有关。

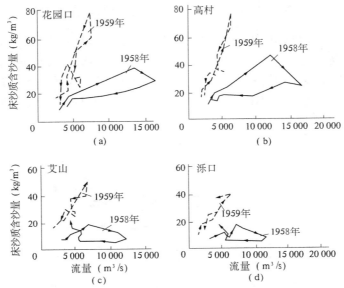

图 5-2　黄河下游各站流量与床沙质含沙量关系

(a)花园口站；(b)高村站；(c)艾山站；(d)泺口站

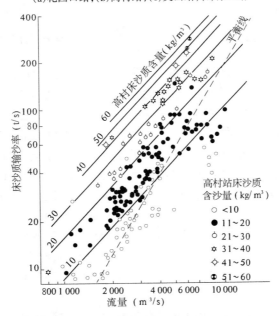

图 5-3　孙口站流量与床沙质输沙率关系图

式(5-3)的形式不论是对全部悬移质泥沙或是床沙质泥沙都能适应，只是系数 K 和指数

a、b 值有所不同。黄河下游河道各站 a、b 值分别为 1.3～1.1 和 0.7～0.98,其中 a 值沿程变小,主要与河道比降有关,上段比降大,下段比降小,而 b 值有沿程增大的趋势,说明对于同样的上站床沙质含沙量增值,各站的床沙质输沙率增值是沿程加大的,它反映了冲积河流的输沙特性。输沙系数 K 值还与前期河床冲淤状况有关(图 5-4),输沙系数 $K=\dfrac{Q_s}{(Q,S_上,P)}$,其中 P 为粒径小于 0.05mm 沙量的百分数。由图 5-4 可看出,前期淤积多,后期遇到同样的水流条件,由于输沙能力的加大,淤积就会减小,甚至发生冲刷。前期冲得多,后期遇同样的水流条件,由于输沙能力的减少,冲刷也会减少,甚至发生回淤。如果某一时期在某一河段集中淤积,则下一阶段集中淤积部位将下移,经过一个较长的时期,长时段内沿程的冲淤变化存在缓变,不存在明显的不连续性。这就是冲积河流自动调整的过程。

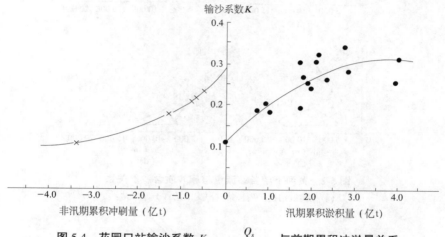

图 5-4 花园口站输沙系数 $K=\dfrac{Q_s}{(Q,S_上,P)}$ 与前期累积冲淤量关系

由上可见,下游河道的输沙能力同时受到流量和来水含沙量的影响。在一定的流量下,输沙能力随上站来水含沙量的增大而增大;在一定的来水含沙量下,输沙能力随流量的增大而增大。图 5-3 中虚线是孙口站(下站)与高村站(下站)含沙量相等时流量与输沙率的关系线,也就是说该河段处于平衡状态的流量与输沙率关系。如来水来沙处于这条线的右下方,则河段处于冲刷状态,来水来沙处于这条线的左上方,则河段处于淤积状态。过去的研究习惯于通过全部点群作出平均关系线,这只是平均冲淤情况下的关系,而不是冲淤平衡关系,点群平均线与冲淤平衡线并不在同一位置上。下游河道主槽在大水时冲刷,在小水时淤积,正反映了这一客观规律。图 5-3 和式(5-3)反映了下游河道输沙的基本规律,充分说明了下游河道"多来、多淤、多排"和"少来、少淤(或冲刷)、少排"的输沙特点。因此,在一定的河床边界条件下,为了加大河流的输沙能力,在进行流量调节的同时,还要进行泥沙的调节,流量与含沙量的相互组合具有决定性的意义,只有当流量与含沙量相适应才能取得最好的输沙效果。这是多沙河流上进行水沙综合调节,提高水流输沙能力,减少河道淤积,改善泥沙淤积部位,使河道朝有利方向发展,"调水调沙"的主要依据。

2.大水多排、小水少排;主槽泄水多排、水流漫滩少排

前面已指出下游河道的输沙能力随来水流量的增大而增大,也即"大水多排,小水少

排"。但由于下游河道为主槽与滩地组成的复式断面，又具有宽窄相间的外形。因此，当水流漫滩后，由于滩地流速小于主槽流速，而滩地糙率大于主槽糙率和滩槽水流泥沙的横向交换，河道的输沙能力反而降低。图 5-5 为根据三门峡水库建库前的实测资料点绘的以来沙系数（S/Q，S 为含沙量，Q 为流量）为参数的排沙比与流量关系。从图 5-5 可看出，当

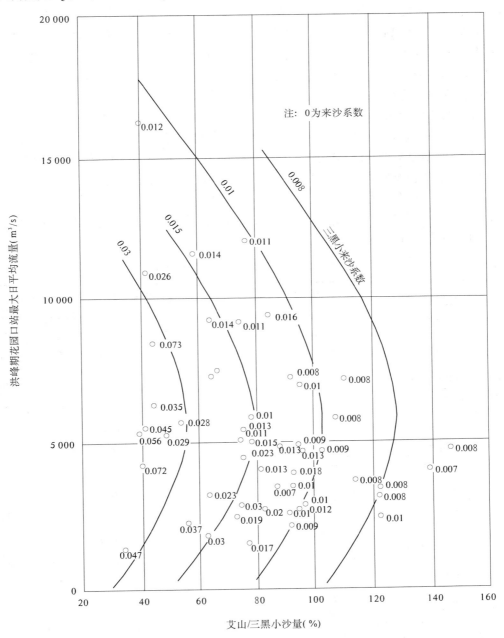

图 5-5　黄河下游洪峰流量与三门峡—艾山河段排沙关系

流量小于平滩流量(建库前约为 6 000m³/s)时,河道排沙比随流量增大而增大,当流量大于平滩流量后,河道排沙比随流量增大而减小;在同一水流条件下,河道排沙比随来沙系数增大而减小,当来沙系数约为 0.01kg·s/m⁶ 时,河道排沙比约为 100%,大于0.01kg·s/m⁶时,河道排沙比小于 100%,河道淤积。应当指出,水流漫滩后,虽然排沙比减小,但在一般情况下常出现淤滩刷槽现象,滩槽高差增大,对防洪是有利的。如 1958 年 7 月 15~25日,与 1959 年 8 月 18 日~9 月 4 日两次洪水量接近,来沙量分别为 5.76 亿 t 和 10 亿 t。1958 年洪水最大流量 22 300m³/s,水流大漫滩,1959 年洪水最大流量9 480m³/s,漫滩较少;1958 年洪水全断面排沙比为 54%,主槽冲刷量达 9 亿多 t,滩地淤积 10 多亿 t,1959 年洪水全断面排沙比为 68%,但泥沙大部分淤积在主槽内。

3. 汛期多排,非汛期少排

表5-2 为不同水沙条件下游河道的来水来沙及排沙情况。由于汛期流量较大,排沙能力强,非汛期流量小,排沙能力弱,从表 5-2 可以看出,1950~1960 年为天然情况,汛期河道排沙比为 75% 左右,而非汛期只有 66% 左右;三门峡水库修建后的滞洪排沙期(1964~1973 年),汛期河道排沙比为 71%,非汛期排沙比为 61%,不同时期的排沙情况均说明汛期排沙能力大于非汛期。另一方面,黄河下游的来沙量中汛期占年沙量的 85% 以上,由于汛期排沙能力大,因此汛期排沙量可占年排沙量的 80% 以上。

表 5-2 　　　　　　　　　　　黄河下游河道年均来水来沙排沙情况

时期	泥沙粒径 (mm)	1950~1960 年				1964 年 11 月~1973 年 10 月			
		来水量 (亿 m³)	来沙量 (亿 t)	利津沙量 (亿 t)	排沙比 (%)	来水量 (亿 m³)	来沙量 (亿 t)	利津沙量 (亿 t)	排沙比 (%)
汛期	< 0.025	296	8.72	7.48	86	226	6.85	5.73	84
	0.025~0.05		3.83	2.6	68		3.19	2.31	72
	0.05~0.1		2.32	1.3	56		2.5	1.07	43
	> 0.1		0.43	0.13	30		0.43	0.05	12
	全沙		15.3	11.51	75		12.97	9.16	71
非汛期	< 0.025	184	0.94	1.02	109	199	1.12	1.17	104
	0.025~0.05		0.78	0.51	65		0.92	0.60	65
	0.05~0.1		0.64	0.17	27		1.21	0.34	28
	> 0.1		0.25	0.01	4		0.27	0.02	7
	全沙		2.61	1.71	66		3.52	2.13	61
全年	< 0.025	480	9.66	8.5	88	425	7.97	6.9	87
	0.025~0.05		4.61	3.11	67		4.11	2.91	71
	0.05~0.1		2.96	1.47	50		3.71	1.41	38
	> 0.1		0.68	0.14	21		0.7	0.07	10
	全沙		17.91	13.22	74		16.49	11.29	69

此外,自 1973 年 11 月三门峡水库改为"蓄清排浑"调水调沙控制运用方式,非汛期下泄基本为清水,全年泥沙集中汛期下泄,非汛期黄河下游河道发生冲刷,但冲刷数量不大,所以汛期排沙量仍占主要地位。

4. 河道排沙能力随泥沙粒径的粗细而变化

从表 5-2 可看出,河道的排沙比随粒径变粗而减少。如 1950~1960 年系列,汛期细泥沙(粒径 $d < 0.025$mm)、中泥沙(d 为 0.025~0.05mm)和粗泥沙($d > 0.05$mm)的排沙比分别为 86%、68% 和 52%,特别是粒径大于 0.1mm 的最粗泥沙排沙比仅为 30%,不同水文系列存在同一规律。对非汛期而言,排沙比随泥沙粒径变粗而减少更多,粒径大于 0.1mm 的排沙比只有 4%~7%。对同一组泥沙来说,汛期排沙比大于非汛期。从全年来说,细泥沙排沙比可达 88% 左右,中泥沙排沙比为 70% 左右,大于 0.1mm 的最粗泥沙排沙比只有 10%~20%。以上情况充分说明下游河道粗泥沙排沙能力小,而细泥沙排沙能力大的输沙特点。

5. 宽浅断面排沙能力较小,窄深断面排沙能力较大

黄河下游河道具有上宽下窄的特点,表 5-3 为黄河下游河槽水力形态的沿程变化。由表 5-3 可看出,当流量为 4 000m³/s 时,高村以上河段的水面宽为 1 300~2 500m,平均水深为 1.4~2m,平均流速为 1.1~1.6m³/s,γhJ 为 0.28~0.40,而艾山—利津河段,水面宽仅 440m,平均流速 2m/s,平均水深 4.6m,γhJ 为 0.46,说明上段宽浅,水流强度较弱;下段窄深,水流强度较强。

表 5-3　　　　　　　　　黄河下游河槽水力形态的沿程变化

项目	铁谢—高村	高村—艾山	艾山—利津
比降(‰)	2~1.7	1.7~1.1	1.0
水面宽(m)	1 300~2 500	800~1 000	440
平均水深(m)	1.4~2.0	2.6	4.6
平均流速(m/s)	1.1~1.6	1.7	2.0
单宽流量(m³/s)	1.6~3.2	4.5	9.2
γhJ(kg/m²)	0.28~0.40	0.32	0.46

注:流量为 4 000m³/s 的河段平均值。

式(5-3)中指数 a、b 值与河道特性关系如下

$$b = -0.256 \lg \frac{\sqrt{B}}{H} + 1.18 \tag{5-4}$$

$$a = 0.356 \lg J + 1.13 \tag{5-5}$$

式中　　B——河宽,m

　　　　H——水深,m

　　　　J——比降,‰。

从上可看出,含沙量指数 b 值随黄河下游各河段的河槽形态 $\frac{\sqrt{B}}{H}$ 值的变小而增加,由游荡性河段的 0.7~0.8 增到艾山以下窄河段的 0.98,表现出河槽形态窄深有利于泥沙输

送的特性。流量变化对输沙能力的影响取决于 a 值,在河床组成沿程变化不太大的情况下,显然比降陡更容易输沙。因此,a 值与比降有关,比降陡,容易输送,反之输送较困难。

图 5-6 为洪峰流量与各河段排沙比(采用上下站平均含沙量之比表示)关系。图 5-6 表明,下游河道各河段的排沙能力呈沿程增加趋势。当流量大于 3 000m³/s 的条件下,高村以上河段的排沙比仅 60%～80%,并且随含沙量增大排沙比降低。在流量相同时,来水含沙量小,河段排沙比大;来水含沙量大,河段排沙比小。而对艾山—利津河段,河段排沙比与流量关系表明,随着流量增加,河段排沙比增加,当流量大于 2 000m³/s 时,河段排沙比达 100%,且看不出含沙量变化对排沙比的明显影响。且流量增加排沙比增加,呈现河道"多来、多排"的输沙特性。

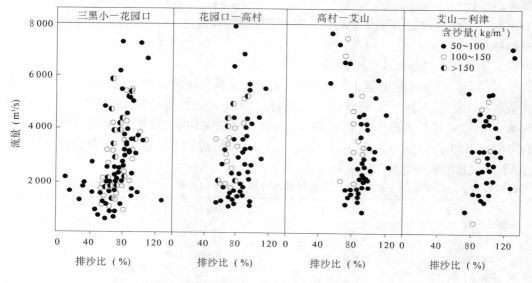

图 5-6　黄河下游各河段洪峰流量与排沙比关系

二、黄河下游河道输沙能力调整机理分析

黄河下游河道的输沙能力变化幅度大,调整十分迅速,受到各种因素的影响,问题较复杂,以下仅分析主要影响因素的调整作用。

(一)河床物质组成的影响

河床物质组成随河床冲淤而发生变化。黄河下游河道在来水来沙条件发生变化时,河床边界条件也发生变化,河床边界条件的变化主要表现为河床物质组成的变化和河床几何形态的变化两个方面。当来沙较多,河床发生淤积时,河床细化,河床组成变细,这时由于河床的细颗粒泥沙补给量加大,并使床面阻力减小,因而在同流量的条件下可以挟带更多的泥沙,从而使输沙能力增大;当来沙较少时,河床发生冲刷,河床组成变粗,并使床面阻力加大,在同流量的条件下就挟带不了那么多的泥沙,从而使输沙能力降低。三门峡水库修建后曾采用不同的运用方式,黄河下游河道经历了 4 年时间的清水冲刷和其他的浑水回淤过程。花园口断面的床沙平均粒径变化如表 5-4 所示,1960 年花园口床沙平均

表 5-4 花园口床沙级配调整

时间(年-月)	河道状况	床沙平均粒径(mm)
1960-08	建库前	0.098
1964-08	清水冲刷后	0.178
1967-08	开始回淤后	0.109
1970-08	继续回淤后	0.110
1971-08	大量回淤后	0.101

粒径为 0.098mm,经清水冲刷后的 1964 年为 0.178mm,而经回淤后床沙平均粒径又为 0.10mm 左右。进一步分析了三门峡—花园口河段累积冲淤量与花园口床沙平均粒径关系(图 5-7),可以看出,床沙组成随冲淤量的变化而变化,当冲刷至一定数量后,床沙粒径变化较小,而当淤积时,床沙粒径迅速变化,当河床回淤到一定数量后,床沙粒径变化不大,充分说明床沙物质组成对输沙能力的影响。由表 5-1 和图 5-7 可知,长时期(1960～1964 年)的清水冲刷下,床沙粒径粗化近 1 倍,回淤到一定数量后,床沙组成迅速恢复到原来状态,再进一步淤积,即使淤积量很大,床沙的继续细化也不显著。

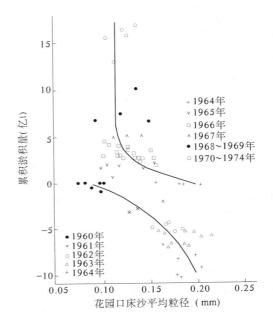

图 5-7 三门峡—花园口河段累积冲淤量与花园口床沙平均粒径关系

为了定量地研究其影响程度,选用了花园口站 1964、1967、1970 年和 1978 年 4 年床沙级配(表 5-5)。1964 年是经过 4 年时间冲刷后的床沙最粗状态;1967 和 1970 年是回淤后细化的床沙级配,两年的床沙平均粒径差别不大,但不均匀程度不同。1978 年是经 1977 年高含沙洪水主槽冲刷后床沙变粗一些,处于两种极限中间。

表 5-5 选用的花园口站床沙组成

日期 (年-月-日)	粒径(mm)						
	D_{25}	D_{35}	D_{50}	D_{65}	D_{75}	D_{90}	D 平均
1964-08-13	0.102	0.120	0.155	0.182	0.215	0.295	0.178
1978-09-09	0.076	0.090	0.118	0.150	0.180	0.260	0.146
1970-08-17	0.038	0.048	0.069	0.105	0.140	0.250	0.110
1967-08-13	0.056	0.070	0.092	0.112	0.137	0.200	0.109

在选定的级配范围内,不考虑上站含沙量的影响,采用比降为 0.000 195,温度为 20℃,采用爱因斯坦床沙质函数计算床沙组成的影响,计算结果如图 5-8 和表 5-6 所示。

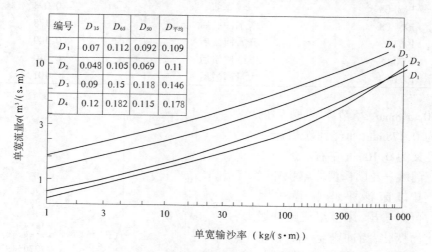

图 5-8　床沙组成对输沙能力的影响

表 5-6　　　　　　　　　　　　　　床沙组成对输沙能力的影响

日期 (年-月-日)	床沙平均 粒径(mm)	各级单宽流量 $q(\mathrm{m^3/(s \cdot m)})$ 下的单宽输沙率(kg/(s·m))				
		$q=2$	$q=4$	$q=6$	$q=8$	$q=10$
1964-08-13	0.178	2.3	32	110	235	400
1978-09-09	0.146	8.1	83	215	416	693
1970-08-17	0.110	50	250	500	780	1 110
1967-08-13	0.109	35	200	480	860	1 300

从表 5-6 和图 5-8 可看出,在给定的床沙组成范围内,床沙组成对输沙能力的影响随着单宽流量的大小而改变。单宽流量大,影响较小,流量小,则影响大,如单宽流量为 $2\mathrm{m^3/(s \cdot m)}$ 时,床沙平均粒径为 0.178 ~ 0.109mm,输沙能力由 2.3kg/(s·m)增至 35kg/(s·m),为原来的 15 倍,而当单宽流量为 $10\mathrm{m^3/(s \cdot m)}$ 时,输沙能力由 400kg/(s·m)增至 1 300kg/(s·m),只为原来的 3 倍。

(二)水流含沙量的影响

挟沙水流中,由于水流含沙量的加大,一方面引起流体黏性的增加,另一方面使流体容重增大,因而使泥沙在浑水中的沉降速度减小,从而提高水流的输沙能力。计算分析了当黄河平均悬沙组成中数粒径 $d_{50}=0.036$mm,且 $d<0.01$mm 的泥沙占 20% 时,含沙量与 ω_0/ω_s 的关系(表 5-7)。

流变特性变化对沉降速度的影响,泥沙在清水中的沉降速度选用斯托克斯公式表示

$$\omega_0 = \frac{1}{18}\left(\frac{\gamma_s - \gamma_0}{\gamma_0}\right)\frac{gd^2}{\nu}$$

式中　ω_0——泥沙在清水中的沉降速度;

表 5-7   含沙量与沉降速度的关系

含沙量（kg/m³）	0	100	200	300	400	500	600	700	800
$\mu_\gamma = \mu_s/\mu_0$	1	1.49	2.08	2.74	3.48	4.32	5.4	6.93	9.33
ω_0/ω_s	1	1.55	2.25	3.09	4.10	5.32	6.97	9.38	13.4

　　ν——运动黏滞系数；

　　γ_0——清水容重；

　　γ_s——泥沙颗粒密度。

　　由于水中含沙量的增加,引起流体黏滞性和容重的变化,则清浑水相对沉速可写成

$$\omega_0/\omega_s = \left[(\gamma_s - 1)/\gamma_s - \gamma_m \right]\mu_\gamma$$

式中　　γ_m——浑水容重；

　　　　ω_s——泥沙在浑水中的沉降速度；

　　　　μ_γ——浑水的黏滞系数(μ_s)与清水黏滞系数 μ_0 的比值,$\mu_\gamma = \mu_s/\mu_0$。

　　从表 5-7 和图 5-9 可看出,随着含沙量的增加,ω_0/ω_s 值增大。泥沙在浑水中的沉降速度降低。当含沙量为 300kg/m³ 时,浑水中的沉降速度是清水中沉降速度的 1/3;含沙量增至 500kg/m³ 时,浑水中的沉降速度仅是清水中沉降速度的 1/5 左右。

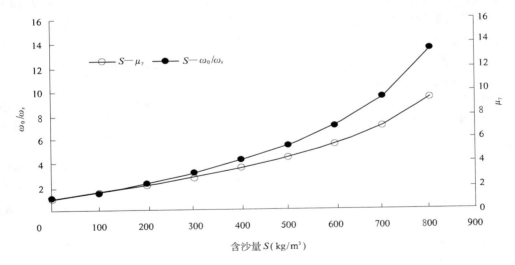

图 5-9　含沙量与 μ_γ 及 ω_0/ω_s 的关系

　　此外,又分析了黄河干支流实测资料,当泥沙组成在 0.04 ~ 0.06mm 范围,含沙量垂线分布系数 K(相对水深 0.2 处与相对水深 0.8 处测点含沙量之比)与含沙量有关(图 5-10),K 值大表示含沙量垂线分布较均匀,K 值小表示含沙量垂线分布不均匀。从图可知,随着含沙量增加,K 值增大,一般在 0.4 ~ 0.8 之间。含沙量达 300kg/m³ 左右时,K

值基本稳定在 0.95 左右。从以上分析可以看出,随着含沙量的增大,沉速减少,而且含沙量在垂线上分布更均匀,使泥沙更易输送。

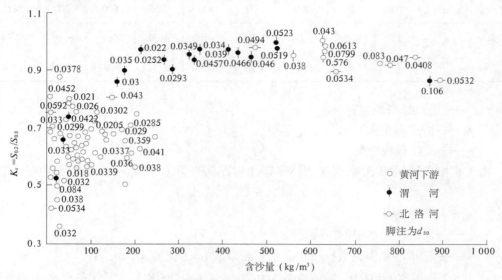

图 5-10　含沙量垂线分布特性与含沙量之间的关系

(三)河床纵比降的影响

在冲积河流的长期调整过程中,纵比降是一个重要影响因素。但就短时段来说,如果沿程的水流接近均匀流,则纵比降要作出迅速的反应,河段的冲淤量和强度都会很大,一般不太可能出现。如黄河下游在三门峡水库蓄水运用期造成清水冲刷,铁谢—高村河段上段冲得多,下段冲得少,纵比降有所调整,1960～1964 年,变化幅度也是较小的。

(四)断面形态的影响

冲积河流在冲淤调整的过程中,断面形态时时都在变化,问题较复杂。根据黄河下游实测资料得出断面形态与来水来沙有密切关系。图 5-11 为在花园口站河宽、水深和流速与流量、含沙量的关系。可以写成下式

$$B = 185 Q^{0.509} / S^{0.615} \tag{5-6}$$

$$H = 0.065 Q^{0.186} S^{0.442} \tag{5-7}$$

$$v = 0.082 Q^{0.305} S^{0.173} \tag{5-8}$$

式中　　B——河宽,m;

　　　　H——水深,m;

　　　　Q——流量,m^3/s;

　　　　v——流速,m/s。

从图 5-11 与式(5-6)～式(5-8)可看出,河宽的调整不仅与流量有关,还与含沙量大小有关,与流量成正比,与含沙量成反比;水深和流速的调整与流量、含沙量成正比。也就是说,在流量相同时,含沙量高,塑造成水深和流速较大,而河宽较窄的相对窄河槽,输沙能力较大,这反映了冲积河流断面形态调整的客观规律。

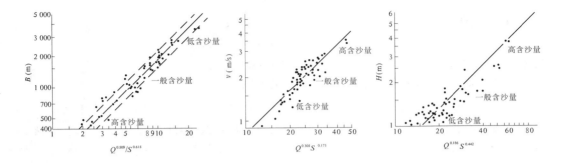

图 5-11　花园口站河宽、流速和水深与流量、含沙量关系

以上分析表明,黄河下游河道输沙能力的的调整是十分强烈和灵敏的,它不仅与流量有关,还与含沙量有关。从输沙能力调整机理的角度考虑,需要根据含沙量大小分为两个区域。当含沙量小于 300kg/m³ 时,床沙组成的调整起着较大的作用;当含沙量大于 300kg/m³ 后,由于水流黏性和容重的增加,泥沙沉速大大减少,提高了水流输沙能力。而断面形态向窄深调整,也提高了水流输沙能力。

认识并合理地利用黄河多沙河流特有的输沙特性,将有利于黄河的治理开发,加快治理进程。

第二节　黄河下游河道冲淤演变主要规律

黄河下游河道的冲淤演变主要取决于流域的来水来沙条件及河床边界条件。由于黄河下游河道是一条强烈的冲积性河流,未经河道整治的河床边界条件是由来水来沙塑造而成,所以来水来沙对下游河道冲淤演变起着主导作用。黄河下游河道经受了不同水沙条件下的冲淤演变,具有以下主要规律。

一、来水来沙与河道冲淤的关系

(一)浑水条件下来水来沙与河道冲淤的关系

实测资料表明,黄河下游是一条堆积性河流,但并不是一味堆积抬高、单向淤积,而是有冲有淤、以淤为主。凡是水多沙少年份(1952、1955、1961、1981~1985 年),河道淤积不大或发生冲刷,而水少沙多年则发生淤积(如 1969、1970、1971、1977 年和 1992 年),年淤积量可达 7 亿~10 亿 t,年淤积量最大的 1933 年,下游河道孟津—高村河段的淤积量约 20 亿 t,1 年的淤积量等于一般年份 6~10 年的淤积量。从较长时段看,主要取决于来水来沙条件。如对各年汛期(7~10 月)与非汛期(11 月~次年 6 月)的来水来沙量与全下游同期冲淤关系进行分析,则有下列关系

(1)汛期不漫滩时

$$\Delta W_{s1} = 0.473 W_{s1} - 0.028\,7 W_1 + 3.33 \tag{5-9}$$

(2)汛期漫滩时

$$\Delta W_{s1} = 0.52 W_{s1} - 0.022\,3 W_1 + 2.82 \tag{5-10}$$

(3)非汛期

$$\Delta W_{s2} = 1.03 W_{s2} - 0.018 W_2 + 1.267 \tag{5-11}$$

式中　ΔW_{s1}、ΔW_{s2}——全下游汛期和非汛期冲淤量,亿 t;

　　　　W_{s1}、W_{s2}——汛期和非汛期来沙量,亿 t;

　　　　W_1、W_2——汛期和非汛期来水量,亿 m³,如沿程水量变化较大时,采用平均值。

采用上式进行验算,基本与实测吻合。从式(5-9)～式(5-11)可看出:来水越多,来沙越少;则下游淤积量越少;反之,来水越少,来沙越多时,则下游淤积越多。假定水量不变时,对式(5-9)～式(5-11)取微分得

(1)汛期不漫滩时

$$d\Delta W_{s1} = 0.437 d W_{s1} \tag{5-12}$$

(2)汛期漫滩时

$$d\Delta W_{s1} = 0.52 d W_{s1} \tag{5-13}$$

(3)非汛期时

$$d\Delta W_{s1} = 1.03 d W_{s2} \tag{5-14}$$

从宏观的角度可看出,当来水不变时,由于非汛期泥沙较粗,减少 1t 来沙可减少下游淤积 1t 左右;而汛期减少 1t 来沙,下游仅减少 0.47～0.52t 淤积,如来沙不变时,汛期减水 30 亿～40 亿 m³,则下游河道增加淤积 1 亿 t 左右。

分析了汛期下游河道单位水量冲淤量与来水平均含沙量的关系(图 5-12)后,可以看出:来水含沙量小,则单位水量淤积量少,甚至发生冲刷;来水含沙量大,则单位水量淤积量也大。作为平均情况,1986 年前,下游河道冲淤相对平衡的临界含沙量约为 30kg/m³,高于此值,发生淤积;低于此值,发生冲刷。

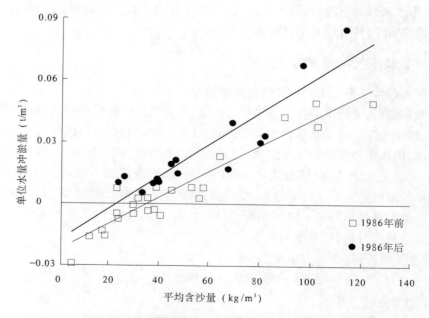

图 5-12　黄河下游河道汛期单位水量冲淤量与来水平均含沙量关系

从图 5-12 还可看出,在相同含沙量条件下,1986 年前后河道单位水量淤积量相差较大,1986 年后,单位水量淤积量较大。进一步分析认为,黄河下游的输沙能力还与流量过程与河床边界有关,1986 年以来,黄河水沙发生很大变化,第二章已有阐述,一方面水量减小,沙量也减小,含沙量随之变化,另一方面枯水流量持续时间很长,所以在相同含沙量下淤积量增加。如 1991 年和 1993 年相比,含沙量分别为 41kg/m³ 和 38kg/m³,但单位水量淤积量相差很远,分别为 0.03 亿 t/亿 m³ 和 0.007 2 亿 t/亿 m³。又如 1987 年和 1989 年,含沙量分别为 29.5kg/m³ 和 36.1kg/m³,但单位水量淤积分别为 0.017 亿 t/亿 m³ 和 0.003 亿 t/亿 m³,这是因为 1987 年和 1991 年日平均流量大于3 000m³/s 的天数几乎没有,而 1989 年达 29d。因此,初步分析认为,若水量较枯(约小于 140 亿 m³),枯水流量历时又较长,维持下游河道基本平衡的临界含沙量可能要减少到 20kg/m³ 以下。

由点绘汛期平均来沙系数与淤积比的关系(图 5-13)可以看出,河道的淤积比随来沙系数的增大而增大;1960 ~ 1964 年处于冲刷状态,而 1986 年以来来沙系数大多数年份均大于 0.02kg·s/m⁶,淤积比大多数年份均大于 0.5。当来沙系数约为 0.01kg·s/m⁶ 时,河道可维持基本平衡。

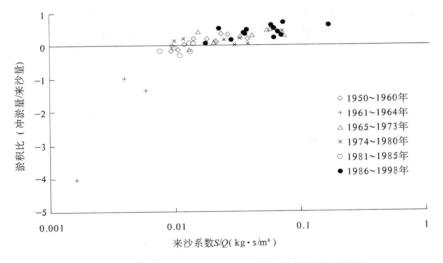

图 5-13　黄河下游汛期来沙系数与河道淤积比的关系

黄河下游的淤积主要发生在洪水期,洪水期的水沙与冲淤关系可用下式来表示

$$A = Q^2\left[S/Q - 0.33(S/Q)^{0.25} \right] \tag{5-15}$$

式中　A——表示河道冲淤强度的参数;

　　　Q——洪峰平均流量,m³/s;

　　　S——洪峰平均含沙量,kg/m³;

　　　S/Q——洪峰平均来沙系数,kg·s/m⁶。

图 5-14 为黄河下游洪峰期河道冲淤强度(Δq_s,t/d)与参数 A 的关系,可看出,大漫滩洪水的点子均偏下方,不漫滩点子基本落在平均线的附近,直线方程式为

$$\Delta q_s = 137A \tag{5-16}$$

参数为负值时,河道处于冲刷状态;参数为正值时,河道处于淤积状态。作为平均情况,当洪峰来沙系数为 0.01 时,下游河道可以基本保持不冲不淤。

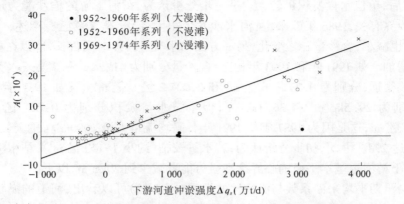

图 5-14 黄河下游洪峰期冲淤强度与来水来沙条件的关系

此外,又分析洪峰期平均含沙量与洪峰单位水量冲淤量关系,随着洪峰含沙量的增大,河道淤积量增大,临界含沙量等于 50kg/m³ 左右,可以基本维持河道冲淤平衡(图 5-15)。必须指出,含沙量大小与泥沙组成关系很大,黄河泥沙中数粒径随含沙量增加而变粗,此处指的指标是天然状况下含沙量的组成,下一节有所阐述。

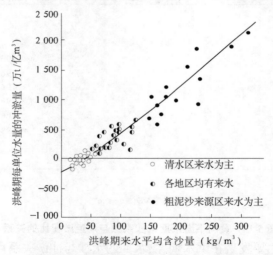

图 5-15 黄河下游洪峰期河道冲淤量与来水平均含沙量关系

(二)清水条件下来水与冲淤的关系

三门峡水库蓄水拦沙期,水库下泄基本为清水(包括异重流排沙),下游河道发生冲刷,其冲刷量的大小主要取决于来水量及来水过程。分析了洪水期平均流量与单位水量冲淤量(冲淤效率)的关系(图 5-16),可以看出,单位水量冲淤量与流量关系密切,随着流量的增大,冲刷效率在加大,但当流量大于 3 000m³/s 后,冲刷效率基本稳定在 15 ~ 20kg/m³ 之间。而且含沙量大小影响不显著,这是因为清水期下泄的含沙量均为异重流泥沙,泥沙颗粒较细,在实测资料中最大含沙量为 27kg/m³,根据粗细泥沙的运行规律,这部分细泥沙基本能被水流输送,在主槽中淤积较少。

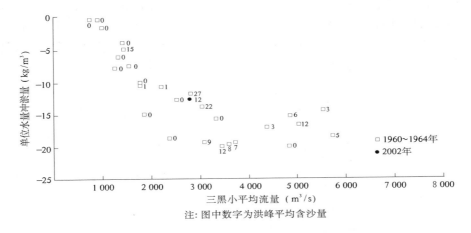

注:图中数字为洪峰平均含沙量

图 5-16　清水下泄期洪水平均流量与单位水量冲淤量关系

　　水库下泄清水,河道发生冲刷,在一定条件下,这个冲刷过程的开始阶段发展较为迅速,随着时间的推移,逐渐趋于缓慢,最后趋向于建立新的相对平衡。在河段位置上,近坝段的调整过程较为强烈,然后逐渐向下游发展,河道调整的过程与影响范围十分复杂。但由于下游河道较长,河道上宽下窄,上陡下缓,上段宽河道防洪标准为 22 000m³/s,而下段窄河道(艾山以下河道)只能防御 11 000m³/s 的洪水。因此,众所关心的是如何使下段也能少淤或也发生冲刷。为此进行了清水冲刷距离的研究。初步分析认为在清水条件下冲刷距离长短主要与流量大小有关,点绘花园口洪峰平均流量与冲刷距离的关系(图 5-17),可以看出,随着流量的加大,冲刷距离较长,当流量为 500m³/s 时,冲刷只发展到花园口,当流量为 1 500m³/s 时,冲刷发展到高村附近,当流量达 2 500m³/s 时,冲刷才能达到利津。必须指出,这仅是一般规律,实际上这是一个复杂的问题,随着冲刷的历时加长,河床进行自动调整,在相同的流量条件下,冲刷部位会逐渐下移。

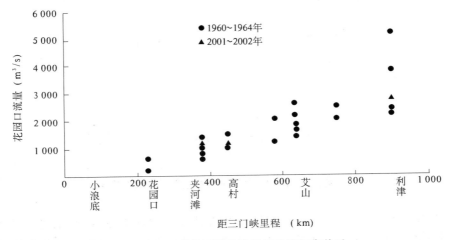

图 5-17　黄河下游花园口站流量与冲刷距离关系

为了寻求上下河段的冲淤关系和条件,又分析了流量与上下河段冲淤量关系(图 5-18),可以看出,艾山以上河段的冲刷量随流量的增大而增大,艾山—利津河段冲淤量与流量也有明显的关系,当流量小于 1 000m³/s 时,虽发生淤积,由于上段冲得少,下段淤积量也较小;当流量为 1 000~2 000m³/s 时上段冲刷增加,而下段淤积量加大,是最不利的流量条件;只有当流量大于 2 500m³/s 时,全河发生冲刷。

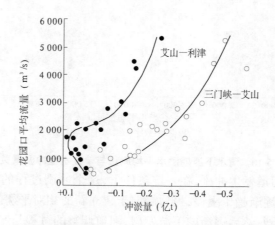

图 5-18   三门峡水库下泄清水时段平均流量与下游河道冲淤量关系

实际上,影响冲刷的因素是很复杂的,除流量因素外,必须有一定的水量。从以上分析可知,只有当流量达到 2 500m³/s 左右时,艾山以下河道才能发生冲刷,那么需要多少水量呢? 众所周知,下游河道的输沙能力大致与流量的平方成正比,分析了艾山—利津河段冲淤量与 $Q^2\Delta t$ 关系(图 5-19)(其中 Q 为花园口洪峰平均流量,Δt 为历时,单位为 d),由图 5-19 可知,随着 $Q^2\Delta t$ 的增大,艾山—利津的冲刷量增大,考虑到影响河道冲淤因素的复杂性,可近似认为,当 $Q^2\Delta t$ 达到 60×10^6 时,艾山—利津有望达到冲淤基本平衡。上面已指出,单从流量出发,使艾山—利津河段冲刷的临界流量为 2 500m³/s 左右,那么可求出需水量为 22 亿 m³ 左右,所需时间为 10d 左右。

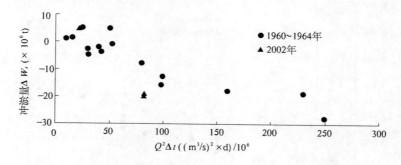

图 5-19   艾山—利津冲淤量 ΔW_s 与 $Q^2\Delta t$ 关系

三门峡水库采用"蓄清排浑"运用,汛期基本下泄全年泥沙,而非汛期下泄基本为清水,因此下游河道出现 4 个月浑水,8 个月清水的水流过程,河道的冲淤演变汛期取决于水沙条件。非汛期在天然状况下下游河道是淤积的,由于非汛期下泄清水,河道发生冲刷。如果着眼于整个非汛期的冲淤规律,分析了下游河道冲淤量与来水量的关系(图5-20),可以看出,冲刷量随水量的增大而增大,但由于非汛期下泄流量较小,而且较均匀,冲刷一般不能普及全下游,艾山以下河道仍发生淤积,如果把均匀流量集中以洪峰形式下泄,将有利于加大河道的冲刷量和冲刷距离。一般情况下非汛期下游河道的冲淤量与艾山以下河道淤积量有一定的关系(图5-21),可以看出,全下游冲得多,艾山以下淤得也多,作为平均情况,大致可以得出全下游冲刷1亿t左右,艾山以下河道淤积0.35亿t左右,其淤积量约占上段冲刷量26%左右。但必须指出,由于黄河情况的复杂,很难用一种指标确定,从图可看出,点子较分散,主要与汛期河床冲淤状况有关,特别是图5-21,点子更分散,如1992年在图5-20中关系较好,但在图5-21中关系较差。以上仅是一般平均情况,更详细的分析有待今后积累资料进一步研究。

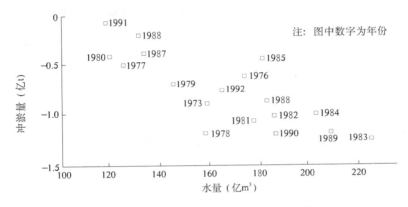

图 5-20　黄河下游非汛期冲淤量与来水量关系

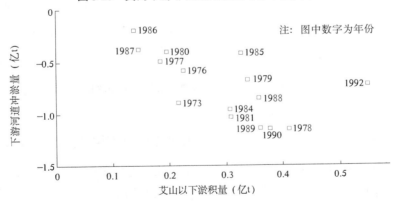

图 5-21　黄河下游非汛期冲淤量与艾山以下积淤量关系

　　冲积河流的河床在冲淤演变中进行自动调整,如在一定的边界条件下,某河段前期冲刷大,则遇下一时段相同的水流条件,冲刷势必有所减弱。如首当其冲的花园口以上河段,非汛期冲淤量除与水量有关外,还与汛期冲淤量有关(图5-22),而花园口—高村河段(图5-23)这一现象表现不明显。

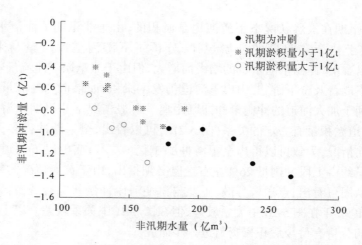

图 5-22　非汛期三门峡—花园口冲淤量与非汛期水量的关系

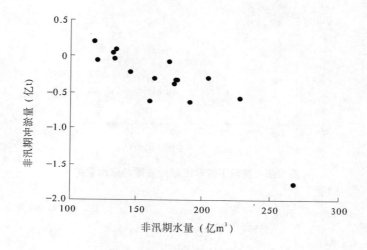

图 5-23　非汛期花园口—高村冲淤量与非汛期水量的关系

二、粗颗粒泥沙是下游河道主槽淤积的主要物质组成,危害最大

在确定减少下游河道淤积时,不仅要研究其总量,更要研究泥沙质的变化,不同粒径组的泥沙,进入下游河道后,它的输沙和淤积情况是截然不同的。我们把粒径小于0.025 mm泥沙称为细泥沙,粒径为 0.025~0.05mm 泥沙称为中泥沙,粒径大于0.05mm 泥沙称为粗泥沙。

分析下游河道的淤积物组成(表 5-8),可以看出,上段比下段粗,深层比表层粗,主槽比滩地粗。如花园口表层粗泥沙占 83%左右,在表层以下 3~5m 处粗泥沙,占 95%左右;主槽细泥沙占 15%左右,而滩地细泥沙占 35%左右,朱口刘庄主槽表层粗泥沙占 50%左右,深层粗泥沙占 90%左右,滩地表层仅占 34%左右。徐建华等分析了黄河下游河道滩槽淤积物组成(表5-9),得到与上述基本一致的结论。主槽淤积物较粗,滩地淤积物较细,细泥沙在主槽占7%左右,粗泥沙占70%以上,而滩地淤积物中,粗泥沙占35%左右,细泥沙占30%左右。粒径小于0.025mm的细泥沙在下游河道一般属于冲泻质,在主流中淤积较少,但在水流漫滩时,滩地淤积比例增加。

表5-8　　　　　　　　　　　　黄河下游河道滩槽淤积物组成

地名	粒径组（mm）	主槽表层以下深度（m）			滩地表层以下深度（m）		
		0~1.5	1~3	3~5	0~1.5	1~3	3~5
花园口	<0.025	6.5	5.4	1.9			
	0.025~0.05	10.8	8.8	3.5			
	>0.05	82.7	85.8	94.6			
中牟	<0.025		11.0	1.0	14	25	27.6
	0.025~0.05		39	2	17	20	6.1
	>0.05		60	97	69	55	66.3
柳园口	<0.025	12	2			17	40.5
	0.025~0.05	25	2			43	9.0
	>0.05	63	96			40	50.0
东坝头	<0.025			1.5			
	0.025~0.05			1.5			
	>0.05			97			
朱口刘庄	<0.025	15	29.5	6	35.2	54.7	26.9
	0.025~0.05	35	20.0	4	30.5	21.9	26.9
	>0.05	50	50.5	90	34.3	23.4	46.2
伟那里	<0.025		7.0	3	15	19.0	5
	0.025~0.05		10.7	7	45	21	3
	>0.05		82.3	90	40	70	92
平均	<0.025	11.2	11.0	2.7	20.4	26.4	25
	0.025~0.05	23.6	14	3.6	29.5	26.6	11.2
	>0.05	65.2	75	93.7	50.1	47.0	63.8

表 5-9

表 5-9   1996 年汛前黄河下游河道滩地淤积物组成

河段	粒径组(mm)	主槽淤积物组成 各粒径组所占百分比(%)	滩地淤积物组成各粒径 组所占百分比(%)
铁谢—花园口	< 0.025	6.5	38.8
	0.025~0.05	17.5	31.1
	> 0.05	76	30.1
花园口—夹河滩	< 0.025	7.1	34.5
	0.025~0.05	18.7	32.4
	> 0.05	74.2	33.1
夹河滩—高村	< 0.025	8.2	28.8
	0.025~0.05	18.3	34.1
	> 0.05	73.5	37.1
高村—孙口	< 0.025	7.5	28.9
	0.025~0.05	17.5	37.2
	> 0.05	75	33.9
孙口—艾山	< 0.025	7.6	28.8
	0.025~0.05	19.0	39.1
	> 0.05	73.4	32.1
艾山—泺口	< 0.025	7.5	25.4
	0.025~0.05	18.7	34.2
	> 0.05	73.8	40.4
泺口—利津	< 0.025	6.6	33.8
	0.025~0.05	17.2	36.5
	> 0.05	76.3	29.7
铁谢—利津	< 0.025	7.4	30.2
	0.025~0.05	18	34.8
	> 0.05	74.6	35

注:主槽淤积物组成为历年平均,滩地淤积物组成为 1996 年所测。

    此外,分析黄河下游各水文站床沙中径的变化(表 5-10 及图 5-24)。可以看出,床沙中径均在 0.05mm 以上,得出与上述一致的结论。

表 5-10   黄河下游河道多年平均床沙中径的变化   (单位:mm)

站名	秦厂	高村	艾山	利津
床沙中径	0.095	0.076	0.068	0.070

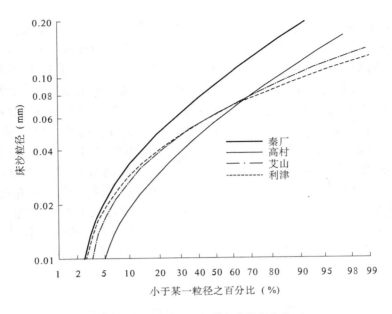

图 5-24　黄河下游床沙组成沿程变化

对于河漫滩淤积物的组成,其中数粒径在 0.02～0.03mm 之间,一般来说沿程变细(图 5-25),但也有断面因滩地不宽,滩面流速较大,落淤泥沙较上游粗。河漫滩沉积物的横向分布很不均匀,一般在靠近滩坎的地方,由于流速较大,落淤的是沙土,距主流越远,流速相应降低,细泥沙越易于淤积,沿河群众都有"紧沙慢淤"及"黄河不烘边"的经验。

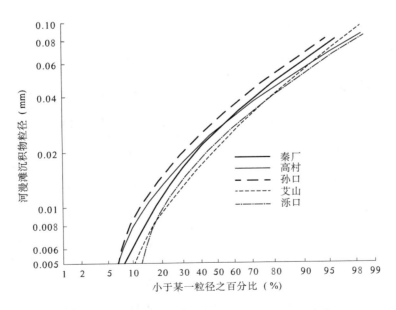

图 5-25　黄河下游漫滩沉积物平均组成的沿程变化

进一步分析不同水沙条件下下游河道的冲淤情况(表 5-11 和图 5-26),总的看来,黄河下游的来沙量中细泥沙占 50% 左右,中泥沙占 25% 左右,粗泥沙占 25% 左右,其中粒径大于 0.1mm 的更粗泥沙仅占 4% 左右,但下游河道的淤积量中细泥沙占 15% 左右,中泥沙占 30% 左右,粗泥沙占 55% 左右,其中更粗泥沙占 17% 左右,也就是说来沙仅占 1/4 的粗泥沙却造成河道淤积的仅 1/2,来沙占 1/2 的细泥沙造成淤积的仅 1/7。从淤积比(淤积量/来沙量)来看,细泥沙淤积比仅 5%,中泥沙淤积比为 20% 左右,而粗泥沙淤积比却为 50%,其中更粗泥沙淤积比增至 80%,也就是细泥沙的 95% 均能排出利津,而粗泥沙只有 20% 能排出利津。因此,粗泥沙是下游河道主槽淤积物的主要物质组成,危害最大,粒径小于 0.025mm 的细泥沙属冲泻质,在主流中不易淤积,在洪水漫滩后,滩地仍会淤积,一般可称为造滩质,而粒径大于 0.025mm 的泥沙,一般称造床质。因此,从有效减少河道淤积来看,必须尽量减少粗泥沙来量,减少来沙量的 1/4,就可减少下游淤积的 1/2,达到事半功倍的作用。因此,在水库运用过程中,除调节适应的水沙过程外,还必须尽量地排泄细泥沙,拦截粗泥沙,以减少库区淤积,延长水库寿命,达到减少下游河道淤积的综合效益。

表 5-11   黄河下游不同时期分组泥沙冲淤量、冲淤比

时段 (年-月)	各粒径组					
	粒径组 (mm)	来沙量 (亿 t)	占全沙量 (%)	冲淤量 (亿 t)	占全沙冲淤量 (%)	冲淤比(%) (冲淤量/来沙量)
1950-07 ~ 1960-06	< 0.025	9.66	54	0.53	15	5
	0.025 ~ 0.05	4.61	26	1.22	34	26
	0.05 ~ 0.1	2.96	16	1.34	37	45
	> 0.1	0.68	4	0.52	14	76
	> 0.05	3.64	20	1.86	51	51
	全沙	17.91	100	3.61	100	20
1964-11 ~ 1990-10	< 0.025	6.25	50	0.31	14	5
	0.025 ~ 0.05	3.2	26	0.51	24	16
	0.05 ~ 0.1	2.44	20	0.91	43	37
	> 0.1	0.47	4	0.41	19	87
	> 0.05	2.91	24	1.32	62	45
	全沙	12.36	100	2.14	100	17

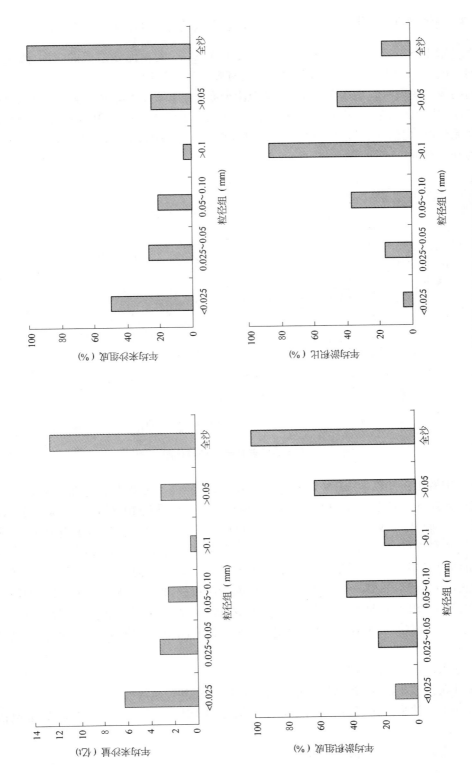

图 5-26 黄河下游河道 1964 年 11 月～1990 年 10 月不同粒径组泥沙来沙和淤积组成

三、粗泥沙来源区洪水是造成下游河道淤积的重要原因

上面已指出下游河道的淤积主要是粒径大于 0.05mm 的粗泥沙造成的。因此,从减少下游河道的淤积出发,必须寻求其来源,才能有效地进行治理。

黄河的泥沙主要来自中游黄土地区,新黄土分布十分广泛,其新黄土粒径组成具有明显的分带性,从西北向东南,中数粒径从大于 0.045mm 逐步减小到 0.015mm(图 5-27),在皇甫川及无定河、北洛河、马莲河的河源区,中数粒径为 0.045mm 左右,而渭河上游中数粒径则为 0.015mm 左右。

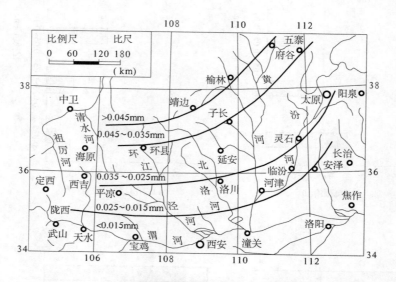

图 5-27　黄河中游新黄土中径变化图

从黄河中游粗泥沙模数图(图 5-28)也可看出:这些粗泥沙主要集中在两个地区,一区为皇甫川—秃尾河等各条支流的中下游地区,粗泥沙输沙模数达 10 000t/(km²·a);另一区为无定河中下游(粗泥沙输沙模数在 6 000~8 000t/(km²·a))及广义的白于山河源区(粗泥沙输沙模数在 6 000t/(km²·a))。这两个地区是黄河粗泥沙主要来源区,来沙既多又粗,对下游河道淤积具有更大的危害。此外,渭河上游的北岸支流(除马莲河以外的泾河干支流和汾河)是黄河的另一个多沙区,但这里泥沙比较细,称多沙细泥沙来源区;而河口镇以上、渭河的南山支流和下游的伊洛沁河,来沙量较少,称为少沙来源区。因此,按流域来沙多少及泥沙颗粒组成不同,将洪水来源分成以下四个区域和六种洪水来源组合(表 5-12)。

(1)少沙来源区,包括河口镇以上。

(2)多沙粗泥沙来源区,包括河口镇—龙门区间、马莲河、北洛河等。

(3)多沙细泥沙来源区,包括除马莲河以外的泾河干支流、渭河上游、汾河等,也包括渭河南山支流。

(4)少沙来源区,包括伊洛河、沁河。

表5-12 1952～1960年洪水水来源的几种主要组合及下游冲淤的影响

洪水来源组合	各种组合洪峰次数	各种组合出现的百分比(%)	花园口洪峰特征 最大流量(m³/s)	花园口洪峰特征 平均来沙系数($kg\cdot s^2/m^6$)	各地区来水占三黑小总水量的百分比(%) (1)	(2)	(3)	(4)	各地区来沙占三黑小总沙量的百分比(%) (1)	(2)	(3)	(4)	下游河段冲淤强度(万t/d) 三门峡—高村	高村—艾山	艾山—利津	全下游	各种组合洪峰淤积量占58次洪峰淤积总量的百分比(%)
(1)各地区普遍有雨,强度不大	4	6.9	4 515	0.019 4	39.1	17.3	23.0	17.3	6.0	57.8	39.6	7.5	423	18	−54	387	4.5
(2)粗泥沙来源区有较大洪水,少沙来源区未发洪水或洪水较小	7	12.1	7 640	0.036 2	31.6	61.7	12.9	6.3	2.0	133	12.0	0.3	2 095	230	152	2 477	39.0
(3)粗泥沙来源区有中等洪水,少沙来源区也有补给	10	17.3	5 430	0.020 4	43.9	34.8	15.0	8.2	8.2	118.3	18.6	1.0	509	148	−66	591	10.2
(4)粗细泥沙来源区与少沙来源区有较大洪水相遇	11	19	13 700	0.011 4	24.8	20.8	27.3	24.6	3.4	65.2	28.4	6.5	1 231	1 070	−368	1 933	55.9
(5)洪水主要来自少沙来源区 雨量不大 — 三个少沙来源区同时来水	2	3.4	4 635	0.008 1	56.6	10.6	23.9	10.1	13.6	25.7	14.3	2.1	−300	−45	−5	−350	−2.84
两个少沙来源区同时来水 — 河口镇以上与渭河南山支流同时来水	3	5.2	3 980	0.010 3	66.5	11.1	27.6	4.1	13.6	62.3	45.2	3.6	240	−57	−202	−19	−0.15
河口镇以上与伊洛河、沁河同时来水	1	1.7	3 230	0.007 6	60.8	6.1	20.5	12.2	27.4	30.4	26.5	6.1	−86	−185	−82	−353	−0.80
渭河南山支流与伊洛河、沁河同时来水	11	19	5 280	0.008 9	33.1	9.9	37.0	17.6	9.8	30.1	38.1	7.3	17	−73	−157	−213	−6.31
一个少沙来源区来水 — 河口镇以上来水	4	6.9	4 485	0.011 6	75.8	10.7	11.3	3.5	13.7	66.5	16.2	10.4	133	−41	−122	−30	−0.38
渭河南山支流来水	1	1.7	4 920	0.007 4	41.7	1.3	63.5	5.8	7.0	9.4	39.2	0.2	205	86	−288	3	0.01
伊洛河、沁河来水	2	3.4	7 430	0.008 5	33.6	15.4	8.9	36.6	8.1	71.2	15.8	18.0	−228	152	−151	−227	−1.61
(6)洪水主要来自细沙来源区	2	3.4	5 330	0.021 7	39.4	10.6	40.0	6.6	4.7	28.5	85.2	0.20	681	45	−35	691	2.5

（(5)项洪峰次数合计24，出现百分比41.3%，淤积百分比 −12.1）

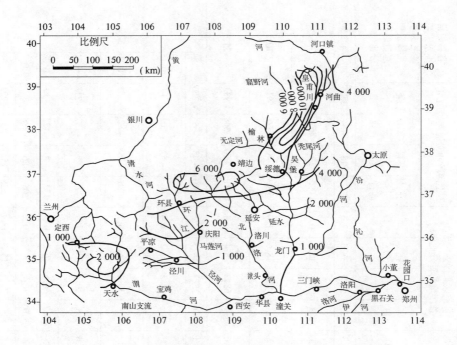

图 5-28 黄河中游 1956～1963 年粗泥沙输沙模数图

为了寻求不同洪水来源区来水来沙对下游河道淤积的影响,按三个来源区分为六种洪水来源组合进行分析。表 5-12 为 1952～1960 年这六种洪水来源组合的洪水泥沙特征及下游河道的淤积强度。

第一种组合,各地区普遍降雨,但降雨强度不大。花园口最大洪峰流量为 4 515m³/s,来沙系数为 0.019 4kg·s/m⁶,下游河道淤积强度为 387 万 t/d。这种组合出现的机遇较小,仅为 6.9%,所以淤积量仅占全部洪峰淤积总量的 4.5%。

第二种组合,粗泥沙来源区有较大洪水,少沙来源区的洪水较小或未发生洪水。由于粗泥沙来源区的洪峰尖瘦,汇入干流后,洪峰调平,花园口最大洪峰流量一般小于10 000 m³/s,水流历时较短,水流不漫滩或小漫滩,但来沙量特别大,下游河道的淤积强度也特别大,约为 2 500 万 t/d。这种洪水只有 7 次,但它的淤积量为 58 次洪峰淤积总量的 39%。全下游都发生淤积,淤积主要在主槽和嫩滩,其他组合的洪水,艾山以下河道是冲刷的,唯独这种组合的洪水,艾山以下河道发生淤积。因此,无论是淤积强度还是淤积部位,这种组合洪水对下游危害最大。

第三种组合,粗泥沙来源区有中等洪水,少沙区也有一定的水量补给。这种洪水的洪峰流量不大,来沙系数也有所减少,下游河道的淤积强度略大于第一种组合的淤积强度,10 次洪水的淤积量为全部洪峰淤积量的 10.2%,淤积主要发生在艾山以上河段的主槽,这种洪水对下游河道也有一定的危害,但其危害不如第二种组合的洪水。

第四种组合,粗、细泥沙来源区与少沙来源区有较大洪水相遇,下游洪峰流量一般超过 10 000m³/s,水流漫过二滩。由于少沙来源区有较大洪水,来沙系数较小,这种洪水的下游淤积强度为1 930万t/d,仅次于第二种组合的淤积强度,11次洪水的淤积量占全部洪峰淤积量的55.9%,这种组合洪水,虽淤积强度较大,但一般情况下多为淤滩刷槽,只有在洪峰含沙量较大的情况,河槽才发生淤积。黄河下游出现此种组合洪水,全河主槽均发生冲刷,对增大河道泄洪排沙能力有重要的作用。

第五种组合,洪水主要来自少沙来源区。这种洪水的来沙系数一般均小于0.01 kg·s/m⁶,一般水流不漫滩,全下游均发生冲刷。就三个少沙区对下游河道的冲刷作用的相对大小来说,伊洛沁河洪水的洪峰流量大,地理位置紧靠下游,对下游的冲刷作用最大。渭河南山支流因源近流短,经过潼关以上汇流区的调整,从河床中取得部分泥沙补给,因而对下游的作用次于伊洛沁河。河口镇以上基流来水平稳,水量较大,但水流沿程取得部分泥沙补给,冲刷作用减弱,但河口镇以上的基流具有很大潜力,如能适当进行反调节,把平稳的基流在合适的时机形成洪峰下泄,则对下游河道的冲刷作用将会大得多。

第六种组合,洪水主要来自细泥沙来源区,这组洪水,下游河道淤积强度仅次于第二种组合,说明细泥沙来源区的洪水,下游河道还是要淤积的,但其淤积量仅占洪峰淤积量的2.5%。

综合上述六种来源组合所产生的不同影响,可以看出,造成下游河道严重淤积的,主要是来自粗泥沙来源区的洪水,这与下游河道淤积物主要是粗泥沙的结论是一致的,三个少沙区的洪水则为黄河下游的淤积起到一定的制约作用。

点绘了来沙系数与下游河道冲淤强度关系(图5-29),不同符号表示不同的洪水来源组合,可以看出,点群具有明显的分区性。在相同的来沙系数情况下,第二种组合的洪水产生最大的淤积强度,充分说明了粗泥沙来源区来沙对下游河道的严重危害。第四种组合的洪水在来沙系数很小的情况下也能形成较大的淤积强度,这是由于漫滩淤积引起的,主槽是冲刷的,滩地是淤积的,与第二种组合具有不同的性质。

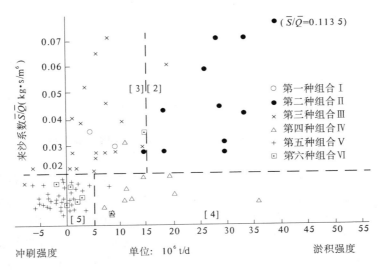

图5-29　不同洪水组合的水沙条件对下游河道冲淤的影响

对于不同的水文系列,洪水的来源特性并不一样,但就各次洪峰来说,它的来源组合仍超不出上述 6 种基本组合的范围,而且不同地区来水来沙对下游河道冲淤影响的基本规律也基本相同(图 5-30 和表 5-13)。从图 5-30 和表 5-13 可以看出,多沙粗泥沙来源区洪水,平均含沙量一般都大于 $150kg/m^3$,出现的概率只有 5% ~ 10%,但造成淤积特别严重,淤积量占全部洪峰淤积量的 40% ~ 70%;少沙来源区洪水,平均含沙量一般小于 $50kg/m^3$,下游河道发生冲刷,在一定程度上对下游河道的淤积起到一定的制约作用。应该指出,三个少沙来源区的洪水对下游河道的冲刷作用来说,伊洛河、沁河洪峰流量较大,又紧靠下游,冲刷作用最大;渭河南山支流,洪水过程中经汇流区的泥沙补给,其作用次于伊洛河、沁河;河口镇以上来水组成基流,经过沿程泥沙补给,冲刷作用不如上述两个少沙来源区。当各地区普遍来水时,视各地区水沙来量比例的不同,平均含沙量一般在 50 ~ $100kg/m^3$,一般出现漫滩洪水,虽淤积强度较大,但出现淤滩刷槽,对保持主槽冲刷起着较大作用。

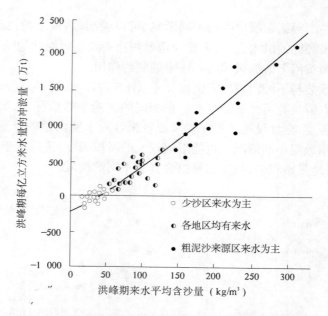

图 5-30　黄河下游洪峰期河道冲淤量与平均含沙量关系

对比不同水文系列不同来源区对下游的影响还可看出,对 1952 ~ 1960 年系列,第四种来源组合(粗细泥沙来源区与少沙来源区大洪水相遇)出现机遇较大,下游河道出现淤滩刷槽对河道有利。后两个系列 1969 ~ 1973 年及 1974 ~ 1983 年,出现机遇极少,而第二种组合(粗泥沙来源区有较大洪水,少沙区未发生洪水或洪水较小),后两个系列出现机遇并没有减少。该组合造成下游河道的淤积更集中,占全部洪峰淤积总量的 76% ~ 62%,而出现频率只有 17% ~ 10%,充分证明了粗泥沙来源区洪水是造成下游河道淤积的主要原因。

表 5-13 **不同时期不同洪水来源组合对下游冲淤影响**

洪水来源组合	1952~1960 年				1969~1973 年				1974~1983 年			
	各组合		河道冲淤强度（万 t/d）	各组合占洪峰总冲淤量的百分比（%）	各组合		河道冲淤强度（万 t/d）	各组合占洪峰总冲淤量的百分比（%）	各组合		河道冲淤强度（万 t/d）	各组合占洪峰总冲淤量的百分比（%）
	洪峰次数	出现频率（%）			洪峰次数	出现频率（%）			洪峰次数	出现频率（%）		
各地区普遍有雨，强度不大	4	6.9	387	4.5	2	8.7	320	3.7	0	0	0	0
粗泥沙来源区有较大洪水，少沙区未发生洪水或洪水较小	7	12.1	2 477	39.0	4	17.4	317	76.5	5	10.2	2 616	61.7
粗沙来源区有中等洪水，少沙来源区也有补给	10	17.3	591	10.2	8	34.8	545	28	9	18.4	418	15.2
粗细泥沙来源区与少沙区较大洪水相遇	11	19.0	1 933	55.9	0	0	0	0	2	4.1	968	11.3
洪水主要来自少沙来源区，粗泥沙来源区雨量不大	24	41.3	-158	-12.1	9	39.1	-148	-8.2	26	53.1	-53	-8.8
洪水主要来自细泥沙来源区	2	3.4	691	2.5	0	0	0	0	7	14.2	716	20.6
总计	58	100	—	100	23	100	—	100	49	100	—	100

以上分析结果表明，黄河下游河道的淤积，主要是粗泥沙来源区的洪水造成的。因此，集中治理这个地区，对减少黄河下游河道的淤积具有战略意义，这为黄河中游黄土高原的集中治理提供了科学依据。

四、漫滩洪水对下游河道冲淤演变的作用

(一)滩槽冲淤规律

黄河下游河道为主槽与滩地组成的复式断面，在平面上有宽窄相间的外形，开阔段有宽广的滩地，滩地面积占河道面积的 84% 左右。洪水漫滩后，滩地阻力较大，曼宁系数一般在 0.03~0.04；而主槽阻力较小，曼宁糙率系数有的甚至小于 0.01。滩地过水面积虽大，但流速较低；而主槽过水面积虽小，但流速较大。漫滩洪水的主槽平均流速一般为 2.5~3.5m/s；而滩地平均流速为 0.2~1.2m/s，有的甚至小于 0.10m/s，流速横向分布非常不均匀，图 5-31 和图 5-32 为游荡性河段宽浅典型断面的泥沙及水力因子在断面向横向及垂线分布。主槽的泄洪能力一般可占全断面的 80% 以上（表 5-14、表 5-15），所以下游河道的主槽是泄洪排沙的主要通道。

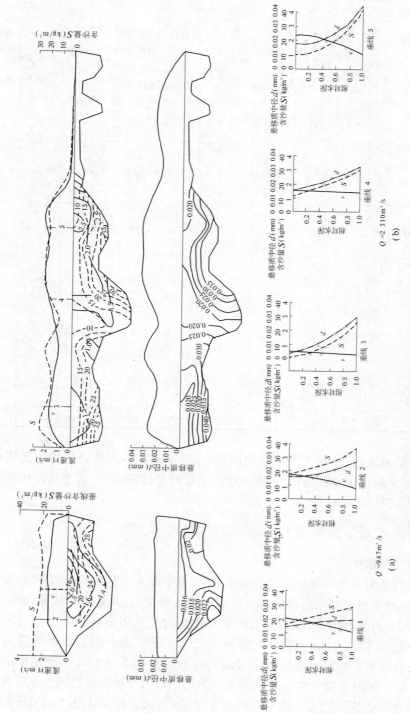

图 5-31　游荡性河段宽浅断面泥沙及水力因子在断面及垂线上的分布

(a) 窄深断面；(b) 宽浅断面

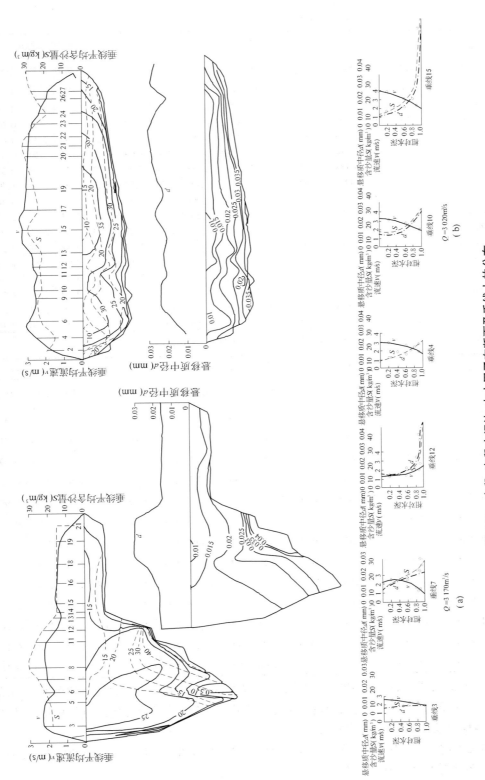

图 5-32　弯段、直段中泥沙、水力因子在断面及垂线上的分布

(a)弯段中泥沙、水力因子在断面及垂线上的分布；　(b)直段中泥沙、水力因子在断面及垂线上的分布

表 5-14 花园口站断面漫滩洪水滩槽水力因子

时间 (年-月-日 T 时)	流量(m³/s)				水面宽(m)			平均水深(m)			平均流速(m/s)		
	全断面	主槽	滩地	主槽/全断面(%)	全断面	主槽	滩地	全断面	主槽	滩地	全断面	主槽	滩地
1957-07-18T13	6 499	5 711	788	88	4 230	840	3 390	1.0	2.16	0.72	1.54	3.15	0.32
1957-07-19T14	11 217	7 835	3 382	70	5 293	797	4 496	1.23	2.83	0.95	1.72	3.47	0.79
1957-07-20T15	10 300	8 402	1 898	82	5 280	1 412	3 868	1.08	1.79	0.80	1.81	3.32	0.61
1957-07-26T15	8 431	6 898	1 533	82	5 258	1 389	3 869	1.0	2.0	0.64	1.60	2.48	0.62
1958-07-17T07	11 500	10 316	1 184	90	5 350	1 125	4 225	1.20	3.09	0.70	1.79	2.97	0.40
1958-07-18T10	17 200	16 016	1 184	93	3 510	1 367	2 143	2.14	3.8	1.08	2.29	3.08	0.51
1958-07-19T15	14 900	14 480	420	97	1 370	921	449	3.59	5.07	0.55	3.03	3.10	1.70
1976-08-27T09	8 930	8 655	275	97	1 773	874	899	1.88	3.42	0.39	2.68	2.90	0.78
1976-08-27T16	9 030	8 580	450	95	1 570	817	753	2.03	3.46	0.48	2.83	3.04	1.25
1976-08-28T09	8 569	8 268	301	97	1 693	954	739	2.11	3.45	0.38	2.40	2.51	1.07
1977-08-07T16	5 875	5 792	83	99	821	421	400	2.53	4.07	0.92	2.83	3.38	0.23
1977-08-08T13	10 830	9 116	1 714	84	2 539	467	2 072	1.51	5.51	0.61	2.82	3.54	1.36
1997-08-08T16	9 692	9 539	153	98	1 143	483	660	2.47	5.31	0.40	3.43	3.72	0.58
1982-08-01T18	7 980	6 250	1 730	78	2 830	938	1 892	1.23	2.27	0.71	2.29	2.94	1.29
1982-08-02T07	11 300	9 611	1 689	85	2 820	1 148	1 672	1.61	2.75	0.82	2.49	3.04	1.23
1982-08-02T17	14 700	13 114	1 586	89	2 830	1 250	1 580	2.01	3.03	1.0	2.58	3.46	1.0

表 5-15 高村站断面漫滩洪水滩槽水力因子

时间 (年-月-日)	流量(m³/s)				水面宽(m)			平均水深(m)			平均流速(m/s)		
	全断面	主槽	滩地	主槽/全断面(%)	全断面	主槽	滩地	全断面	主槽	滩地	全断面	主槽	滩地
1957-07-20	11 700	8 716	2 984	74.5	5 240	988	4 252	2.23	3.63	1.91	1.0	2.43	0.37
1957-07-21	9 110	8 120	990	89.1	5 220	1 075	4 145	1.56	3.08	1.16	1.12	2.45	0.21
1957-07-22	6 690	5 750	940	85.9	4 320	982	3 338	1.31	2.4	0.98	1.18	2.44	0.29
1958-07-18	7 810	6 065	1 745	77.7	5 210	1 040	4 170	1.48	2.22	1.29	1.01	2.63	0.32
1958-07-19	17 400	10 794	6 606	62.0	5 250	1 147	4 103	2.02	3.18	1.69	1.64	2.96	0.95
1958-07-20	13 000	10 853	2 147	83.5	4 730	1 166	3 564	1.53	3.60	0.85	1.80	2.59	0.71
1976-08-30	7 990	7 720	270	96.6	2 210	792	1 418	1.51	3.43	0.43	2.39	2.84	0.44
1976-08-30	8 260	7 990	270	96.7	2 230	806	1 424	1.54	3.50	0.42	2.41	2.83	0.45
1982-08-03	8 120	7 560	560	93.1	4 850	542	4 308	1.72	5.6	1.24	0.97	2.49	0.10
1982-08-03	9 420	8 780	640	93.2	4 850	540	4 310	1.91	6.1	1.38	1.02	2.67	0.11
1982-08-04	12 300	9 710	2 590	78.9	4 836	511	4 325	2.55	6.9	2.04	1.0	2.75	0.29
1982-08-04	11 900	9 640	2 260	81.0	4 860	495	4 365	2.59	6.9	2.10	0.95	2.82	0.25
1982-08-05	12 700	10 300	2 400	81.1	4 860	621	4 239	2.43	6.3	1.85	1.08	2.63	0.31

由于下游河道沿程宽窄相间,在平面上具有藕节状,收缩段与开阔段交替出现。当洪水漫滩后,在滩槽水流交换过程中也产生泥沙交换,对滩槽冲淤变化起到重大作用。滩槽水流泥沙横向交换一般有三种形式:

(1)涨水时,由于两岸阻力较大,河心的水面高于两岸水面,形成由河心流向两岸的环流,把一部分泥沙自主槽搬上滩地。

（2）由于滩面上有串沟、汊河，水流漫滩后，主槽的泥沙通过串沟、汊河送至滩地。

（3）由于河道宽窄相间，当水流从窄段进入宽段时，一部分水流由主槽分入滩地，滩地水浅流缓，进入滩地的泥沙在滩地大量淤积；而当水流从宽段进入下一个窄段时，来自滩地的较清水流与主槽水流发生混掺，使进入下一河段的水流含沙量相对降低，使主槽发生冲刷。由于这种水流泥沙的不断交换，全断面含沙量虽然沿程衰减，但造成了滩淤槽冲，影响距离可达几百公里。

典型漫滩洪水滩槽冲淤情况见表5-16，可以看出，当花园口洪峰来沙系数（含沙量/流量）小于 $0.02kg \cdot s/m^6$ 时，洪水漫后出现淤滩刷槽现象，而当花园口洪峰来沙系数大于 $0.02kg \cdot s/m^6$ 时，主槽和滩地都发生淤积。如1958年花园口洪峰流量 22 300m^3/s，花园口—利津河段全断面虽然淤积，但主槽冲刷8.6亿t，滩地淤积10.7亿t，其中花园口—艾山河段主槽冲刷7.1亿t，滩地淤积9.2亿t，而艾山—利津河段主槽冲刷1.5亿t，滩地淤积1.49亿t。又如1996年洪峰流量 7 860m^3/s，虽然流量较小，由于前期河床淤积较多，平滩流量减少，当水流漫滩后，仍发生槽冲滩淤，花园口—利津河段主槽冲刷1.61亿t，滩地淤积4.45亿t，其中，花园口—艾山河段主槽冲刷1.5亿t，而滩地淤积4.4亿t，艾山—利津河段主槽冲刷0.11亿t，滩地淤积0.05亿t。可见，漫滩洪水的槽冲滩淤现象十分明显。

特别值得一提的是1933年黄河发生的大洪水，因资料较少，只能给以粗浅的分析。1933年8月上中旬陕县站实测有两次大于10 000m^3/s的洪水，8月2日洪峰流量14 400m^3/s，相应含沙量205.6kg/m^3，洪峰较尖瘦，8月9~11日出现连续三天流量大于10 000m^3/s的洪峰，最大洪峰流量根据水位推估为22 000m^3/s，最大含沙量518kg/m^3，是有实测资料记录以来一次较大的高含沙量洪水（图5-33和表5-17）。

表5-16 黄河下游河道漫滩洪水滩槽冲淤量 （单位：亿t）

时段 （年-月-日）	花园口				花园口—艾山			艾山—利津			花园口—利津		
	洪峰流量（m^3/s）	水量（亿m^3）	沙量（亿t）	平均来沙系数（$kg \cdot s/m^6$）	主槽	滩地	全断面	主槽	滩地	全断面	主槽	滩地	全断面
1953-07-26 ~ 08-14	10 700	68.0	3.01	0.011	-1.79	2.20	0.41	-1.21	0.83	-0.38	-3.0	3.03	0.03
1953-08-15 ~ 09-01	11 700	45.8	5.79	0.043	1.06	1.03	2.09	0.43	0	0.43	1.49	1.03	2.52
1954-08-02 ~ 08-25	15 000	123.2	5.9	0.010	-3.34	3.43	2.26	-0.91	1.47	0.56	-2.08	4.90	2.82
1954-08-28 ~ 09-09	12 300	64.7	6.32	0.017	2.17								
1957-07-12 ~ 08-04	13 000	90.2	4.66	0.012	-3.23	4.66	1.43	-1.10	0.61	-0.49	-4.33	5.27	0.94
1958-07-13 ~ 07-23	22 300	73.3	5.6	0.010	-7.1	9.20	2.10	-1.50	1.49	-0.01	-8.60	10.69	2.09
1975-09-29 ~ 10-05	7 580	37.7	1.48	0.006	-1.42	2.14	0.72	-1.26	1.25	-0.01	-2.68	3.39	0.71
1976-08-25 ~ 09-06	9 210	80.8	2.86	0.005	-0.11	1.57	1.46	-0.95	1.24	0.29	-1.06	2.81	1.75
1982-07-30 ~ 08-09	15 300	61.1	1.99	0.005	-1.54	2.17	0.63	-0.73	0.39	-0.34	-2.27	2.56	0.29
1988-08-11 ~ 08-26	7 000	65.1	5.00	0.016	-1.05	1.53	0.48	-0.25	0	-0.25	-1.30	1.53	0.23
1996-08-03 ~ 08-15	7 860	44.6	3.39	0.019	-1.50	4.40	2.90	-0.11	0.05	-0.06	-1.61	4.45	2.84
2002-07-04 ~ 07-15	3 170	27.5	0.357	0.005	-0.569	0.564	-0.005	-0.197	0	-0.197	-0.766	0.564	-0.202

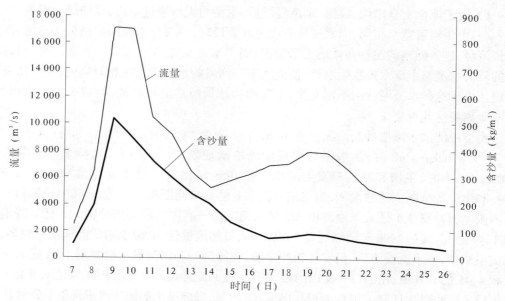

图 5-33 1933 年 8 月洪水流量、含沙量过程

表 5-17　　　　　　　　　　1933 年洪水陕县站水沙特征

项目	最大洪峰流量(m³/s)		最大含沙量 （kg/m³）	最大四天	
	峰值	日均	日均	洪量(亿 m³)	沙量(亿 t)
量值	22 000	17 090	518.6	46.3	19.8
时间 （月-日）	08-10	08-09	08-09	08-09 ~ 08-12	08-09 ~ 08-12

　　根据调查记录及采用 1934 年地形与 1929 年的地形进行比较分析,求得下游河道高村以上河段的滩槽冲淤量见表 5-18。经过一场洪水,孟津—高村全断面淤积 17.2 亿 t,而主槽冲刷 4.9 亿 t,滩地淤积 22.1 亿 t。

表 5-18　　　　　　　　　1933 年 8 月洪水孟津—高村河段冲淤量

河段	冲淤量(亿 t)			冲淤厚度(m)	
	滩地	主槽	全断面	滩地	主槽
孟津—花园口	8.43	− 1.65	6.78	1.0	− 1.5
花园口—夹河滩	6.33	− 2.25	4.08	1.0	− 1.5
夹河滩—高村	7.36	− 1.0	6.36	1.5	− 1.0
孟津—高村	22.12	− 4.9	17.22	—	—

　　由于黄河下游测验资料的限制,以上是从较长河段来分析滩槽冲淤特点,为了更清楚地认识黄河下游河道的这一规律,下面详细地分析花园口河床演变测验队在花园口河段所收集的宝贵资料。

　　选择资料比较完整的 1958 年和 1959 年洪水,1958 年洪水来沙较少,1959 年来沙较多,分别进行了分析。

分析 1958 年四个时段的资料,每个时段的水沙情况如表 5-19,图 5-34 为沿程滩槽冲淤分布,上中下段的冲淤量如表 5-20。

表 5-19 1958 年汛期花园口洪峰水沙特性

时段 (月-日)	出现洪峰日期 (月-日)	最大日平均流量 (m³/s)	平均流量 (m³/s)	来沙系数 (kg·s/m⁶)
06-26 ~ 07-29	07-06 ~ 10	7 310	4 340	0.008 4
	07-15 ~ 24	16 300	8 330	0.008 9
	07-25 ~ 29	5 810	4 520	0.014 5
07-30 ~ 08-08	07-30 ~ 08-02	5 120	4 140	0.029 1
	08-03 ~ 07	7 340	5 110	0.019 8
08-09 ~ 08-27	08-15 ~ 17	9 270	6 990	0.013 6
	08-18 ~ 24	9 290	7 140	0.006 9
	08-25 ~ 28	7 330	6 500	0.008 9

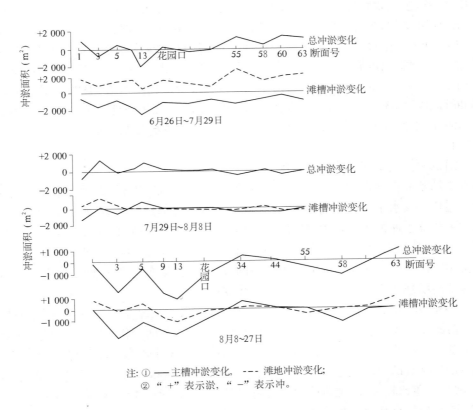

注:① ——主槽冲淤变化, - - - 滩地冲淤变化;
② "+"表示淤,"-"表示冲。

图 5-34 1958 年洪水花园口河床演变测验河段沿程冲淤变化

表 5-20   1958 年洪峰期花园口河段沿程冲淤变化   （单位:万 m³)

时段(月-日)	上段(断面 1 ~ 13)			中段(断面 13 ~ 44)		
	主槽	滩地	全断面	主槽	滩地	全断面
06-26 ~ 07-29	- 1 176.5	1 028.9	- 147.6	- 1 255	905	- 350
07-29 ~ 08-08	- 92.5	402.4	309.9	249.1	12	261.1
08-08 ~ 08-27	- 1 269.0	- 205.3	- 1 474.3	- 450.1	- 241	- 691.1

时段(月-日)	下段(断面 44 ~ 63)			全河段		
	主槽	滩地	全断面	主槽	滩地	全断面
06-26 ~ 07-29	- 995	1 955	960	- 3 426	3 889	462.9
07-29 ~ 08-08	- 142.9	58.8	- 84.1	13.7	473.2	486.9
08-08 ~ 08-27	- 411.5	- 76.4	- 487.9	- 2 130.6	- 522.7	- 2 653.3

可以看出,通过 7 月 17 日的大洪水,主槽沿程冲刷,在 35km 的河段内主槽冲刷 0.34 亿 t,而滩地淤积 0.39 亿 t,滩地淤积量超过主槽冲刷量,这一场洪水把主槽普遍刷深,水流集中,河势趋直,输沙能力加大,因此在后紧接着的 7 月 29 日 ~ 8 月 8 日洪水,来沙系数较大,槽滩均淤积,但数量并不大,然后又遇一次洪峰,主槽仍发生冲刷,滩地淤积。图 5-35 是 1958 年花园口河段经过一次洪峰流量 22 000m³/s 大洪水后的冲淤部位,在此期间经过三次洪峰,有涨有落,但因大洪水河床冲刷较大,洪水过后,沿着大溜所经地区河床的冲刷十分明显,两堤之间的滩地除个别沙岗以外,全部漫水落淤,有的支汊也被完全堵塞,如断面 44 至 63 间南岸的两股汊流均因淤积而消失,在平面外形上,也显得集中规顺。

1959 年洪水的来沙量较多,洪峰流量较小,但洪水过后,仍出现槽冲滩淤现象(表 5-21)。

(二)洪水过程中涨落峰冲淤规律

水文站断面在洪水期间主槽的冲淤变化基本上遵循涨冲落淤的普遍规律,表 5-22 为下游河道典型洪水主槽冲刷情况,可见在洪水涨水阶段都是冲深的,如 1958 年大洪水,花园口站主槽涨水冲深 1.82m,落水回淤 1.25m,整个洪峰仍冲深 0.57m,在高村站也存在这一规律,艾山站涨水阶段甚至可冲深 3m 多,但回淤也快,一次洪水净冲 0.37m。黄河下游的水文站断面一般不是布置在游荡性河段的收缩段,便是布置在过渡性或弯曲性的河段,上述涨冲落淤规律正是反映了断面冲淤变化规律。

图 5-36 和图 5-37 为游荡性、过渡性及弯曲性河段水文站主槽的冲淤变化,同样反映出涨冲落淤基本规律。但对于像黄河这样复杂的河流,断面变化非常迅速,由于汊流的死亡和生长、边滩的移动等原因,都有可能出现涨淤落冲现象,如高村站 1953 年 7 月 31 日 ~ 8 月 14 日的断面变化,就出现涨淤落冲现象(图 5-38);另一方面,当上游来沙量特别小,洪峰涨落比较和缓,也可能出现涨冲落冲现象,如秦厂 1952 年 8 月 10 ~ 14 日洪峰,上游来沙系数只有 0.005 7kg·s/m⁶。

对一个河段来说存在同样的规律,表 5-23 为花园口河床演变测验段 1959 年洪水涨落水的冲淤情况。

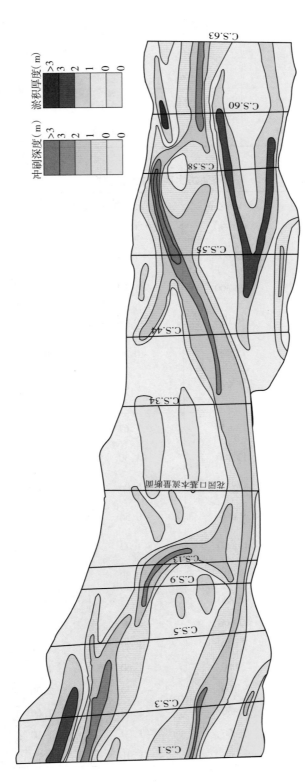

图5-35　#1958年花园口河段经过一次洪峰流量22 000m³/s大洪水后的冲淤部位

表 5-21   1959 年洪水花园口河段冲淤变化

时段 （月-日）	平均流量 （m³/s）	来沙系数 （kg·s/m⁶）	冲淤量（万 m³）		
			主槽	滩地	全断面
08-19 ~ 09-07	4 700	0.024	− 371.9	1 739	1 367.1
07-29 ~ 08-13	2 700	0.030	− 1 670	666.4	− 1 003.6

表 5-22   黄河下游洪水期涨冲落淤情况

站名	年份 （年）	洪峰流量 （m³/s）	涨水冲深 （m）	落水回淤 （m）	洪水冲深 （m）
花园口	1953	15 000	− 1.24	0.79	− 0.45
	1958	22 300	− 1.82	1.25	− 0.57
	1976	9 210	− 0.56	0.44	− 0.12
	1982	15 300	− 0.75	0.35	− 0.40
	1996	7 860	− 0.64	0.19	− 0.45
高村	1954	12 600	− 1.67	1.32	− 0.35
	1957	12 400	− 1.30	0.54	− 0.76
	1958	17 900	− 0.06	− 0.20	− 0.26
	1976	9 060	− 0.56	0.20	− 0.36
	1982	13 000	− 1.73	0.93	− 0.80
	1996	6 810	− 0.30	0.10	− 0.20
艾山	1957	10 800	− 2.75	2.0	− 0.75
	1958	12 600	− 3.87	3.5	− 0.37
	1967	7 210	− 1.29	1.29	0
	1975	7 020	− 1.40	1.20	− 0.20
	1976	9 100	− 2.70	2.30	− 0.40
	1982	7 430	− 2.40	1.60	− 0.80
	1985	7 060	− 1.60	1.10	− 0.50
	1996	5 060	− 1.01	0.73	− 0.28

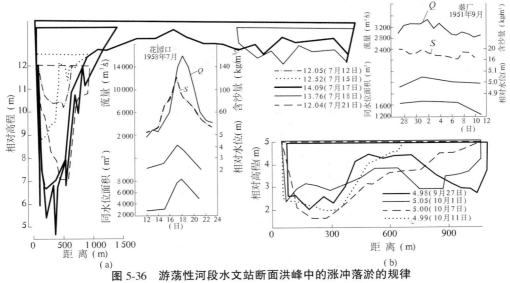

图 5-36　游荡性河段水文站断面洪峰中的涨冲落淤的规律

(a)花园口站 1958 年 7 月 12～21 日河床冲淤变化;

(b)秦厂站 1951 年 9 月 27 日～10 月 11 日的河床冲淤变化

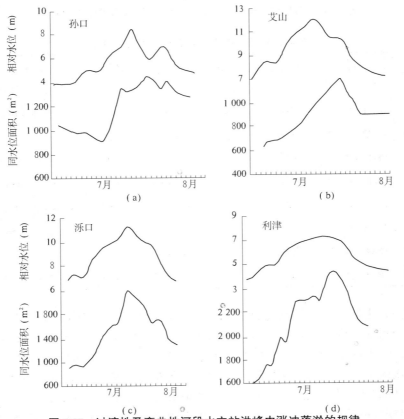

图 5-37　过渡性及弯曲性河段水文站洪峰中涨冲落淤的规律

(a)孙口;(b)艾山;(c)泺口;(d)利津

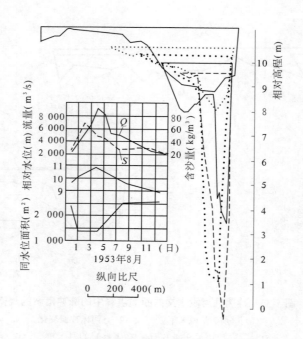

注:实线为流量;虚线为含沙量。

图 5-38 高村 1953 年 7 月 31 日～8 月 14 日断面洪峰冲淤变化

表 5-23   1959 年洪水花园口河床演变测验河段冲淤变化

涨落水	次数	时段 （月-日）	平均流量 （m³/s）	平均含沙 量（kg/m³）	来沙系数 （kg·s/m⁶）	涨落水速度 （m³/(s·d)）	冲淤量（万 m³）		
							主槽	滩地	全断面
涨水期	1	07-21～07-25	2 960	78	0.026 4	1 900	−1 089.9	1 682.3	592.4
	2	07-29～08-07	2 660	56	0.021 0	1 800	−2 188.4	671.2	−1 517.2
	3	08-13～08-15	2 490	63	0.025 3	700	−318.5	898.6	580.1
	4	08-15～08-19	3 210	62	0.019 4	800	−423.2	456.7	33.5
	5	08-19～08-23	5 350	149	0.027 9	1 500	−1 444.2	2 058.9	614.7
落水期	6	07-25～07-29	2 630	81	0.031 0	1 000	1 106.2	−562.9	543.3
	7	08-09～08-13	2 860	140	0.049	1 700	518.4	−4.8	513.6
	8	08-30～09-06	4 060	84	0.020 7	900	1 072.3	−319.9	752.4

　　可以看出,主槽在涨水期均是冲刷的,滩地均是淤积的。主槽冲刷的大小取决于流量、来沙量及涨水速度,如第一次与第二次洪峰相比,流量及涨水速度比较接近,但第一次洪峰来沙较大,因此第一次洪峰主槽冲刷量小于第二次。而第一次与第五次来沙系数较接近,第五次流量较大,主槽冲刷比第一次为大,而滩地的淤积以第一次洪峰及第五次洪峰为最大。同时还绘制了第一次、第四次洪水涨水期滩槽冲淤面积沿程变化(图 5-39),不同程度的表现为槽冲滩淤现象,落水期主槽几乎均淤积,滩地有冲有淤(图 5-40),滩地的冲刷主要是滩岸的崩坍,而不是面蚀。

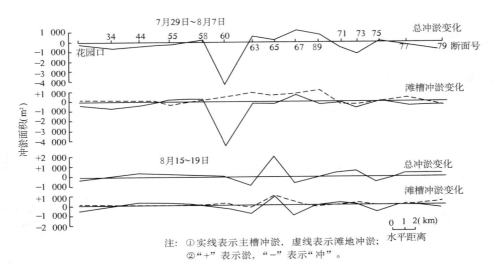

图 5-39 1959 年涨水期花园口河床演变测验段沿程冲淤变化

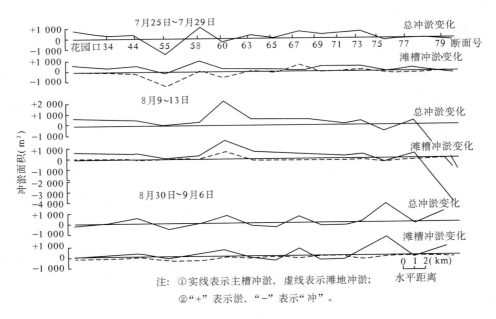

图 5-40 1959 年落水期花园口河床演变测验段沿程冲淤变化

(三)漫滩洪水的削峰滞洪作用

黄河下游河道具有上宽下窄的形态特性,因此洪水漫滩后,广阔的滩地起着滞蓄洪水、削减洪峰的作用,减轻了下段河道的防洪压力。图 5-41 为典型洪峰演进过程,表 5-24 为典型洪水削峰情况。1954、1958、1982 年和 1996 年 4 场典型洪水,从花园口—艾山河段洪峰削减值分别为 7 100、9 700、7 870m³/s 和 2 800m³/s,占花园口洪峰流量的 47%、43%、51% 和 36%,其中夹河滩—艾山河段的削峰作用更为显著。

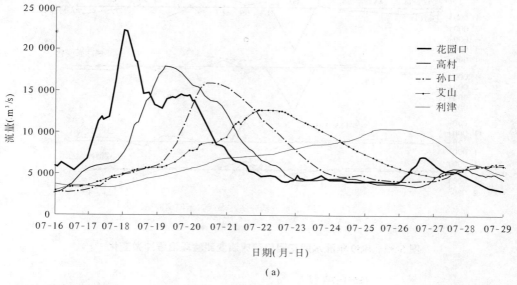

（a）

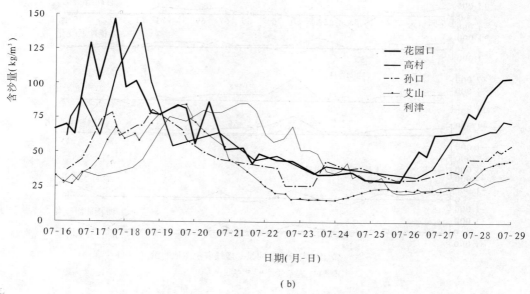

（b）

图 5-41　1958 年洪水洪峰流量及含沙量沿程变化
（a）流量变化过程；　（b）含沙量变化过程

　　漫滩洪水的蓄洪作用也很显著（表 5-25），1958 年 7 月和 1982 年 7 月花园口—孙口河段洪水滞蓄洪量分别为 25.89 亿 m³ 和 24.54 亿 m³，其中以高村—孙口河段滞洪作用最大，约占花园口—孙口河段的 52%～71%。其滞洪量相当于故县和陆浑水库的总库容，大大减轻下游窄河道的防洪压力。

表 5-24

黄河下游河道漫洪洪水洪峰演进和削峰情况

项目	时间 (年-月-日)	站名						
		花园口	夹河滩	高村	孙口	艾山	泺口	利津
洪峰流量 (m³/s)	1953-08-03	10 700	10 500	10 300	8 120	7 640	6 860	6 860
	1954-08-05	15 000	13 300	12 000	8 640	7 900	7 290	7 220
	1957-07-19	13 000	12 700	12 400	11 600	10 800	9 630	8 500
	1958-07-17	22 300	20 500	17 900	15 900	12 600	11 900	10 400
	1982-08	15 300	14 500	13 000	10 100	7 430	6 010	5 810
	1996-08	7 860	7 170	6 200	5 540	5 060	4 780	4 100
削峰率(%)	1953-08-03	1.8	1.9		21.2	5.9	10.2	0
	1954-08-05	11.3	9.8		28.0	8.6	7.7	1.0
	1957-07-19	2.3	2.3		6.5	6.8	10.8	11.7
	1958-07-17	8.1	12.7		11.2	20.8	5.6	12.6
	1982-08	5.2	10.3		22.3	26.4	19.1	3.3
	1996-08	8.8	13.5		10.6	8.7	5.5	14.2

表 5-25

黄河下游河道漫滩洪水滩地滞洪量

时间 (年-月-日)	花园口洪峰 流量(m³/s)	滞洪量(亿 m³)			
		花园口—夹河滩	夹河滩—高村	高村—孙口	花园口—孙口
1954-08-05	15 000	7.0	4.0	6.51	12.42
1957-07-19	13 000	2.84	4.26	9.69	14.3
1958-07-17	22 300	9.85	6.04	15.62	25.89
1982-08	15 300	7.67	8.01	17.48	24.54
1996-08	7 860	6.61	10.06	12.97	19.81

由以上分析可知,漫滩洪水具有削减洪峰、滞蓄洪量,并存在槽冲滩淤的基本规律,洪水过后,使滩槽高差增加,主槽行洪能力加大,对下游的防洪非常有利,沿河群众有"大水出好河"的说法。人们从长期的实践中认识到"淤滩刷槽、滩高槽稳、槽稳滩存、滩存堤固"这一滩、槽、堤的辩证关系,以及有槽则泄洪能力大,洪水位低,主流变化小,"守堤不如守滩,守滩必须定槽"等经验。当然,游荡性河道的滩槽是相对的,但这种基本规律是一致的。因此,在黄河泥沙没有得到根本控制、下游河道淤积不可避免的情况下,如果把洪水泥沙拦在库内,对库容损失影响很大,如水库起滞洪作用,涨峰阶段壅水拦沙,落峰阶段敞泄排沙,则将把原来在洪水漫滩过程中有可能淤在滩地的泥沙,移至峰后中小水下泄,不必要人为加重主槽的淤积。因此,只要不危及下游的防洪安全,应允许洪水在下游漫滩,造

成淤滩刷槽条件,水库对下游大漫滩洪水最好不要控制或少控制,尽量避免削峰及改变这一类洪水、沙峰基本适应的特点。在洪峰含沙量不大的情况下,也可考虑把库区前期的一部分淤积利用洪峰排出库外,输送到下游滩地上,既减少了库区的淤积,又有利于下游河道淤积部位的改善。因此,在黄河下游的冲淤演变中,滩槽水沙交换具有特殊重要的意义。

前几段阐述了下游河道的输沙特性及下游河道淤积的主要危害较大的泥沙,目的是减少危害较大的泥沙,并使水沙峰适应,使水库合理拦沙,从而提高下游河道输沙能力,目标是为了探求怎样使下游河道的淤积有所缓和。从防洪上讲,泥沙的淤积不仅是数量问题,还有个部位问题。黄河下游的主槽是泄洪排沙的主要通道,另外,在同样淤积量条件下,下段窄河道的水位比上段宽河道升高得多。因此,在泥沙淤积不可避免的前提下,淤槽不如淤滩,淤窄河段不如淤宽段,宽河段的广阔滩地起着滞蓄洪水和泥沙的作用,那么滩地淤积和水库淤积之间就有一个合理调配问题。根据上述规律,可以认为在下游防洪安全许可范围内,水库对漫滩洪水应不要控制或少加控制,使泥沙尽量淤积在滩地上,水库只拦蓄为数不多的、对下游危害较大的大沙峰,这样有利于库区及下游河道。必须指出,下游河道的滩地居住着约 180 万群众,如何统筹兼顾,全面考虑,搞好滩区开发治理是一项艰巨的任务。

(四)滩槽水沙交换作用下滩槽冲淤量计算方法

以往河床变形的滩槽计算方法一般有以下几种:

(1)当滩地比较狭小、漫滩水深不大、滩地所占比例比较小时,不计算滩地冲淤,只计算主槽冲淤。

(2)当滩地比较宽广、漫滩水深较大、滩地所占比例比较大时,假定滩、槽含沙量相等,然后计算全断面平均的挟沙能力,按滩槽流量不同,分别求出滩槽输沙率,再计算滩槽冲淤量。

(3)在一般情况下,滩、槽含沙量不相等,则把滩、槽流量分开,分别计算挟沙能力,并分别计算冲淤厚度。但由于上下河段的滩、槽流量的分配不同,含沙量不相等,有时水流从滩地流入主槽,有时水流从主槽流入滩地,问题就变得十分复杂,需要按照上段出口及下段入口输沙率总和不变的原则,确定进入计算河段的滩、槽含沙量。

不言而喻,上述方法都没有充分考虑黄河滩槽水流泥沙的交换作用,不能真实反映全断面含沙量是沿程衰减,但主槽是冲刷的特点。事实上,水流漫滩后,由于滩槽的水深、流速和阻力不同,水流泥沙存在横向的交换,对这种动床挟沙水流的滩槽水流泥沙交换现象研究得较少,已有的计算方法把滩槽分割开来,不能反映真实的客观规律。

滩槽水流泥沙在运动中的不断交换,本来是一个连续过程,反映沿程滩、槽含沙量分布维持一定状态。但黄河下游只有水文站的资料,按河段进行计算,河段较长,不能反映这种连续的过程。为了力求不歪曲客观现象,只能对连续交换过程作适当的简化处理,就必须把这些河段再分为若干小河段,并假定每个小河段的首端,滩槽含沙量符合正常的横向分布,水流分隔运动经过这一小河段后发生强烈掺混,使这一小河段末端的滩槽含沙量又恢复到正常的横向分布。因此,如果我们已知滩槽含沙量正常分布及每一小河段的距离,就可以根据滩地挟沙能力的大小,计算各小河段的滩地冲淤量,从而计算两水文站的滩槽冲淤量。

滩槽泥沙横向交换距离可用实测资料确定。黄河下游河道的平面形态常呈宽窄相间的藕节形,每次横向交换,水流自窄段进入宽段,大量泥沙自主槽搬上滩地;自宽段进入下一个窄段,滩地较清水流又汇入主槽。因此,上下两个窄段的距离,我们确定为横向交换距离。黄河下游高村以上河段大约为 30km,高村以下河段约为 40km。

如上所述,把两个水文站较长河段划分为等于横向交换距离的若干小河段,并假定通过掺混后每一个小河段进口滩槽含沙量成一定的比值,称为滩槽含沙量不均匀系数 K,可写成下式

$$Q_{s总} = Q_{sp} + Q_{sn} = Q'_{sp} + Q'_{sn}$$

掺混后,令

$$S_p = KS_n$$

则

$$Q_{s总} = Q'_{sp} + Q'_{sn} = Q'_{sp} + \frac{Q_n Q'_{sp}}{KQ_p} = Q'_{sp}\left(1 + \frac{Q_n}{KQ_p}\right)$$

令

$$C = 1 + \frac{Q_n}{KQ_p}$$

则

$$Q_{s总} = CQ'_{sp}$$

或

$$Q'_{sp} = \frac{Q_{s总}}{C}$$

式中 $Q_{s总}$——全断面进口输沙率;

Q_{sp}——主槽进口输沙率;

Q_{sn}——滩地进口输沙率;

Q'_{sp}——经过掺混后小河段主槽进口输沙率;

Q'_{sn}——经过掺混后小河段滩地进口输沙率;

S_p、S_n——主槽和滩地含沙量。

因此,经过掺混后小河段进口主槽含沙量为

$$S'_p = Q'_{sp}/Q'_p$$

经过掺混后小河段进口滩地含沙量

$$S'_n = S_p/K$$

将滩地水力泥沙因子代入滩地挟沙能力公式,可以求得小河段的滩地出口含沙量 S_n。因此,小河段的滩地冲淤量 $\triangle G_n$ 为

$$\triangle G_n = (S'_n - S_n)Q_n \triangle t$$

式中 S_n——滩地挟沙能力;

$\triangle t$——计算时距。

第一个小河段的滩地冲淤量求得后,即可用同样方式把第一个小河段的出口输沙率进行掺混,求得第二个小河段的进口输沙率,然后求第二个小河段的滩地出口输沙率及滩地冲淤量。依此类推,即可求出两水文站各小段的滩地冲淤量。在计算各小河段的主槽冲淤量时,各小河段的主槽造床质输沙率按上述方法求得,但算至水文站断面时,则按水文站的输沙关系确定。

已知两水文站各小河段的滩地冲淤量,其和即为总滩地冲淤量。主槽冲淤量等于两站主槽造床质输沙量差值,再扣去通过各小段的横向掺混从主槽搬上滩地的造床质沙量,

即等于河段的下端水文站的造床质输沙量与经过各小河段横向掺混后来沙量之差。如下式

$$\Delta G_n = \Delta Q_{sp} \Delta t = (Q_{sp2} - Q'_{spm}) \Delta t$$

式中　Q_{sp2}——为河段下端水文站主槽输沙率；

　　　Q'_{spm}——为两站间最后一个小河段经过掺混合的主槽输沙率。

曾经利用上述公式对黄河下游历次大漫滩洪水槽滩冲淤量计算对比,得到十分吻合的结果。

另外,根据实测资料,可求得漫滩洪水的滩地淤积量的简化估算式

$$\Delta W_s = A \left[\frac{Q_m}{Q_0} + (S - S_0) \Delta W_0 \right]^m$$

式中　ΔW_s——滩地淤积量,亿 t；

　　　Q_m——洪峰最大日平均流量,m^3/s；

　　　Q_0——平滩流量,m^3/s；

　　　S——洪峰平均含沙量,kg/m^3；

　　　S_0——滩地水流挟沙能力,kg/m^3；

　　　ΔW_0——大于平滩流量的水量,亿 m^3；

　　　A、m——系数和指数。

由图 5-42 可以看出,对于天然情况的漫滩洪水,上述关系较好,但自滩区修有生产堤后大漫滩洪水只能从口门进水,水沙横向交换受到一定限制,滩地淤积量略偏小。

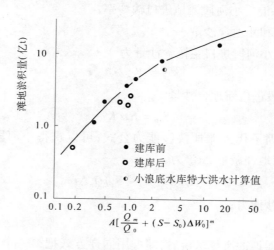

图 5-42　花园口—艾山河段滩地淤积量与洪峰水沙因子关系

五、下游河道不同粒径泥沙的沿程冲淤调整和输移

(一)不同来源区洪水的不同粒径组泥沙冲淤调整和输移

前文已指出,粗泥沙来源区的洪水是造成下游河道淤积的主要原因,为了研究不同来

源区洪水粗细泥沙的沿程冲淤调整及输移,分析了 1965～1990 年 198 场洪水粗细泥沙的沿程冲淤调整及输移特点,深化了对粗细泥沙变化规律的认识。

1. 多沙粗泥沙来源区

1965～1990 年期间,多沙粗泥沙区洪水粗、中、细泥沙均发生淤积,粗泥沙来源区洪水共 14 场,历时 168d,总来水量(三门峡 + 黑石关 + 武陟)258 亿 m³,总来沙量 44.82 亿 t,平均流量 1 775m³/s,平均含沙量 174kg/m³,泥沙平均中数粒径 0.032mm。这 14 场洪水下游河道的淤积比较严重,总淤积量为 27.96 亿 t,淤积比高达 62.4%(表 5-26),随着泥沙粒径的增粗,淤积比加大,其中,粒径大于 0.10mm 的极粗泥沙基本上全部淤积,粒径 0.05～0.10mm 的粗泥沙淤积比为 85.5%,粒径 0.025～0.05mm 的中泥沙淤积比为 71.9%,而粒径小于 0.025mm 的细泥沙淤积比为 36.4%。来沙量中粒径大于 0.05mm 的粗泥沙占总来沙量的 32.5%,造成淤积占总淤积量的 46%。可见,粗泥沙的淤积量是造成淤积大的主要组成部分。

表 5-26　　　　　　　　粗泥沙来源区洪水下游河道各粒径组泥沙冲淤量

项目		各粒径组泥沙(mm)				
		< 0.025	0.025～0.05	0.05～0.1	> 0.1	全沙
来沙量(亿 t)	三 + 黑 + 武	18.88	11.37	10.88	3.69	44.82
冲淤量(亿 t)	三门峡—花园口	− 0.06	4.96	5.03	2.21	12.14
	花园口—高村	5.24	2.34	3.16	1.16	11.9
	高村—艾山	1.64	0.69	0.54	0.16	3.03
	艾山—利津	0.05	0.18	0.57	0.09	0.89
	全下游	6.87	8.17	9.30	3.62	27.96
淤积比(淤积量/来沙量)(%)		36.4	71.9	85.5	98.1	62.4

从沿程的淤积分布看,淤积主要发生在高村以上河段,随着泥沙的变粗,集中淤积在高村以上河段的比例加大,粒径分别为小于 0.025mm、0.05～0.1mm 和大于 0.1mm 的泥沙,高村以上河段淤积量占各组泥沙全下游河道的淤积量的 75%、88% 和 93%。

2. 多沙细泥沙来源区

多沙细泥沙来源区洪水,淤积比明显比粗泥沙来源区洪水的淤积比降低。多沙细泥沙来源区洪水出现概率较大,1965～1990 年出现 108 次,总来水量 2 754 亿 m³,总来沙量为 174.79 亿 t,平均含沙量为 63.5kg/m³,来沙量中粒径大于 0.05mm 的粗泥沙仅占总沙量的 19%。泥沙中数粒径为 0.022mm,下游河道共淤积 47.83 亿 t,淤积比为 27.4%。随着泥沙粒径的变粗,淤积比增加,其中极粗泥沙(> 0.1mm)淤积比为 79.3%,中泥沙(0.025～0.05mm)淤积比为 32.4%,而小于 0.025mm 的细泥沙淤积比为 17.7%(表 5-27)。

表 5-27　　　　　　　　　　　　**细泥沙来源区洪水下游河道各粒径组冲淤量**

项目		各粒径组泥沙(mm)				
		< 0.025	0.025 ~ 0.05	0.05 ~ 0.1	> 0.1	全沙
来沙量(亿 t)	三 + 黑 + 武	96.33	45.16	29.44	3.86	174.79
冲淤量 (亿 t)	三门峡—花园口	2.2	10.68	9.4	0.21	22.49
	花园口—高村	8.76	4.33	5.99	2.1	21.18
	高村—艾山	7.94	0.98	- 4.01	0.26	5.17
	艾山—利津	- 1.84	- 1.34	1.68	0.49	- 1.01
	全下游	17.06	14.65	13.06	3.06	47.83
淤积比(淤积量/来沙量)(%)		17.7	32.4	44.4	79.3	27.4

从沿程分布来看,集中淤积在高村以上河段的比例更大,出现艾山以下冲细淤粗现象。一般情况下,河道的淤积比随流量的增加而减少,流量越小,淤积比越大。图 5-43 为流量与小于某流量下的淤积比关系。可以看出,当流量小于 500m³/s 时下游河道淤积比达 75%,小于 2 000m³/s 的河道淤积比为 40%,而小于 4 000m³/s 的淤积比仅 30%。

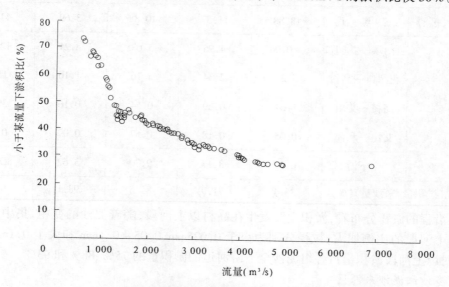

图 5-43　流量与小于某流量下的淤积比关系

对比表 5-26 和表 5-27 可以看出,来自粗泥沙来源区的洪水,各粒径组泥沙的淤积比均比细泥沙来源区的淤积比大,粗泥沙来源区洪水粗、中、细泥沙的淤积比分别为 85.5%、71.9% 和 36.4%,而细泥沙来源区洪水粗、中、细淤积比分别为 44.4%、32.4% 和 17.7%,说明来沙组成对河道淤积的影响;粗泥沙来源区洪水淤积主要在高村以上河段,高村以上河段粗、中、细泥沙的淤积比分别为 75.3%、64.2% 和 27.4%,而细泥沙来源区洪水高村以上河段粗、中、细泥沙淤积比分别为 53.1%、33.2% 和 11.4%,两者相差近 1 倍,细泥沙来源区洪水艾山以下河段还有冲细淤粗现象;粗泥沙来源区洪水,粒径大于 0.1mm 的泥沙几乎全部淤在河道里,而细泥沙来源区洪水,由于细泥沙含沙量较多,仍有 20% 左右泥沙可以通过利津下泄。

3. 少沙来源区

少沙来源区洪水,下游河道中、细泥沙普遍冲刷,而粒径大于 0.1mm 的泥沙仍发生淤积。

1965~1990 年,此类洪水共 76 次,总水量 2 794 亿 m^3,总沙量 60.97 亿 t,平均含沙量 21.8kg/m^3,下游河道共冲刷 15.94 亿 t(表 5-28),可见,下游河道除粒径大于 0.1mm 极粗泥沙淤积外,各组泥沙均是冲刷的。

表 5-28 少沙来源区洪水各粒径组泥沙冲淤量

项目		各粒径组泥沙(mm)				
		< 0.025	0.025 ~ 0.05	0.05 ~ 0.1	> 0.1	全沙
来沙量(亿 t)	三 + 黑 + 武	29.95	17.15	11.69	2.18	60.97
冲淤量 (亿 t)	三门峡—花园口	- 7.46	- 2.23	0.14	0.21	- 9.34
	花园口—高村	- 1.21	- 3.06	- 0.65	0.80	- 4.12
	高村—艾山	2.10	- 0.22	- 1.76	0.35	0.47
	艾山—利津	- 2.03	- 1.33	0.05	0.36	- 2.95
	全下游	- 8.6	- 6.84	- 2.22	1.72	- 15.94

从以上分析可知,粒径大于 0.1mm 的极粗泥沙,下游河道的排沙能力极低,这部分泥沙多来多淤并不多排,输沙量与流量及含沙量大小几乎无关,对下游危害最大,这类粗泥沙只有通过拦的途径来解决。不同粒径组泥沙的淤积比相差较大,粒径为 0.025 ~ 0.05 mm 中泥沙的淤积比约为细泥沙(< 0.025mm)的 2 ~ 3 倍。对粗泥沙来源区的洪水,从全河角度来看,每拦 1.6t 泥沙减淤 1t 左右,拦粗泥沙 1t,则可减淤 1t,因此,更证明了减少下游河道的淤积应尽量减少中、粗泥沙来沙量和控制粗泥沙来源区的泥沙来量。

(二)分粒径组泥沙冲淤与各河段冲淤关系

图 5-44 为下游河道分粒径组泥沙冲淤量与各河段冲淤量关系,从各场洪水来看,各河段的冲淤量与各粒径细泥沙冲淤量随全沙淤积量的增加而增大,由洪水点群分布看,不论洪水来源如何,都集中在高村以上,而且各粒径组泥沙分段冲淤量和全下游各粒径组冲淤量与全沙存在相似的规律。对于粗泥沙,更是集中在高村以上河段,几乎占全下游粗沙淤积量的 90% 以上。

(三)全沙与分粒径组泥沙冲淤量关系

图 5-45 为洪峰期全沙冲淤量与各粒径组泥沙冲淤量的关系,表明尽管各次洪水来源不同,但遵循着同一规律,随着全沙冲淤量的增加,各粒径组泥沙的冲淤量也增加,在全沙淤积量超过 2 亿 t 后,也就是说,随着全沙淤积量增加粗泥沙所占比例增加,中细泥沙所占的比例减小。

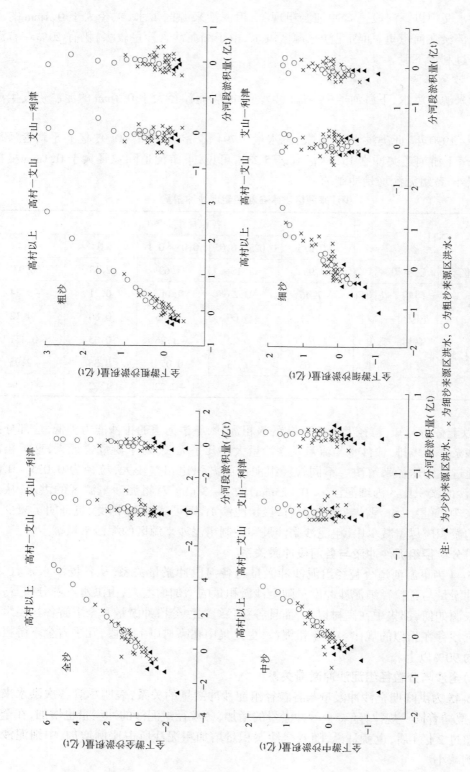

注：▲为少沙来源区洪水，×为细沙来源区洪水，○为粗沙来源区洪水。

图 5-44 洪峰期下游河道各粒径组泥沙冲淤量与各分河段间的关系

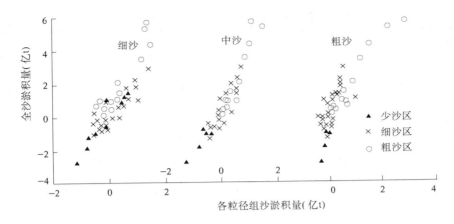

图 5-45　洪峰期下游河道全沙淤积与分组沙淤积的关系

(四)泥沙组成的沿程调整

不同来源区的洪水,在下游河道的冲淤调整中,泥沙组成不断变化,如图 5-46 和表 5-29,粗泥沙来源区的洪水,由于沿程淤积强度大,泥沙组成的调整和细化明显,细泥沙含量由三黑武的 42.1% 至利津上升至 71.9%,粗泥沙则由于淤积比大,含量由三黑武的 32.5% 减少至利津的 9.1%;粒径大于 0.1mm 的极粗泥沙,由 8.2% 下降至 0.2%。细泥沙来源区的洪水由于淤积变化相对也较小,细泥沙含量由三黑武的 55.2% 至利津增加为 61.7%;粗泥沙含量则由 19% 下降至 13.8%。少沙来源区的洪水,在下游虽发生冲刷,经沿程调整,仅中泥沙含量有明显的增加,细、粗泥沙含量变化不大。对比三个来源区洪水进入艾山以下河道的泥沙组成看,粗泥沙来源区洪水经过沿程调整,艾山站和利津站粗泥沙含量最低为 12.8% 和 9.1%;而细泥沙来源区的洪水,由于细泥沙含量大,在艾山和利津站粗泥沙含量为 15.9% 和 13.8%,比粗泥沙来源区洪水的含量略大;少沙来源区的洪水由于冲刷,艾山和利津的粗泥沙含量是最高的,达 20.1% 和 18.9% 左右。

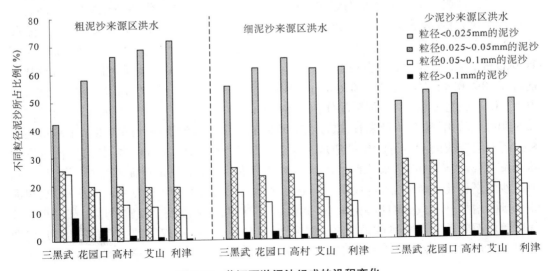

图 5-46　黄河下游泥沙组成的沿程变化

表 5-29 不同来源区洪水泥沙组成沿程变化 （%）

洪水来源	站名	各粒径组所占百分数			
		<0.025mm	0.025~0.05mm	0.05~0.1mm	>0.1mm
粗泥沙来源区	三黑武	42.1	25.4	24.3	8.2
	花园口	57.9	19.6	17.9	4.6
	高村	66.0	19.6	12.9	1.5
	艾山	68.1	19.1	12.0	0.8
	利津	71.9	19.0	8.9	0.2
细泥沙来源区	三黑武	55.2	25.8	16.8	2.2
	花园口	61.7	22.7	13.2	2.4
	高村	65.0	23.2	14.8	1.0
	艾山	61	23.1	14.7	1.2
	利津	61.7	24.5	13.2	0.6
少泥沙来源区	三黑武	49	28.2	19.2	3.6
	花园口	53	27.7	16.5	2.8
	高村	51.4	30.5	16.5	1.4
	艾山	48.9	31.0	19.0	1.1
	利津	49.4	31.7	18.4	0.5

(五)泥沙组成对河道冲淤的影响

从以上分析可知,下游河道的冲淤状况不仅与来水来沙量有关,还与来沙组成有关,为了比较来沙组成对河道冲淤的影响,选择了 14 对来水来沙接近,但来沙组成不同的洪水进行对比分析(表 5-30)。来沙组成较细和来沙组成较粗的洪水水量分别为 396.7 亿 m^3和 338.9 亿 m^3,沙量分别为 30.05 亿 t 和 25.4 亿 t,平均含沙量分别为 75.8kg/m^3和 74.9kg/m^3,均比较接近,但泥沙组成差别较大,粒径小于 0.025mm 的细泥沙所占百分比分别为 62.8% 和 46.2%,而大于 0.05mm 的粗泥沙所占百分比分别为 14.2% 和 27.5%,其中大于 0.1mm 的极粗泥沙所占百分比分别为 1.9% 和 4.7%,显然组成差别较大。从表 5-30 可以看出:从全沙量来看,来沙组成较粗的洪水比来沙组成较细的洪水来沙量还少 4.65亿 t,但造成的全下游淤积量却是来沙组成较细的洪水的 3 倍还多,其淤积比分别为 48% 和 12%。应该指出,来沙粗的洪水增加的淤积量,并不只是粗泥沙部分,相应的中、细泥沙的淤积比也普遍加大,且粗、中、细泥沙的淤积比增加的幅度基本一致。所以,粗泥沙含量的增加并不只影响粗泥沙的输沙能力,而且中、细泥沙及全沙输沙能力都随粗泥沙含量增加而降低。点绘河道淤积比与粗泥沙(粒径 >0.05mm)权重的关系(图 5-47),由图可知,随着粗泥沙含量的增加,河道淤积比加大,说明泥沙组成对河道冲淤影响显著。

表 5-30   泥沙组成对下游河道淤积的影响

洪水组合	项目		各粒径组				
			< 0.025 mm	0.025 ~ 0.05 mm	0.05 ~ 0.1 mm	> 0.1 mm	全沙
泥沙组成较细	水量 (亿 m³)		396.7				
	平均流量 (m³/s)		2 136				
	沙量(亿 t)		18.87	6.92	3.7	0.56	30.05
	平均含沙量(kg/m³)		47.5	17.4	9.3	1.4	75.7
	占全沙(%)		62.8	23.0	12.3	1.9	100
	冲淤量 (亿 t)	花园口以上	− 0.44	0.94	− 0.29	− 0.60	− 0.39
		花园口—高村	1.49	0.81	1.06	0.63	3.99
		高村—艾山	0.93	0.13	0.19	0.42	1.67
		艾山—利津	0.07	− 0.96	− 0.84	− 0.06	− 1.79
		全下游	2.05	0.92	0.12	0.39	3.48
	下游淤积比(%)		11	13	3	70	12
泥沙组成较粗	水量 (亿 m³)		338.9				
	平均流量 (m³/s)		2 086				
	沙量(亿 t)		11.74	6.69	5.79	1.18	25.4
	平均含沙量(kg/m³)		34.6	19.7	17.1	3.5	74.9
	占全沙(%)		46.2	26.3	22.8	4.7	100
	冲淤量 (亿 t)	花园口以上	0.72	2.58	2.18	0.61	6.09
		花园口—高村	2.15	0.77	1.39	0.30	4.61
		高村—艾山	0.56	0.23	− 0.08	0.12	0.83
		艾山—利津	0.27	− 0.04	0.40	0.05	0.68
		全下游	3.7	3.54	3.89	1.08	12.21
	下游淤积比(%)		32	53	67	92	48

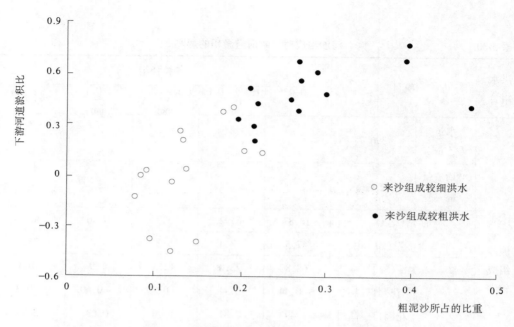

图 5-47   下游河道淤积比与来沙组成关系

表 5-31 为 14 对洪水平均泥沙组成的沿程变化,可以看出,进入下游泥沙有所差别,但经过长河段的沿程调整,来沙较粗的洪水粒径大于 0.05mm 的粗泥沙含量逐渐降低,由 27.5% 降为 15.1%,而粒径小于 0.025mm 的细泥沙含量由 46.2% 上升为 60.8%,中泥沙(粒径为 0.025~0.05mm)变化较小;而泥沙较细的洪水,各组泥沙沿程变化不太大。

表 5-31   14 对洪水泥沙组成的沿程变化

站名	来沙状况	各粒径组所占的百分数(%)				
		< 0.025mm	0.025~0.05mm	0.05~0.1mm	> 0.1mm	> 0.05mm
三黑武	来沙较细	62.8	23.0	12.3	1.9	14.2
	来沙较粗	46.2	26.3	22.8	4.7	27.5
花园口	来沙较细	63.4	19.7	13.1	3.8	16.9
	来沙较粗	57.0	21.2	18.8	3.0	21.8
高村	来沙较细	67.4	19.6	11.0	2.0	13.0
	来沙较粗	60.2	22.7	15.2	1.9	17.1
艾山	来沙较细	68.1	20.5	11.0	0.4	11.4
	来沙较粗	59.7	22.4	16.8	1.1	17.9
利津	来沙较细	62.9	22.9	13.6	0.6	14.2
	来沙较粗	60.8	24.1	14.4	0.7	15.1

从以上分析可知,来水组成对河道冲淤的影响还是明显的,来沙粗的洪水是来沙细的洪水淤积量的 2~3 倍,多淤积泥沙部分是多来粗泥沙的 2 倍,这不仅降低粗泥沙的输

沙能力,更主要的是使各粒径组泥沙的输沙能力也降低。因此,为了减少河道的淤积,在调节水沙过程时,最好还要调整泥沙组成,除中游控制粗泥沙来源区洪水外,应该在干流水库尽量拦粗排细,这样既能保持库容又能发挥河道输沙能力,真正做到河道减淤,起到事半功倍的作用。按多年平均情况,在一定的水沙条件下,如果粗泥沙比例配以 15% 左右,基本上可以使下游河道淤积比为 10% 左右,如果粗泥沙含量达 40% 左右,河道淤积比可达 80% 左右,淤积就非常严重。上述成果将为水库运用提供科学根据。

第三节　高含沙量洪水下游河道河床演变规律

黄河中游支流,每遇暴雨,常出现高含沙量洪水,最大含沙量可达 $1\ 000kg/m^3$ 以上。汇入干流后,经过三门峡以上河道的调整,进入下游河道的含沙量虽有所衰减,但仍出现高含沙量洪水,它具有许多不同于一般洪水的水流特性。因此,研究高含沙量洪水的水沙和河床冲淤演变特性,不仅能深化对高含沙量洪水输沙和河床演变的认识,同时对下游的防洪和治理也有重要的意义。

一、来水来沙特点

1950~1990 年黄河下游共发生高含沙量洪水(指三门峡瞬时含沙量大于 $300kg/m^3$)23 次,其中含沙量 $300~400kg/m^3$ 的有 9 次,$400~500kg/m^3$ 的有 7 次,大于 $500kg/m^3$ 的有 7 次。1969 年以来出现高含沙量的洪水共 18 次,大于 $500kg/m^3$ 的有 5 次,$400~500kg/m^3$ 的有 5 次,$300~400kg/m^3$ 的有 8 次,最大瞬时含沙量达 $911kg/m^3$,是有记录以来含沙量最大的洪水。高含沙量洪水 2~4 年就发生一次。

(一)高含沙洪水主要来自粗泥沙来源区

表 5-32 为典型高含沙量洪水的地区来源表,从表中可以看出,高含沙量洪水绝大多数来自粗泥沙来源区,其中除了 1973 年和 1977 年各一场洪水主要来自细泥沙来源区,而粗泥沙来源区的水量和沙量分别占三黑武(三门峡 + 黑石关 + 武陟)水量和沙量的比例较少外,其他各场洪水,三黑武 40% 的水量和接近 100% 沙量均来自粗泥沙来源区。

(二)洪峰尖瘦,洪峰流量不大,沙峰历时较短

高含沙量洪水主要由中游黄土高原地区暴雨形成,洪峰尖瘦。汇入干流后受槽蓄作用,洪峰调平,又受三门峡水库的影响,最大洪峰流量一般为 $4\ 000~8\ 000m^3/s$,平均流量一般为 $2\ 000~4\ 000m^3/s$,但洪峰历时较短。表 5-33 为典型高含沙量洪水各级含沙量历时表,三门峡最大含沙量大于 $600kg/m^3$ 的洪水有 3 次,每次含沙量大于 $600kg/m^3$ 的历时仅 1~6h,含沙量大于 $500kg/m^3$ 的历时也只有 3~45h。其中,1970 年 8 月洪水含沙量超过 $500kg/m^3$ 的历时为 45h,主要是由于三门峡水库打开底孔,库区产生冲刷,使高含沙历时加长。1977 年洪水经三门峡水库调节,历时也加长,同时具有来水量小、来沙大的特点。1969~1989 年 16 次高含沙量洪水历时、水量和沙量分别为 164d、294 亿 m^3 和 60.5 亿 t,分别占该时期历时、水量和沙量的 2%、4% 和 25%,来水来沙特性见表 5-34。

表 5-32 **典型高含沙量洪水地区来源**

时段 （年-月-日）	天数 （d）	三黑武		粗泥沙来源区占三黑武比例（%）	
		水量（亿 m³）	沙量（亿 t）	水量	沙量
1953-08-18 ~ 08-25	8	19.8	3.50	117	158
1953-08-26 ~ 09-02	8	21.0	3.51	43	109
1954-09-02 ~ 09-09	9	47.5	8.38	40	94
1956-07-23 ~ 07-29	7	20.6	3.13	45	101
1959-08-05 ~ 08-12	8	27.0	5.31	58	111
1969-07-23 ~ 08-06	15	23.6	4.80	64	131
1970-08-05 ~ 08-18	14	25.7	8.11	70	116
1971-07-26 ~ 07-31	6	10.9	2.58	99	177
1973-08-29 ~ 09-11	14	31.4	7.36	25	44
1977-07-07 ~ 07-14	8	28.7	7.77	29	55
1977-08-04 ~ 08-11	8	27.1	8.76	48	90

注：比例超过 100%，是因为小北干流汇流区河床的调整造成。

表 5-33 **高含沙量洪水各级含沙量历时**

时段 （年-月-日）	各含沙 量级 （kg/m³）	历时（h）			时段 （年-月-日）	各含沙 量级 （kg/m³）	历时（h）		
		三门峡	花园口	夹河滩			三门峡	花园口	夹河滩
1959-08-05 ~ 08-12	>200	77	13	12	1973-08-28 ~ 09-07	>200	131	81	—
	>300	29	—	—		>300	70	27	—
	>400	—	—	—		>400	22	5	—
1970-08-07 ~ 08-15	>200	157	125	52	1977-07-07 ~ 07-14	>200	68	54	56
	>300	118	32	—		>300	53	38	39
	>400	83	1	—		>400	39	24	4
	>500	45	—	—		>500	12	7	—
	>600	6	—	—		>600	—	—	—
1971-07-26 ~ 07-31	>200	77	—	—	1977-08-04 ~ 08-11	>200	123	95	83
	>300	54	—	—		>300	83	52	23
	>400	19	—	—		>400	55	11	—
	>500	3	—	—		>500	27	—	—
	>600	1	—	—		>600	5	—	—

表 5-34

黄河下游高含沙量洪水来水、来沙及泥沙组成

时段 (年-月-日)	天数 (d)	花园口最大流量 (m³/s)	三门峡最大含沙量 (kg/m³)	三黑武 水量 (亿m³)	三黑武 沙量 (亿t)	三黑武 平均流量 (m³/s)	三黑武 平均含沙量 (kg/m³)	三黑武 来沙系数 (kg·s/m⁶)	各粒径组所占百分数(%) <0.025 mm	0.025~0.05 mm	0.05~0.10 mm	>0.1 mm	>0.05 mm	中数粒径 (mm)
1969-07-23~08-06	15	4 450	435	23.6	4.8	1 821	203	0.111	50.4	22.1	22.4	5.1	27.5	0.024 5
1969-08-07~08-15	9	3 090	315	11.2	1.68	1 440	150	0.104	53.9	23.6	20.0	2.5	22.5	0.023 5
1970-08-05~08-18	14	4 960	620	25.7	8.11	2 125	316	0.149	44.4	25.2	21.9	8.5	30.4	0.030
1971-07-26~07-31	6	5 040	666	10.9	2.58	2 103	237	0.113	31.7	30.3	32.6	5.4	38.0	0.039
1971-08-17~09-02	17	3 170	653	19.1	2.26	1 300	118	0.091	33.6	33.6	28.6	4.2	32.8	0.036
1972-07-22~07-30	9	4 090	310	15.8	1.82	2 031	115	0.057	48.5	22.4	24.6	4.5	29.1	0.026 5
1973-07-31~08-21	22	1 170	314	11.6	0.88	610	76	0.125	65.0	18.6	12.5	3.9	16.4	0.021
1973-08-22~08-27	6	2 690	332	10.1	1.5	1 948	149	0.076	58.7	24.8	13.9	2.6	16.5	0.020
1973-08-28~09-07	11	5 890	477	31.4	7.36	3 304	234	0.071	54.6	26.3	15.0	4.1	19.1	0.023
1974-07-26~08-06	12	3 700	391	14.2	2.26	1 370	159	0.116	54.2	20.8	21.0	4.0	25.0	0.022
1977-07-07~07-14	8	8 100	589	28.7	7.77	4 152	271	0.065	47.7	25.2	20.6	6.5	27.1	0.027 5
1977-08-04~08-11	8	10 800	911	27.1	8.76	3 921	323	0.082	38.0	22.9	24.9	14.2	39.1	0.036
1978-07-12~07-20	9	3 100	433	14.2	2.41	1 826	170	0.093	51.7	31.0	15.6	1.7	17.3	0.024 5
1988-08-05~08-10	6	5 390	395	16.2	2.27	3 125	140	0.045	52.2	28.3	16.0	3.5	19.5	0.022 5
1988-08-11~08-14	4	6 090	340	16.0	3.53	4 630	221	0.048	53.7	24.8	14.8	6.7	21.5	0.023
1989-07-22~07-29	8	5 480	262	17.7	2.55	2 561	144	0.056	56.5	25.7	16.6	1.2	17.8	0.021
1992-08-10~08-19	10	6 430	488	23.8	5.69	2 755	239	0.087	47.7	28.5	16.7	7.1	23.8	0.028
1994-08-06~09-17	12	6 300	490	27.6	5.63	2 662	204	0.077	48.1	29.1	18.7	4.1	22.8	0.030

(三)泥沙中数粒径随含沙量增大而变粗

来自中游的高含沙量洪水,虽经过沿程及三门峡库区的调整,进入下游的泥沙仍保持着随含沙量增大而变粗的特性(图 5-48)。如含沙量为 400kg/m³ 时,中数粒径为0.024 7 mm;含沙量为 800kg/m³ 时,中数粒径为 0.035 5mm。其关系式为

$$d_{50} = 0.000\ 027S + 0.013\ 9$$

式中　d_{50}——中数粒径,mm;

　　　S——含沙量,kg/m³。

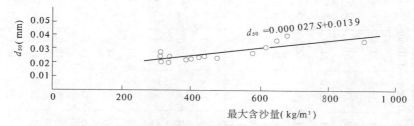

图 5-48　高含沙洪水花园口站平均中数粒径(d_{50})与最大含沙量的关系

(四)粗泥沙含量随全沙含沙量增大而增大,细泥沙含量则减小

从 16 次高含沙洪水总的情况看,粗泥沙、中泥沙和细泥约各占 27%、25% 和 48%,其中更粗泥沙占 6.4%。进一步分析表明,各粒径组含沙量随全沙含沙量的增大而增大(图 5-49),但各粒径组含沙量增大的幅度不同,粗泥沙含沙量随全沙含沙量的增大坡度减缓,中泥沙基本保持不变,细泥沙则变陡,粗泥沙所占比例随全沙含沙量的增大而增大,细泥沙所占比例则随含沙量的增大而减少,中泥沙所占比例较稳定。

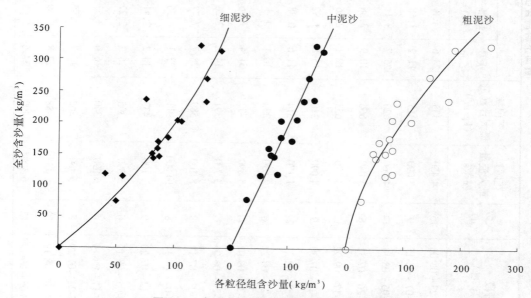

图 5-49　全沙含沙量与各粒径组含沙量的关系

二、河道的纵横向冲淤调整

(一)下游河道发生严重淤积,淤积强度大

高含沙量洪水在下游河道发生严重淤积,16次高含沙量洪水总淤积量达34.9亿t (表5-35),占来沙量的57%,占同期(1969～1989年)总淤积量的82%,其中粗、中泥沙和细泥沙分别淤积13.2亿t、10亿t和11.7亿t,各占来沙量的80%、65%和40%,而粒径大于0.1mm的更粗泥沙淤积3.8亿t,占来沙量的97%。可见,高含沙量洪水泥沙愈粗,淤积比愈大,但细泥沙淤积较多,主要与高含沙量洪水嫩滩和贴边淤积有关。

表 5-35　　　　　　　　高含沙量洪水各粒径组泥沙沿程冲淤量

河段	各粒径组冲淤量(亿t)					各河段冲淤量占下游冲淤量的百分比(%)				
	全沙	<0.025 mm	0.025～0.05mm	>0.5 mm	>0.1 mm	全沙	<0.025 mm	0.025～0.05mm	>0.05 mm	>0.1 mm
三门峡—花园口	13.5	2.5	5.3	5.6	1.9	39	21	53	43	50
花园口—高村	16.8	6.5	3.9	6.4	1.7	48	56	39	48	45
高村—艾山	3.9	1.7	1.1	1.2	0.2	11	15	11	9	5
艾山—利津	0.7	1.0	-0.3	0	0	2	8	-3	0	0
三门峡—利津	34.9	11.7	10	13.2	3.8	100	100	100	100	100
淤积比(%)	57	40	65	80	97					

通过进一步分析发现,高含沙量洪水全下游淤积量的多少主要取决于来沙量的多少及泥沙组成,而淤积部位则与流量大小有一定的关系。图5-50为全沙来沙量与全下游河道淤积量关系,可以看出,高含沙量洪水下游河道的输沙仍存在"多来、多排、多淤"的特性,随着来沙量的加大淤积比增加。而粗、中泥沙和细泥沙的淤积量与全沙淤积量亦有一定的关系(图5-51)。从淤积的绝对量看,随着全沙淤积量的增加,各粒径组淤积量也在增加;从淤积的相对量看,粗泥沙淤积随全沙淤积量增加而增加的幅度较大,细泥沙淤积量则增加幅度小,也就是说粗泥沙淤积量占全沙淤积量的比例随全沙淤积量的增加而增大,细泥沙所占比例则减少。这与上文所述来沙组成的变化规律基本一致。

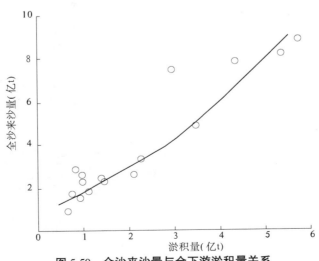

图 5-50　全沙来沙量与全下游淤积量关系

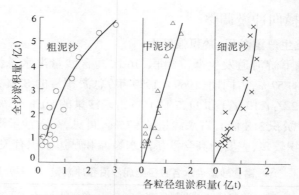

图 5-51　全沙淤积量与各粒径组淤积量的关系

（二）沿程淤积调整迅速，但距离较短

1.淤积调整主要集中在高村以上河段

图 5-52 为典型高含沙量洪水的最大瞬时含沙量在下游河道的沿程变化。三门峡—小浪底为峡谷段，河道狭窄，坡陡流急，高含沙量洪水基本穿堂过，含沙量无大变化，自小浪底出峡谷进入平原冲积性河道后，流速骤减，泥沙大量落淤，含沙量迅速降低。三门峡站最大含沙量变幅很大，至花园口大大降低，至艾山最大含沙量最大为 250kg/m³ 左右，一般为 100～200kg/m³，艾山—利津段变化基本不大。这说明高含沙量洪水沿程淤积调整十分迅速，其主要调整在高村以上河段，高村以下的含沙量已大大降低，艾山—利津河段并没有因高含沙量洪水而发生明显的降低。

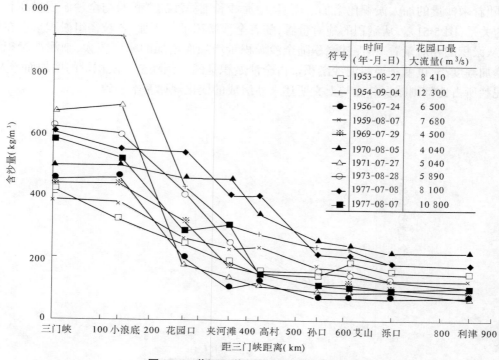

符号	时间 （年-月-日）	花园口最 大流量（m³/s）
□	1953-08-27	8 410
+	1954-09-04	12 300
●	1956-07-24	6 500
×	1959-08-07	7 680
✳	1969-07-29	4 500
▲	1970-08-05	4 040
△	1971-07-27	5 040
○	1973-08-28	5 890
◆	1977-07-08	8 100
■	1977-08-07	10 800

图 5-52　黄河下游河道含沙量沿程变化

进一步分析各粒径组含沙量的沿程变化(图 5-53)。各粒径组的含沙量沿程都是衰减的,其中粗泥沙衰减得多,细泥沙衰减得少。细泥沙含沙量沿程变化平缓,粗泥沙含沙量高村以上变化剧烈,高村以下含沙量虽有降低,但变化均较小,高村以上的衰减程度随泥沙变粗而增大。表 5-36 为典型高含沙量洪水平均含沙量沿程衰减程度。粒径为 0.01 ~ 0.025mm 的细泥沙,高村含沙量为三门峡含沙量的 38% ~ 69%,衰减 62% ~ 31%;粒径为 0.025 ~ 0.05mm 的中泥沙,高村含沙量为三门峡含沙量的 18% ~ 48%,衰减 72% ~ 52%;粒径为 0.05 ~ 0.1mm 的粗泥沙高村含沙量为三门峡含沙量的 9% ~ 26%,衰减 91% ~ 74%;而粒径大于 0.1mm 泥沙衰减最大,为 86% ~ 100%。可见高含沙量洪水河道的调整非常迅速,主要影响范围较短。

另外,从表 5-35 同样可以看出,淤积主要集中在高村以上河段,占全下游淤积量的 85% 左右。为分析高含沙量洪水淤积部位的变化规律,点绘了全下游淤积量与分河段淤积量关系(图 5-54),各河段淤积量随全下游淤积量的增加而增大,高村以上坡度较缓,数量大,艾山—利津坡度最陡,数量也小,说明高含沙量洪水经过上段调整,含沙量大大降低,同时由于艾山以下河段断面较窄深,具有较大的输沙能力,有利于泥沙的输送。以上充分说明高含沙量洪水调整距离较短,对艾山—利津河段的影响大大减弱。

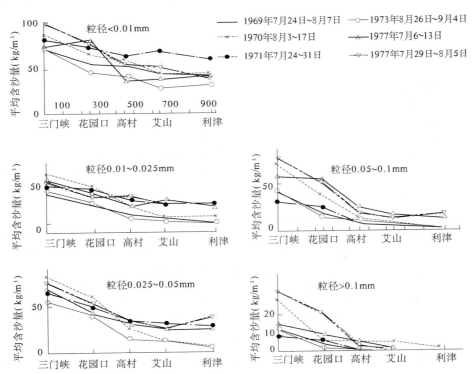

图 5-53　高含沙量洪水不同粒径泥沙含沙量沿程变化

表 5-36　　　　　　　　　　　高含沙量洪水各粒径组泥沙含沙量衰减程度

时段 （年-月-日）	三门峡最大含沙量（kg/m³）	各粒径组高村含沙量/三门峡含沙量（%）				
		< 0.01 mm	0.01 ~ 0.025 mm	0.025 ~ 0.05 mm	0.05 ~ 0.1 mm	> 0.1 mm
1669-07-23 ~ 08-06	435	76	45	18	17	2
1969-08-07 ~ 08-15	315	75	49	28	18	8
1970-08-05 ~ 08-18	620	68	43	31	17	3
1971-07-26 ~ 07-31	666	57	38	25	21	1
1971-08-17 ~ 09-02	653	47	38	24	26	14
1973-08-22 ~ 08-27	332	95	50	25	23	4
1974-07-26 ~ 08-06	391	63	39	23	9	0
1977-08-04 ~ 08-11	911	56	69	48	25	7

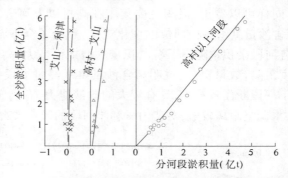

图 5-54　全沙淤积量与分河段淤积量关系

2. 悬沙组成沿程细化

高含沙量洪水由于沿程严重淤积，泥沙逐渐细化，不同粒径组泥沙的淤积程度不一，使泥沙组成发生极大变化（表 5-37），粗泥沙含量从三黑武的 27% 至高村为 14.3%，至利津为 11.8%，大于 0.1mm 的极粗泥沙由三黑武的 6.4% 至高村为 1.4%，至利津为 0，粗泥沙比例沿程变小；而细泥沙则由三黑武的 47.7% 至高村为 65.8%，至利津为 67.1%。泥沙沿程变化最大的是高村以上河段。

表 5-37　　　　　　　　　高含沙量洪水各粒径组沙量及组成沿程变化

站名	各粒径组沙量（亿 t）						各粒径组所占百分比（%）				
	全沙	< 0.025 mm	0.025 ~ 0.05mm	0.05 ~ 0.1mm	> 0.1mm	> 0.05 mm	< 0.025 mm	0.025 ~ 0.05mm	0.05 ~ 0.1mm	> 0.1mm	> 0.05mm
三黑武	60.8	29.0	15.4	12.5	3.9	16.4	47.7	25.3	20.6	6.4	27
花园口	47.0	26.3	10.0	8.6	2.1	10.7	56.0	21.3	18.3	4.4	22.7
高 村	28.6	18.8	5.7	3.7	0.4	4.1	65.8	19.9	12.9	1.4	14.3
艾 山	24.1	16.8	4.5	2.7	0.1	2.8	69.7	18.7	11.2	0.4	11.6
利 津	22.8	15.3	4.8	2.7	0	2.7	67.1	21.1	11.8	0	11.8

以上仅是 16 次高含沙量洪水总的情况，为了研究不同含沙量组成沿程变化，又点绘了沿程各站全沙含沙量与各粒径组含沙量关系（图 5-55），经沿程调整，各站关系均较好，也可将图归纳成表 5-38。可以看出：一是随着含沙量增大，粗泥沙比例增加，细泥沙比例减小；二是经过沿程调整，粗泥沙比例减小，细泥沙比例增加；三是平均含沙量为 200kg/m³

时高含沙量洪水至高村已不存在了,可见进入艾山以下的水流已不是三门峡下泄的含沙水流了,泥沙量大大减小,同时粒径组成大大细化了。

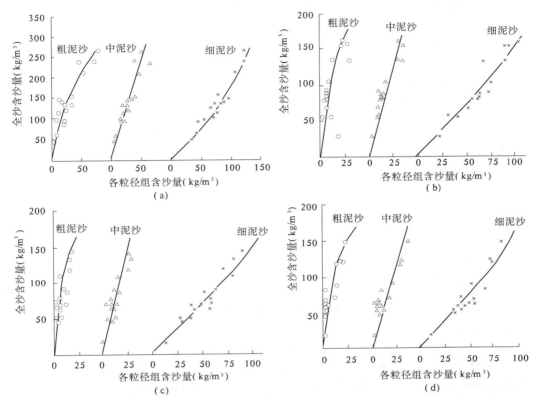

图 5-55 黄河下游各站全沙含沙量与各粒径组含沙量关系

(a)花园口站;(b)高村站;(c)艾山站;(d)利津站

表 5-38   黄河下游各站高含沙量洪水全沙平均含沙量与泥沙组成百分比变化

站名	泥沙类别	全沙洪水平均含沙量(kg/m³)					
		300	250	200	150	100	50
三站	粗泥沙	32	27	25	22	20	15
	中泥沙	25	25	25	25	25	25
	细泥沙	43	48	50	53	55	60
花园口	粗泥沙	—	27	24	20	16	8
	中泥沙	—	22	21	20	20	20
	细泥沙	—	51	55	60	64	72
高村	粗泥沙	—	—	—	16	10	6
	中泥沙	—	—	—	20	16	14
	细泥沙	—	—	—	64	74	80
艾山	粗泥沙	—	—	—	13	10	11
	中泥沙	—	—	—	18	18	18
	细泥沙	—	—	—	69	72	71
利津	粗泥沙	—	—	—	16	12	6
	中泥沙	—	—	—	27	22	14
	细泥沙	—	—	—	57	66	80

(三)横断面形态调整

黄河下游高含沙量洪水一般具有"嫩滩大量淤积—相对高滩深槽—主槽强烈冲刷"的河床横断面调整模式,其过程如图 5-56 所示。大约可分为两个阶段:

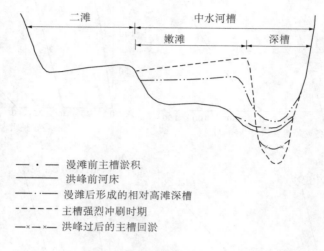

二滩　　中水河槽
嫩滩　　深槽

— · — 漫滩前主槽淤积
——— 洪峰前河床
— ·· — 漫滩后形成的相对高滩深槽
- - - - 主槽强烈冲刷时期
—×—×— 洪峰过后的主槽回淤

图 5-56　高含沙量洪水期河床断面变化过程示意

(1)相对的高滩、深槽塑造阶段。高含沙量洪水涨水初期,当洪水明显漫滩前,主槽发生大量淤积,平滩流量减小,随着流量上涨,水流逐渐漫滩,由于滩地水流条件明显较主槽差,使滩地淤积明显大于主槽,同时使河宽缩窄,形成相对的高滩深槽。

(2)主槽的强烈冲刷。当相对高滩深槽发展到一定程度后(一般主槽缩窄到 600m 左右),主流区的水动力条件大大加强,使主槽发生强烈冲刷。

分析典型高含沙量洪水花园口以上河段嫩滩主淤积范围及相应淤积厚度(表 5-39),可以看出,1973 年和 1977 年高含沙量洪水期,伊洛河口以上边滩淤积很小,少量淤积在嫩滩滩唇范围内,伊洛河口以下河段在主槽两边 1 000~2 500m 范围的嫩滩上,淤积厚度均在 1m 以上,特别是 1973 年官庄峪—花园口河段嫩滩淤积厚度约 1.4m。

由于高含沙量洪水河床的淤滩刷槽,断面形态明显变得窄深,如 1992 年高含沙量洪水过后,主槽宽度大多减小到 700m,嫩滩淤高,滩槽高差增大 0.5~1.5m,河相系数明显减小(图 5-57)。又如 1973 年洪水花园口断面的变化(图 5-58),由宽浅断面变成窄深断面的变化过程。图 5-59 为 1977 年断面变化过程,1977 年 6 月 17 日~7 月 23 日,花园口最大流量 8 100m³/s,最大含沙量为 546kg/m³ 的洪水,洪水过后,嫩滩普遍淤高约 1m,形成了明显的高滩深槽的断面形态,该年 8 月,又出现了一次最大流量 10 800m³/s,最大含沙量 437 kg/m³ 的洪水,嫩滩继续淤高,主槽进一步缩窄到 500m 左右,而且主槽发生冲刷。图 5-60 为花园口站断面 1977 年高含沙洪水前后流量与河宽的关系。可见,在同流量下河宽大大缩窄。

表 5-39

典型高含沙量洪水嫩滩淤积厚度

断 面 名 称	1973 年		1977 年		1988 年		1992 年	
	主要淤积范围（m）	淤厚（m）	主要淤积范围（m）	淤厚（m）	主要淤积范围（m）	淤厚（m）	主要淤积范围（m）	淤厚（m）
铁谢	左 200	1.0	—		—		—	—
下古街	右 400	1.0	右 300	0.5	—		1 700	0.5～1.0
花园镇	左 400	0.5	—		1 500	1.0	500	—
马峪沟	右 400	0.5	500	1.0	1 900	1.4	2 300	0.5～1.0
裴峪	—	—	—		4 000	0.7～1.3	—	
伊洛河口	右 1 500	0.8	80	1.0	1 400	1.0	800	0.5～1.0
孤柏嘴	左 600	1.0	左 1 000	0.4	400	1.0	700	0.5～1.0
罗林坡	右 1 000	0.6	右 2 500	1.0	2 100	1.0	2 500	0.5～1.0
官庄峪	左 1 600	1.4	右 1 500	1.0	300	1.0	2 100	0.5～1.0
秦厂	右 1 500	1.5	左 1 500	1.0	右嫩滩	—	5 000	0.5
花园口	左右 1 700	1.4	右 2 500	1.0	—		—	—

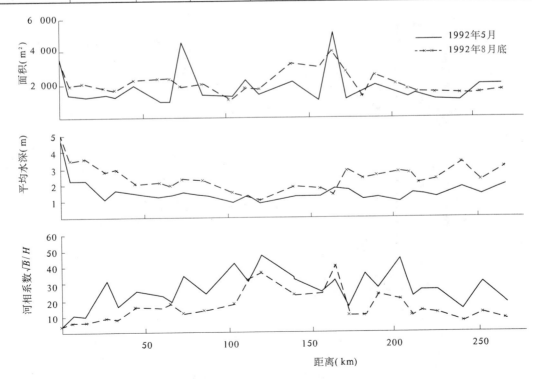

图 5-57 1992 年汛期主槽形态变化

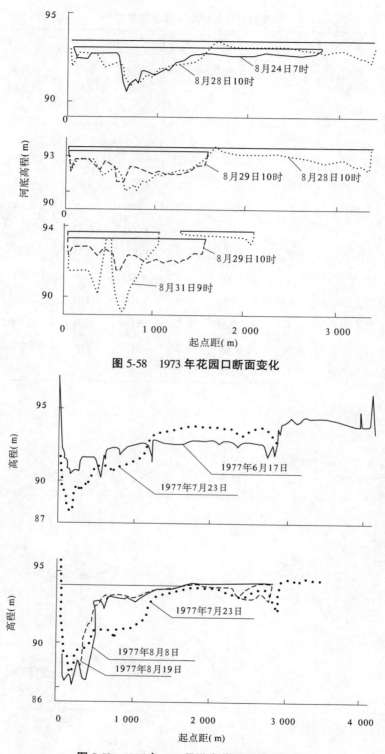

图 5-58　1973 年花园口断面变化

图 5-59　1977 年 7、8 月洪水花园口断面变化

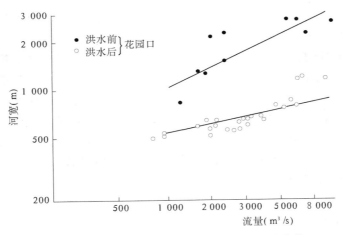

图 5-60 1977 年高含沙洪水前后花园口站河宽变化

图 5-61 为花园口与夹河滩断面在高含沙量洪水前后主槽宽度比值与最大含沙量的关系,可以看出,洪水前后河宽比值($B_前/B_后$)随含沙量的增大而变大,也就是洪水后河宽变为相对窄。

但必须指出:这种横断面调整虽十分迅速,但它不能长久维持,洪水过后,由于来水来沙条件的改变,主槽淤积抬高,滩地因低含沙水流冲刷坍塌使断面向宽浅方向发展,同时使主流摆动,进一步将断面展宽,恢复到高含沙量洪水前的断面形态。因此,如果要维持较窄深断面,必须改变水沙过程及河床边界条件。

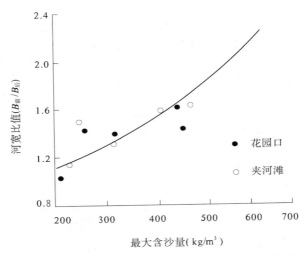

图 5-61 花园口和夹河滩断面在高含沙量洪水前后主槽宽度比值与最大含沙量的关系

三、水位上涨率大、洪水位表现较高

高含沙量洪水期间,由于涨水阶段的强烈淤积,造成了水位上涨率较大,而洪水水位的高低,与前期河床条件有关,在前期河床相同的条件下,同样大小的洪水,如果来自河口镇—龙门区间的洪水,含沙量大,泥沙粗,则淤积强度大,水位上涨率大,水位较高;如来自渭河的洪水,淤积强度小,水位上涨率较小,水位较低;如来自伊洛河的洪水,含沙量小,水位最低。图 5-62 为花园口断面每增加流量 1 000m³/s 的水位上涨率与来水来沙条件的关系。可以看出,同样的含沙量,水位上涨率与洪水的最大流量成反比关系,当最大流量较小时,水流不漫滩,水位上涨率较大,当最大流量较大时,一方面水流漫滩后,过水宽度及过水面积迅速加大,另一方面主槽发生冲刷,水位的上涨率也随之减少。此外,同样的洪峰最大流量,水位上涨率与洪峰的含沙量有关,含沙量越大,则淤积强度越大,水位上涨率也越大。由于高含沙量洪水的最大流量都不太大,而含沙量特别高,淤积强度特别大,所以高含沙量洪水的水位上涨率也很大,一般情况下高含沙量洪水的水位上涨率约为低含沙量洪水的 2 倍。表 5-40 为典型洪水花园口站水位上涨率统计表。

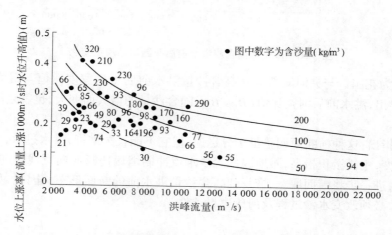

图 5-62　花园口站水位上涨率与流量、含沙量关系

表 5-40
典型洪水花园口站水位上涨率统计

时间(年-月)	流量(m³/s)	最大含沙量(kg/m³)	上涨率(流量上涨 1 000m³/s 时水位升高值)
1992-08	3 000 ~ 5 000	488	0.40
1973-08	3 000 ~ 5 000	449	0.45
1982-08	3 000 ~ 5 000	66.6	0.20
1977-07	6 000 ~ 7 000	546	0.34
1977-08	8 000 ~ 10 000	437	0.27
1982-08	8 000 ~ 10 000	66.6	0.12

　　洪水位的高低除与水位上涨率大小有关外,还与前期河床条件关系极大。如 1970 年8 月高含沙量洪水,花园口断面在落水时发生严重淤积,主槽缩窄,8 月 7 ~ 8 日,流量缓慢上涨,水位上升很快,流量每增加 1 000m³/s,水位升高近 1.0m,但由于前期河床较低,水位表现不是很高,并没有引起人们的注意。1977 年高含沙量洪水,含沙量特别高,但因前期河床不太高,洪水位表现也不太高。1973 年 8 月高含沙量洪水,花园口洪峰流量 5 000 m³/s,花园口—石头庄长达 160km 的河段上,洪水位比 1958 年花园口洪峰流量 22 300m³/s 的水位高出 0.2 ~ 0.4m,才引起人们的注意。1992 年 8 月花园口最大洪峰流量 6 260m³/s,最大含沙量 448kg/m³,最高洪水位达 94.33m,超过 1982 年 8 月最大洪峰流量 15 300m³/s

时水位 0.34m。

从以上分析可知,高含沙量洪水洪水位的高低不仅与水位上涨率有关,还与河床前期条件密切相关。各次高含沙量洪水水位的比较见表 5-41 和图 5-63。尽管高含沙量洪水水位上涨率大,各次洪水差别较少,但前期河床不同,洪水位高低不同。如花园口站 1992 年 8 月洪水与 1977 年洪水比较,两次洪水水位上涨率(流量增加 1 000m³/s 时的水位升高值)为 0.3~0.4m。但前期条件不同,水位有所差别,1992 年 8 月流量 6 000m³/s 时水位为 94.3m,而 1977 年水位约为 92.7m,相差约 1.6m。因此,在每年制订防洪预案时,应该考虑高低含沙量的情况,以取得防洪的主动。

表 5-41　　　　　　　　　　　典型高含沙量洪水洪水位比较

站　名	洪　水　位(m)	
	1977 年 8 月花园口最大洪峰流量为 10 800m³/s 时	1992 年 8 月花园口最大洪峰流量为 6 430m³/s 时
铁　谢	117.63	118.21
赵　沟	112.36	113.35
化　工	112.29	111.8
裴　峪	109.61	110.64
驾　部	103.76	103.68
官庄峪	100.4	100.83
马　庄	94.85	94.94
花园口	94.30	94.33
双　井	91.62	93.09
赵　口	88.77	89.24
黑岗口	83.08	82.82
柳园口	81.62	81.49
夹河滩	75.46	74.88

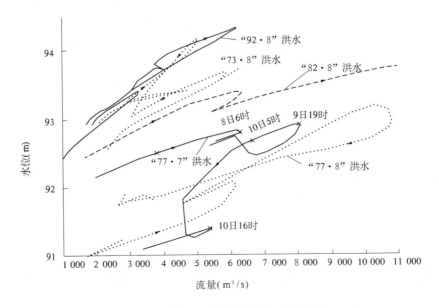

图 5-63　花园口水文站水位与流量关系

四、水位陡涨猛降的急剧变化

河道在造床过程中,常出现水位陡涨猛降的现象。

图 5-64 和图 5-65 为 1973 年 8 月水位与流量关系和高含沙量洪水的水沙及水位过程线,8 月 27 日小浪底洪峰流量 4 300m³/s,沙峰落后于洪峰 42h,含沙量超过 400kg/m³ 的历时为 22h。在 8 月 27 日的洪峰涨水阶段,当小浪底流量由 1 500m³/s 增大到 4 300m³/s 时,水位基本没有变化,说明裴峪曾发生冲刷,而在洪峰落水阶段,铁谢水位自 8 月 27 日 4 时起突然猛降,至 9 月 1 日 0 时,水位共下降 2.12m;裴峪的水位在峰后 47h 内不但没有下降,反而上升 0.2m,到 8 月 29 日 6 时才开始猛降,至 8 月 31 日 18 时,水位共下降 1.2m;官庄峪的水位在洪峰落水阶段也是上升的,自 8 月 29 日 0 时至 30 日 6 时猛升 0.74m,此后才急剧下降,至 9 月 1 日 16 时,水位下降 1m;花园口在洪峰涨水阶段主槽也发生冲刷,水位增长缓慢,8 月 28 日 11 时至 8 月 29 日 16 时,流量减少很多,但水位仅下降 0.10m,8 月 29 日 16 时,水位开始猛升,至 8 月 30 日 22 时出现异常高水位。从瞬时水位的变化可以清楚地看出,在洪峰起涨时,水面线的变化是比较协调的,但在洪峰落水阶段,铁谢水位猛降,而裴峪和官庄峪的水位不但没有下降,反而不断上升,官庄峪水位上升更大些,这样造成了官庄峪以上的水面线坡度变缓,官庄峪以下的水面线坡度变陡。8 月 30 日 6 时官庄峪水位上升至最高值时,官庄峪上下游的水面线上缓下陡现象最为突出。此后,官庄峪以上水位下降,官庄峪以下的水面线则由于花园口水位于 8 月 30 日 22 时上升到最高值而变缓。在花园口最大流量 5 000m³/s 过后,水位下降,铁谢—花园口的水面线才恢复到峰前状况,这种现象主要发生在花园口以上河段。

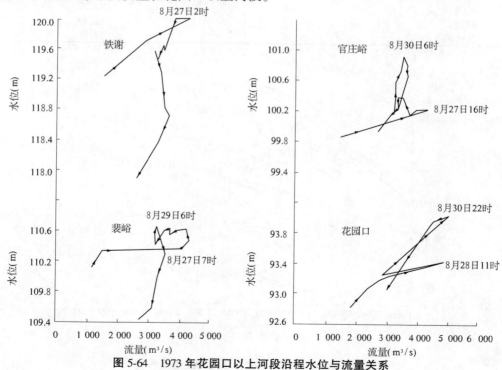

图 5-64　1973 年花园口以上河段沿程水位与流量关系

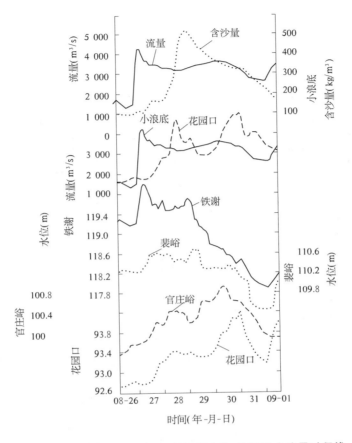

图 5-65　1973 年花园口以上河段沿程水位、流量及含沙量过程线

1977 年 8 月高含沙量洪水,花园口以上也出现一些特殊现象,与 1973 年的情况十分相似。图 5-66 为 1977 年 8 月流量、含沙量及各站水位过程线。在洪水峰顶附近及落水过程中主槽发生强烈冲刷,伊洛河口以上河段,如裴峪断面,洪峰峰顶附近流量持续在 7 500 m³/s,最大含沙量约 535kg/m³,历时 14h,当流量降至 7 000m³/s,流量变化不足 1 000m³/s,水位下降 1.5m;花园口断面在洪水落水过程 10 月 5 日流量为 6 500m³/s 时,历时 10h 后,流量降至 5 000m³/s,同流量水位下降约 1.2m。

图 5-67 为 1992 年 8 月高含沙量洪水铁谢—花园口各站水位过程线,图 5-68 为花园口以上河段水位与流量关系。可以看出逯村水位在涨水期以较大的涨率上涨至峰尖附近,水位达最高值,随后尽管流量变化不大,水位却明显下降。此后又一次洪峰到来,随着流量的增加,水位不但不升,反而下降,12 ～ 14 日水位上涨约 1m,而 14 ～ 16 日又下降 1.5 m,大玉兰及驾部水位变化过程基本与逯村相同,大玉兰下降 0.8m,驾部下降 0.5m,水位急剧变化是高含沙量洪水与一般含沙量洪水的不同之处,对防洪影响很大。

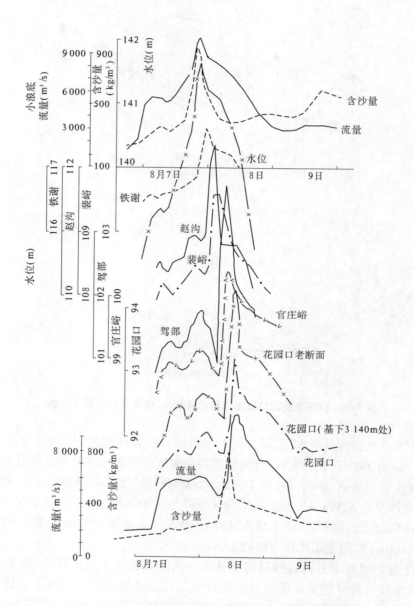

图 5-66　1977 年 8 月高含沙量洪水水位、流量及含沙量过程沿程变化

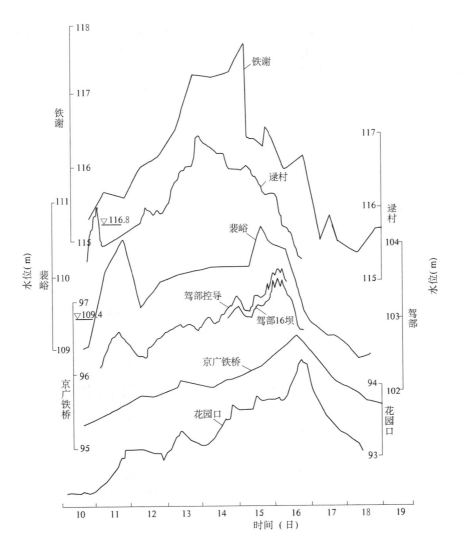

图 5-67　"92·8"洪水铁谢—花园口水位过程

五、沿程洪峰流量有所增大,洪水传播速度减慢

一般洪水条件下,由于河道冲淤变化较小,水位的升降与流量大小基本同步,即在最大洪峰流量附近,水位最高,漫滩最严重。洪水漫滩后,由于滩地水浅,阻力大,滩地洪水演进速度比主槽慢,所以一般情况下漫滩洪水回到主槽的"附加洪峰"落在"主槽洪峰"的后面,造成最大洪峰流量降低,洪水传播历时延长。如 1982 年 8 月洪水花园口为尖瘦的洪峰,含沙量不大,因花园口—夹河滩河段漫滩后的附加洪峰汇入主槽后使夹河滩在主峰后又出现小峰(图 5-69)。对于高含沙量洪水,由于河床滩槽冲淤调整迅速,引起洪水传播速度减慢,最大洪峰流量沿程有所加大(主要发生在花园口以上河段),图 5-70 为典型高含沙量洪水流量沿程变化。如 1973、1977、1992 年花园口最大流量均比三门峡最大流量要大。表 5-42 为小浪底—花园口河段典型高含沙量洪水传播时间及洪峰流量的变化。可

以看出,如一般洪峰流量为 4 000～5 000m³/s 的洪水,从小浪底至花园口的传播时间约为 15h,而高含沙量洪水则将延长 1 倍左右。小浪底—花园口最大洪峰流量也有所增大,一般花园口洪峰流量与小浪底洪峰流量的比值大多数大于 1.0,最大为 1.47。

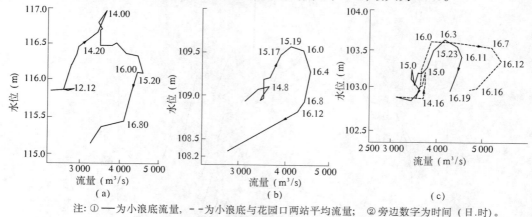

注: ①—为小浪底流量, --为小浪底与花园口两站平均流量; ②旁边数字为时间 (日.时)。

图 5-68   1992 年 8 月高含沙量洪水下游站水位与流量关系
(a)逯村;(b)大玉兰;(c)驾部

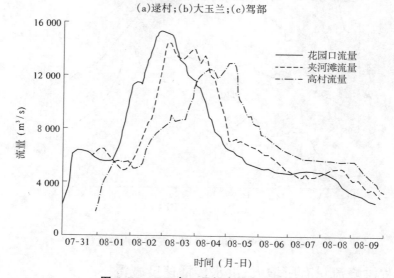

图 5-69   1982 年 8 月低含沙洪水演进

造成上述现象的原因,是由于河床冲刷输沙率增值引起的,更主要是由于河床形态在洪水过程中由宽浅向窄深发展而引起洪水过程的变形。如 1992 年 8 月洪水前下游河床极为宽浅,再加上前期小水淤积严重,花园口以上河段在流量仅 2 500～3 000m³/s 时,就开始漫滩,加上峰后主槽冲刷水位下降,漫滩洪水在汇入河槽时形成"附加洪峰",导致本站洪峰流量大于上站的现象。分析了逯村水位与流量关系,最高洪水位出现在 8 月 14 日 0 时,最大流量出现在 15 日 20 时,每小时冲深 0.027m;花园口站 8 月 15 日 8 时至 17 日 8 时,按 600m 宽的主槽平均刷深 0.89m 计算,平均每小时冲深 0.019m,若按河段长 100km,宽 600m,平均每小时冲刷深度 0.023m 估算,因主槽的冲刷而增加流量约为 380m³/s,约占花园口洪峰流量偏大 1 540m³/s(扣除区间来水 150m³/s)的 25% 左右。

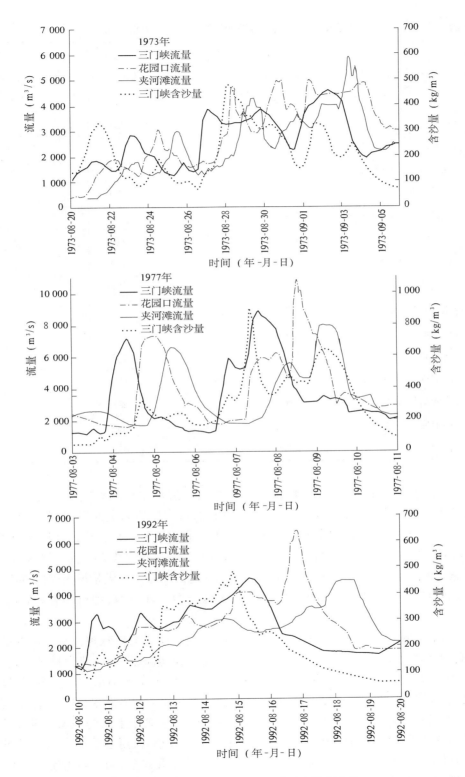

图 5-70　典型高含沙量洪水流量过程沿程变化

表 5-42　　　　　　　小浪底—花园口河段高含沙量洪水洪峰流量变化

年份 （年）	站名	时间 （月-日 T 时）	洪峰流量 $Q(\mathrm{m^3/s})$	花园口洪峰流量/ 小浪底洪峰流量	含沙量 （kg/m³）	传播时间 （h）	传播速度 （m/s）
1973	小浪底	08-30T00	3 630	1.38	360	22	1.6
	花园口	08-30T22	5 020		230		
	小浪底	09-02T12	4 400	1.34	325	22	1.6
	花园口	09-03T10	5 890		330		
1977	小浪底	07-08T15:30	8 100	1	170	28.5	1.25
	花园口	07-09T19	8 100		450		
	小浪底	08-07T21	10 100	1.07	840	15.7	2.26
	花园口	08-08T12:42	10 800		437		
1992	小浪底	08-10T22	3 430	0.81	192	23	1.54
	花园口	08-11T21	2 780		91		
	小浪底	08-12T08	2 930	1.11	193	26	1.37
	花园口	08-13T10	3 260		133		
	小浪底	08-13T20	2 780	1.47	389	28 ~ 36	0.98 ~ 1.26
	花园口	08-15T00 ~ 08	4 080		258		
	小浪底	08-15T16	4 570	1.37	535	28	1.26
	花园口	08-16T20	6 260		488		

图 5-71 为小浪底—夹河滩河段最大流量与最高洪水位出现时间沿程变化,由图可知,最高洪水位在最大流量出现之前,主要表现在原京广铁桥以上河段,说明最大洪峰流量时河床已发生强烈冲刷。同时,此场洪水漫滩范围较广,原京广铁桥以上洪水漫滩范围 3 ~ 4km,河段长约 70km,漫滩面积约 200km²,若按平均漫滩水深 0.2m 计算,漫滩水量可达 0.4 亿 m³。此外,裴峪—官庄峪河段水位明显降落时间与花园口洪量增大时段基本吻合,在 10h 内降低 0.6 ~ 0.7m,若按本河段的面积 200km² 的一半计算,即可能有 0.6 亿 m³ 水体回归主槽。

通过以上的分析,可以认为高含沙量洪水河床演变模式与特殊现象具有内在的必然联系,高含沙量洪水造床作用较一般洪水强烈得多。在嫩滩淤积、高滩深槽的塑造时期,过水面积大幅度减小是水位陡涨、水位偏高的直接原因,在主槽缩窄、高滩深槽发展到一定程度后,又使主槽发生强烈冲刷,使水位陡落,并进而使前期漫滩水流回归主槽,当水位陡落发生在洪峰峰顶附近时,即可造成下站最大洪峰流量大于上站的现象。洪峰传播时间的长短主要取决于断面形态,当河道宽浅、平滩流量较小时,河道易漫滩,滩地淤积是传播时间长的主要原因。由于黄河高含沙量洪水的河床变化迅速,与一般水流规律不同,在黄河治理中一方面注意给防洪带来的问题,另一方面还要充分利用其有利的方面。

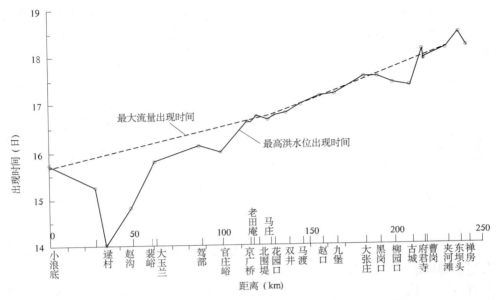

图 5-71 "92·8"洪水最大流量与最高洪水位出现时间过程

六、平面形态变化

(一)游荡性河段河势变化剧烈

高含沙量洪水具有强烈的造床作用,平面形态变化较剧烈。凡是河道整治工程控制较完善的河段,就形成一弯导一弯的有规律变化,而工程控制较差的河段,高含沙量洪水期主流摆动幅度大,速度快,易造成平工段着溜的险情,对防洪安全构成较大威胁。1977年7月高含沙量洪水期孟县化工控导工程前河势突然发生变化(图5-72),在1h内主流由南向北摆动500余m,滩地坍塌速度达8m/min,主流顶冲9~17号坝,2h后9号坝全部冲毁,紧接着10、11号坝也以2~3m/min的速度全部塌毁,由于险情紧急,虽经奋力抢护,仍造成垮坝。另外,在洪水落峰过程中,万滩以北河床堆成一长约7.5km的沙洲,河势发生突然变化,主流直逼南岸靠堤行洪,杨桥险工17~21号坝及护岸工程相继出险,坍塌坝岸200多m,其中几处塌岸距坝仅2~3m,奋力抢护7天7夜险情才得到控制。

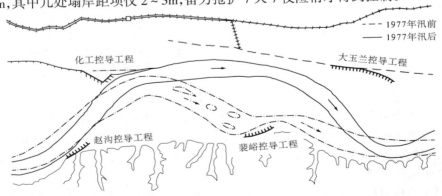

图 5-72 1977 年化工河段河势图

九堡险工在 1988 年高含沙量洪水前靠溜较紧,但在洪水期工程多处出险,主流线外移,河势下挫,致使下河段主流不断南移,滩地大量塌退,直接威胁大堤安全,汛后主流与汛前相比南移约 3 000m,水边线距大堤仅 500m(图 5-73)。

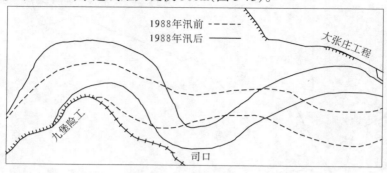

图 5-73   1988 年九堡河段河势图

(二)局部河段出现畸形河湾

高含沙量洪水期,在河湾弯顶附近主流带宽度可以缩窄到 300m 以下,形成畸形河湾,对工程安全影响很大。如 1977 年 7 月高含沙量洪水期,来自马庄控导工程的主流以近乎垂直的角度顶冲花园口险工(图 5-74),险工前主流带宽度约 300m,单宽流量达 20m²/s,部分工程发生根石走失、护坡滑塌等严重险情,特别是大流顶冲的 20 号坝(将军坝)已建 200 多年,坝基根石埋深 20m,多年没发险情,在此时,根石走失达 30m,抛石 250m³,抢险 13h 才基本控制险情的发展。此外,赵口险工 41 号坝建坝 80 年,根石埋深 13m,在局部河段出现畸形河湾的情况下,仅 20min 造成 18m 的浆砌坦石全部滑塌。

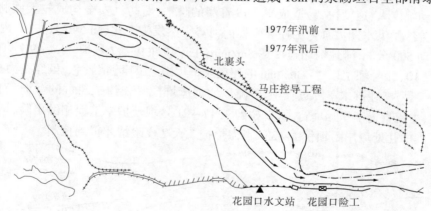

图 5-74   1977 年花园口河段河势图

1992 年 8 月高含沙量洪水期,柳园口北岸沙嘴挑溜形成南北横河,主槽宽度缩窄到 350m 左右,坝前局部最大流速达 5～6m/s,造成柳园口 29 号坝、31 号坝出险,根石走失严重,采用散抛石抢护几乎不起作用,后用 4m³ 的铅丝笼集中抛石才基本控制了险情,抢险抛石达 2 910m³。

从以上分析可以看出,黄河下游高含沙量洪水有其特殊的规律,同时对防洪影响是很大的。因此,须充分认识其河床演变规律,并加以利用和改造。

第六章　黄河下游纵横断面调整规律及其与水沙间的关系

黄河下游是一条强烈的堆积性河道,其纵剖面调整规律及其与来水来沙间的关系是河床演变研究中的一个重要课题。多年来,许多专家对黄河下游纵剖面调整规律进行了深入的研究。20世纪80年代初期,谢鉴衡通过对50年代和60年代观测资料的分析研究,认为黄河下游纵剖面在多年平均的情况下是平行抬升的,并导出了描述纵剖面形态的方程式;王恺忱也曾分析过黄河下游河口延伸与水位抬升的关系,指出下游水位抬升是平行抬升的。周文浩等根据实测资料分析,认为纵剖面调整是一定水沙条件下的产物,并不存在平行抬升的现象,并认为20世纪50~70年代黄河下游纵剖面变化是近30年间水沙不断变化的产物;张仁认为,河口延伸是河道持续淤积的主要原因;尹学良认为,当前河口淤积延伸的上溯影响距离不大,黄河持续淤积的原因,是历史条件所形成的比降平缓和断面宽浅的河性造成的。进入90年代,陆中臣和贾绍风进一步从地貌学的角度探讨了河流纵剖面的调整机理。国家“八五”科技攻关,黄科院就黄河下游纵剖面的调整也进行了大量工作,认为水沙条件是影响纵剖面调整的关键因素,随水沙条件变化纵比降在不断调整,全下游河床并非同步抬升。

黄河下游冲积性河道随来水来沙条件的变化不断地进行调整,力求河道的输水、输沙与来水来沙相适应。冲积河床的调整,不仅反映在纵向,也反映在横向。不同的来水来沙量及水沙过程,决定了横断面的调整形式及变化幅度。在一定的水沙条件下,河床物组成及两岸的防护工程对横断面的调整也会起到约束作用,结果影响到河势摆动及横断面的变化范围。

相对于纵剖面而言,黄河下游横断面调整研究较少,下游平滩流量的大小大致可以反映某一时期横断面的调整情况,平滩流量越小,河槽越宽浅,由于泥沙淤积沿程及横向分布的不均匀性,形成“槽高、滩低、堤根洼”的“二级悬河”局面,进而给下游防洪带来了很大的压力。一般情况下,大水淤滩,小水淤槽,滩地的淤积为主槽冲刷创造了条件,而主槽的淤积又给洪水漫滩增加了机会,并从实践中总结出“淤滩刷槽、滩高槽稳、槽稳滩存、滩存堤固”的滩、槽、堤相互依赖的辩证关系。实际上由于黄河冲淤善变,河槽本身变化复杂,加之主流频繁地大幅度摆动使主槽位置随之左右变化,难以确定。因此,受水沙条件、主流摆动及河道边界等因素的影响,黄河下游游荡性河段横断面变化具有多样性和复杂性。

本章根据黄河下游实测断面资料,重点分析了1960年以来黄河下游纵、横断面的调整过程及变化特点,从理论上探讨了纵剖面调整的机理及横断面变化与来水来沙间的关系,揭示了不同水沙条件下纵、横断面的发展趋势。

第一节 黄河下游不同时期纵剖面调整

泥沙沉积受制于水沙条件的变化和河道边界的约束。堤防的约束及河道整治工程在防洪方面发挥巨大作用的同时,也使得河道沉积速率明显加大。纵、横断面随水沙条件的变化而调整,主槽沉积速率大于滩地。目前下游河道萎缩虽然是多种因素共同影响的结果,但水沙条件起到了关键作用,萎缩是少水多沙条件下的必然产物。

黄河下游是一条处于堆积状态的河流,据地质、地貌学家研究,在距今 26 000 ~ 8 000 年前,华北平原还是一个大海湾,到 8 000 ~ 7 500 年前,黄河的冲积扇顶端尚在郑州桃花峪附近,海拔约 15m。在以后漫长的历史时期中,由于没有堤防的约束,黄河在天津和苏北之间,经历了数千年往复的迁徙和沉积演化,三角洲不断向海中延伸,从而形成今天面积达 25 万 km² 的华北平原。据估算,历史时期,河道年均抬升约 1cm。不同时期,黄河下游纵向沉积速率及横向摆动幅度主要与河流的边界约束条件和水沙过程有关。

黄河下游纵剖面调整是一个漫长而复杂的过程,关于纵剖面调整的研究也很多,本节就 1960 年以来三门峡水库不同运用期,分阶段以实测资料为依据,结合不同的来水来沙条件,探讨黄河下游游荡性河段纵剖面的变化过程及调整规律。

一、纵剖面历史演变概况

黄河下游河道是在不同历史时期形成的,孟津铁谢—沁河口原是禹河故道,沁河口—兰考东坝头河段已有 500 多年的历史;东坝头—陶城铺是 1855 年铜瓦厢决口后在泛区内形成的河道;陶城铺以下鱼山—黄河入海口,原系大清河故道,铜瓦厢决口后为黄河所夺。北岸自孟州市以下,南岸自原郑州铁桥以下,除东平湖到济南田庄为山岭外,两岸均靠大堤来防洪。由于大量泥沙淤积在黄河下游河道,河床平均每年抬高 0.05 ~ 0.10m,现行河床一般高出背河地面 4 ~ 6m,最高达 10m 以上。由于泥沙沿程及横向堆积分布的不均匀性,下游悬河表现的形式和程度也不尽相同。"二级悬河"的不断发育,给下游防洪带来了很大的压力,2002 年黄河小浪底水库调水调沙期间,高村附近曾出现 1 800m³/s 洪水漫滩的不利局面。

(一)铜瓦厢决口改道初期

1855 年以来,黄河下游河道冲淤演变经历了不同的发展阶段,据史料记载、地形图比较、文物考证等综合分析,下游河道冲淤变化的纵剖面演变过程如表 6-1 及图 6-1、图 6-2 所示。

铜瓦厢决口改道初期,东坝头以上河段产生了强烈的溯源冲刷,河槽迅速下切,至 1875 年 20 年间口门处冲深约 6m,原郑州铁桥处冲深约 4m,花园口—东坝头河槽冲深 3m 左右,花园口以上冲深 1 ~ 2m,冲刷估计发展到铁谢附近。东坝头以下则明显淤积,东坝头—高村淤积 2 ~ 3m,高村—陶城铺河段淤高 0.5 ~ 1m。

1875 ~ 1878 年铜瓦厢以下至张秋镇间两岸堤防形成,黄河被约束于两堤之间,从而结束了长期漫流的局面,使黄河下游河道转为人工堤防控制发育阶段。1885 年大清河两岸正式筑堤,至 1893 年基本形成现有堤线。据 1891 年地形图显示,修堤后东坝头—利津河道淤积发展迅速,堤内滩地已较堤外地面普遍高出 1m 左右,铁谢—东坝头普遍淤高 0.5～1m。

表 6-1　　　　　　　　　　黄河下游不同时期断面冲淤厚度统计

河段	1855～1875 年		1875～1891 年		1891～1936 年		1947～1960 年	
	淤积厚度(m)	年均厚度(m)	淤积厚度(m)	年均厚度(m)	淤积厚度(m)	年均厚度(m)	淤积厚度(m)	年均厚度(m)
铁谢—花园口	−1～2	−0.05～0.1	0.5	0.03	1	0.02	0.32	0.02
花园口—东坝头	−3.0	−0.15	1.0	0.06	1.5	0.03	0.5	0.03
东坝头—高村	2～3	0.1～0.15	1.0	0.06	1～1.5	0.02～0.03	1.3	0.09
高村—艾山	0.5～1.0	0.025～0.03	1.0	0.06	1～1.5	0.02～0.03	2.0	0.13
艾山—泺口	河槽展宽		1.0～1.5	0.06～0.1	1～2	0.02～0.04	1.5	0.10
泺口—利津			0.5～1.0	0.03～0.06	1.5～2	0.03～0.04	0.8	0.06

注:1938 年 6 月～1947 年 3 月花园口人工改道入淮河。"＋"为淤积;"－"为冲刷

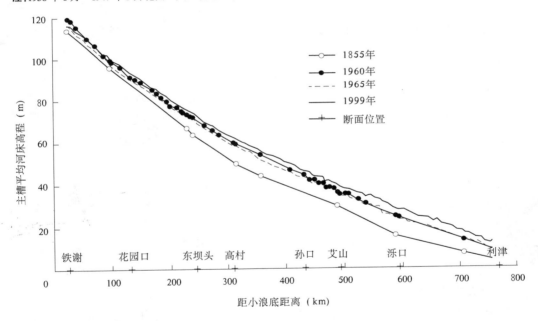

图 6-1　黄河下游河道主河槽纵剖面

(二)河道缓慢抬升期

进入 20 世纪以后,黄河下游河道经过了 1855 年铜瓦厢决口改道后近半个世纪的冲淤调整,铁谢—东坝头近 200km 的河段形成了 2.0‰～2.5‰ 的坡降,河道淤积主要受东坝头以上河道堆积抬升的影响,主槽逐渐回淤,但淤积速率相对较小;东坝头—艾山河段河道纵比降远较东坝头以上平缓,是黄河泥沙淤积的重心;艾山以下河道,经 1891 年至 20世纪初期淤积的初步调整,形成了窄深河槽,泥沙经艾山以上宽河道调节,进入窄河道的水沙条件相对于宽河道而言,从量到质上都发生了根本性的改变,水沙条件相对有利,因

而20世纪初至1936年该河段淤积较少,只是下段受河口淤积延伸的影响,淤积厚度略有增大。1933年8月,黄河中游发生了高含沙大洪水,陕县洪峰流量22 000m³/s,洪水期间黄河下游孟津铁谢—石头庄河段,除原郑州铁桥—东坝头河段1855年铜瓦厢决口形成的高滩未上水外,普遍漫滩淤高1~2m,高村以下因其上游决口改道河走北金堤滞洪区,没有发生严重淤积。1933年以前黄河下游河道淤积主要在高村以下河段,1933年8月大洪水造成高村以上严重淤积,两种淤积过程叠加,使得1891~1936年期间,黄河下游铁谢—艾山河段沿程普遍淤高1~1.5m;艾山以下受19世纪末河道塑造时期淤积较多及河口淤积延伸的影响,其淤积厚度稍大一些,达1.5~2m。由于这一时期黄河下游曾多次决口,大量泥沙冲出堤外,黄河下游河道年均淤积厚度并不大,1891~1936年年均淤积厚度只有0.02~0.04m,为1875~1891年年平均淤积厚度的1/3~1/2。

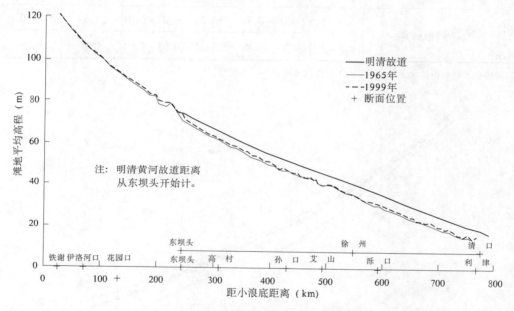

图6-2 黄河下游河道滩地纵剖面

(三)人工改道时期

1938年6月,为了阻止日军西进,蒋介石下令扒开黄河南岸大堤,造成全河夺溜,泛滥豫、皖、苏三省部分地区达9年之久。1938年6月~1947年3月,黄河在花园口人工改道入淮河期间,花园口口门上游不远处河床冲深3m左右,在其上游14km处的秦厂断面河槽冲深约2m,据调查,冲刷发展至铁谢附近,黄河花园口以下断流。

(四)河道自然淤积时期

1947年3月花园口堵口后至1960年为河道自然淤积期。花园口堵口后其上游河道迅速回淤,1949年短短2年时间内河槽基本恢复到改道前的状况,但1933年大洪水期间滩地淤积的泥沙塌失后没有淤回,据地形图比较,至1953年仍塌失泥沙约2.4亿 m³。1953~1960年铁谢—花园口淤积泥沙4.6亿 m³,冲淤相抵,1947~1960年只淤积泥沙2.2亿 m³,河槽平均淤积厚度 0.32m。花园口以下河段，由于 1947～1960 年期间下游来水来沙较多，大洪水漫滩次数多，所以东坝头以下普遍漫滩淤积，河道淤积以山东旧城—艾山河段最多，淤积厚度为 2.5m 左右，东坝头—旧城河段淤积厚度一般为 1.0～1.5m，艾山以下河段淤积厚度为 0.8～1.5m。淤积分布呈现两头小、中间大的特点，即东坝头以上及泺口以下淤积少，年均淤积厚度 0.03～0.06m，东坝头—泺口段淤积多，年均淤积厚度 0.09～0.13m。这一时期淤积速率大的原因除与来水来沙条件有关外，也与河床的边界条件有关。黄河下游堤防的完善在防御洪水的同时，也限制了泥沙的落淤范围，进而加快了河床的淤积抬升速率。

二、三门峡水库修建后黄河下游河道纵剖面变化

黄河以水少沙多而著称于世。泥沙在时间和空间上的沉积受制于水沙条件的变化和河道边界的约束。人民治黄以来，黄河下游的防洪能力有了极大的提高，伏秋大汛没有发生过决口，确保了沿河两岸经济的发展和人民生活的安定。河床的抬升速率长时期内主要与边界的约束条件有关，在边界一定的情况下，短时期内河道的抬升幅度随水沙条件的变化而变化。

1960 年 9 月三门峡水库投入运用，经过长期实践，先后采取了"蓄水拦沙"、"滞洪排沙"与"蓄清排浑"三种不同的运用方式，水库运用极大地改变了进入下游的水沙条件，对下游冲淤也产生了很大的影响，总体看，下游经历了冲刷和淤积两个阶段。图 6-1 和图 6-2 分别给出了不同时期下游河道主河槽及滩地纵剖面的变化。1960 年 9 月～1964 年 10 月为三门峡水库蓄水拦沙运用期，期间进入下游的来水和来沙总量（三门峡＋黑石关＋小董）各为 2 263 亿 m³ 和 23.3 亿 t，其中汛期水、沙量分别为 1 308 亿 m³ 和 17.2 亿 t，分别占年水量、年沙量的 58% 和 74%；1964 年来水最丰，汛期花园口来水量达 518 亿 m³，日均流量达 4 870m³/s；蓄水拦沙期间进入下游的水量丰，泥沙少而细，平均含沙量仅有 10.3kg/m³，中水流量历时长，最大洪峰流量为 9 430m³/s，3 000～6 000m³/s 流量历时平均每年 46 天。水沙作用的结果使得下游河道普遍冲刷，其中以铁谢—沁河口段冲刷强度最大，河槽平均冲刷深度 1.9m；沁河口—花园口段受花园口水利枢纽的影响冲刷幅度最小，为 0.71m；花园口—东坝头和东坝头—高村段冲刷强度介于以上两河段之间，河槽冲刷深度分别为 1.31m 和 1.1m。

黄河下游 1958 年汛后普遍修起了生产堤，并修建了大量的护滩工程。1964 年后下游整治工程进一步完善，主流摆动得到了一定的限制，同时三门峡水库的滞洪削峰作用大幅度削减了下游洪水，使得生产堤与大堤间滩地淤积量少，泥沙堆积范围主要集中在主河槽及嫩滩内，1965～1999 年间黄河下游游荡性河道主河槽沿程呈现不同程度的淤积抬升，具有上段淤积少、下段淤积多的特点。铁谢—裴峪段主河槽抬升量最小，为 0～1.3m，年均抬升速率为 0～0.04m；伊洛河口—花园口段主河槽抬升约 2.5m，年均抬升速率为 0.07m 左右；花园口—高村段抬升最为严重，平均抬升约 3.3m，年均抬升速率约 0.1m。这里值得一提的是，1986 年以来，由于多年出现枯水，下游河道主槽萎缩，滩槽高差明显减小，平滩流量减小，高村附近 1996 年平滩流量不足 3 000m³/s，到 2002 年平滩流量又进一步减小，变为 1 800m³/s。河槽萎缩不仅是河道过洪能力降低，而且也增加滩区淹没机遇和加大了淹没损失，给滩区生产也带来了不利的影响，同时在下游"二级悬河"发育的地段，洪

水期发生"滚河"的可能性也在加大,给堤防的安全带来了很大的隐患。

黄河下游现河道自 1855 年以来已行河 150 多年(扣除花园口改道期),经过长时期调整,花园口以上纵比降相对较大,主要有三方面原因:首先是 1855 年铜瓦厢决口改道初期东坝头以上产生溯源冲刷;其次是 1938~1947 年花园口改道产生溯源冲刷;再次是 1960 年后经历了三门峡水库拦沙期的冲刷和蓄清排浑阶段,每年经历非汛期冲刷和汛期淤积交替变化过程。1855 年以来,花园口以上河槽平均淤积厚度在 2m 左右,其中上段(伊洛河口以上)淤积少、下段淤积多,如图 6-1 所示。横向冲淤分布的不均匀性,造成滩地淤积量相对于河槽较小,花园口以上滩地主要是 1933 年高含沙特大洪水漫滩淤积。花园口—东坝头河段,1855 年决口发生溯源冲刷后至 2000 年河槽已发生明显淤积,淤积厚度在 4~6m,其中 1960~2000 年该河段河槽平均淤积厚度约 2m,河槽淤积多、滩地淤积少,使得滩槽高差明显减小。目前来看,1855 年东坝头以上形成的高滩已变得不高,经洪水验证,1996 年花园口 7 860m³/s 洪水时多数高滩已上水,同时给滩区群众带来了巨大损失;东坝头—艾山河段相对艾山以下河段,河道较宽,地处铜瓦厢冲积扇的顶端,是泥沙的主要堆积区,主河槽淤积厚度 7~10m,其中 1960~2000 年河槽淤积厚度达 2.5m 左右;艾山以下窄河段同样淤积较为严重,河槽普遍淤积厚度达 10m 左右,其中 1960 年以来淤积 3~4m,尤其是 1986 年后多年出现枯水,不利的水沙条件又加剧了窄河道泥沙淤积。1885 年下游河道经历了不同水沙的淤积和冲刷,总的来看,比降上陡下缓,且上段淤积少、中段及下段淤积多,纵比降随时间呈变缓的趋势。泥沙沿程淤积分布的不均匀性,使一些河段主槽萎缩严重,"二级悬河"加剧,如东坝头—高村河段在目前河道边界下,中等流量的洪水就有可能出现滚河,进而危及堤防的安全。黄河下游纵剖面随水沙及时间的变化总是在不断调整,比降上陡下缓的特性,决定了东坝头以下河段有可能在将来一段时间内仍然是泥沙的主要堆积区,因此东坝头以下"二级悬河"的治理应该引起重视。

第二节　纵剖面变化特点

一、主槽抬升速率大、滩地抬升速率小

据 1964~1999 年 35 年间断面冲淤计算结果,黄河下游主河槽抬高了 1.0~4.18m,年均抬升值为 2.9~11.9cm,黄河下游主河槽及滩地的淤积随河段的不同差异较大,如表 6-2 所示。

纵向分布上段淤积少、下段淤积多,横向分布滩地淤积少、主槽淤积多。主槽淤积厚度花园口以下较大,其年均抬升速率在 0.1m 左右,是铁谢—裴峪河段抬升速率的 2 倍多,同期内主槽的抬升基本与 3 000m³/s 水位的变化幅度一致。河道整治工程、护滩工程及生产堤的修建,使泥沙淤积横向分布也受到了限制,35 年间黄河下游滩地淤积为 0.2~1.0m,年均淤积仅为 0.006~0.03m。主槽抬升速率明显大于滩地,滩槽高差缩小,滩唇高仰,局部河段"二级悬河"发展严重。可见,同属游荡性河段,纵向调整随河段的不同,抬升幅度也不一,即使同一断面滩地和主槽抬升值也相差较大。

黄河下游纵剖面调整以淤积抬升为主,主槽抬升高村以下较大;滩地则相反,高村以

下抬升值较小。从东坝头以下现行黄河滩地与废黄河(明清故道)纵剖面(图6-2)比较看，两者十分相似，只是废黄河行水时间长，滩地高程都普遍大于现行河道滩地，一般高出2~4m，且沿程具有增大的特点。

表6-2   不同时期游荡性河道主槽、滩地冲(−)淤(+)变化幅度   (单位:m)

项目	1960年9月~1964年10月							
	铁谢—沁河口	沁河口—花园口	花园口—东坝头	东坝头—高村	高村—孙口	孙口—艾山	艾山—泺口	泺口—利津
主河槽	− 1.90	− 0.71	− 1.31	− 1.10	− 1.30	− 1.09	− 1.04	− 1.03
滩地	塌滩							

项目	1964年10月~1999年10月							
	铁谢—裴峪	裴峪—花园口	花园口—东坝头	东坝头—高村	高村—孙口	孙口—艾山	艾山—泺口	泺口—利津
主河槽	+ 1.00	+ 2.50	+ 3.20	+ 3.30	+ 3.72	+ 3.56	+ 4.18	+ 3.56
滩地	+ 0.20	+ 0.50	+ 1.00	+ 1.00	+ 0.76	+ 0.34	+ 0.39	+ 0.89
全断面	+ 0.50	+ 1.44	+ 1.55	+ 1.50	+ 1.57	+ 1.20	+ 1.68	+ 1.76

二、冲刷期冲刷强度沿程减弱，上段冲刷多、下段冲刷少

三门峡水库蓄水拦沙期间，下游河道自上而下普遍发生冲刷。沿程冲刷强度与淤积期的淤积强度则恰好相反(见表6-2)，铁谢—沁河口段主河槽年均冲深0.5m，花园口—高村段主河槽年均冲刷0.3m，冲刷期上段冲刷强度大，下段冲刷强度小，除局部河段(沁河口—花园口)受枢纽影响冲刷强度较小外，沿程有逐渐减弱的趋势。

三、主槽及滩地纵剖面形态呈抛物线形

关于纵剖面形状，一种常用的表达式是指数型，即坡降与距离之间有如下的指数关系

$$J = kx^m \tag{6-1}$$

式中 J——距起点x处的坡降；

      k——比例系数。

当$m = 0$时纵剖面为直线型，$m > 0$时为上凸型，$m < 0$时为下凹型。对式(6-1)进行积分，便可得到纵剖面公式，即

$$F = k\ln x + C \qquad (m = -1) \tag{6-2}$$

$$F = \frac{k}{m+1}x^{m+1} + C \qquad (m \neq -1) \tag{6-3}$$

式中 F——起始点至x处的河床落差，m；

      C——积分常数。

以上为河道纵剖面变化的基本表达式。以小浪底坝址为基点，点绘不同时期主河槽、滩地平均河床高程沿程变化，如图6-1和图6-2所示。经黄河下游实测资料回归分析，可以发现主河槽(或滩地)河底高程Z与距离x有较好的关系，上述指数曲线关系没有三次曲线关系好，但从表达式形式上看，三次多项式仍属指数型，纵剖面曲线有如下关系

$$Z = k_1x^3 + k_2x^2 + k_3x + C \tag{6-4}$$

式中 k_1、k_2、k_3、C 为待定系数,通过对资料的进一步分析,可见主河槽河底高程与距离拟合得很好,滩地河底高程与距离拟合得也较好。对 1855、1965、1999 年主河槽纵剖面回归分析,率定的系数及参数如表 6-3 所示。

表 6-3   待定系数值

年份(年)	k_1	k_2	k_3	C
1855	-0.936×10^{-7}	2.519×10^{-4}	-0.2922	122.04
1965	-1.106×10^{-7}	2.412×10^{-4}	-0.2689	122.74
1999	-1.092×10^{-7}	2.281×10^{-4}	-0.2673	123.96

对式(6-4)微分得河床纵比降沿程变化关系

$$J = \frac{dZ}{dx} = 3k_1 x^2 + 2k_2 x + k_3 \tag{6-5}$$

将 k_1、k_2、k_3 代入式(6-5),则表达式均较好地反映了纵比降沿程的变化趋势及不同河段不同时期 1965、1999 年纵比降变化的定量结果,如表 6-4 所示。纵比降沿程变化总趋势为上陡下缓,且随时间的延长不论是主槽冲刷还是淤积,对于具体某一河段而言,河床纵比降都在缓慢地调整,1999 年与 1965 年相比,孙口以上主槽比降变缓,泺口以下比降变陡,无论是变缓还是变陡,其变化量值都很小。

表 6-4   纵比降变化计算

位置		铁谢	伊洛河口	花园口	柳园口	东坝头
距小浪底距离(km)		25.8	71.3	131.9	200.6	243.7
比降 J(‰)	1855 年*	0.279	0.258	0.231	0.202	0.186
	1965 年	0.257	0.236	0.211	0.185	0.171
	1999 年	0.246	0.226	0.203	0.179	0.166
位置		高村	孙口	艾山	泺口	利津
距小浪底距离(km)		309.1	430.4	493.7	593.9	765.9
比降 J(‰)	1855 年*	0.163	0.127	0.112	0.092	0.080
	1965 年	0.152	0.123	0.112	0.099	0.094
	1999 年	0.148	0.122	0.112	0.102	0.100

注:1855 年数据较少,仅供参考。

四、抬升幅度随水沙条件的变化而改变

黄河下游河道的冲淤主要依赖于来水来沙条件的变化。长时期看,年淤积量时多时少,呈周期性变化,遇多沙系列年组,下游年淤积量多达 4 亿~6 亿 t,其中 80% 以上分布在高村以上河段;遇少沙系列年组,则淤积量少甚至发生冲刷。实测资料表明,年均含沙量的临界值约为 20kg/m³(汛期临界值为 25~30kg/m³),低于此值,河道发生冲刷;高于此值,河道则发生淤积。1964 年后,主槽抬升以 1965~1973 年为最大,这主要与三门峡水库冲刷后河道的迅速回淤及时段内来沙量大有关。期间三门峡水库滞洪排沙运用并进行两次改建,进入下游年均水量为 426 亿 m³,来沙量 16.3 亿 t,年平均含沙量 38.3kg/m³。不利的水沙系列致使下游河槽年均抬升 0.18~0.3m。20 世纪 80 年代初期,受降雨落区的影

响,黄河下游出现丰水少沙系列,1982 年 8 月花园口站发生了 15 300m³/s 的大洪水,1981~1985 年间,下游河道不但没有淤积,反而发生了冲刷。而 1986 年后由于多年出现枯水少沙,大洪水机遇明显减少,日均流量超过 3 000m³/s 的天数年均不足 7 天,中低流量的高含沙洪水机遇增多,至 1999 年间下游年均来水量仅 276 亿 m³,来沙量 7.6 亿 t,平均含沙量 27.5kg/m³,下游年均淤积约 2 亿 t,小水长期作用的结果造成下游主槽淤积加重,年均主河槽抬升为 0.11~0.19m,排洪能力明显降低。"96·8"洪水期间,花园口站洪峰流量为 7 860m³/s,下游多数河段都出现历史最高水位,出现了漫滩范围大、洪水传播时间长、洪峰变形复杂等一系列情况。

第三节 纵剖面调整机理探讨

纵剖面调整除受水沙条件变化影响外,河道整治工程、护滩工程及河床物组成等因素对泥沙冲淤也会产生一定的影响。从纵剖面的变化特点看,其调整与来水来沙条件密切相关,若遇不利的水沙,纵剖面仍将持续淤积抬高;纵剖面调整随水沙变化可分为短期的快速调整(指洪水期)及长时期缓慢调整(小水及平水期),随水沙条件的变化,各河段在不同时期的淤积抬升速率也不一样,同一时期不同河段河床抬升速率有大有小,且随时间的推移,泥沙的淤积部位有向下发展的趋势,如 1960~1999 年东坝头以上纵比降由大变小,而东坝头—高村河段纵比降则逐渐由小变大;不同水沙条件下的游荡性河段,不论是清水下泄还是浑水过程,或者是清浑水交替变化,下游都将出现间歇性的淤积与冲刷,但淤积与冲刷的幅度随河段的不同而差异较大,冲刷期上段冲刷多,下段冲刷少,淤积期则上段淤积少,下段淤积多,长期作用的结果,会使下游纵比降变缓。特别需要说明的是,三门峡水库"蓄清排浑"运用后,对下游纵剖面的调整有重大影响,其主要影响是花园口以上河段,减小了上段抬升的速率,相对加大了下段的抬升速率,促使纵剖面变缓。

一、河床淤积抬升形式

关于河床淤积抬升形式主要以水流连续方程及能量方程为基础,对一些问题概化后,从定性上说明纵比降的变化。

水流连续方程为

$$\frac{\partial Q}{\partial x} + \frac{\partial A}{\partial t} = 0 \tag{6-6}$$

式中 Q——流量,m³/s;

          A——过流面积,m²;

          x——流程,km;

          t——时间,s。

在一定时段内,河道存在一个等效的恒定流量,这种流量的造床作用与多年流量过程的综合造床作用相当,这一流量称为造床流量 Q_n,具有以下特点

$$\frac{\partial Q_n}{\partial x} = 0 \quad 且 \quad \frac{\partial Q_n}{\partial t} = 0 \tag{6-7}$$

河宽则被约束在大堤或工程之间,因此研究分段时可以假定每段河宽不变。由式(6-6)便可推知水深 h 在造床流量下不随时间而变化,即

$$\frac{\partial h}{\partial t} = 0 \tag{6-8}$$

水流能量方程

$$v\frac{\partial v}{\partial x} + \frac{\partial v}{\partial t} + g\frac{\partial Z}{\partial x} + g\frac{v^2}{C^2 h^2} = 0 \tag{6-9}$$

式中 v——断面平均流速,m/s;

Z——水位,m;

g——重力加速度,m/s^2;

C——谢才系数,m$^{0.5}$/s。

将式(6-8)代入式(6-9)得

$$\frac{\partial Z}{\partial x} = -\left[\frac{1}{g}\frac{\partial v}{\partial x}v + \frac{v^2}{C^2 h^2}\right] \tag{6-10}$$

由于 v、h 都不随时间而变化,可得

$$J_t = \frac{\partial Z}{\partial x} = \frac{\partial Z}{\partial x}\Big|_{t=0} = J_0 \tag{6-11}$$

由式(6-11)知,在沿程造床流量相近时,水面比降 J 仅是距离的函数,而与时间无关。也就是说,河床各河段的升降变化一定是同步等量的。

由于纵剖面的调整过程也是河道输沙沿程变化引起河床的冲淤过程,因此比降 J 也应满足以下河床变形方程

$$\frac{\partial Z_1}{\partial t} + \frac{1}{\gamma'}\frac{\partial G_e}{\partial x} = 0 \tag{6-12}$$

式中 G_e——单宽输沙率,kg/(s·m);

γ'——泥沙干容重,kg/m^3;

Z_1——河床高程,m,水位 Z 和河床高程 Z_1 的关系为 $Z_1 = Z - h$。

推得黄河下游单宽输沙率沿程是线性变化的,即

$$G_e = kx + C_1 \tag{6-13}$$

实际上黄河下游输沙率的沿程变化是很复杂的,并非线性变化,这也就是说河床平行抬升的前提条件是非常严格的,由于黄河下游的复杂性,因此其平行抬升的规律不可能是全河段的,在一定的来水来沙条件下,某些河段可能会出现近似的平行抬升。

二、河床抬升速率的影响因素

泥沙连续方程

$$\frac{\partial Q_s}{\partial x} + \gamma' B\frac{\partial Z_1}{\partial t} = 0 \tag{6-14}$$

引入造床流量的概念后,式(6-14)可变为

$$\frac{\partial Z_1}{\partial t} = -\frac{Q_n}{\gamma' B}\frac{\partial S}{\partial x} \tag{6-15}$$

式中 S——断面平均含沙量,kg/m^3。

由式(6-15)知,河床抬升速率与水沙因子是密切相关的,在某一造床流量下,河床抬升的速率与该段含沙量的沿程递减速率成正比;一般情况下,黄河下游含沙量变化存在沿程衰减的变化趋势,研究表明,含沙量变化沿程衰减速率差别很大,游荡性河段含沙量沿程衰减得多,而窄河道则衰减得少,在沿程河宽变化不大的情况下,便会出现游荡性河段

淤积抬升速率较大,而实际上由于黄河下游河道上宽下窄,所以河床抬升速率悬殊并不是很大。

三、纵剖面形态分析

黄河下游纵剖面形态是一定水沙条件下的反映。令含沙量 S 等于水流挟沙力 S_*

$$S = S_* = k\frac{v^3}{gh\omega} \tag{6-16}$$

式中　　ω——泥沙沉速,m/s;
　　　　k——系数。

流速 v 用曼宁公式计算

$$v = \frac{1}{n}h^{2/3}J^{1/2} \tag{6-17}$$

式中　　n——糙率,取 $n = A_n D_{50}^{1/6}$;
　　　　D_{50}——床沙中径,m;
　　　　A_n——系数,与床沙级配有关;
　　　　J——水面比降。

河相关系为

$$\frac{\sqrt{B}}{h} = \zeta \tag{6-18}$$

联解式(6-16)、式(6-17)、式(6-18)得

$$S = \frac{k}{A_n^3 g\omega\zeta}\sqrt{\frac{B}{D_{50}}}J^{3/2} \tag{6-19}$$

将式(6-19)代入泥沙连续方程并积分得

$$J^{3/2} = -C_J x + C_2 \tag{6-20}$$

$$C_J = \frac{\gamma' g\omega\zeta A_n^3}{kQ_n}V_J\sqrt{BD_{50}} \tag{6-21}$$

式中　　V_J——河床抬升速率;
　　　　C_J——与来水来沙及河床边界条件有关的系数,称为纵比降系数。

式(6-21)引入边界条件,即 $J|_{x=0} = J_0$,则

$$J^{3/2} = J_0^{3/2} - C_J x \tag{6-22}$$

式中　　J——沿河某一点的纵比降。

可以看出,纵比降变化随系数 C_J 的变化而变化,对某一固定位置,J 随纵比降系数的变化而变化,C_J 越大,递减速度越快;对于同一时间,比降上陡下缓。

四、来水来沙对纵比降的影响

对纵比降系数 C_J 的表达式进一步整理得

$$C_J = V_J\frac{\zeta^5}{B^4}\sqrt{\frac{D_{50}}{B}}A_n^3\gamma'Q_n\frac{1}{(S/Q_n)} \tag{6-23}$$

可见在一定时期内,纵比降系数 C_J 是与来水来沙条件紧密相关的,同时河床物质组成、断面形态等因素也会对纵比降的调整产生一定的影响。若来沙系数 S/Q_n 增大,则比降系数减小,纵比降 J 增加,河床变陡,如1965～1973年三门峡水库滞洪排沙期,下游大量淤积,结果比降增大,而1973年后三门峡蓄清排浑控制运用,尽管来沙系数也比较大,

但长时期内花园口以上河段淤积量相对较小,河床纵比降并未有增大的趋势。若流量较大,含沙量较小,纵比降 J 就会变小,河床调平,如 1981~1985 年。小浪底水库运用初期,在水库调节后的水沙条件作用下,下游游荡性河道同样出现比降调平。

纵比降调整一般与河床组成及来水来沙条件有关,从输沙平衡的角度出发,河床组成愈粗,调整后形成的比降也越陡。另一方面组成边界的物质对水流产生一定的阻力,阻力越大,水流所消耗的能量也越大,从能量的观点来说,水流的比降正是代表单位重量的水流经过单位距离所消耗的能量,因此从阻力角度考虑,同样可以得出河床物质组成越粗,河流所形成的比降也会越陡。图 6-3 给出了黄河干支流床沙组成与坡降间的关系,可以看出由于不同地区来沙条件不尽一样,黄河干流三个冲积性河段以禹门口—三门峡河段为最粗,当地比降也最大,三盛公—河口镇河段与下游河道上段相近,比降基本属于同一量级。对于下游,由于泥沙沿程分选,河床物质组成仍有一定差异,上段粗下段细,这也反映了下游河道上陡下缓的变化特点。对于图 6-3 经回归分析,坡降与河床沙组成的关系可以简单地用下面数学式表达

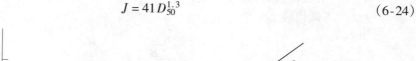

$$J = 41 D_{50}^{1.3} \tag{6-24}$$

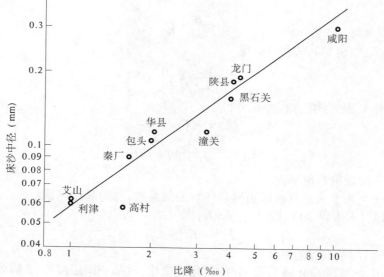

图 6-3　黄河中、下游干支流坡降与床沙粒径的关系

纵比降变化不仅与河床组成有关,而且随水沙条件的变化而变化,在确定坡降公式中,有很多只和流量建立关系。这从表面上看,似乎比降变化与来沙无关,但实际上水流输沙率一般与流量的高次方成正比,这种关系的存在,决定了支流的比降必然大于干流的比降,同时也说明在同一流域内,流量大的河流比降才比较平。一些科研工作者经过大量分析发现,坡降与造床流量的一定次方成反比,如 D. I. Bray 分析了加拿大卵石河流资料得出

$$J \sim Q^{-0.334} D_{50}^{0.586} \tag{6-25}$$

利用该公式从定性上可以说明河床比降随流量增大而变缓及黄河下游河道上陡下缓。冲积性河流的调整结果在于使其挟沙能力和上游来沙条件相适应。一方面要适应来沙量的大小，另一方面要适应来沙组成的粗细。黄河下游是一条高出地面的悬河，花园口以下没有较大支流汇入，除引水影响外，长时段流量沿程变化不大，床沙中径高村以上相对较粗，高村以下变化不大。黄河下游河道是一条强烈的堆积性河流，床沙质来量沿程递减，这种变化具体表现在上游来沙系数愈向下游愈小，含沙量沿程急剧衰减，如1977年高含沙洪水期间，三门峡出库最大含沙量达911kg/m³，到花园口、高村、艾山、利津后最大含沙量分别为437、284、243、188kg/m³。在沿程来水量变化不大的情况下，含沙量的减小就意味着来沙量经过程调整后沿程也不断减小。据分析，下游河道坡降与来沙系数有关，与来沙系数的高次方成正比，即来沙系数越大，比降越陡，沿程随沙量的递减，比降也逐步变缓。

第四节　纵剖面变化对河道输沙及河型转化的影响

河流所以形成不同的河型，正是反映了冲积河流自动调整的重要作用。在一定的流域来水来沙条件下，河流将调整它的比降、形态、河床物质组成和河型，力求使来自上游的水和泥沙能通过河段下泄，尽可能地保持相对平衡。不同的河型是通过它所具有的独特的比降、断面形态和糙率来体现一定的排洪和输沙能力，在床沙质来量较多的河流，时常发展形成游荡性河流，这种河流比降陡、糙率小、流速大，具有挟沙能力较大的特点，从而与流域来沙多相适应。

为了能够更具体地反映游荡型河流平面上的不稳定性，钱宁曾提出以游荡指标来反映游荡型河流的摆动强度，以区别游荡型与非游荡型河流。影响河流游荡性的因素有下列三方面：①来水条件，主要指河流流量变幅大，洪峰暴涨猛落都可能增加河流的游荡性；②来沙条件，主要指流域来沙较粗和床沙质来量偏大都有可能是造成河流游荡的重要因素；③边界条件，包括河流具有较陡的比降或较大的河流功率，河岸组成物抗冲性差，床面物质易于运动，边壁控制较差等因素都有利于促使河流朝游荡发展。根据以上影响因素，利用黄河、渭河、汾河、长江等10条河流上31个水文站资料，经多元回归计算，钱宁得出如下游荡指标表达式

$$\Theta = \left(\frac{\Delta Q}{0.5 T Q_n}\right)\left(\frac{Q_{max} - Q_{min}}{Q_{max} + Q_{min}}\right)^{0.6}\left(\frac{hJ}{D_{35}}\right)^{0.6}\left(\frac{B}{h}\right)^{0.45}\left(\frac{W}{B}\right)^{0.3} \tag{6-26}$$

上式中当游荡指标 $\Theta > 5$，为游荡型河流；$\Theta < 2$，为非游荡型河流；$\Theta = 2 \sim 5$，为过渡型河流。从上式可以清楚地看出，流量变幅越大、河道比降越陡、河槽越宽浅，河道就越易游荡；相反，河道平滩流量越大、床沙越粗则河道游荡指标 Θ 越小。表6-4给出了1960~1999年不同时期高村以上河段纵比降的变化，经历40年来不同的水沙条件的作用，1999年与1960年相比，高村以上河道纵比降以东坝头为界，上段纵比降变小，下段纵比降变大，虽然变化量值不大，但这种变化若继续发展可能会使东坝头以下游荡指标增大，从而使河势的稳定性减弱；伊洛河口以上，1960~1999年河床纵比降变化相对其他河段来讲，变化最大，如伊洛河口断面附近纵比降由1960年的0.252‰减为1999年的0.214‰，且随着小浪底水库运用，该河段仍然是首当其冲，估计该河段河床比降变小仍将是趋势性的变

化。比降变小使游荡指标减小,对稳定河势会有一定的积极作用。

上述谈到了纵比降变化对河流游荡指标的影响。特定的水沙条件常有利于某种河型的发展,游荡型河流河槽很难维持,中枯水期河槽淤积会加剧河流游荡。实测资料分析表明,对于黄河下游这样的多沙河流,洪峰期一般淤滩刷槽,含沙量较高时,主槽也可能发生淤积,而在汛期的平水期和枯水季节,河槽则淤积抬高,中、枯水期泥沙淤积都集中在主槽内,易形成淤积体,使水流漫滩机遇增加,河槽会变得宽浅散乱。1986 年后长期枯水作用,使下游河道主槽淤积严重,排洪能力显著下降,这种变化会促使河道游荡强度增加。

东坝头—高村河段纵比降变大及主河槽的严重淤积,有可能使得东坝头以下游荡性河道局部河段河势摆动加剧,从而增加河道整治的难度,这一点从 2002 年和 2003 年中小水情况下出现小流量漫滩,甚至局部段生产堤被冲决都得到了体现。如 2002 年双合岭断面附近在大河流量 1 800m³/s 时已开始漫滩,2003 年在大河流量仅 2 400m³/s 时,蔡集工程附近生产堤被冲决形成口门,最大过流量接近 800m³/s。若遇中常洪水或大洪水,则东坝头以下游荡性河道暴露的问题会更多,目前由于泥沙淤积分布的不均性,造成东坝头—高村河段比降变陡,虽然不会引起河型的变化,但它会加剧本河段河势的游荡摆动强度。

第五节 黄河下游不同时期横断面调整

黄河下游冲积性河道随来水来沙条件的变化不断地进行调整,力求河道的输水输沙与来水来沙相适应。冲积河床的调整,不仅反映在纵向,也反映在横向。不同的来水来沙量及水沙过程,决定了横断面的调整形式及变化幅度。在一定的水沙条件下,河床物质组成及两岸的防护工程对横断面的调整也会起到约束作用,结果影响到河势及横断面的变化范围。一般情况下,大水淤滩,小水淤槽,滩地的淤积为主槽冲刷创造了条件,而主槽的淤积又给洪水漫滩增加了机会,并从实践中总结出"淤滩刷槽、滩高槽稳、槽稳滩存、滩存堤固"的滩、槽、堤相互依赖的辩证关系。实际中由于黄河冲淤善变,河槽本身变化复杂,加之主流频繁地大幅度摆动使主槽位置随之左右变化,难以确定。因此,受水沙条件、主流摆动及河道边界等因素的影响,黄河下游游荡性河段横断面变化具有多样性和复杂性。

一、1960~1964 年清水下泄期

(一)滩地坍塌量

该时期三门峡水库除异重流排出部分泥沙外,含沙量低,中水持续时间长,下游普遍发生冲刷。游荡性河段纵剖面调整主要以下切冲刷为主,伴随着下切的同时断面塌滩展宽。其下切量和塌滩量随河段的不同差别也较大。

滩地坍塌量的计算,以前黄河水利科学研究院下游河道演变室曾利用大量的航片资料对清水下泄期铁谢—陶城铺河段进行过统计,如表 6-5 所示。陶城铺以上共坍塌滩地 326.6km²,其中高村以上塌失滩地为 277.6km²。塌滩主要集中的两个阶段,分别为 1961 年汛期和 1964 年汛期,高村以上塌滩面积分别为 108km² 和 141km²。两阶段总塌滩量为 249km²,占整个清水下泄期高村以上滩地塌失量的 90%。这说明长时期中水持续作用是造成游荡性河段滩地坍塌的根本原因。

表 6-5		三门峡水库清水下泄期滩地坍塌面积			（单位：km²）
河段	铁谢—花园口	花园口—东坝头	东坝头—高村	高村—陶城铺	总计
坍塌面积	82.2	125.2	70.2	49.0	326.6

为了进一步核实三门峡水库清水下泄期滩地坍塌量的准确度，近期又根据 1961～1964 年铁谢—高村段 53 个实测大断面（铁谢—辛寨断面较多，辛寨以下断面相对较少），对断面进行套绘，然后分析每一个断面滩地的坍塌位置及坍塌宽度，分别对各河段左滩、右滩、心滩进行计算，成果如表 6-6 所示。铁谢—高村共塌失滩地为 234.4km²，其中左滩面积为 128km²，右滩为 90.6km²，心滩塌失为 15.8km²，主要集中在孙庄—万滩河段。从滩地坍塌部位看，1855 年形成的老滩基本没有塌失，坍塌主要为嫩滩及二滩。利用断面资料计算的塌滩量与以前利用航片资料计算成果对比，发现本次计算塌滩面积比以前的计算量有所偏小，高村以上偏小约 44km²，偏小主要集中在东坝头—高村河段，东坝头以上河段两种方法计算结果基本一致。

表 6-6		三门峡水库清水下泄期滩地坍塌面积		（单位：km²）
项目	铁谢—花园口	花园口—东坝头	东坝头—高村	总计
左滩	32.3	60.1	35.6	128.0
心滩	0	15.8	0	15.8
右滩	64.6	26.0	0	90.6
全部	96.9	101.9	35.6	234.4

（二）河相关系

原郑州铁桥以上河段首当其冲，右岸受邙山控制，1960 年以前该河段宽浅散乱，经清水期冲刷后，滩唇下平均水深明显增加，由 1960 年汛前的 1m 左右增加到 2.5m 左右，断面河相系数 $\sqrt{B/H}$ 由 1960 年汛前的 40～90 减小为 1964 年的 25 左右，河槽由宽浅变为宽深，其变化值及沿程变化如图 6-4 及表 6-7 所示。

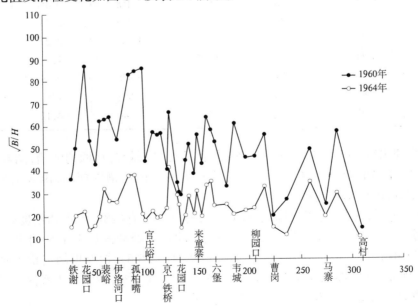

图 6-4　河相系数沿程变化

表 6-7　　　　　　　　　　　　　1960～1964 年河相关系统计

断面	1960 年汛前			1964 年汛后		
	河槽宽度 （m）	平均水深 （m）	河相系数 （$\sqrt{B}/H$）	河槽宽度 （m）	平均水深 （m）	河相系数 （$\sqrt{B}/H$）
铁谢	1 976	1.21	36.8	2 244	3.10	15.3
下古街	2 924	1.08	50.1	3 569	2.92	20.4
花园镇	5 231	0.83	87.1	3 082	2.51	22.1
塌坡村	2 454	1.15	43.1	2 454	3.11	15.9
裴峪	2 729	0.83	62.9	2 866	1.65	32.5
伊洛河口	4 889	1.29	54.2	3 761	2.30	26.6
孤柏嘴	5 281	0.86	84.5	5 286	1.88	38.6
枣树沟	2 442	1.11	44.5	2 445	2.70	18.3
秦厂	3 229	1.00	56.8	2 269	2.42	19.7
保合寨	5 723	1.14	66.4	5 200	1.72	41.9
花园口	2 363	1.59	30.5	4 060	2.56	24.9
八堡	3 679	1.17	51.8	4 030	2.21	28.8
来童寨	3 410	1.04	56.1	3 384	1.87	31.1
黄练集	5 437	1.15	64.1	5 437	2.18	33.8
六堡	2 993	1.03	53.1	3 031	2.26	24.4
黑石	4 426	2.00	33.3	6 179	3.14	25.0
韦城（旧）	4 271	1.07	61.1	4 095	3.07	20.8
黑岗口	1 741	0.91	45.8	1 749	1.88	22.2
柳园口	2 281	1.03	46.4	2 292	2.05	23.4
古城	6 447	1.43	56.1	6 458	2.45	32.8
曹岗	2 416	2.45	20.1	2 413	3.33	14.7
夹河滩	1 292	1.33	27.0	1 332	3.27	11.1
油房寨	4 234	1.31	49.7	4 504	1.59	42.2
马寨	2 244	1.88	25.2	2 978	2.79	19.5
杨小寨	3 845	1.08	57.4	3 978	1.80	35.0
高村	1 018	2.22	14.4	1 240	4.12	8.5

　　经清水冲刷后，河床大幅度下降，1964 年汛后已形成较为规顺的河槽，图 6-5 为花园镇断面，1960 年汛前无明显的河槽，水流在宽达 6km 多的河槽内摆动，1964 年汛后，河槽宽度明显缩窄，仅有 3km 左右。

　　花园口—高村河段，边界控制较差，河槽既有下切又有展宽，但下切幅度要比花园口以上河段小。从统计结果看，滩唇以下河槽内平均水深经冲刷后由 1960 年汛前的 1.4m 增加到 1964 年汛后的 2.5m，河槽展宽，如马寨断面（图 6-6），嫩滩坍塌河槽展宽，滩地坍塌宽度约 700m。多数断面河相系数由 35～65 减小为 20～30，断面趋于宽深；少数主流比较固定的断面河相系数变化较小，如曹岗、高村断面。

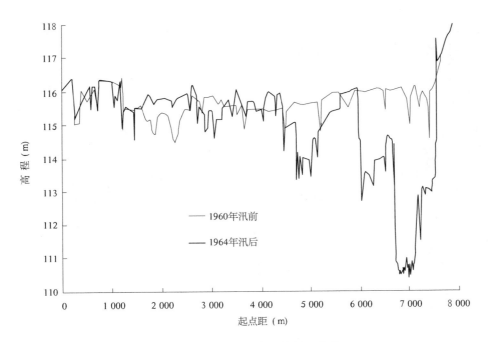

图 6-5　蓄水拦沙期花园镇断面变化

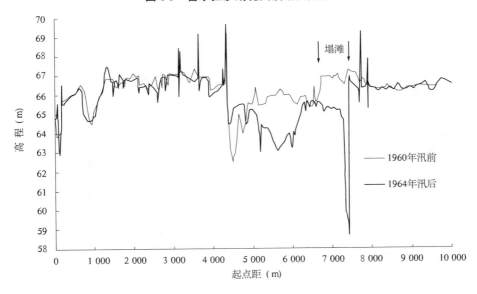

图 6-6　蓄水拦沙期马寨断面变化

二、下游河道回淤期(1965～1973 年)

三门峡水库滞洪排沙期从根本上改变了下游河道横断面的淤积形态。由于水库削峰滞洪,本应漫滩的洪水经水库调节后,水流漫滩机遇减少,水沙过程的改变实质上是把天然情况下本来淤积在滩地的泥沙,通过水库的滞洪作用淤在水库内,洪水过后水库排沙,淤在下游河槽内,这样长期以来使得滩地淤积少,河槽淤积多,滩槽高差减小,逐步形成

"二级悬河"。该时期横断面调整的主要特点是：宽河道嫩滩淤积多，河槽宽度明显缩窄；窄河道主槽淤积，滩槽高差明显减小，如图 6-7 所示。

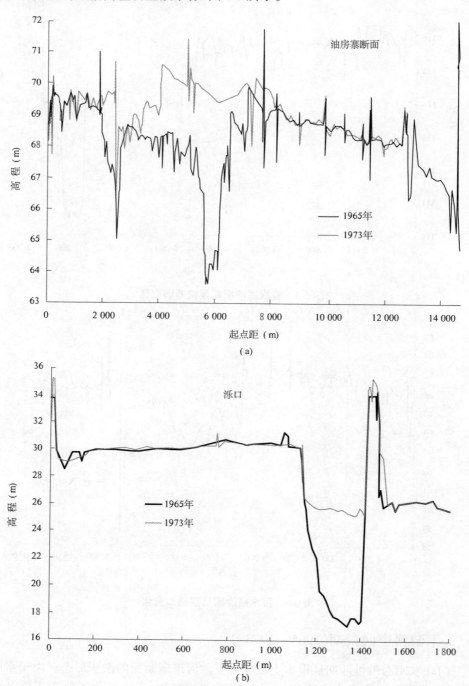

图 6-7　滞洪排沙期典型断面变化

（a）油房寨断面；　（b）泺口断面

黄河下游来沙一般多处于超饱和状态,泥沙沿程不断淤积调整,河道中泥沙淤积的方式有漫滩淤积和摆动淤积。1965~1973年除水沙本身不利造成河槽淤积严重外,1958年后下游两岸滩地修有生产堤,生产堤的存在限制了洪水漫滩,泥沙只能在两岸生产堤之间淤积,生产堤与大堤之间的滩地淤积很少甚至不淤;1960年后,伴随着河道整治的开始,河道整治工程在一定程度上也约束了水流的横向摆动。水沙及边界条件共同作用的结果,使得泥沙淤积横向分布极为不均,河槽大量淤积,局部河段就形成了两岸生产堤之间的河床高于生产堤与大堤之间的滩地。黄河下游本身就是一条横贯于华北大平原的地上河,两岸大堤间的河床高于大堤以外的地面,称为"悬河"。由于长时期泥沙横向淤积分布不均,从而造成"二级悬河"日益加剧。

三、平水少沙期横断面调整(1974~1985年)

黄河下游来水来沙总是呈现随机性的变化,某一时期断面调整是水沙长时期作用的结果。1974~1985年根据水沙特点大致可分为两个阶段:第一阶段,1974~1980年间年均水沙量为395亿 m³ 和12.37亿 t,如表6-8所示,相对于长系列来水来沙分别偏少15%和16%;第二阶段是80年代初至80年代中期,下游来水稍偏丰,5年内平均来水482亿 m³,较长系列偏丰约4%,同期来沙明显减少,来沙量为9.35亿 t,偏少36%。整个1974~1985年间,年均来水来沙为431亿 m³ 和11.1亿 t,来水来沙相对于长系列分别偏少7%和25%。这种水沙条件对塑造下游河槽起到了一定的积极作用。

表6-8   黄河下游各时期年均来水来沙量(三门峡+黑石关+武陟)

时期 (年)	水量(亿 m³)				沙量(亿 t)				花园口最大流量(m³/s)
	非汛期	汛期	全年	汛期占全年的百分比(%)	非汛期	汛期	全年	汛期占全年的百分比(%)	
1950~1959	184	296	480	62	2.61	15.49	17.91	85	22 300
1960~1964	244	320	564	57	1.59	4.29	5.88	73	9 430
1965~1973	199	226	425	53	3.48	12.82	16.3	79	8 480
1974~1980	167	228	395	58	0.34	12.03	12.37	97	10 800
1981~1985	184	298	482	62	0.35	9.35	9.70	96	15 300
1986~1999	149	127	276	46	0.41	7.19	7.60	95	7 860
1919~1985	188	277	465	60	2.22	12.50	14.72	85	

1975、1976年洪峰流量较大,部分河段洪水漫滩,形成淤滩刷槽的局面。下游河槽在严重淤积的基础上进行了调整,接着遭遇了1977年两场高含沙洪水,高含沙洪水过后嫩滩及部分滩地大量淤积,河槽向窄深方向发展。其后又遇1981~1985年连续丰水少沙,水沙条件有利,下游主槽冲刷,过洪面积加大。1982年8月花园口出现了15 300m³/s的大洪水,这场洪水流量大,含沙量低,中水流量持续时间长,沿程主槽发生冲刷。该场洪水由于含沙量低,除高村—艾山河段滩地淤积外,其余滩地冲刷,主要表现为塌滩。

1974~1985年下游经历了几场漫滩洪水,该阶段虽然提倡废除生产堤,但事实上洪水期当地群众为了保护滩区农作物,仍在守护着生产堤,即使废除的地段洪水也只能从生产堤口门进水,这样使得滩槽水流交换受到了限制,无论是中水还是大水嫩滩始终是泥沙堆积的主要部位,生产堤外淤积量少,堤根甚至不淤积,从绝对量看,滩唇仍然在淤高,滩面横比降仍在加大。与三门峡滞洪排沙期相比,该时期虽然滩面横比降在加大,"二级悬河"在发展,但由于水沙条件有利,主槽并未萎缩,相反全下游主河槽都有不同程度的刷深或展宽,多数河段主槽刷深量在0.50~1.0m,如表6-9所示,主槽过流能力在增加,"二级悬河"虽有所发展但对下游防洪的影响还不十分突出。

表6-9　　　　　　　　　　黄河下游各河段不同时期主河槽冲淤厚度　　　　　　　　　（单位:m）

河段	1960~1964年	1964~1973年	1973~1985年	1985~1999年	1965~1999年
铁谢—花园口	-2.19	1.59	-0.89	1.40	2.10
花园口—夹河滩	-1.27	1.87	-0.51	1.73	3.09
夹河滩—高村	-1.35	2.20	-0.34	1.64	3.50
高村—孙口	-1.35	2.26	0.12	1.65	4.03
孙口—艾山	-1.09	2.16	-0.20	1.83	3.79
艾山—泺口	-1.34	2.89	-0.50	2.26	4.65
泺口—利津	-2.27	2.89	-1.09	2.52	4.32
铁谢—利津	-1.57	2.09	-0.50	1.73	3.32

四、枯水少沙期(1986~1999年)

1986年后随流域气候条件变化、沿黄引水及龙羊峡水库的运用等因素的影响,进入下游的水沙发生了较大的变化,1986~1999年下游年均水量为276亿 m^3,年均来沙仅7.6亿t。来水来沙主要有以下特点:①多年出现枯水少沙,沙量虽减少但并不稳定,暴雨强度大的年份来沙量仍较大;②小流量高含沙洪水机遇增多;③洪峰流量小,小水持续时间长,断流天数多;④年内水沙量分配变化大,汛期水量比重减小,沙量比重增大;⑤来沙主要集中在7、8月两个月,9月下旬~10月沙量特征接近非汛期。

1986年以来,下游出现中等以上洪水的概率相对较低,即使发生洪水,多数是以高含沙量洪水的形式出现。1986年后花园口站最大洪峰流量为7 860 m^3/s(1996年),期间下游曾多年出现中小流量的高含沙洪水,1988、1992、1994、1996年及1997年三门峡站最大含沙量分别为395、479、442、608、565kg/ m^3,高含沙洪水出现概率较高,每2~4年出现一次。

长时期枯水少沙作用,使得下游游荡性河段横断面发生了很大的调整。1986年以来,下游河槽严重萎缩,河槽萎缩的形式不仅与来水来沙条件有关,而且其变化与所处的河段也密切相关,不同河型主槽的萎缩特点及发展过程也各有差异。各河段断面调整的主要特点是:

(1)游荡型河段,中小流量高含沙漫滩洪水,使宽河道嫩滩淤积加重,主槽宽度明显变窄,逐渐形成一个枯水河槽。花园口以上河段主槽平均缩窄270m,河槽平均淤积厚度达1.4m;花园口以下游荡性河道河槽淤积严重,断面形态由宽深变为宽浅,如图6-8所示。如来童寨断面,河槽淤积面积达6 200 m^2,宽为4 600m的河槽平均淤积厚度达1.4m;黑岗口断面,河槽淤积面积为5 600 m^2,宽为2 600m的河槽淤积厚度达2.15m;花园口—高村河段河槽平均淤积厚度达1.6m。

(2)河槽萎缩,过洪能力降低,洪水期易造成小水大灾。过渡型河段断面形态调整主要是在原深槽淤积的同时,边壁淤积严重,进而是主槽明显缩窄。原有窄深断面的底部都有不同程度的淤积,深泓点高程一般淤高1~2m,主槽平均淤积厚度在1.7m左右,河槽淤积使得平滩下过流面积大幅度减小,至1999年,有的断面平滩下过流面积仅有1985年汛后的一半。如大田楼断面,宽约800m的河槽,淤积泥沙达1 600 m^2,淤积厚度达2m。艾山以下弯曲性河段,深槽严重淤积,淤积厚度一般在2.2~2.5m,在深槽淤积的同时,部分断面边壁也发生了一定程度的淤积,如泺口断面,宽约300m的河槽淤积泥沙达1 000 m^2,主河槽淤积抬高达3.3m。

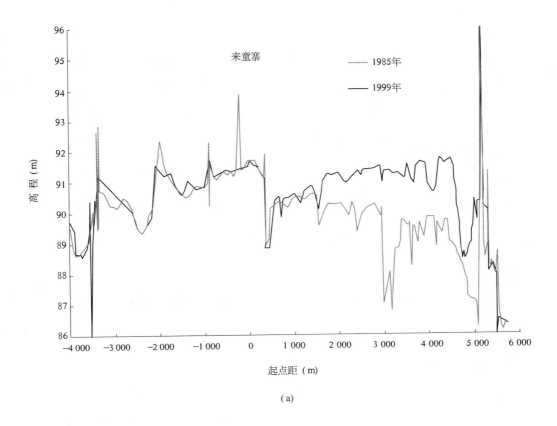

（a）

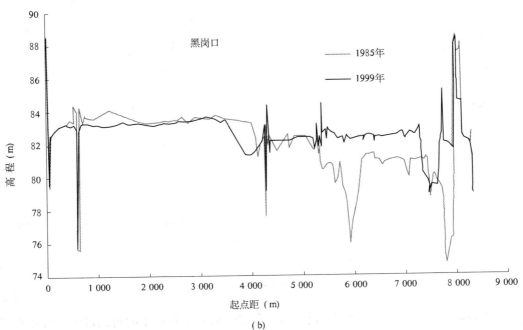

（b）

图 6-8 枯水少沙期典型断面变化

(a)来童寨断面； (b)黑岗口断面； (c)大田楼断面； (d)泺口断面

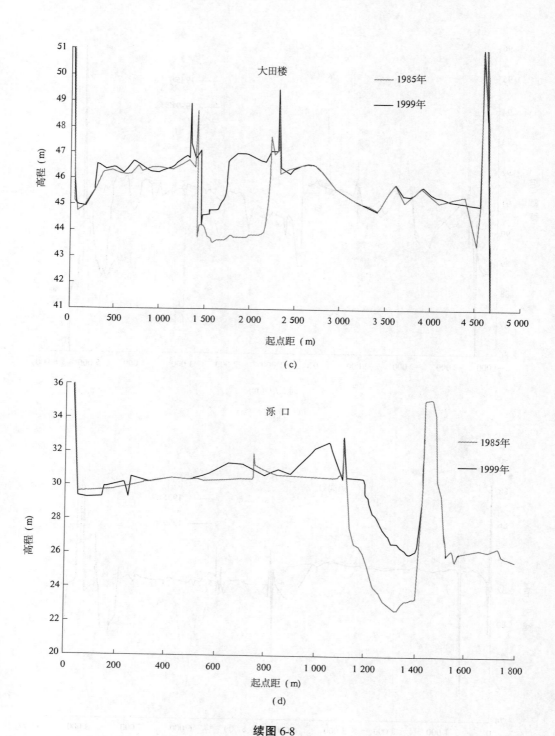

(c)

(d)

续图 6-8

　　总的来看,本时期无论以什么淤积形式调整断面形态,黄河下游各河段断面都是处于严重的萎缩状态,同水位下过流面积在不断减小,平均河底高程在逐步抬高,主河槽宽度都有不同程度的缩窄,原有宽深河槽趋于宽浅。从断面萎缩随水沙的变化过程看,宽河段断面变化较为剧烈,一般主要集中在高含沙洪水期,以嫩滩淤积主槽缩窄为主,频繁的高含沙量洪水是引起游荡型及过渡型断面萎缩的主要原因,随后长时期小水作用又加剧了河道萎缩的发展;而高村以下断面调整随时间的变化处于缓慢的调整过程,长期小水作用及弯道环流促使了高村以下主槽的累积性淤积和断面边壁淤积的缓慢发展。

表 6-10 统计了 1985 年汛后及 1999 年汛后,铁谢—高村河段主要断面河相关系的变化。从主槽河相关系值大小看,无论是 1985 年还是 1999 年,其值均小于 30。1985 年高村以上河段平均河相系数为 13,1999 年平均河相系数为 16,其值稍大于 1985 年汛后。1985 年高村以上河段主槽平均宽度约为 1 100m,滩唇下平均水深为 2.5m,经 1986~1999 年河道淤积调整后,至 1999 年汛后,高村以上主槽平均宽度变为 800m,相对于 1985 年缩窄了 300m,在主河槽缩窄的同时,滩唇下平均水深也逐渐减小,由 1985 年的 2.5m 变为 1999 年的 1.7m,滩唇下相对水深减少约 0.8m,总的来看,河槽淤积的结果使得沿程滩唇高程都普遍抬高,河宽和相对水深(指滩唇以下河槽平均水深)都变小,河道淤积后断面形态由相对的宽深变为窄浅,这也反映了河道萎缩的变化过程。

表 6-10   1985、1999 年汛后河相关系统计

断面	1985 年汛后			1999 年汛后		
	主槽宽度 (m)	平均水深 (m)	河相系数 ($\sqrt{B}/H$)	主槽宽度 (m)	平均水深 (m)	河相系数 ($\sqrt{B}/H$)
铁谢	732	5.25	5.2	750	4.33	6.3
下古街	1 715	2.51	16.5	1 714	1.95	21.2
花园镇	948	2.04	15.1	668	3.01	8.6
马峪沟	1 145	1.80	18.8	814	1.93	14.8
裴峪	673	1.86	13.9	707	1.31	20.3
伊洛河口	1 464	2.26	16.9	1 079	1.68	19.6
孤柏嘴	856	2.86	10.2	1 189	1.69	20.4
罗村坡	851	1.96	14.9	991	1.74	18.1
官庄峪	614	2.61	9.5	449	1.40	15.2
秦厂	1 439	1.65	23.0	938	1.18	25.9
花园口	1 756	1.79	23.4	1 173	1.43	24.0
八堡	1 194	2.08	16.6	1 369	1.64	22.5
来童寨	721	2.02	13.3	670	1.98	13.1
辛寨	1 551	1.50	26.2	1 026	1.24	25.8
韦城	1 028	1.06	30.2	1 088	1.11	29.7
黑岗口	514	3.35	6.8	435	2.66	7.8
柳园口	1 390	1.69	22.1	893	1.38	21.6
古城	851	5.79	5.0	1 277	1.73	20.7
曹岗	807	2.77	10.3	604	1.89	13.0
东坝头	868	3.36	8.8	502	2.65	8.4
禅房	710	3.62	7.4	785	2.02	13.9
油房寨	1 164	1.88	18.1	815	2.04	14.0
马寨	1 621	1.81	22.3	397	2.32	8.6
杨小寨	1 254	1.44	24.6	551	1.77	13.3
河道	1 340	2.27	16.1	764	1.59	17.4
高村	666	4.62	5.6	631	1.62	15.5

第六节　洪水期断面调整及冲淤面积计算

洪水期水位高低是表征淹没程度的一个重要指标,其表现一方面与前期河道边界有关,初始地形决定洪水起涨水位的高低,另一方面又与洪水期断面调整有关,黄河下游特殊的河床组成及来水来沙条件决定了河道善冲善淤,洪水期主槽冲淤变化直接影响到洪水过程中水位涨率的大小。故洪水期断面调整及冲淤计算是一个重要的研究课题。

一、洪水期主槽冲淤特性

黄河下游为主槽与滩地组成的复式断面,滩地阻力大,糙率一般在 0.03 ~ 0.04 之间,而主槽阻力小,糙率小于 0.01。滩地过水面积大,但流速较低,而主槽过水面积虽小,但流速大,所以下游河道主槽是泄洪排沙的主要通道。河道排洪能力随河段的不同而有所差异,一般情况下,高村以上主槽过流比占 80% 以上,高村—孙口段占 60% ~ 70%。洪水漫滩后,滩、槽水流泥沙产生横向交换,从而形成滩地淤积及主槽冲刷,这种断面形态变化,对洪水期河道排洪输沙起到了积极的作用。

天然情况下,1958 年下游 22 300m³/s 洪水过程中滩地淤积泥沙 10.7 亿 t,主槽冲刷 8.6 亿 t,如表 6-11 所示。1986 年以来,水沙条件改变,在河道萎缩的情况下,出现 1996 年中常洪水,下游主槽仍冲刷 1.61 亿 t,滩地淤积 4.45 亿 t。可见,目前尽管下游河道边界条件发生了较大变化,但大漫滩洪水期间河道依然遵循"槽冲滩淤"的基本演变规律。洪水期主槽的冲刷强度与洪峰流量大小及前期边界有关,如果前期持续淤积则冲刷强度大,如 1975 年;相反,如果前期河槽已发生冲刷,则冲刷量会减小。

表 6-11　　　　　　　　　漫滩洪水下游河道滩槽冲淤量　　　　　　　　　（单位:亿 t）

时段 (年-月-日)	洪峰流量 (m³/s)	来沙系数 (kg·s/m⁶)	花园口—艾山			艾山—利津		
			主槽	滩地	全断面	主槽	滩地	全断面
1957-07-12 ~ 08-04	13 000	0.012	− 3.23	4.66	1.43	− 1.10	0.61	− 0.49
1958-07-13 ~ 07-23	22 300	0.010	− 7.10	9.20	2.10	− 1.50	1.49	− 0.01
1975-09-29 ~ 10-05	7 580	0.006	− 1.42	2.14	0.72	− 1.26	1.25	− 0.01
1982-07-30 ~ 08-09	15 300	0.005	− 1.54	2.17	0.63	− 0.73	0.39	− 0.34
1996-08-03 ~ 08-15	7 860	0.019	− 1.50	4.40	2.90	− 0.11	0.05	− 0.06

黄河下游不同河段有其不同的冲淤特性,但洪水过程中多数断面主槽存在涨冲落淤的共同演变规律。宽浅河段,涨水期间主槽冲刷,过流面积增大,使得随着流量的增加,洪水涨率变得平稳。如"58·7"大洪水,花园口站涨水过程中主槽冲刷深度 1.82m。艾山以下窄河段,冲淤变化不完全取决于流域的水沙条件,还与上段河床调整有关,除具有主槽涨冲落淤演变特点外,还具有"大水冲、小水淤"的基本特性。

黄河下游大洪水期间尽管防洪比较紧张,但大洪水长河段所造成的淤滩刷槽,塑造出的高滩深槽及有利的河势是通过其他途径难以达到的。因此,在下游泥沙还没有得到控制的情况下,应允许较大的漫滩洪水,从长远来看,对防洪应该是有利的。

二、洪水过程中断面调整形式

经洪水期大量的测流断面套绘计算分析,涨水阶段主槽过水面积增加主要有两种方式(如图 6-9 所示):一是在主槽河宽变化不大的情况下,断面以下切为主。这种冲刷方式在下游较为普遍,但不同河段洪水过程中主槽断面形态调整有所差异,艾山以下两岸受自然地形及工程条件的制约,限制了展宽,主槽断面调整以下切为主。艾山断面 1958 年大洪水,深泓点冲深 9m 多,涨水期主槽净冲刷面积约 1 800m²。洪水过程中断面下切并不仅限于艾山以下窄河段,如花园口断面 1958 年涨水期,深泓点下切 5m 多。由于河道的复杂性,冲刷幅度悬殊较大,1958 年高村断面过流量达 17 900m³/s,由于滩地过流约占 40%,水流分散,降低了主槽的冲刷能力,涨水期间主槽面积仅冲刷几十平方米。二是主槽宽度伴随主流带宽度展宽的同时,主槽也发生下切。这种调整方式主要发生在孙口以上河段,且与前一种相比,发生概率相对较小。花园口 1982 年断面,在大水期间主槽不仅下切,而且还具有拓宽能力。"82·8"洪水期间,主槽宽度从洪水前的 400m 展宽到 1 400m,净冲刷面积约 1 000m²,加大了洪水期的过洪能力。

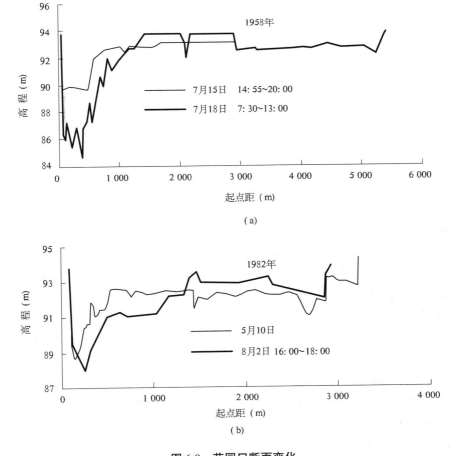

(a)

(b)

图 6-9　花园口断面变化

(a)1958 年花园口断面变化;　(b)1982 年花园口断面变化

三、洪水过程中主槽冲刷强度

无论在什么样的边界条件下,中低含沙量洪水涨水期主槽冲刷具有一般性,其冲刷强度受多种因素影响,在长时期持续冲刷状态下(如三门峡水库拦沙期),冲刷强度随时间的增长而减弱。一般情况下,洪水期主槽冲刷强度随河段地域位置的不同而有所差异,对具体河段而言,冲刷强度主要与洪峰流量大小有关。

图 6-10 中,Z_1、Z_2 为洪水过程主槽每增加单位流量(1 000m³/s)的起始与终止水位;A_1、A_2 为主槽面积增率(涨水过程中增加单位流量时,水位抬升增加的面积记为 A_1,主槽冲刷所增加的面积记为 A_2)。根据大洪水实测资料点绘下游各站涨水阶段面积 A_1、A_2 变化与流量间的关系,发现虽然点群较为散乱,但有 A_1 随流量的增加而减少,而 A_2 则随流量的增加而增大的变化趋势。

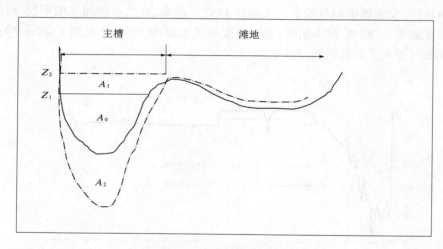

图 6-10 断面调整示意图

由流量计算公式 $Q = A \cdot v$ 对 Q 进行全微分,可以导出涨水阶段主槽在某一时段流量的变化 $\mathrm{d}Q$ 如下

$$\mathrm{d}Q = A\mathrm{d}v + v\mathrm{d}A \tag{6-27}$$

式中,主槽增加的过洪能力由两部分组成,一是由于随流量的增加,主槽平均流速变化(可能增大也可能减小,大多数情况是增大的)而引起过流量的变化 $A\mathrm{d}v$;二是由于过水面积的增大所增加的过流量 $v\mathrm{d}A$。

进一步分析中低含沙量历次洪水可知,主槽平均流速与流量存在着对数关系,即

$$v = n_1 \cdot \lg Q + n_2 \tag{6-28}$$

式中,n_1、n_2 为待定系数,对 v 微分后得 $\mathrm{d}v = (n_1/Q)\mathrm{d}Q$。主槽平均流速随流量的增加而增大,当主槽流量增大到一定值后,流速随流量的变化幅度较小,即 $\mathrm{d}v$ 较小;而 $\mathrm{d}A$($A = A_1 + A_2$)的变化取决于水位涨率幅度和主槽的冲刷强度,分析表明,当流量较大时,$v\mathrm{d}A$ 的值比 $A\mathrm{d}v$ 大,如表 6-12 所示。可见,洪水过程中主槽流量增大到一定数值后,过洪能力的增加主要是靠主槽面积增大来实现的。

表 6-12   1958、1982 年花园口断面主槽过洪能力分配情况

项目	1958 年				1982 年			
主槽流量(m³/s)	2 940	5 890	10 175	16 000	5 200	6 900	9 680	11 700
流量增值(m³/s)		2 950	4 285	5 825		1 700	2 780	2 020
Adv(m³/s)		320	650	620		650	0	0
vdA(m³/s)		2 630	3 635	5 205		1 050	2 780	2 020
vdA/(vdA + Adv)(%)		89	85	89		62	100	100

面积 A_1 的变化反映洪水过程中水位涨率的大小,A_2 的变化则标志着洪水过程中随流量变化主槽冲刷强度的大小。花园口断面随着流量增大,洪水涨率大幅度减小,如1958 年流量大于 10 000m³/s 后,冲刷所增加的过水面积大于水位抬升而增加的过水面积。高村断面随流量增大,滩地过流比增加,水流相对分散,主槽冲刷幅度变化较小,致使大洪水时涨率相对较大。艾山断面,除 1958 年洪峰流量附近面积 A_1 变化较大外(卡口处壅水),其他流量级下面积 A_1 均随流量增大而减小。利津断面主槽冲刷幅度变化较小,大水时过流能力增加主要靠水位抬升引起面积的增加来实现。

分析可知,小水时主槽冲刷能力较小。过洪能力增加主要靠水位抬升来增加过水面积,而随着流量的增加,主槽冲刷能力增大,过洪能力在某些断面则主要靠主槽冲刷和展宽引起过水面积增大来增加。下游河道长达数百公里,各河段洪水过程中的冲淤特性各有差异,一般情况下,花园口、泺口断面洪水过程中冲刷强度较大,孙口、利津断面冲刷强度相对较小,艾山、夹河滩、高村则介于二者之间。

四、涨水期主槽过水面积变化

(一)涨水期主槽冲刷面积、水位抬升增加的过水面积与流量的关系

以上分析了洪水过程中面积 A_1、A_2 随流量的变化趋势。由于黄河的复杂性,各站点群较为散乱,经进一步分析,发现就每一场洪水而言,涨水期主槽(包括断面的下切和展宽)总冲刷面积 ΔA 及涨水阶段水位升高增加的过水面积 $\Delta A'$ 与流量(指洪峰流量与起涨流量的差值)有如下线性关系

$$\Delta A = aQ + c \qquad \Delta A' = a'Q + c' \qquad (6\text{-}29)$$

式中　　ΔA——涨水期主槽总冲刷面积,m²;

　　　　$\Delta A'$——涨水期水位升高增加的过水面积,m²;

　　　　Q——洪峰流量与起始流量差,m³/s,起始流量一般在 2 000 ~ 3 000m³/s;

　　　　a、c、a'、c'——待定系数及常数。

根据实测资料点绘历次大洪水时面积变化 ΔA、$\Delta A'$ 与流量变化 Q 的关系。下游多数站二者之间均有较好的相关关系,如图 6-11 所示。图中较为清楚地反映了洪水过程中过水面积变化对过洪能力的影响。根据实测洪水资料,率定下游各测站的系数 a、a' 和常数 c、c'(见表 6-13)。系数 a 反映了洪水过程中主槽冲刷强度的大小,下游河道冲刷强度较大的花园口、艾山、泺口断面 a 值均大于 0.16,变化范围在 0.16 ~ 0.20 之间,冲刷强度较小的夹河滩、孙口、利津断面 a 值均在 0.10 左右。同样,a' 值反映了洪水过程中涨率幅度的大小,花园口站最小为 0.11,其他各站在 0.15 ~ 0.25 之间,以孙口站为最大,达 0.25。

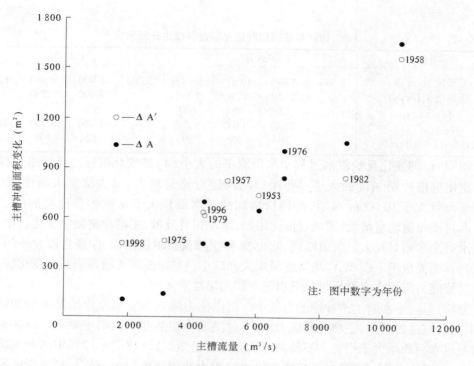

图 6-11　花园口站洪水期主槽冲刷面积变化与流量关系

表 6-13　　　　黄河下游水文测站系数 a、c 和常数 a'、c' 及相关系数 n、n' 的变化

站名	洪水次数	系 数					
		a	c	n	a'	c'	n'
花园口	9	0.162	− 261	0.96	0.116	134	0.89
夹河滩	11	0.104	22	0.96	0.157	267	0.82
孙口	7	0.099	160	0.98	0.252	378	0.96
艾山	15	0.188	− 241	0.96	0.191	159	0.97
泺口	18	0.209	− 416	0.95	0.146	131	0.95
利津	12	0.100	66	0.84	0.173	117	0.97

(二)主槽冲刷面积与水位抬升主槽增加过水面积的关系

洪水过程中,过洪能力变化是由主槽冲刷面积 ΔA 和水位抬升主槽增加的过水面积 $\Delta A'$ 两方面决定的。而主槽冲刷面积的大小及水位抬升主槽增加的过水面积的大小是随洪峰流量的变化而变化的,二者均与流量大小有关,根据上文面积变化与流量的关系可得出,主槽冲刷面积与水位抬升主槽增加过水面积比值 K 随流量变化的关系如下

$$K = \frac{\Delta A}{\Delta A'} = \frac{aQ + c}{a'Q + c'} \tag{6-30}$$

根据实测资料将各站率定的参数 a、c、a'、c' 分别代入上式,可得 K 值随流量大小变化的关系,如图 6-12 所示。由图可以看出,花园口站 K 值随流量增加而增加,由于断面冲刷幅度大,因而断面冲刷增加的过洪能力所占的权重比水位抬升增加过流所占的权重要大,当主槽流量超过 10 000m³/s 后,花园口站主槽冲刷增加的过流占主槽增大过洪能力

的 50% 以上；艾山站占 42% 以上。至于孙口断面冲刷面积与水位抬升增加的过水面积比 K 值，随流量变化不大，从历次洪水看，无论流量大小，其比值均维持在 0.40 左右；夹河滩断面冲刷增加的过流相对较小，占 35% 以上。

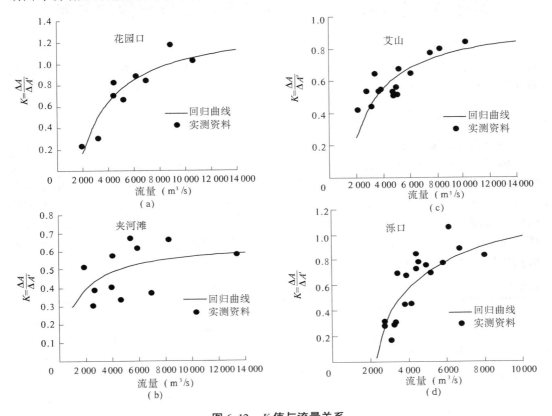

图 6-12 K 值与流量关系
(a)花园口断面；　(b)夹河滩断面；　(c)艾山断面；　(d)泺口断面

综上所述，黄河为多泥沙河流，下游为典型的冲积性河道。洪水期"主槽冲刷、滩地淤积；涨水冲刷、落水淤积"，洪水期河道横断面自身调整作用对下游排洪输沙起到了不可替代的积极作用。涨水期下游河道主槽冲刷有其普遍性，但冲刷强度随测站地域位置的不同而悬殊较大。根据下游实测水沙及断面资料，从定性和定量上分析计算了洪水期断面调整的模式及其断面冲淤与来水来沙间的关系。研究表明，洪水期主槽冲刷以花园口、泺口和艾山站为最大，夹河滩、高村和利津次之，孙口站为最小。主槽冲刷强度与流量大小有关，随流量增大而增加。涨水阶段伴随着流量的增加，滩地过流加大，但滩地只起到辅助过流，绝大部分测站主槽过流可占 80% 以上。从主槽过洪看，分别考虑了洪水期水位抬升所增加的过洪面积和由于冲刷所增加的过洪面积，并对其随流量的变化进行了研究，实测资料研究表明，随着流量增加，由于主槽冲刷增加的过洪量最大可占主槽增大过洪量的 50% 以上，最小也在 30% 左右，可见冲积性河道主槽冲刷对河道排洪起到了非常重要的作用。

洪水期水位高低除与前期河床边界条件有关外，还与洪水过程中涨率大小有关。断面冲刷强度大则涨率小,反之则涨率大。洪水期断面调整对过洪能力影响的计算分析是建立在对以往中低含沙量大洪水的基础之上,成果可供多沙河流水位预报参考。

第七节　横断面调整影响因素及其与水沙的关系

不同的水沙组合及边界条件决定了横断面的调整形式。水沙组合主要指一定时期内水沙量大小、洪峰流量大小、含沙量高低及洪水期水沙的搭配过程。边界条件主要指河流本身所具有的宽窄相间的河床平面形态、河床组成、边壁的抗冲性及河道整治工程等。

一、横断面调整影响因素

(一)高含沙量漫滩洪水

1977 年 7 月、8 月下游曾出现了两次大流量的高含沙洪水,花园口站最大洪峰分别为 8 400m³/s 和 10 800m³/s,最大含沙量分别为 546kg/m³ 和 437kg/m³,期间三门峡出库最大含沙量为 911kg/m³。洪水期间两场水均表现为槽冲滩淤,但滩地淤积量明显大于主槽冲刷量,全断面发生淤积。1977 年两次典型的高含沙洪水,水沙峰搭配相对较好,洪水过后相对较宽的河槽变为窄深河槽。表 6-14 给出了这两次洪水花园口及高村水文站洪峰前后同流量下的河宽 B 和河相系数 $\sqrt{B}/H$ 的变化。

表 6-14　　　　　　　　1977 年高含沙洪水前后断面特征值

站名	测次	洪水前			洪水后		
		$Q(\text{m}^3/\text{s})$	$B(\text{m})$	$\sqrt{B}/H$	$Q(\text{m}^3/\text{s})$	$B(\text{m})$	$\sqrt{B}/H$
花园口	第一次洪水	1 600	1 240	35.5	1 700	632	14
		2 900	2 640	52.9	2 700	602	12.5
		5 500	2 280	59.8	5 300	744	10.3
	第二次洪水	1 900	429	8.8	1 900	410	6.7
		2 700	602	12.5	2 800	420	6.9
		3 800	487	6.9	4 000	490	5.7
高村	第一次洪水	1 800	754	23.6	1 900	414	8.4
		3 500	759	16.4	3 600	641	11.5
	第二次洪水	1 900	414	8.4	2 000	431	9.1
		3 100	813	16.7	3 200	791	12.3
艾山	第一次洪水	1 500	401	8.3	1 900	403	7.3
		4 000	414	3.6	3 600	407	5.1
	第二次洪水	1 600	400	8.0	2 000	403	7.2
		3 900	408	4.1	3 600	406	4.8

可以看出,第一次洪水前断面较为宽浅,但经过这场高含沙洪水后,断面发生了剧烈调整,嫩滩及滩地大量淤积,如图 6-13 所示,河槽变得相对窄深,形成相对的窄深槽;第二次洪水前断面是窄深的,洪水过后,横断面宽度 B 和 $\sqrt{B}/H$ 一般变化不大,高村及花园口断面河槽宽一般在 400～700m,一般 $\sqrt{B}/H$ 维持在 5～13 之间。这说明高含沙洪水期,为了有利于泥沙输送,宽河道河槽形态由宽浅向窄深化发展是河床自动调整的结果。对于艾山以下窄河道,断面调整幅度远较宽河道为小,如艾山断面两次高含沙洪水前后河宽及河相系数均无明显的变化,主要原因首先是高含沙洪水经过宽河道长距离调整后,基本上不再具有高含沙水流的一些特性,含沙浓度及泥沙组成已发生了量和质的变化,艾山站最

大含沙量仅 243kg/m³；其次是窄河道本身断面形态已经是宽深比较小的窄深型，基本能适应输送较大的含沙量，至于含沙量再加大，出现类似宽河段的高含沙水流，横断面又将如何调整，还有待于结合模型试验进行深入研究。

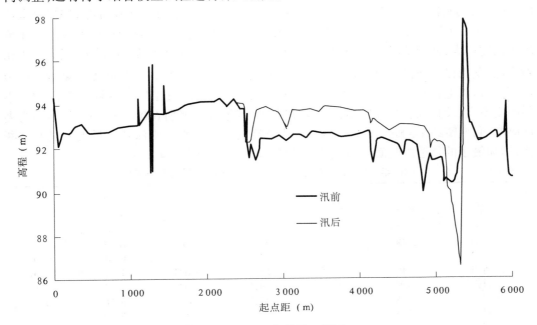

图 6-13　1977 年花园口断面

上述对高含沙漫滩洪水断面调整进行了分析，对于略大于平滩流量的小漫滩洪水，选取 20 世纪 50 年代和 70 年代两次洪水资料进行分析，一次是 1959 年洪水，花园口站洪峰流量为 7 680m³/s，稍大于该年 6 000m³/s 的平滩流量；另一次是 1971 年洪水，花园口断面洪峰流量为 5 030m³/s，略大于该年的平滩流量。这两次洪水平均含沙量均在 200kg/m³ 左右，三门峡最大含沙量分别为 397kg/m³ 和 666kg/m³。花园口和高村两断面洪水前后河槽 B 和断面宽深比 $\sqrt{B/H}$ 的值如表 6-15 所示。可以看出，游荡河段这两个典型断面同流量下的 B 和 $\sqrt{B/H}$ 值洪水前后变化不大，说明小漫滩洪水时，洪水对河槽的塑造作用远没有大漫滩高含沙洪水明显。

表 6-15　　　　　　　　　　　　　　　两次小漫滩洪水前后断面特征值变化

年份 (年)	花园口						高村					
	洪水前			洪水后			洪水前			洪水后		
	Q (m³/s)	B (m)	$\sqrt{B/H}$	Q (m³/s)	B (m)	$\sqrt{B/H}$	Q (m³/s)	B (m)	$\sqrt{B/H}$	Q (m³/s)	B (m)	$\sqrt{B/H}$
1959	1 600	938	24.6	1 700	834	23.8	2 100	875	25.2	2 100	806	23.8
	3 000	1 170	20.7	2 600	1 190	27.1	4 500	1 130	20.8	4 200	1 120	22.3
1971	500	337	14.5	500	341	16.1	800	820	34.5	800	811	32.7
	3 000	2 190	55.1	2 900	1 040	24.8	1 500	1 060	32.5	1 100	897	28.3

(二)低含沙量洪水

1983 年黄河下游花园口站年水量为 614.5 亿 m^3，其中汛期来水 380 亿 m^3。全年来沙量为 10.03 亿 t，汛期来沙占年沙量的 90%，该年为丰水少沙年，年最大洪峰流量为 8 180m^3/s，洪水期三门峡最大含沙量为 53.4kg/m^3。表 6-16 给出了 3 000m^3/s 同流量水位下汛前、汛后河宽及平均水深的变化，由表中数据可以初步看出，花园口以上各断面滩地坍塌河宽增大，河槽变浅，断面向宽浅方向发展；夹河滩—孙口河槽下切量大，断面趋于相对窄深；艾山以下河槽宽度无明显变化，但河槽向纵深向下切。从各断面河槽的 $\sqrt{B}/H$ 看，花园口以上各断面河相系数增大，夹河滩—孙口都减小，艾山以下各断面减小，但减小的幅度不大。河槽展宽量最大的是花园口断面，河槽宽度增加 600 多 m，缩窄最多的为夹河滩断面，变窄约 1 500m，差不多是原河槽宽度的一半。平均水深减小最大的是裴峪断面，增加最多的是道旭断面，此处平均水深增加约 2m，如图 6-14 所示。

表 6-16　　　　　　1983 年汛期、汛后同流量(3 000m^3/s)水位下断面形态变化

站名	汛前			汛后		
	$B(m)$	$H(m)$	$\sqrt{B}/H$	$B(m)$	$H(m)$	$\sqrt{B}/H$
裴峪	2 413	1.04	47.2	2 845	0.80	66.7
官庄峪	2 197	0.85	55.1	2 263	0.74	64.2
花园口	1 137	0.91	37.1	1 749	0.81	51.6
夹河滩	3 109	0.95	58.7	1 634	1.32	30.6
高村	706	1.90	14.0	584	3.22	7.5
苏泗庄	768	1.76	15.7	894	3.20	9.3
杨集	733	1.98	13.7	655	2.29	11.2
孙口	827	1.48	19.4	772	2.05	13.6
南桥	686	2.22	11.8	714	2.26	11.8
艾山	407	3.26	6.2	405	4.57	4.4
官庄	536	3.79	6.1	530	3.94	5.8
泺口	306	3.71	4.7	303	4.46	3.9
刘家园	449	2.43	8.7	423	3.45	6.0
道旭	359	3.06	6.2	351	5.04	3.7
利津	472	2.35	9.2	480	3.69	5.9

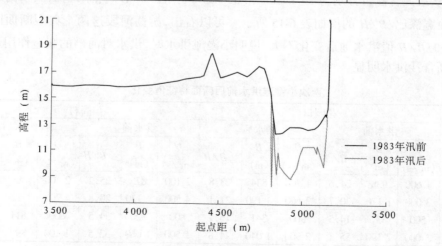

图 6-14　道旭横断面变化

为了进一步对比分析不同含沙量洪水对宽河段断面调整的影响,分别选取花园口及高村两断面,就1977年和1982年洪水,根据洪水期不同流量下河宽B和平均水深H,计算相应的河相关系,然后点绘河相系数随流量的变化,如图6-15所示。1982年为丰水少沙年,该年花园口站最大洪峰流量为15 300m³/s,洪峰前后最大含沙量为39kg/m³。

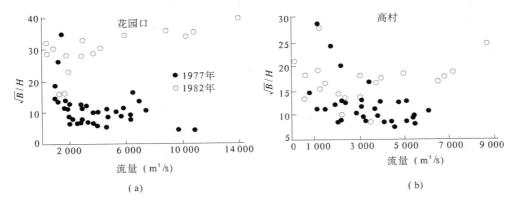

图6-15 漫滩洪水河相系数随流量变化

(a)花园口断面; (b)高村断面

由图6-15可知,1977年高含沙洪水,当流量小于2 000m³/s时,$\sqrt{B}/H$随流量的增大而减小,一般趋于10左右,遇1982年低含沙量洪水,流量小于2 000m³/s时,河相系数随流量的增加略有减小;当流量大于2 000m³/s后,河相系数随流量增大而增大;流量大于6 000m³/s后,$\sqrt{B}/H$趋于定值,约为35。高村断面点据相对分散,高含沙量洪水随流量的增加河相系数变化幅度在逐渐减小,低含沙量洪水流量大约在3 000m³/s时,河相系数最小。

同流量下相比,高含沙洪水期河相系数普遍比低含沙量洪水小。低含沙量洪水期间当流量超过一定值时,河槽基本向宽浅方向变化,但变化幅度并不大,如花园口断面流量为2 000m³/s时河相系数约为30,但当流量为10 000m³/s时,河相系数仅为35,较高含沙量洪水河相系数大。低含沙量洪水断面以展宽和下切为主,而高含沙量洪水主要以淤积嫩滩、缩窄河槽下切为主。

(三)小流量清水下泄

1999年10月末,小浪底水库开始蓄水运用,至2000年10月小流量清水下泄期间,从断面形态变化看(如表6-17所示),其变化表现为:在工程较为完善的铁谢—神堤河段,河床以下切为主,河相系数有所减小;神堤—夹河滩段,存在两种情况,一种以下切为主,另一种则以展宽为主,其变化可能与工程配套情况有关,工程不配套的河段多以展宽为主。至于夹河滩以下河段处于微冲微淤状况,河相系数基本变化不大。

除以上水沙因素影响横断面调整外,如整治工程、护滩工程等对一般洪水都起到了约束作用,限制了河槽的横向摆动,这些边界条件对横断面形态的塑造也起到了一定的限制作用。

表 6-17

断面	1999 年汛后			2000 年汛后		
	宽度 B (m)	平均水深 H (m)	河相系数 ($\sqrt{B}/H$)	宽度 B (m)	平均水深 H (m)	河相系数 ($\sqrt{B}/H$)
铁谢	750	4.33	6.3	750	4.99	5.5
花园镇	668	3.01	8.6	668	3.24	8.0
裴峪	707	1.31	20.3	707	2.48	10.7
伊洛河口	1 079	1.68	19.6	1 107	2.48	13.4
孤柏嘴	1 189	1.69	20.4	1 223	2.06	17.0
罗村坡	991	1.74	18.1	996	1.94	16.3
官庄峪	449	1.40	15.1	1 076	1.15	28.5
花园口	1 173	1.43	24.0	1 610	1.03	38.9
八堡	1 369	1.64	22.2	1 370	2.25	16.5
来童寨	670	1.98	13.1	670	2.16	12.0
辛寨	1 026	1.24	25.8	1 600	1.20	33.3
黑岗口	435	2.66	7.8	435	3.14	6.6
曹岗	604	1.89	13.0	720	1.68	16.0
东坝头	502	2.65	8.4	502	2.97	7.5
杨小寨	551	1.77	13.3	551	1.70	13.8

二、横断面调整与水沙关系的探讨

横断面调整主要取决于来水来沙条件,长时期清水作用,会使河槽发生大幅度的冲刷,随时间的延长,河槽刷深,河宽增加,河槽逐渐向宽深方向发展;而高含沙洪水作用的结果在短时期内会使滩地及嫩滩发生严重淤积,河槽宽度明显缩窄,同时河槽会向下冲深,断面趋于窄深;对于含沙量较低的洪水,断面展宽幅度较大,同时河槽也会刷深,但幅度比同流量级的清水要小。河槽展宽与下切受工程影响较大,工程控制好的河段以下切为主,控制差的河段在展宽的同时伴随下切。

冲积性河道河床的调整,不仅反映在纵向形态的调整,同样也反映在横向断面的变化。主流的摆动及水沙条件的变化决定了横断面变化的多样性和复杂性。黄河下游冲积性河道随来水来沙的变化不断地进行调整,力求河床的输水输沙与来水来沙相适应。从各时期横断面变化看,其变化主要有以下特点。

(1)随着时间的变化,河道横比降增大,加剧了局部河段"二级悬河"的发展。黄河下游横断面变化处于累积性的抬升过程,其抬升速率决定水沙变化和边界约束条件。从近50 年来横断面变化看,生产堤内淤积厚,生产堤外淤积薄,堤根甚至没有淤积,滩唇高仰,堤根低洼,滩面横比降加大。如马寨断面横比降由 20 世纪 50 年代初的 0.1‰变为 90 年代末的 0.3‰,如图 6-16 所示;油房寨断面横比降由 50 年代末的 0.1‰变为 90 年代末的0.35‰,如图 6-17 所示;双合岭断面横比降由 60 年代中期的 0.3‰变为 90 年代末的0.73‰,如图 6-18 所示。目前随着滩地阻水建筑物的增多及近年来水沙条件的改变,主槽明显淤积抬升,局部河段就形成了两岸生产堤之间的河床高于生产堤与大堤之间的滩地,在大堤之间形成"二级悬河"。

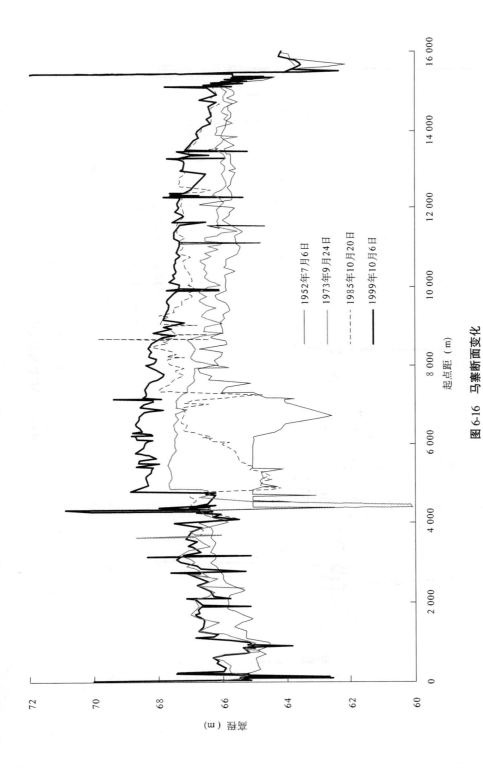

图 6-16　乌寨断面变化

高程（m）

起点距（m）

1952年7月6日
1973年9月24日
1985年10月20日
1999年10月6日

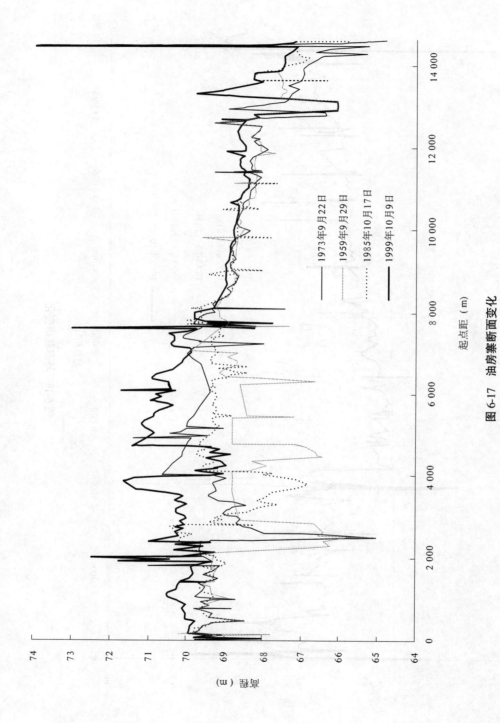

图 6-17　油房寨断面变化

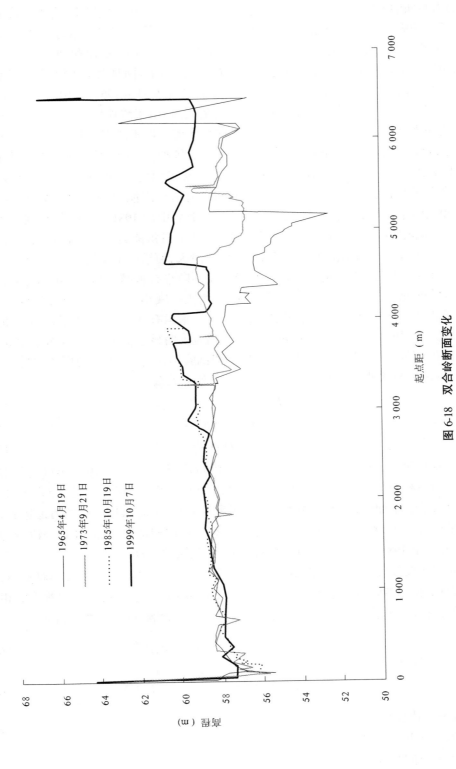

图 6-18 双合岭断面变化

(2)横断面的调整随水沙条件的变化而变化。20 世纪 50 年代以来,受天然降雨因素及人类活动的影响,进入下游的水沙大致分为五个阶段:①50 年代基本为,天然情况下一是来水丰,漫滩洪水多,强度大;二是游荡性河段流路变化不定,主流摆动频繁,两方面因素共同作用的结果将泥沙比较均匀地淤积在主槽和滩地上,同时大水机遇多,主槽和滩地基本趋于同步抬升,滩地横比降并不很明显。②1960 年 9 月 ~ 1964 年 10 月,三门峡水库蓄水拦沙,下游河道主槽普遍冲刷,河床在下切的同时,由于滩地坍塌而展宽。③1965 ~ 1973 年为滞洪排沙期,由于三门峡水库滞洪削峰,水流一般不漫滩,把天然情况下本来淤在滩地上的泥沙,通过水库滞洪淤在库内,洪水过后排沙,将泥沙淤在主槽内。结果是主槽宽度明显缩窄,滩槽高差减小,局部河段出现"二级悬河"。④1973 年 10 月三门峡水库开始蓄清排浑控制运用,至 1985 年 10 月,期间在河槽过洪能力较低的情况下,遇 1975、1976 年较大流量洪峰,洪水漫滩,滩地淤积较多,随后由于 1981 ~ 1985 年有利的水沙条件,中等洪水机遇多,洪峰期"槽冲滩淤"加大了主槽的过洪能力。⑤1986 年后,下游多年出现枯水少沙,高含沙量洪水机遇增多,主槽淤积量大,河槽严重萎缩。

(3)不同时期主槽宽度随水沙条件的变化而不断进行调整。1950 年以来,下游河道主槽宽度的变化与平滩流量变化一致,经历了增大—减小—增大—减小四个阶段。而 1986 年后汛期水沙与 1950 年以来各时期相比,含沙量虽有变化,但变化不大,流量的减小导致河宽大幅度缩窄,1973 年和 1999 年汛后主槽宽度明显小于 20 世纪 50 年代和 1985 年汛后,目前河槽明显发生萎缩。根据资料分析和试验结果得出,各水力因子主槽宽度 B、水深 H、流速 v 与水沙条件流量 Q 及含沙量 S 有如下关系

$$B = \alpha_1 \cdot Q^{\beta_1} \cdot S^{-\gamma_1} \qquad (6\text{-}31)$$

$$H = \alpha_2 \cdot Q^{\beta_2} \cdot S^{-\gamma_2} \qquad (6\text{-}32)$$

$$v = \alpha_3 \cdot Q^{\beta_3} \cdot S^{\gamma_3} \qquad (6\text{-}33)$$

宽度及水深变化与流量大小成正比,与含沙量成反比。可见,1986 年以后下游河道发生萎缩与不利的水沙条件密切相关。如果水沙条件发生根本性的变化,出现丰水系列,主槽仍有可能发生冲刷,像 1974 年汛后,由于泥沙淤积,下游出现不利的河道边界,当时平滩流量也仅有 4 000m³/s,与目前河道边界具有一定的相似性,之后经过一段较为有利的水沙条件,至 1985 年汛后,河道的排洪能力有了较大的恢复。

同时据俞俊分析,国内 60 多条河流(资料范围:多年平均流量 3.6 ~ 28 000m³/s,平均含沙量为 0.08 ~ 179kg/m³,悬移质中径 0.025 ~ 13.5mm),除考虑到河床和两岸的相对可冲刷性外,还考虑了悬移质含沙量大小及悬移质组成的影响,得到计算式如下

$$B = 3.5 Q^{0.5} \left(\frac{m}{\sqrt{D_{50}}} \right)^{0.28} S^{-0.13} d_{50}^{-0.10} \qquad (6\text{-}34)$$

$$H = 0.26 Q^{0.40} \left(\frac{m}{\sqrt{D_{50}}} \right)^{-0.18} S^{-0.11} d_{50}^{-0.08} \qquad (6\text{-}35)$$

式中　　m——边坡系数;

　　　　D_{50}——床沙中径,mm;

　　　　Q——流量,m³/s;

S——含沙量,kg/m^3;

d_{50}——悬沙中径,mm。

从式(6-34)和式(6-35)中可以看出,无论是河宽还是水深均随流量的增大而增大,这在黄河上也得到了证实。至于河宽和水深随含沙量的变化,则可以看出,河宽随含沙量的增加而变窄,黄河上水深随含沙量的变化趋势可能在大漫滩的高含沙洪水期与实际有些不符,但在中小含沙量洪水期间还是可以反映水深与含沙量间的变化趋势,因为这类洪水对河槽的造床作用远没有大漫滩高含沙量洪水大。

从断面调整看,无论是纵向还是横向变化都与水沙条件紧密相关,黄河下游河床以累积抬升为主,其抬升速率与多种因素有关,如边界约束、水沙条件等。黄河下游大堤的修建在抵御了洪水泛滥的同时,也限制了泥沙的淤积范围,进而加剧了河床的淤积抬升。河道整治工程对控导河势起到了一定作用,但从另一方面看,中小水期间更集中了泥沙的淤积,会加剧"二级悬河"的发展。泥沙淤积是制约下游防洪的根本问题,通过水库调水调沙可以减缓下游河道的淤积,但并不能从根本上解决问题,因此应从根源上加强黄土高原地区水土流失的治理,减少入黄泥沙;或实行南水北调,一方面可以缓解华北水资源紧缺,另一方面可以改善黄河水少沙多的不利水沙条件。

第八节 河道萎缩机理及后效

一、河道萎缩机理

(一)造床流量减小是主槽萎缩的根本原因

来水来沙量是决定河床形态最主要的因素,而造床流量是联结水沙条件和河相关系的一个重要指标。从长时期看,对塑造河床形态所起作用最大的流量称为造床流量。在实际中通常采用与平滩水位相应的流量作为造床流量。20世纪90年代后,花园口以上造床流量在4 000~4 500m^3/s,花园口以下为3 000~3 500m^3/s,仅有50、60年代的1/3。据主槽宽度B、平均水深H与流量Q和含沙量的关系分析,宽度、水深的变化与流量大小成正比,与含沙量成反比。1986后汛期水沙与1950年以来各时期相比,含沙量虽有变化,但变化不大,流量的减小导致河宽大幅度缩窄,水深变小,断面形态横向趋于萎缩。多沙河流河床演变具有很强的生命力,它是一定水流条件下的产物,随水沙条件改变,河道会做出相应调整,遇有利水沙条件,下游河道仍将会朝好的方向发展。

(二)横向分布不均衡,主槽淤积严重,滩槽高差减小

水沙条件决定了河道的冲淤状况。黄河下游河道主槽是排洪输沙的主要通道,1986~1999年下游河道年均淤积量为2.23亿t,其中主槽平均淤积为1.61亿t,占全断面的72.2%。与20世纪50年代相比,主槽年均淤积是50年代的2倍,全断面仅有50年代的62%;艾山以下窄河道,主槽由50年代的冲淤基本平衡转为年均淤积0.27亿t。

(三)频繁高含沙量洪水的出现加剧了宽河道主槽及嫩滩的淤积

1986~1999年,黄河下游来水来沙虽为枯水少沙系列,但高含沙量洪水却频繁发生,每二三年就出现一次。本系列14年中就有1988、1992、1994、1996、1997、1999年六年出现高含沙量洪水,如表6-18所示。

表 6-18　　　　　　　　　　　　高含沙量洪水来水来沙及河道冲淤量

项目		1988-08-05~08-10	1988-08-11~08-14	1992-08-10~08-19	1994-07-09~07-14	1994-08-06~08-18	1996-07-17~08-02	1997-08-01~08-06	1999-07-14~07-20
花园口最大流量(m³/s)		5 390	6 090	6 430	4 100	4 810	3 320	4 020	2 680
三门峡最大含沙量(kg/m³)		395	340	488	490	443	608	565	770
三门峡+黑石关+武陟	水量(亿m³)	16.2	16.0	23.8	13.5	28.9	22.9	8.6	7.6
	沙量(亿t)	2.27	3.53	5.69	2.61	5.73	5.63	3.22	1.99
	平均含沙量(kg/m³)	140	221	239	193	198	246	374	262
冲淤量(亿t)	三门峡—高村	2.147	0.637	3.741	1.806	2.880	4.020	2.581	1.547
	高村—艾山	-0.024	0.234	0.164	0.005	-0.300	0.100	0.081	0.057
	艾山—利津	0.121	-0.068	0.271	0.043	0.201	0.070	0.158	0.165
	三门峡—利津	2.244	0.803	4.176	1.854	2.781	4.190	2.820	1.769

　　8 次高含沙洪水总历时 69d,来水 137.5 亿 m³,来沙 30.67 亿 t,平均含沙量 223kg/m³。其中 1988、1992 年及 1994 年洪峰流量较大,宽河道均发生了不同程度的漫滩,嫩滩严重淤积。高含沙量洪水期间下游河道总淤积量 20.62 亿 t,占来沙量的 67%,其中高村以上为 19.36 亿 t,占下游淤积量的 94%,可见高含沙量洪水的主要影响在宽河道,结果使宽浅断面发生严重淤积,河槽萎缩加剧。

　　大量资料分析表明,泥沙组成与含沙量高低有关,一般含沙量越高泥沙组成愈粗,即粗泥沙(粒径大于 0.05mm)所占比例随含沙量的增大而增加,细泥沙(粒径小于 0.025mm)所占比例则随全沙含沙量的增大而减小,中泥沙(介于粗沙与细沙之间)随含沙量变化不大,较为稳定。为比较来沙粗细对河道冲淤的影响,从 1960 年以来数百次洪水中选取了来水来沙量接近,但来沙组成不同的洪水进行对比分析(表 6-19),来沙细的洪水,粗泥沙占 14.2%,下游河道淤积量为 3.48 亿 t,全沙淤积比为 12%;来沙粗的洪水,粗泥沙占

表 6-19　　　　　　　　　　　　不同组成洪水对河道冲淤的影响

来沙情况	水量(亿m³)	平均流量(m³/s)	平均含沙量(kg/m³)	三黑武来沙量(亿t)				河段	各河段冲淤量(亿t)			
				细泥沙	中泥沙	粗泥沙	全沙		细泥沙	中泥沙	粗泥沙	全沙
来沙细	396.7	2136	75.7	18.87	6.92	4.26	30.05	三门峡—花园口	-0.44	0.94	-0.89	-0.39
								花园口—高村	1.49	0.81	1.69	3.99
								高村—艾山	0.93	0.13	0.61	1.67
								艾山—利津	0.07	-0.96	-0.90	-1.79
								全下游	2.05	0.92	0.51	3.48
来沙粗	338.9	2 086	74.9	11.74	6.69	6.97	25.4	三门峡—花园口	0.72	2.58	2.79	6.09
								花园口—高村	2.15	0.77	1.69	4.61
								高村—艾山	0.56	0.23	0.04	0.83
								艾山—利津	0.27	-0.04	0.45	0.68
								全下游	3.70		4.97	12.21

27.5%,下游淤积泥沙 12.21 亿 t,全沙淤积比为 48%。从全下游全沙淤积量看,来沙粗的洪水来沙量比来沙细的洪水来沙量少 4.65 亿 t,但淤积量却比来沙细的洪水多 8.73 亿 t。可见来沙粗的洪水由于粗泥沙的增加所增加的淤积量,并不只是多来的粗泥沙部分,相应的中泥沙、细泥沙的淤积比也有不同程度的加大,且粗、中、细泥沙的淤积比增加的幅度依次减小,粗泥沙淤积比增加的幅度相对最大。

由以上分析可见,粗泥沙含量的增多并不只影响到粗泥沙的输沙能力,而且中、细泥沙乃至全沙的输沙能力都将普遍降低,但对具体的粗、中、细泥沙而言,粗泥沙输沙能力减小的幅度最大,细泥沙最小。

(四)枯水长期作用使输沙能力降低,造成主槽淤积抬高

关于输沙能力,早在 20 世纪 50 年代泥沙研究工作者就发现黄河下游输沙率与流量之间存在如下指数关系

$$Q_s = K \cdot Q^\alpha \tag{6-36}$$

式中　α——指数,一般接近 2;

　　　K——与河床边界有关的系数。

随着人们对泥沙的进一步认识,发现少沙区及多沙区虽同一量级洪峰但含沙量差别较大的洪水,经过下游数百公里河段调整后,含沙量仍具有较大的差别。可见,黄河下游输沙能力不仅与流量大小有关,而且与上站含沙量高低也有关,具有多来多排的输沙特性。即输沙率与流量、含沙量有如下关系

$$Q_s = k \cdot Q^\alpha \cdot S^\beta \tag{6-37}$$

式中,α、β 是与河道边界(河槽形态及比降)有关的系数,α、β 一般可用下式来确定,即

$$\alpha = 0.356 \lg J + 1.13 \tag{6-38}$$

$$\beta = -0.256 \lg \frac{\sqrt{B}}{H} + 1.18 \tag{6-39}$$

黄河下游河道冲淤随水沙条件变化而变化,即使在水沙量相同的条件下,由于水沙过程的不同,河道冲淤也会有较大变化。图 6-19 为黄河下游河道汛期单位水量冲淤量与汛期平均含沙量的关系。由图 6-19 可以看出,来水含沙量低,单位水量淤积少,甚至发生冲刷;来水含沙量高,淤积量大。从平均情况看,含沙量临界值为 30kg/m^3,高于此值河道发生淤积,低于此值则发生冲刷。图中反映 1986 年后,在相同含沙量条件下,单位水量的淤积量有所增加。

流量大小是影响输沙能力的关键因素,为了估算长期枯水对河道输沙能力的影响程度,若不考虑含沙量的影响,下游河道输沙能力与流量的高次方成正比,流量变小,输沙能力急剧降低,引起行洪断面萎缩。据统计,1986~1999 年期间汛期花园口站水量为 20 世纪 50 年代的 43%,是 1960~1985 年的一半;流量平方和是 50 年代的 22%,为 1960~1985 年的 28%。汛期大于 3 000m^3/s 的天数年均 6.5d,仅为 1950~1985 年年均值的 17%。黄河下游主槽存在着"大水冲、小水淤"的演变规律,大洪水大幅度减少,必然加重主槽淤积。

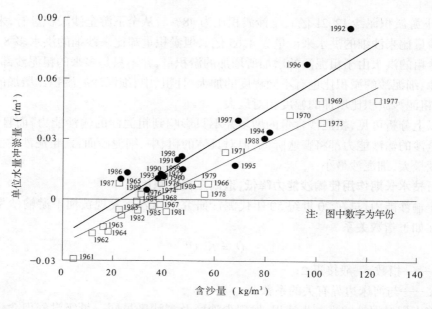

图 6-19　单位水量冲淤量与平均含沙量关系

对于艾山以下河段,河道断面变化不仅与来水来沙条件有关,而且与宽河道泥沙调整也密切相联。三门峡水库"蓄清排浑"的运用,以及非汛期从宽河道河床上冲起的泥沙大部分在窄河道落淤,是艾山以下河道淤积的主要原因。同时由于流量变小,该河段汛期已由原来的冲刷变为微淤,进一步加剧了本河段主槽的抬升。表 6-20 对 1950 年以来不同时期艾山、利津站汛期、非汛期日均流量平方和 $\sum Q^2$ 进行统计,各时期由于来水量及过程的差别,$\sum Q^2$ 相差很大。1986 ~ 1999 年汛期艾山站 $\sum Q^2$ 不足 50 年代的 1/5,为 1960 ~ 1964 年的 1/7;利津站 $\sum Q^2$ 为 50 年代的 1/7,为 1960 ~ 1964 年的 1/9。输沙能力的降低引起河道断面进一步萎缩,而边界的改变同样又影响到输沙能力,这种相互影响作用会加重河道淤积,艾山—利津河段遇平水或枯水年,甚至是汛期河道也会发生淤积。

表 6-20　　　　　　　　　　　　　艾山、利津站 $\sum Q^2$ 统计　　　　　　　　　　（×10^8）

项目	艾山			利津		
	非汛期	汛期	全年	非汛期	汛期	全年
1950 ~ 1959 年	2.72	13.86	16.58	2.62	13.28	15.90
1960 ~ 1964 年	4.58	16.11	20.69	4.72	16.21	20.93
1965 ~ 1973 年	3.24	7.40	10.64	3.02	8.15	11.17
1974 ~ 1980 年	1.62	7.32	8.94	1.31	6.62	7.93
1981 ~ 1985 年	1.77	12.63	14.40	1.28	10.99	12.27
1986 ~ 1999 年	0.89	2.39	3.28	0.51	1.85	2.36

（五）上、中、下游引水量的增加引起水沙条件的改变,加剧了河道萎缩

据分析,引水对河道冲淤的影响随含沙量高低、流量大小变化而变化。在含沙量较低的情况下,一般在引水分流比较小时,随着分流比的增大,河道增淤比也增大;当分流比大到一定程度时,随着分流比的进一步增大,河道增淤比减小,甚至减淤。当流量较大,含沙量较低时,全河处于冲刷状态,引水只能增淤,同时上中游引水对下游一般均增淤。当含沙量较高,原河道严重淤积的情况下,较小的分流比都会引起减淤。

目前,上游年均引黄水量已达 130 亿～140 亿 m^3,中游引黄水量 40 亿 m^3,下游引黄水量也在 120 亿 m^3 左右,分别增加下游泥沙淤积量约 1.0 亿、0.30 亿 t 和 0.20 亿 t,全河年均共引水约 290 亿 m^3,与 1986 年以来进入下游的年水量基本相当,引水每年共增加下游淤积量 1.5 亿 t 左右。若与 20 世纪 50 年代相比,上、中、下游每年引水量分别增加 60 亿、20 m^3 亿和 90 m^3 亿 m^3,增加下游淤积分别为 0.45 亿、0.10 亿 t 和 0.15 亿 t,共计 0.70 亿 t。引水主要使进入下游河道的基流减小,对洪水期造成的影响相对较小,因此引水主要是增加下游河道主槽的淤积量。

(六)滩地长时期不上水,滩区边界条件的变化影响到河道的排洪输沙

黄河下游滩区面积达 3 544km²,占河道面积的 80%,滩区人口约 180 万,滩区不仅要行洪,同时也是群众赖以生存的地方。长期小水滩地不上水,即使嫩滩也可能被当地群众种上庄稼,植被条件发生了较大的改变,河床糙率加大,洪水期遭遇小漫滩洪水,嫩滩不断淤积,河槽不断缩窄。萎缩的河槽影响了排洪输沙,加剧了嫩滩的淤积,嫩滩淤积又造出大面积新的滩地,小水作用下这种恶性循环,对维持主槽行洪极为不利。

二、河道萎缩及其后效

(一)"二级悬河"现状

黄河下游河道处于强烈的淤积抬升状态,长期以来,受来水来沙及边界条件的共同影响,泥沙淤积纵向及横向分布不均匀,造成下游河道上段淤积少,中段及下段淤积多,河道纵比降总趋势变缓,但这并不是说所有的河段比降都变缓。纵比降调整的结果,可能会引起河道输沙能力的变化甚至会影响到局部河段河性的转化。中小洪水和枯水期淤积主要发生在河槽内,嫩滩附近淤积厚度较大,而远离主槽的滩地因水沙交换作用不强,同时河道整治工程也限制了水流的摆动范围,因此滩地泥沙淤积厚度较小,堤根附近淤积更少,形成了"槽高、滩低、堤根洼"的"二级悬河"。

图 6-16 和图 6-17 形象地给出了"二级悬河"随时间及水沙变化的形成过程。河槽大小随水沙变化在发生着不断的调整,如果水沙条件不利,水少沙多或水沙搭配不当,河槽就会出现萎缩,如 1973 年前后。遇到有利水沙,河槽会在萎缩的基础上逐渐刷深和展宽。从长时期冲淤变化看,河槽总的发展趋势是淤积的,某一水位下河槽面积在逐渐减小,但平滩水位下河槽相对面积有增有减,随时间的延长滩唇高程在不断淤积抬升,远离主槽的滩地及堤根低洼处淤积少,滩地横比降在逐渐加大。利用 2002 年 10 月黄河下游大断面资料测量成果,并结合地形和卫星遥感资料,重点统计了原京广铁桥以下各淤积断面平滩水位、河槽平均河底高程、临河滩面平均高程和堤河平均高程等断面特征值,如图 6-20 所示。根据以上统计的特征值,对各断面左、右滩横比降分别进行计算,如表 6-21 所示。从统计结果看,东坝头以上河段两岸滩地是 1855 年铜瓦厢决口溯源冲刷、河道下切形成的老滩,经 140 余年河槽的摆动及河道的持续淤积,该河段已明显呈现出老滩不高的现象。左岸滩唇一般高于临河平均滩面 0.3～2.4m,平均为 1.00m,滩面平均宽度 4 330m,平均

横比降为 2.31‰,大于河道纵比降值;右滩除部分断面滩面高于滩唇外,平均横比降为 1.08‰,低于河道纵比降;右岸"二级悬河"不太明显。东坝头—高村河段长 66km,生产堤修建后,中小洪水行洪宽度由原来的 10 余 km 缩窄到 4km 左右。本河段滩地高程低,滩面面积大,从表 6-21 统计结果看,左岸平滩水位高于临河滩面 0.52~2.98m,平均为 1.42m,滩面平均宽度 4 012m,存在明显的滩地横比降,滩地横比降平均值为 3.54‰,横比降基本是该河段纵比降的 2 倍;右岸平滩水位一般高于临河滩面 0.62~4.34m,平均为 1.37m,滩面平均宽度 3 330m,滩地横比降均值为 4.11‰,同样大于河道纵比降。从近期高村附近水位表现看,该河段水位一直偏高,"二级悬河"的发展已严重威胁到该河段的防洪。

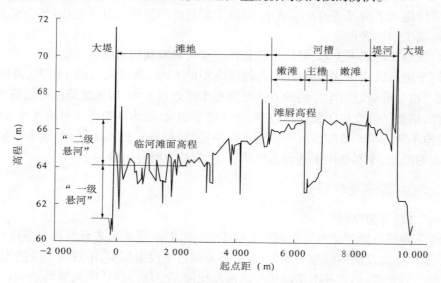

图 6-20 黄河下游河道横断面

高村—陶城铺河段长 165km,中小洪水行洪宽度由 50 年代的 4 500m 缩窄到 1 300m。该河段按河道特性以孙口为界分为上下两段,高村—孙口河段长 126km,滩区面积较大,分布较大的自然滩区有习城滩、陆集滩、清河滩。高村—陶城铺河段,左滩平滩水位高于临河滩面 1.08~3.43m,平均为 1.79m,滩面平均宽度 3 528m,存在明显的滩地横比降,均值达 5.07‰;右滩平滩水位一般高于临河滩面 0.84~2.78m,平均为 1.19m,滩面平均宽度 1 656m,滩地横比降为 7.19‰,左、右滩地横比降远远大于纵比降,"二级悬河"相对也非常突出。陶城铺以下河道,左、右滩平滩水位与临河滩面高程的平均差值分别为 0.83m 和 1.03m,由于滩面较窄,滩地横比降仍较大,平均在 6‰以上,"二级悬河"同样存在。总的来看,京广铁桥以下河段都存在嫩滩高于堤河的滩面横比降,但东坝头以上河段由于老滩滩面相对较高,滩唇与临河滩面高差相对不大,平均值为 0.4~1.1m;艾山以下河段,由于滩地较窄,虽然滩面横比降很大,但滩唇高程与临河滩面差值并不是很大,平均值一般在 1.3~1.6m 之间,同时窄河段工程控导能力相对较强,"二级悬河"的危害也相对较轻;目前下游河道滩唇高程与临河滩面差值最大的河段是东坝头—陶城铺河段,差值一般都在 2m 以上,局部河段可达 4m 以上,滩唇高仰,堤河低洼,悬差之大导致该河段"二级悬河"最为严重。

表 6-21

黄河下游花园口以下河段断面特征值

断面名称	左滩			右滩		
	平滩水位与临河滩面差(m)	滩面宽度(m)	横比降(‰)	平滩水位与临河滩面差(m)	滩面宽度(m)	横比降(‰)
花园口	0.82	6 665	1.23			
破车庄	2.25	8 342	2.69			
八堡	0.69	6 041	1.15	-0.56	3 771	-1.49
石桥	1.78	7 358	2.42	0.29	1 227	2.36
来童寨	2.31	8 587	2.70			
孙庄	1.60	8 030	2.00	0.79	2 340	3.38
黄练集	1.67	8 873	1.89		914	
辛寨	-0.57	2 290	-2.49		1 302	
黑石	0.93	3 391	2.75	0.60	6 191	0.97
陡门	1.05	4 738	2.22	-0.37	7 877	-0.47
韦城	1.56	3 453	4.52	2.11	5 839	3.61
回回寨	0.36	5 625	0.64	0.66	4 921	1.34
黑岗口	1.63	7 255	2.25			
荆隆宫	1.09	4 028	2.71	-0.91	3 857	-2.36
柳园口	0.98	2 451	3.99			
樊庄	0.85	3 569	2.38	0.26	826	3.15
古城	1.62	660	24.55	0.47	5 516	0.85
袁坊	0.59	1 202	4.91	0.86	4 622	1.86
曹岗	0.28	1 244	2.25	-0.89	5 134	-1.73
堤湾滩				1.79	4 705	3.80
夹河滩	2.38	4 183	5.69	1.63	3 275	4.98
三义寨	-0.26	4 628	-0.56	-0.45	2 213	-2.03
东坝头						
平均值	1.00	4 330	2.31	0.32	2 969	1.08

断面名称	左滩			右滩		
	平滩水位与临河滩面差(m)	滩面宽度(m)	横比降(‰)	平滩水位与临河滩面差(m)	滩面宽度(m)	横比降(‰)
禅房	1.23	2 140	5.75	3.62	9 726	3.72
左寨闸	0.52	7 169	0.73	4.34	7 888	5.50
李门庄	1.13	4 136	2.73		298	
油房寨	1.47	3 887	3.78	3.12	9 224	3.38
荆岗				1.15	3 177	3.62
王高寨	0.65	7 042	0.92	1.75	5 665	3.09
六合集	1.43	4 337	3.30	2.67	10 602	2.52
马寨	2.83	4 124	6.86	0.95	1 992	4.77
竹林				2.15	1 123	19.15
谢寨闸	2.21	8 935	2.47	0.94	2 314	4.06
杨小寨	2.86	6 106	4.68			
黄寨	2.98	6 083	4.90			
武邱	2.77	7 613	3.63			
西堡城	2.22	9 127	2.43			
赵堤	2.41	8 563	2.81			
张寨						
河道	2.95	4 233	6.97	0.62	2 421	2.56
青庄	1.87	1 074	17.41	2.11	4 085	5.17
柿子园	1.79	4 743	3.77	1.61	4 477	3.60
高村	2.05	4 162	4.93			
平均值	1.42	4 012	3.54	1.37	3 330	4.11

续表 6-21

断面名称	左滩			右滩		
	平滩水位与临河滩面差(m)	滩面宽度(m)	横比降(‰)	平滩水位与临河滩面差(m)	滩面宽度(m)	横比降(‰)
南小堤	1.97	6 701	2.94	2.78	4 111	6.76
刘庄	3.00	4 093	7.32	2.06	1 756	11.73
双合岭	1.56	7 490	2.08	2.17	4 723	4.59
苏泗庄	2.64	2 615	10.10	2.06	2 264	9.10
夏庄	1.94	7 912	2.45	2.64	1 337	19.75
营房	1.08	1 632	6.62	0.84	1 129	7.44
彭楼	2.94	2 728	10.78	1.55	4 330	3.58
大王庄	2.81	3 915	7.18	2.96	2 677	11.05
十三庄				2.90	3 803	7.62
史楼	1.55	4 242	3.65			
李天开	2.45	4 680	5.24	1.64	1 895	8.65
徐码头	2.42	2 067	1.71			
于庄	1.76	5 284	3.33	1.35	3 967	3.40
杨集	3.43	5 322	6.44	2.25	3 418	6.58
后张庄	2.78	7 232	3.84	2.12	2 680	7.91
甫那里	1.11	1 472	7.54	1.88	1 336	14.07
孙口						
梁集	1.84	1 338	13.75	2.60	2 679	9.70
大田楼				2.61	3 609	7.23
雷口	1.57	2 135	7.35			
路那里						
白铺						
绍庄						
平均值	1.79	3 528	5.07	1.19	1 656	7.19

断面名称	左滩			右滩		
	平滩水位与临河滩面差(m)	滩面宽度(m)	横比降(‰)	平滩水位与临河滩面差(m)	滩面宽度(m)	横比降(‰)
位山				0.75	941	7.97
阴柳科				0.64	5 310	1.21
王坡	0.46	1 584	2.90	1.58	2 152	7.34
殷庄				1.51	590	25.59
前郭口						
湖溪渡	1.64	641	25.59			
朱圈				1.01	297	34.01
付岸				1.27	2 429	5.23
潘庄				1.32	495	26.67
娄集	1.24	912	13.60	1.53	1 789	8.55
官庄				1.74	6 135	2.84
枯河						
阴河				2.40	4 791	5.01
杨道口				1.56	5 171	3.02
张村	0.50	481	10.40	1.86	3 976	4.68
水牛赵				1.10	2 689	4.09
大庞庄	1.59	2 089	7.61	2.27	3 436	6.61
冻口				0.85	2 626	3.24
后张庄	1.63	1 059	15.39	0.06	1 043	0.58
霍家溜	1.19	907	13.12			
平均值	0.45	420	10.7	1.19	2 312	5.15

续表 6-21

断面名称	左滩 平滩水位与临河滩面差(m)	左滩 滩面宽度(m)	左滩 横比降(‰)	右滩 平滩水位与临河滩面差(m)	右滩 滩面宽度(m)	右滩 横比降(‰)
史家均	0.83	1 136	7.31	0.62	1 034	6.00
王家梨				0.33	323	10.22
沟杨家	0.62	766	8.09	1.88	675	27.85
传辛庄	2.62	1 306	20.06	0.61	785	7.77
刘家园				1.53	2 589	5.91
北李家	1.67	1 803	9.26	1.53	880	17.39
王家圈				0.89	958	9.29
张桥	2.53	2 462	10.28	1.39	574	24.22
梯子坝				1.66	2 024	8.20
董家				0.84	1 998	4.20
刘旺庄	1.71	1 633	10.47	1.41	1 325	10.64
马扎子				0.87	1 463	5.95
清河镇	0.98	764	12.83	1.14	651	17.51
齐冯				1.32	543	24.31
兰家	1.79	795	22.52	2.75	1 258	21.86
贾家				2.27	1 356	16.74
张肖堂	2.61	1 722	15.16			
沪家	2.04	2 494	8.18			
道旭	1.30	1 595	8.15			
龙王崖						
平均值	0.95	846	11.23	1.00	965	10.36
王旺庄	2.27	3 913	5.80	2.22	2 207	10.06
张潘马						
路潘家庄				0.88	422	20.85
王家庄						
东张	1.62	1 160	13.97	1.78	2 597	6.85
章丘屋子	1.84	2 206	8.34			
一号坝	2.15	1 910	11.26	1.63	878	18.56
前左	1.43	1 426	10.03			
朱家屋子	0.87	3 093	2.81			
渔洼	2.07	3 769	5.49			
CS6	1.83	4 897	3.74	0.89	775	11.48
CS7	1.98	7 115	2.78	0.46	1 624	2.81
清1	2.08	7 080	2.94	1.28	8 523	1.50
清3	1.91	5 137	3.72	1.66	2 584	6.42
清4	1.93	2 999	6.44	1.62	5 716	2.83
清6						
清7	0.49	1 581	3.10	1.77	3 139	5.61
汉1						
平均值	1.16	2 550	4.55	0.87	1 838	4.73

注：滩面差及滩面宽度为距离加权平均值。

(二)"二级悬河"对防洪的影响

黄河下游河道河槽萎缩及"二级悬河"的不断加剧,增加了下游河道防洪负担和河道治理难度。中常洪水条件下,下游堤防几乎全部偎水,堤根低洼,部分河段存在着较大的顺堤行洪甚至发生滚河的可能,对下游堤防安全构成较大威胁。主要表现在以下两方面:

(1)"二级悬河"使堤防发生冲决和溃决的可能性增加。目前河道边界下,只要洪水漫滩,堤河附近平均水深即可达 $2\sim3m$,局部河段最大水深可达 $5m$ 以上,如夹河滩—陶城铺河段左寨闸断面,平滩水位下右岸平均水深 $4.5m$,堤河最大水深为 $5.2m$,按目前过洪能力推算,本断面设防流量下最大水深接近 $7m$ 。堤根处积水易积难排,大堤长时间处于浸泡状态,且堤内堤外存在较大的悬差,大堤土质差,堤防宽度窄,洪水期堤防易发生溃决。

堤河低洼的地形条件为顺堤行洪创造了条件,历史上漫滩行洪决口改道在滩区遗留的纵横交错的串沟,为漫滩水流向低洼地带的汇集又提供了便利。据统计,目前下游滩区有较大的串沟 89 条,总长约 356km,沟宽 $100\sim300m$ 、深度 $0.5\sim2.0m$ 。小串沟比比皆是。当发生平滩以上洪水时,漫滩水流将冲毁生产堤薄弱地段或经过生产堤口门,沿滩面比降较大的区域或串沟,直冲黄河大堤,并在堤河低洼地带形成顺堤行洪,对堤防工程构成威胁。同时受下游河槽淤积萎缩、边界条件改变的影响,洪水期滩槽的过流比也有可能发生变化,同量级洪水相比,主河槽过流量的减少就意味着滩地过流能力的增加,从而增加了顺堤行洪和冲决堤防的危险性。

近年来由于黄河下游河槽严重淤积,滩槽行洪条件发生了很大的变化。2002 年小浪底水库调水调沙期间,高村水文站最大流量为 $2\,980m^3/s$,当时濮阳、菏泽河段已有多处滩地进水,使较长堤防偎水并发生局部的顺堤冲刷。濮阳习城滩万寨渠堤因一鼠洞进水,造成渠堤决口,由于滩面比降大,决口后口门很快发展到 $300m$ 宽,且集中将滩地拉深而形成一汊河。汊河水面宽 $300\sim400m$,最大水深 $1.5\sim2.0m$,此类口门如不及时堵复,一旦遭遇大水,很有可能夺溜改道,从而打乱以下河段河势流路,给防洪带来被动;2003 年,黄河受"华西秋雨"的影响,进入 9 月份,经小浪底水库调节后,9、10 月下游花园口站流量基本维持在 $2\,500m^3/s$ 左右,由于长时期中小水作用,10 月 4 日东坝头以下蔡集控导工程附近河势发生较大变化,河势不断上提,从而造成蔡集工程以上滩地生产堤决口,同时 33~35 号坝出现较大险情,当时大河流量约为 $2\,400m^3/s$,生产堤决口后,通过生产堤口门进入兰考—东明滩区,口门处实测最大流量 $720\sim780m^3/s$,最大水深达 $7m$ 多,最大流速接近 $3m/s$,入滩流量基本占大河流量的 1/3。如果大河流量再继续增大,生产堤口门可能还会继续发展,同时蔡集控导工程也可能失守,两种情况共同作用,会造成滩地过流量增加,可见二级悬河严重的地段,在目前河道边界下滩区发生滚河的可能性仍很大。

滚河和顺堤行洪都是滩地漫水引起的,滩区进水对堤防安全会构成一定的威胁,如河势变化,滩区过流量增加,主流有可能顶冲堤防造成堤防冲决;除堤防发生冲决外,滩区进水后,堤防长期偎水,局部河段堤防会发生渗水,甚至出现"管涌"。2003 年秋汛期间,兰考北滩和东明南滩大部分滩区被淹,黄河大堤偎水 35km,偎堤平均水深 3m,部分堤段出现背河渗水等险情。

(2)"二级悬河"的加剧增加了河道整治的难度。黄河下游河道整治工程在控导河势,稳定河槽,减轻横河、斜河冲决堤防及保滩护堤方面起到了积极作用。近年来下游河槽淤积抬高,滩唇不断淤积抬高,平滩流量减小,"二级悬河"加剧,洪水期滩槽过流比的变化,相对增大了河道整治的难度。"96·8"洪水期间,控导护滩工程漫顶较多,共有127处工程、1 346道坝漫顶,占坝垛总数的35.8%,平均漫顶水深0.2m,最深达0.5m。

(三)河道萎缩及其影响

进入黄河下游的泥沙,主要有三条出路:一是随水流排入大海;二是引出堤外,主要指泥沙进入田间,沉积在渠道内或堤防淤背等;三是淤积在下游河道内。河道淤积量大小及其分布与水流条件及水沙的搭配情况有关,20世纪50年代下游河道年均淤积泥沙3.6亿t,其中滩地淤积占77%,主槽淤积占23%,艾山以下窄河道年均淤积量为0.45亿t,占全下游淤积量的13%,且主河槽基本没有发生淤积;1986～1999年,下游年均淤积量并不大,年均淤积量为2.1亿t,其中滩地淤积29%,主槽淤积占71%,与50年代泥沙滩槽淤积分布形成了鲜明的对比。艾山以下窄河道,年均淤积泥沙0.26亿t,约占全下游淤积量的13%,且泥沙主要淤积在主槽内。1985年以来下游泥沙淤积分布与50年代相比发生了根本性的变化,泥沙淤积分布的差异,使下游河床边界发生较大的变化,边界变化主要表现在主河槽的严重萎缩和"二级悬河"的加剧。

黄河下游河道冲淤演变,改变了河床边界条件并对河道排洪能力及输沙特性产生较大的影响,主要表现在:河床淤积抬升,洪水位表现高,20世纪90年代以来,中常洪水条件下局部或长河段即可出现历史最高水位,部分控导工程漫顶过洪;河槽萎缩,洪峰传播时间增长;滩区滞洪作用增强,洪峰沿程变形复杂,大大增加了水情预报的难度。

1.排洪能力降低,洪水漫滩机遇增加

1986～1999年,下游3 000m³/s同流量水位年均抬升0.10～0.15m;1999年3 000m³/s水位较1950年抬升3～4m,1958年花园口站22 300m³/s的特大洪水,当时相应水位为94.37m(基本断面),1999年河道边界条件下,该高程下仅能过流4 500m³/s,也就是说与1958年相比,花园口断面同水位(94.37m)下,河道过洪能力减少了17 800m³/s,可见排洪能力变化之大,至1999年汛前,下游多数河段平滩流量已降到3 000m³/s左右。据分析计算,在1999年河道边界条件下,若发生花园口站洪峰流量为22 000m³/s的洪水,与1958年实测水位相比下游各站洪水位将高出2～4m,其中花园口站高出约2m,泺口站高出约4m。1999年10月小浪底水库开始蓄水运用,至2003年连续4年下游来水量及洪峰流量都很小,下游河道虽然发生了冲刷,但冲刷量及冲刷距离有限,年均河道冲刷量仅1亿多t,冲刷距离主要集中在夹河滩以上,由于泥沙沿程调整,夹河滩—孙口河段部分断面不但没有冲刷,反而发生了淤积。2002年7月4～15日,黄河调水调沙试验期间,该河段行洪就暴露出一些问题,如高村以下双合岭断面,流量在1 800m³/s时,河水漫滩,漫滩以后,沿着滩区的串沟冲向大堤。2003年秋汛洪水期间,中游洪水经小浪底水库调节后,下游花园口站流量一般维持在2 800m³/s左右,10月初在大河流量2 400m³/s时,黄河下游东坝头以下蔡集工程上首生产堤被冲决,滩地过流量在700～800m³/s,滩地过流,造成滩区农田及房屋被淹,堤防长时期被漫水浸泡。

2.洪水演进变化大

中常洪水时,发生高水位、大漫滩。滩地大量蓄泄洪水,滩地洪水传播复杂,如洪峰沿程衰减率减小、各河段洪峰传播时间加长等。由于滩区面积大,生产堤口门多,漫滩洪水

进出滩水流非常复杂,给洪水预报及调度带来不利。"96·8"洪水传播时间与历史情况相比,按正常洪水传播速度,花园口—夹河滩约14h,而"96·8"洪水传播近30h,夹河滩—高村、高村—孙口正常洪水传播为13h和20h,而"96·8"洪水实际传播76h和120h,分别是洪水传播正常值的6倍左右。洪峰沿程衰减率的减小及洪峰传播速度的变慢,意味着遭遇同量级的洪水时,下游堤防堤根处水深不仅增加,而且堤防偎水的河段及浸泡的时间也加长。"96·8"洪水花园口站洪峰流量为 7 860m³/s,下游堤防 70% 已偎水。若发生10 000m³/s以上的洪水,下游除少量高滩外,滩地几乎全部漫水,堤防将全部偎水。

3.悬河加剧,洪水期易出现顺堤行洪或滚河现象

由于主槽淤积严重,滩唇高仰,堤根低洼,洪水期一旦河势发生变化或工程失去控导作用,极易形成顺堤行洪,危及堤防安全。局部河段如东坝头—高村,"二级悬河"不断发展,滩地横比降大,洪水期极易发生滚河。

4.小水大灾,经济损失严重

水位表现是一定河流边界条件下排洪能力大小的客观反映。"96·8"中常洪水下游沿程大部分河段出现历史最高水位,滩地水深一般为 0.5~3.5m,最大达 5.5m。"96·8"洪水由于水位高,就连 1855 年黄河铜瓦厢改道后溯源冲刷形成的原阳、封丘、开封等高滩也大面积进水,洪水期间由于大河水位持续偏高,不仅使大堤内大量滩地被淹,同时堤外一些支流排洪也受到影响,如金堤河排水不畅,内涝造成滞洪区大面积受淹,据统计,这次洪水使滩区 50 个县、2 898 个村庄(含堤外)、25.1 万 hm² 耕地、241.2 万人(含堤外)不同程度受灾,共倒塌及损坏房屋 63.9 万间,损失粮食 38 万 t,外迁人口 39.2 万人,直接经济损失64.6 亿元。从统计数据看,"96·8"洪水不论是漫滩范围或灾害程度都超过了新中国成立以来 1958 年特大洪水和 1982 年大洪水(表 6-22),这是近年来黄河下游河道严重萎缩、排洪能力下降,出现小流量、高水位、大漫滩所带来的严重后果。

表 6-22 　　　　　　　　　　　黄河下游漫滩洪水滩区受灾情况比较

年份(年)	花园口流量 (m³/s)	最高水位 (m)	受淹面积 (万 hm²)	受淹村庄 (个)	受灾人口 (万人)
1958	22 300	94.42	20.3	1 708	74.1
1982	15 300	93.99	15.2	1 474	106.4
1996	7 860	94.72	25.1	2 898	241.2

第七章 黄河下游河道调整对洪水水沙输移特性的影响

黄河下游因河型的不同,分为游荡性、过渡性及弯曲性河段。铁谢—高村为游荡性河段,高村—孙口为过渡性河段,河道较宽,河道调整比较强烈,孙口以下为弯曲性河段,河道较窄,河道调整幅度较小,因此本章主要以孙口以上河段为重点来分析黄河下游河道调整对洪水水沙输移特性的影响。

第一节 黄河下游河道调整特点

一、黄河下游河道特点

(一)河道组成

黄河下游河道(图 7-1)一般由主槽和滩地组成。从排洪输沙的角度来看,主槽部分阻力小、流速大,是河道排洪输沙的主体,在大中洪水时主槽的过流能力占全断面的80%以上。

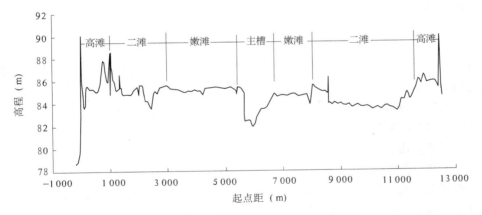

图 7-1 黄河下游游荡性河道组成示意图

黄河下游存在有三级滩地:

(1)一级滩地称为"嫩滩",是黄河主流变化、主槽摆动过程中形成的较低滩地,中常水流时即已过水,没有明显的滩地横比降,嫩滩范围内因植被稀少,滩地阻力小,也具有一定的过流能力,断面发生展宽冲刷时嫩滩塌失,嫩滩即成为主槽的一部分,有效地扩大了主槽的过流面积,此外在河势发生变化和河道摆动时嫩滩也会演变成为主槽,因此主槽和嫩滩合称为河槽或中水河槽,中常洪水主要在河槽中运行。嫩滩在高村以上游荡性河段十分发育,在艾山以下弯曲性河段不明显。

(2)二级滩地称为"二滩",与嫩滩相比过流概率较小,相对稳定,滩地植被较多,过流能力较嫩滩小得多。同时,东坝头—孙口河段滩唇高仰、堤根低洼,具有斜向大堤的横比降,"二级悬河"问题十分突出。

(3)三级滩地称为"老滩",是铜瓦厢决口以后河流溯源下切的产物,一般已不过水,因上水时间甚少,即使洪水漫越,淤积下来的泥沙既有沙土,也有淤泥,一般比较肥沃,因此滩地多已开垦,村庄相望,人烟稠密。

(二)平面形态

黄河下游游荡性河段(图7-2)河身宽浅、河心多沙洲,水流十分散乱。由于沙洲运动迅速,河道外形经常改变,特别在大水过后,变化显著,主槽位置极不稳定,但河身总的趋向比较顺直,没有明显的弯道。过渡性河段一方面水流集中,少沙洲,具有弯曲的外形;另一方面主槽位置仍不固定,河湾形态变化十分迅速。黄河下游滩地上多纵横交错的串沟,在中常水位时过水量相当大,有时便截夺主流,造成河槽的大摆动。这种串沟在东坝头以下分布最多,其中最长的达16km,最宽的达1.5km,最深的超过2m,而且这一带南北两岸倔堤均有深槽,称为顺堤河,简称堤河,其中北岸尤过于南岸,有的堤河终年积水,深达4~5m。串沟一般都直接或间接通向堤河,横比降大于河道的纵比降,一遇大水,便引水至堤河,顶冲大堤,造成险情。图7-3为东坝头以下串沟及堤河的分布情况,几乎自成一个水道网,其严重性可见一斑。

人民治黄以来,在治理滩区时对串沟、堤河进行了治理,主要采取堵截串沟和淤高堤河等措施。据统计,1990年治理后滩区仍存在较大串沟70条,总长289km;堤河总长649km,对防洪影响较大的有565km。

二、黄河下游河床边界条件的变化

黄河下游河道边界条件的变化与来水来沙条件密不可分,而来水来沙条件受流域气候变化和人类活动的共同影响,其变化特点第二章已详细阐述,在此不再赘述,仅介绍在下游河道(包括河槽与滩地)内人类活动所造成的河道边界的变化,主要包括河道整治工程、生产堤和滩区条件的变化。

(一)河道整治工程

黄河下游游荡性河段(白鹤—高村)的险工修建较早,有的已有300多年的历史。但有计划的河道整治是从20世纪50年代开始的,而且是从下而上分段进行的。

河道整治经历了几个时期的变化过程,三门峡水库的运用对下游河道的影响巨大,因此河道整治与三门峡水库的运用密切相关。三门峡水库蓄水拦沙期河势变化剧烈,险情严重,塌滩迅速,导致60年代后期开始河道整治快速发展,一直延续到1974年。1965~1974年游荡性河段修建坝垛520道,其中控导工程占到88%,而1974年就修建了控导工程13处、坝垛176道,是修建控导工程数量最多的年份。1998年"三江"大水后国家进一步加大了对水利投资的力度,1998~2001年共修建坝垛457道,其中控导工程455道,是河道整治工程修建最多的时期。总计人民治黄以来(1948~2001年)黄河下游游荡性河段共修建险工(不含沁河和金堤险工)、控导工程2 230道坝垛,工程长度300.75km(表7-1),增强了河道边界的抗冲能力,极大地改变了水沙运行的边界物质条件。而其中控导工程1 917道,占修建坝垛总数的86%,起到很大的控制河势作用,对河道平面形态变化的影响较大。

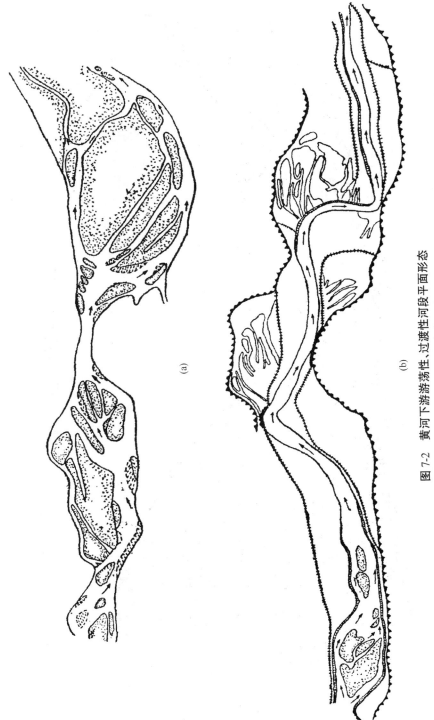

(a)

(b)

图 7-2 黄河下游游荡性、过渡性河段平面形态

(a)游荡性河段；(b)过渡性河段

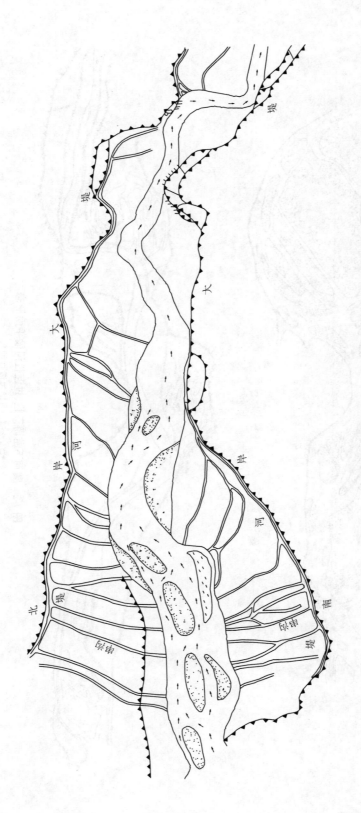

图 7-3　东坝头以下串沟及堤河的分布情况

表 7-1　　　　　　　　黄河下游游荡性河段险工及控导工程历年修建坝数量

时段	险工	控导工程	总计
1947 年以前	1 170	15	1 185
1948～1959 年	145	143	288
1960～1964 年	16	92	108
1965～1973 年	53	283	336
1974～1985 年	76	496	572
1986～2001 年	23	903	926
合计	1 483	1 932	3 415

(二)生产堤

历史上黄河下游沿岸群众修建了大量民埝,现在黄河部分堤防就是从原来的民埝改建而来的。新中国成立前和新中国成立后为了确保黄河下游防洪安全,都曾提出了废除生产堤的方针,因此生产堤在不同时期历史背景下经历了修—废的多个反复过程,现在的生产堤主要是从 1958 年汛后大量修建,至今经多次破、修形成的。

1958 年汛后开始,提倡下游在"防小水,不防大水"的原则下修筑生产堤,堤顶宽 5m,高度高出 1958 年当地最高洪水位 0.5m。据 1959 年年底统计,河南滩区修建生产堤长 322km,山东菏泽—长清河段修筑生产堤长 161.2km。1959 年以后,由于认识到生产堤削弱了河道滞洪排洪能力,因此明确提出生产堤要预留口门,要求每段生产堤留一个进水口和一个出水口,生产堤防御标准为花园口站流量 10 000m³/s,超过这一标准时,根据"舍小救大,缩小灾害"的原则,有计划地自下而上或自上而下分片开放分滞洪水。1960 年汛后～1964 年汛后,三门峡水库蓄水拦沙运用,下游河道普遍发生冲刷,东坝头以上河段河势游荡多变,生产堤被冲塌成不连续堤段,起不到挡水作用,而东坝头以下河势变化不大,生产堤保留得较为完整。1964 年汛后～1973 年三门峡水库滞洪排沙运用,加之 1969～1973 年黄河枯水多沙,洪水漫滩概率相对减少,下游河道出现了更为严重的淤积,而且逐渐形成"二级悬河",暴露出生产堤的较大危害性,因此提出废除生产堤。但由于种种原因,破除生产堤工作一直进展不大。直到 1987 年防汛工作实行行政首长负责制以后,生产堤破除工作才取得了突破性进展。但在破除口门过程中依然存在许多问题,如大部分口门所处地势较高,且留有底坎,平均高出当地滩面 0.5m 左右;有的仅破除了新修的生产堤,没破老生产堤,还时有堵复现象发生。由于破除长度仅占生产堤长度的 1/5,加上破除口门的位置不当,阻水现象仍较严重。直到 1992 年,鉴于 1991 年淮河、太湖流域大洪水由于大量滩地、湖泊洼地被围垦,降低了行洪标准造成惨重损失的教训,要求下游彻底破除生产堤,标准是口门高程与当地滩面齐平,口门长度占生产堤总长度的 1/2。1993 年以后,在破除生产堤问题上又有反复,不时出现个别地方有生产堤堵复和新修现象。生产堤不仅改变了水沙运行的自然边界,而且导致水沙在黄河下游宽河道的运行范围和运行方式发生了改变。

(三)滩区条件的变化

这里所说的滩地一般指二滩,即中水河槽以外到大堤的外滩部分。这部分滩地在

1958年以前与中水河槽基本连为一体（图 7-4（a）），没有明显阻隔。在流量超过
10 000m³/s时开始过水，由于这一流量级的洪水发生次数较多，因此二滩经常上水，时冲
时淤。滩面多小串沟，但表面比较平整，土质多沙，很少有植物生长，中水河槽附近滩区耕
种较少，远离河槽的滩面上植被长势很差，连片的房台村台较少，因此滩区阻水作用很小。
滩地糙率比嫩滩和主槽大，一般在 0.03~0.04。

　　1958 年以后滩区边界条件发生了很大变化（图 7-4(b)）。一方面是滩区修建了大量的生
产堤，使原来开敞的滩区被封闭，同时滩唇附近不断淤高，堤根附近变化不大，因此滩地横比
降增大，"二级悬河"加剧，东坝头—高村左、右岸滩地横比降分别达 5.15‰和 5.84‰。由此，
滩区成为一个以生产堤和大堤为沿、以堤根为底的"水盆"。另一方面滩区社会条件的变化，
引起行洪条件发生变化。随着社会经济的发展，滩区居住人口不断增多，耕地增加。目前孟
津—高村河段滩区有可耕作土地约 14.67 万 hm²，人口约 100 万人。滩区土地的大量开垦造
成植被增多，尤其是茂密的大豆、玉米等典型高秆植物，增加了滩地行洪的阻力。同时房屋、
连成一片的房台等建筑物增多，特别是一些贯通性建筑物，包括生产堤、自控导工程引水口

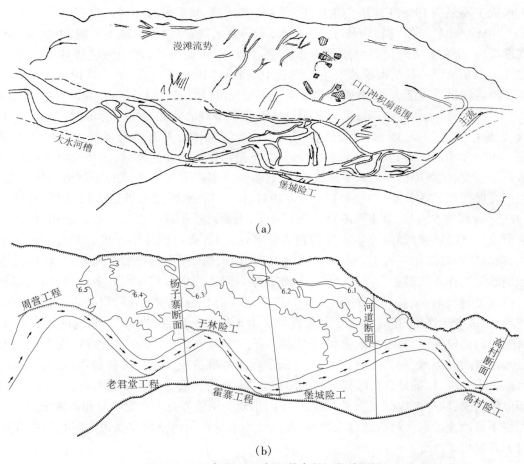

(a)

(b)

图 7-4　1956 年和 1996 年汛前高村河段地形图

(a)1956 年汛前；(b)1996 年汛前

到大堤引黄闸间的拦滩渠堤和横贯滩区且高出地面的拦滩公路等,均增大了滩区的局部水头损失和沿程水头损失,路面的硬化进一步增强了其抗冲性。这些都造成滩地糙率的增加。1982年和1996年高村断面生产堤至大堤间二滩糙率已达0.06~0.08,漫滩初期甚至高达0.1以上;孙口断面天然情况下左滩糙率为0.02~0.04,1982年和1996年已增大到0.035~0.045。

(四)河道边界条件变化影响综述

由上述分析可见,黄河下游的边界条件发生了很大的变化,进而影响到水沙的运行方式。河道整治工程起到了控制主流流向、限制河道摆动范围的作用,同时滩区修建的大量生产堤封闭了原来开敞的滩区。河段整治工程与生产堤共同形成水沙运行的新边界,影响了滩槽水沙的交换,引起水沙在河道的运行范围和方式发生变化。

20世纪60年代以前,发生中常洪水时经常漫滩,洪水漫滩时由于滩槽是连为一体的,因此滩槽水体也是连续的,水流没有阻碍,洪水期间大量水体在有大滩的宽河段涌入大滩区,并在堤河低洼地带形成较为集中的过流,同时堤河附近的大量淤积,使得洪水过后滩地横比降明显降低,而泥沙落淤后相对较清水流在下游窄河段回归主槽,因此滩地起到滞洪淤沙的作用。现状边界条件造成中常洪水漫滩概率的减小,相应减少了淤沙范围,致使生产堤间河道淤积加重。同时,在发生较大范围漫滩时洪水也不能在滩地大入大出,而是在控导工程基本控制走向的条件下,通过生产堤口门侧向进水,滩槽水沙不能充分交换,进滩水量小,含沙量低。淤积主要集中在口门附近1~2km范围内。口门以外广大滩区淤积很少,到堤根附近,几乎为清水。因此,堤根长期得不到淤积,滩地横比降增大。同时,封闭滩区周边的滩唇不断淤高,致使洪水过后滩区形成较大面积的“水盆”积水。

滩地阻力的增大,加上滩地贯通建筑,增加了滩地局部水头损失和沿程水头损失,造成漫滩水流流动的困难,降低了排洪能力,同时因滩地横比降增大而增大了滩地的蓄水能力,又造成泥沙淤积距离的减小,加剧了滩唇高、堤根洼的局面。

三、平面形态的变化特点

从1950~1997年河道平面变化的整个发展过程来看,主要有两个变化比较大的时期:一是1964~1973年,20世纪50年代二滩和河槽都是行洪的通道,1960~1964年河道冲刷,洪水不漫滩,1964~1973年河道回淤,由于1958年生产堤和控导工程的修建限制了水流向二滩的流动,同时三门峡水库滞洪排沙运用造成漫滩洪水发生概率减少,因此二滩过水概率很小,水体基本上在河槽内运行,由此“二级悬河”初步形成,这是河道第一次发生过流范围的缩窄;第二次过水宽度大范围的缩窄发生在1986年后,由于水量和大流量过程的减少,以及高含沙量中小洪水的频繁出现,较小范围的嫩滩淤积严重,同时秋汛洪水的减少降低了对嫩滩的冲蚀作用,因此部分嫩滩趋于稳定,成为二滩的一部分,中水河槽大幅度缩窄,河道萎缩,“二级悬河”加剧。

(一)河宽的变化

1.主槽河宽的变化

由表7-2可见,经过1981~1985年大水冲刷,主槽宽度增加,主槽面积(除特别注明外均指横断面过水面积)也明显增大。主槽宽度增加最多的是铁谢—花园口河段,平均增加

471m,增加幅度最大的是夹河滩—高村河段,平均增加40%;主槽面积增大尤为显著,增加最多的仍然是铁谢—花园口河段,平均增加 1 188m²,夹河滩—高村河段平均增加幅度高达 75%。主槽宽度及主槽过水面积增大,主槽过流能力增加,按平均流速 2.5m/s 估算,以夹河滩—高村河段为例,1980 年汛后平均过水面积约 1 404m²,平滩流量约 3 510m³/s,到 1985 年汛后,主槽过水面积增大到 2 453m²,平滩流量约 6 133m³/s,较 1980 年汛后增大约 2 623m³/s。

表 7-2 　　　　　　　　　　　黄河下游各河段主槽断面特征统计

项　　目	河　　段	1964 年	1973 年	1980 年	1985 年	1997 年
宽度 B(m)	铁　谢—花园口	1 715	1 474	1 115	1 586	921
	花园口—夹河滩	1 584	1 194	1 238	1 432	923
	夹河滩—高　村	1 497	956	860	1 208	727
面积 (m²)	铁　谢—花园口	3 345	2 726	1 529	2 717	1 937
	花园口—夹河滩	2 429	2 090	1 491	2 449	1 408
	夹河滩—高　村	3 133	1 630	1 404	2 453	1 190

1986 ~ 1997 年黄河下游枯水少沙,洪峰小、历时短,河槽萎缩,主槽宽度缩窄,过水断面面积减小。铁谢—花园口河段主槽宽度减小 665m,减小幅度达 42%,夹河滩—高村河段减小幅度也达 40%,主槽面积减小的幅度更加明显,其中夹河滩—高村河段减小 1 263m²,减小幅度高达 51%,按 2.5m/s 流速估算,平滩流量减少约 3 160m³/s,到 1997 年汛后,平滩流量约为 3 000m³/s。由此可见,黄河下游经历了枯水少沙系列后,主槽淤积萎缩十分严重,必将对下游河道排洪能力产生极为不利的影响。

进一步分析典型洪水期各水文站测流断面平滩水位下主槽宽度的变化可以看出,各断面 1996 年与 1985 年相比,主槽明显萎缩,花园口、夹河滩站主槽缩窄 40%左右。从各断面主槽变化过程看,除高村站断面缩窄主要集中在 1985 年前以外,其他各断面缩窄主要集中在 1985 ~ 1996 年(表 7-3)。

表 7-3 　　　　　　典型洪水期测流断面平滩水位下主槽宽度的变化　　　　　　(单位:m)

年份(年)	花园口	夹河滩	高　村
1958	1 260	1 300	1 100
1982	1 200	1 000	800
1985	1 000	1 200	600
1996	600	700	600
1996 年较 1958 年缩窄的百分比(%)	52	46	45
1996 年较 1982 年缩窄的百分比(%)	50	30	25
1996 年较 1985 年缩窄的百分比(%)	40	42	0

2.中水河槽宽度的变化

中水河槽河宽和面积的变化同样经历了冲刷期增大、淤积期减小的过程(表 7-4)。河道经冲刷后,1964 年和 1985 年高村以上河宽达到 2～3km,面积达到 4 000～6 300m²。河道回淤后,1973 年与 1964 年相比河宽减少 600～1 200m,面积减少 1 500～2 500m²;1997 年汛后铁谢—花园口、花园口—夹河滩、夹河滩—高村各河段河槽宽度仅分别为 1 937、1 555、1 207m,同 1985 年汛后相比,河槽宽度分别减小了 920、1 449、1 107m,河槽面积分别减小了 2 802、3 102、2 035m²。其中夹河滩—高村河段河槽宽度与河槽断面面积分别减小了 48%和 49%,作为洪水主要通道的河槽大幅度萎缩。

表 7-4　　　　　　黄河下游各河段河槽(中水河槽)宽度、断面面积的变化

项　　目	河　　段	1964 年	1973 年	1980 年	1985 年	1997 年
宽度 B(m)	铁　谢—花园口	3 083	2 107	2 769	2 857	1 937
	花园口—夹河滩	2 672	1 517	2 674	3 004	1 555
	夹河滩—高　村	2 085	1 416	1 468	2 314	1 207
面积 (m²)	铁　谢—花园口	6 334	3 935	4 047	5 100	2 298
	花园口—夹河滩	4 929	2 751	4 212	6 372	3 270
	夹河滩—高　村	4 107	2 536	2 360	4 123	2 088

黄河下游高村以上游荡性河段,主流多变,尽管存在部分节点使得中水河槽(简称河槽)具有藕节状外形,但总体上中水河槽宽浅散乱。20 世纪 50 年代,游荡性河段没有统一规划的河道整治工程,也不存在生产堤,河槽宽度一般在 2～5km,其范围基本与现有控导工程所控制的范围相当,其中包括宽度 800～1 500m 的主槽和宽 2～4km 的嫩滩。分析 1956 年汛前航空照片资料,铁谢—花园口、花园口—夹河滩、夹河滩—高村三河段河槽平面面积分别为 289、378km² 和 237km²,平均河槽宽度分别为 2 806、3 742m 和 2 890m。

1960～1964 年三门峡水库下泄清水及 1964～1973 年三门峡水库改建运用,水库滞洪削峰,下游河道水沙条件发生了很大的变化,河道也经历了强烈的冲刷—回淤过程。但从平面形态上来看,中水河槽行洪条件并没有发生趋势性变化。由 1972 年汛前航空照片资料量算出(图 7-5),铁谢—花园口、花园口—夹河滩、夹河滩—高村三河段,河槽平面面积分别为 335、368km² 和 222km²,平均河槽宽度 3 250、3 640m 和 2 707m,分别为 1956 年平均河宽的 116%、97%和 94%,总体变化不大。

1986 年以后黄河下游大洪水出现概率减小,高含沙量中常洪水出现概率增大。高含沙量洪水频繁出现,致使游荡性河段严重淤积,淤积主要集中在中水河槽的嫩滩上。嫩滩的淤积一方面使得深槽宽度明显缩窄,过水面积减小;另一方面嫩滩淤高,使得原有嫩滩串沟等支沟汊河淤平,基本与已经较为稳定的二级滩地连为一体,滩地植被增加,阻力增大,抗冲能力增强。同时,由于近年来水量较少,特别是 9、10 月份水量减少,含沙量较低

的秋汛洪水大幅度减少,对滩地的冲蚀作用明显减弱,这也是近年来深槽宽度缩窄、河槽宽度明显减少的重要原因之一。

对比分析前期均发生大量淤积的1996年汛期和1972年汛前卫星遥感和航空照片资料(图7-5和图7-6)可见,1996年汛期花园口附近河槽宽600~1 100m,仅为1972年汛前河宽的20%~50%。在1972年宽2~6km的嫩滩上,几乎没有植被,小的支汊或串沟痕迹纵横交错,一旦洪水漫滩,由于滩面顺直,水面比降大于深槽,易于在嫩滩较低洼地带冲出串沟,有效地增大河槽排洪能力。到1996年汛前原中水河槽的嫩滩范围内,大都种植了大豆、玉米等高秆农作物,农作物的存在明显降低了嫩滩流速,减少了原嫩滩部分的排洪能力。

图 7-5　1972年汛前花园口河段航空照片

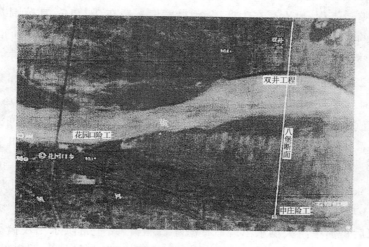

图 7-6　1996年汛前花园口河段卫星图片

(二)河道摆动程度的变化

中水河槽宽度的大幅度缩窄是伴随着河道平面摆动幅度减弱而发生的。根据多年河势资料统计，各个时期原京广铁桥—东坝头河段的主流摆动范围如图7-7所示。20世纪60年代开展河道整治以前，平均约为4.33km；60年代初，随着三门峡水库的建成并开始下泄清水，游荡性河段普遍刷深，摆动范围骤减到3.21km左右；1964～1973年，三门峡水库滞洪排沙运用河槽回淤，但前期河槽较好，主槽仍有一定的稳定性，摆动范围约为3.01km；70年代中期以后，随着河道工程的修建，主流摆动范围逐渐减小；到90年代末仅为1.90km左右，小浪底水库运用后更是减小到1.53km左右，只有1949～1960年摆动宽度的1/3。同样，东坝头—高村河段1949～1960年年均摆动范围约为2.228km，年均主流摆动距离约为0.67km；1975～1982年年均摆动范围缩小到1.583km左右，年均主流摆动距离仅0.409km左右(表7-5)。

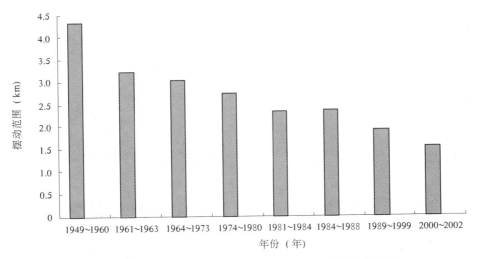

图7-7 各个时期原京广铁桥—东坝头河段的主流摆动范围

表7-5 东坝头—高村主流摆动情况

项　　目	1949～1960年①	1975～1982年②	②占①(%)
摆动范围(m)	2 228	1 583	71
年均主流摆动距离(m)	670	409	61

对比河道过水宽度变化较大的两个时期的主流摆动情况(表7-6)，1964～1973年期间，原京广铁桥—东坝头河段年均摆动范围约为3km，为1949～1960年的69%，摆动最大幅度为5.5km，较1949～1960年减少1.7km。1989～1994年年均摆动范围缩小到1.93km，只有1949～1960年的45%，说明整个河道的摆动程度已大大降低，但最大摆动幅度仍为5.2km，与1964～1973年接近，说明部分河段摆动幅度仍较大。

表 7-6	原京广铁桥—东坝头河段整治前后河槽摆动范围统计				（单位：km）
断面	1949~1960 年 ①	1964~1973 年		1989~1994 年	
		摆动范围	占①（%）	摆动范围	占①（%）
原京广铁路桥	2.1	2.2	105	1.1	52
保合寨	7.2	5.5	76	3.2	44
马庄	7.0	2.7	39	1.5	21
花园口	3.5	4.6	131	1.8	51
八堡	5.5	3.8	69	1.2	22
来童寨	4.2	1.5	36	0.3	7
武庄	5.8	2.3	40	2.2	38
万滩	5.1	1.0	20	3.8	75
辛寨	4.0	4.0	100	1.4	35
黑石	5.5	3.0	55	5.2	95
韦城	6.0	4.2	70	2.2	37
黑岗口	2.5	1.5	60	1.6	64
柳园口	4.0	2.0	50	1.3	33
王庵	4.5	5.0	111	2.1	47
古城	6.5	4.9	75	4.0	62
曹岗	2.5	1.7	68	1.3	52
常堤	3.0	2.4	80	0.5	17
夹河滩	1.0	1.0	100	1.5	150
东坝头	2.4	3.7	154	0.5	21
平均	4.33	3.0	69	1.93	45

第二节　宽河段河道调整对洪水水位的影响

　　水位是反映河道断面变化最为直接的因素，也是防洪工作最为重要的参考指标。对黄河下游河道来说，流量并不是决定水位的唯一因素，强烈冲淤而引起河床迅速变化，对水位同样有着较大的影响。黄河下游洪水水位的高低由两部分组成，即起涨水位（洪水起涨时的水位）和涨率（增加某一相同流量水位的变幅）。洪水前期的河道冲淤状况决定了起涨水位，来水来沙与河道断面形态（主要是主槽宽度）决定了洪水水位涨率，而在黄河下游宽河段，水沙条件对洪水涨率的影响又是通过洪水中调整断面来实现的，因此断面形态变化是水位涨率的决定因素。

一、前期河道状况直接决定着洪水起涨水位的高低

　　为对比分析方便，将洪水期涨水过程中 3 000m³/s 水位作为起涨水位。以花园口站为例，由图 7-8 及表 7-7 可见，黄河下游洪水的起涨水位是随着河道冲淤过程变化的。经1958 年大水河道大量冲刷，洪水后 3 000m³/s 水位较洪水前下降近 1m。但汛后回淤迅速，到 1959 年洪水前，水位基本与 1958 年汛前持平。其后三门峡水库下泄清水，河道处于持续冲刷过程，1960~1964 年花园口以上起涨水位下降 0.55m 左右。1964 年以后，由于三

· 322 ·

门峡水库运用方式的改变以及水沙条件不利,下游经历了一个淤积时期,河道回淤严重,起涨水位1975年比1958年抬高了0.74m,若与1964年相比则抬高达1.29m。1975年汛期和1976年7、8月长时间4 000m³/s以上较大流量的冲刷,降低了1976年9月大洪水的起涨水位,比1975年低了0.35m。随后又经过1977年高含沙量洪水的大量淤积和1981年低含沙量洪水的冲刷,1982年大洪水的起涨水位比1976年升高0.39m。1986年后,由于来水来沙条件极为不利,黄河下游进入持续淤积的河道演变过程中,洪水水位抬高迅速,1992、1996年起涨水位分别比1958年升高1.43m和1.78m。由表7-7中各年洪水7 000m³/s和3 000m³/s水位较1958年升高值看,3 000m³/s水位抬高值与7 000m³/s水位相近甚至还要高,这说明起涨水位对洪水水位的高低起到决定作用。

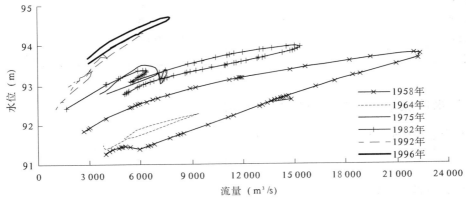

图 7-8 黄河下游典型洪水花园口水位与流量关系

表 7-7 　　　　　　　　　黄河下游典型洪水花园口水位特征

年份(年)		1958	1959	1964	1975	1976	1982	1992	1996
洪峰流量(m³/s)		22 300	9 480	9 430	7 580	9 210	15 300	6 410	7 860
水 位 (m)	流量3 000m³/s时 Z_1	91.94	91.86	91.39	92.68	92.33	92.72	93.37	93.72
	流量7 000m³/s时 Z_2	92.69	92.69	92.05	93.37	92.98	93.33	94.42	94.65
	最高 Z_m	93.82	92.82	92.32	93.53	93.42	93.99	94.33	94.73
与1958 年水位 差(m)	流量3 000m³/s时 ΔZ_1	—	−0.08	−0.55	0.74	0.39	0.78	1.43	1.78
	流量7 000m³/s时 ΔZ_2	—	0	−0.64	0.68	0.29	0.64	1.73	1.96
	最大升高 ΔZ_m	—	−1.00	−1.5	−0.29	−0.4	0.17	0.51	0.91

1996年黄河下游发生洪峰流量为7 860m³/s的中常洪水,但出现许多异常情况,尤其是水位表现突出,详细分析这场洪水的水位特点有助于研究洪水水位的变化规律。1986~1999年,黄河下游来水来沙为枯水少沙系列,洪水偏少,洪峰流量偏小,年均淤积量2.23亿t,由于淤积量的85%集中在主槽内,致使主槽平均河底高程抬升迅速,同流量水位上升较快。由表7-8可见,下游各站"96·8"洪水洪峰流量时的水位较"82·8"洪水同流量水位升高0.6~2.08m,而涨水前流量3 000m³/s水位比1982年升高0.64~1.3m,主要是1986年后主槽持续淤积造成的,其中夹河滩以下河段由此引起的水位抬升值占峰顶同流量水位抬升值的90%以上,花园口附近河段为77%。而花园口以上河段,主要是伊洛河

口以上河段由于年内冲淤基本平衡,前期水位影响的程度较小,1996 年汛初流量 3 000m³/s 水位抬升 0.8m,约占峰顶同流量水位抬升值的 38.5%。花园口以上河段水位表现较高,主要是 1996 年 7 月中、下旬小流量高含沙量洪水及三门峡水库小水排沙而使主槽严重淤积造成的。

表 7-8   "96·8"洪水较"82·8"洪水同流量水位变化

站名	"96·8"洪水		1996 年汛初流量 3 000m³/s 时	
	洪峰流量 (m³/s)	较"82·8"洪水 水位抬升值(m)	较"82·8"洪水水位 抬升值(m)	占"96·8"洪水水 位抬升值比例(%)
逯村	5 000	2.08	0.80	38.5
花园口	7 860	1.30	1.00	76.9
夹河滩	7 170	1.30	1.20	92.3
高村	6 810	0.60	0.64	107
孙口	5 680	0.70	1.30	186

二、水位涨率随主槽宽度的缩窄而增大

基于曼宁公式,河道过流量可表达为

$$Q = \frac{B}{n} H^{5/3} J^{1/2}$$

将公式改写为水深 H 的表达式

$$H = Q^{3/5} \Big/ \left(\frac{B}{n} J^{1/2} \right)^{3/5}$$

上式对流量 Q 求偏导数,则得到水位涨率的表达式

$$\frac{\partial H}{\partial Q} = \frac{0.6 \left(\frac{n}{\sqrt{J}} \right)^{0.6}}{B^{0.6} Q^{0.4}} \tag{7-1}$$

式(7-1)反映出水位涨率不仅与流量、比降有关,而且与主槽宽度密切相关,涨率与 $B^{0.6}$ 成反比。在流量、比降一定的条件下,河宽越大,水位涨率越小;反之,河宽越小,水位涨率越大。以 5 000m³/s 为流量级,分析下游典型洪水过程中主槽流量从 3 000m³/s 涨到 8 000m³/s 时水位涨率与主槽宽度的关系(图 7-9)可以看到,下游各站水位涨率与主槽宽度具有明显的减函数关系,涨率随河宽的增大而减小。根据河型的不同,下游各站水位涨率与主槽河宽的关系不同:①艾山以下为弯曲性河道,主槽较窄,所以艾山、泺口、利津的水位涨率较高。同时,由于河床稳定,主槽宽度变化较小,因此各站涨率比较稳定,变化幅度小,涨率与主槽宽度的相关关系也较好。②属于游荡性河段的花园口和夹河滩站,主槽较宽,涨率较小。同时随主槽宽度的增大和减小,水位涨率相应减小和增大,变化幅度较大。当主槽宽度增大到一定程度(大约 1 000m)后,流量为 3 000 ~ 8 000m³/s 的水位涨率变化较小,基本稳定在 0.8m 左右。③高村和孙口站处在过渡性河段,涨率的变化介于上述两者之间。

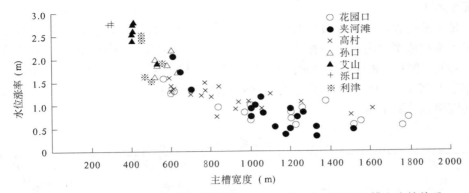

图 7-9 黄河下游各站水位涨率(流量为 3 000 ~ 8 000m³/s 时)与主槽宽度的关系

已知黄河下游河道主槽糙率约为 0.01,则可由上式求得下游水位涨率 ΔH 的理论表达式为

$$\Delta H = 6.17(BJ^{0.5})^{-0.6} \tag{7-2}$$

为了显示各河段河床比降的影响,又点绘黄河下游各水文站水位涨率与 $BJ^{0.5}$ 的关系图(图 7-10),二者具有明显的相关关系,回归关系式为

$$\Delta H = 5.55(BJ^{0.5})^{-0.65} \tag{7-3}$$

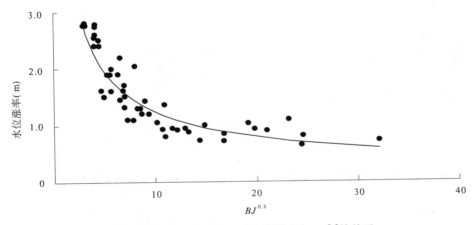

图 7-10 黄河下游各水文站水位涨率与 $BJ^{0.5}$ 的关系

式(7-2)和式(7-3)结构相同,系数、指数接近,正确表达了水位涨率与主槽宽度的关系。由实测资料回归的式(7-2)计算的涨率稍低于理论公式(7-3)的计算值,正确反映了黄河下游河道在洪水涨水期冲刷的特点。从下游防洪的角度考虑,主槽宽度不宜小于 1 000m,不然将引起水位增率较大增加。

三、典型洪水水位涨率随主槽宽度的缩窄而增大

黄河下游宽河道不同含沙量洪水的水位涨率不同,由表 7-9 可见,高含沙量洪水涨率普遍较大,可达到一般含沙量级洪水的 2 倍。进一步分析花园口、夹河滩典型洪水水位涨率与主槽宽度的关系(图 7-11、图 7-12),发现有以下两种情况造成主槽异常缩窄、使洪水

水位涨率增大:

一是下游高含沙量洪水期涨水过程中正是由于主槽大量淤积,主槽宽度大幅度缩窄,从而引起水位涨率很高。而一般低含沙量洪水由于主槽冲刷,主槽宽度增大,水位涨率较小(表7-9)。1977年8月高含沙量洪水期,花园口主槽宽度仅560m,3 000~8 000m³/s水位涨率达1.55m,为1982年(主槽宽度1 200m)水位涨率的1.8倍。同样,1992年高含沙量洪水的涨率也达到1.3m。

表 7-9 花园口不同含沙量级洪水的水位涨率

时间 (年-月)	流量级 (m³/s)	最大含沙量 (kg/m³)	增加流量1 000m³/s 时的水位涨率(m)
1992-08	3 000~5 000	488	0.40
1973-08	3 000~5 000	449	0.45
1982-08	3 000~5 000	67	0.20
1977-08	6 000~7 000	546	0.27
1977-08	8 000~10 000	437	0.34
1982-08	8 000~10 000	67	0.12

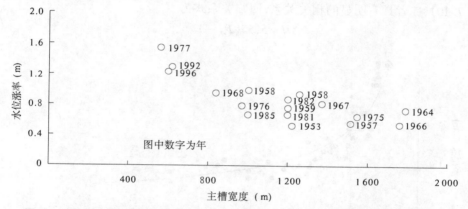

图 7-11 花园口典型洪水(流量为3 000~8 000m³/s)水位涨率与主槽宽度的关系

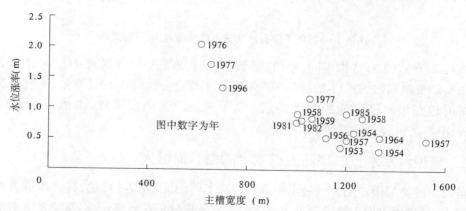

图 7-12 夹河滩典型洪水(流量为3 000~8 000m³/s)时水位涨率与主槽宽度的关系

二是河床前期严重淤积,尤其是主槽大量淤积以至萎缩,导致主槽宽度缩窄。如1996年洪水,前期主槽萎缩,花园口、夹河滩主槽宽度仅分别为600m和720m,流量为3 000~8 000m³/s洪水涨率达1.24m和1.33m,分别是1982年涨率的1.4倍和1.7倍。但应指出,河道前期淤积严重(如河道不萎缩、河宽较大)时水位涨率并不高,如1975年的花园口和夹河滩断面,虽然河道前期经过1965年以来的大量淤积,但主槽并未萎缩,仍有较宽的主槽,花园口、夹河滩主槽宽度分别为1 550m和1 020m,因此水位涨率没有明显增大,分别为0.65m和0.82m。同样在高村站也可发现相同的规律(图7-13)。

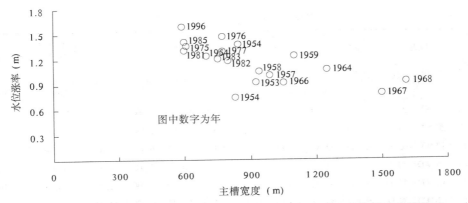

图7-13　高村典型洪水(流量为3 000~8 000m³/s时)水位涨率与主槽宽度的关系

20世纪90年代中常洪水(1992年和1996年)即出现历史最高洪水位,是1986年以来河道大量淤积,河底高程不断抬升,致使洪水起始水位抬高,以及河槽萎缩,主槽宽度减小,造成水位涨率增大,两者共同作用的结果,花园口"96·8"洪水较"82·8"洪水起始水位抬升1m,占洪峰水位抬升的77%,由于主槽缩窄造成水位抬升0.3m。为去掉前期水位抬升的影响,更清楚地看出水位涨率的不同,将各场洪水均以3 000m³/s的水位为起点,绘制水位涨率与流量的关系(图7-14),由图可见,同流量下"96·8"洪水的涨率较1958年和1982年都大,接近1977年高含沙量洪水。

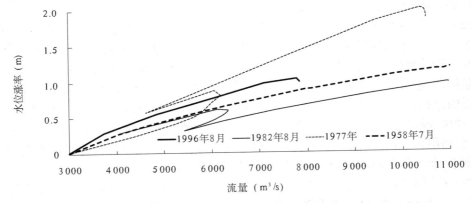

图7-14　花园口典型洪水以3 000m³/s的水位为起点的水位涨率与流量的关系

"96·8"洪水极为典型,花园口最大洪峰流量仅7 860m³/s,但最高洪水位达94.73m,

较 1982 年花园口洪峰流量 15 300m³/s 水位偏高 0.74m,较 1958 年花园口 22 300m³/s 水位偏高 1.51m,若与 1982 年和 1958 年同流量水位相比,则"96·8"洪水位分别偏高 1.31m 和 1.94m。小浪底水文站最大流量 5 020m³/s,逯村险工水位达 117.67m,较"82·8"最高洪水位偏高 2.08m,较"92·8"洪水最高水位还偏高 0.56m。洪水在下游演进的过程中,除高村、艾山、利津站略低于历史最高洪水位外,其他各站均出现历史最高值(表 7-10)。据统计,"96·8"洪水在夹河滩以上河段均超过历史最高水位,夹河滩—利津河段有 52% 的河段超过历史最高洪水位,42% 的河段达到历史第二高水位。

表 7-10   **黄河下游主要水文站洪水位比较**

站名	1958 年		1977 年*		1982 年		1992 年		1996 年		1996 年洪水位 – 历年最高水位($H_{96} - H_{max}$)	
	流量 (m³/s)	水位 (m)	流量 (m³/s)	水位 (m)	流量 (m³/s)	水位 (m)	流量 (m³/s)	水位 (m)	流量 (m³/s)	水位 (m)	ΔH (m)	H_{max} 的年份(年)
花园口	22 300	93.22	10 800	93.19	15 300	93.99	6 410	94.33	7 860	94.73	0.40	1992
夹河滩	20 500	74.31	8 040	75.53	14 500	75.62	4 510	74.88	7 150	76.45	0.80	1976
高村	17 900	62.87	6 100	62.40	13 000	64.13	4 100	63.12	6 810	63.87	− 0.26	1982
孙口	15 900	49.28	6 060	47.81	10 100	49.6	3 480	48.24	5 800	49.66	0.06	1982
艾山	12 600	43.13	5 560	40.92	7 430	42.7	3 310	41.10	5 030	42.75	− 0.38	1958
泺口	11 900	32.09	5 400	30.27	6 010	31.69	3 150	30.45	4 700	32.24	0.10	1976
利津	10 400	13.76	5 280	13.37	5 810	13.98	3 080	13.48	4 130	14.70	− 0.01	1976

注:* 1977 年花园口站为"77·8"洪水,其余站为"77·7"洪水。

以上的分析表明,在目前黄河下游防洪形势严峻的情况下,主槽宽度不宜小于 1 000m。

四、主槽与滩地水流不连续,一般滩地洪水位低于主槽洪水位

黄河下游河道宽窄相间,呈藕节状,具有广阔的滩地。在河道整治前,滩地不仅是滞洪滞沙的主体,也是行洪的重要组成部分。

20 世纪 50 年代滩槽水体是连为一体的,漫滩水随主槽水向下游演进,在窄河道自由归入主槽,下一个宽河段又漫上滩地,滩地水面比降与主槽是一致的,由于滩槽水体的连续以及水沙的自由交换,一般情况下大洪水滩淤槽冲,小洪水和非汛期主槽淤积,同时河势不断摆动,造成黄河下游滩槽基本同步抬高的特点。但现今大量河道整治工程和滩区生产堤的存在,影响了滩槽水体的自由交换,造成洪水不能自由上滩,只从部分口门进滩,或冲决、漫决生产堤后进滩。水流上滩后滩地植被和建筑物的增加降低了流速,拦滩渠道、公路阻碍了正常行洪,不但造成滩地水流不能正常流动,致使滩地水位不连续,而且形成壅水,调平部分河段比降,形成滩地类似水库的"水盆"。

"96·8"洪水属于中常洪水,但发生了大范围的漫滩,1855 年铜瓦厢决口形成的原阳、开封高滩也部分上水,这次洪水滩地水位变化特点可充分代表现状条件下洪水漫滩后滩地水位变化的趋势。图 7-15 为"82·8"和"96·8"洪水时黄河北岸从周营工程到梁路口工程的滩槽最高洪水位比较;图 7-16 为南岸从东坝头险工到伟庄险工的最高洪水位比较。从

图 7-15 和图 7-16 中可明显看到,代表滩地水位沿程变化的堤根水面线与代表主槽水位沿程变化的险工水面线,"82·8"洪水时在部分河段已出现不一致现象,"96·8"洪水时表现更加突出。

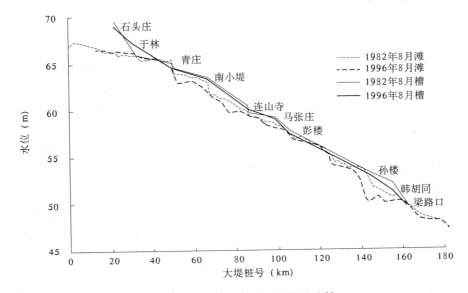

图 7-15　黄河北岸滩槽最高水位比较

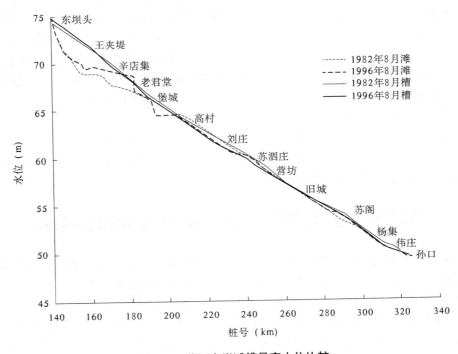

图 7-16　黄河南岸滩槽最高水位比较

由图 7-15 和图 7-16 可见,"96·8"洪水北岸滩地水位较"82·8"洪水低,而南岸正好相反。

主要是"96·8"洪水北岸滩地进水量小于"82·8"洪水,如濮阳习城滩 1982 年最大静蓄水量为 2.73 亿 m^3,1996 年只有 1.98 亿 m^3;而南岸"96·8"洪水滩地进水量大于"82·8"洪水,如兰考东明大滩 1996 年最大静蓄水量达 3.08 亿 m^3,1982 年只有 1.51 亿 m^3。但无论北岸还是南岸,1996 年滩地水位异常更甚于 1982 年,北岸在总长度(大堤)约 150km 的河段,就有约 90km 水位异常,占总长度的 60%;南岸水面线不连续、呈台阶状程度也较 1982 年要高。

大面积严重漫滩,然后在渠村闸附近退水,因此在渠村闸及青庄险工上游水位高,而工程断开上下游水体,下游水位自然低,所以水面线出现跌坎。北岸濮阳习城滩为一较大滩地,图中位置大致从南小堤险工到彭楼工程,面积约 118km²。"96·8"洪水时,南小堤上延控导工程出险,同时南小堤以下的生产堤口门进水,整个滩区进水过程中,由上游到下游,先后受到连山寺—梨园的拦滩沥青公路(大堤桩号约 85km,下同)、拦滩引水渠以及 7 条拦滩沟渠的影响,道路、渠道阻水后形成壅水,调平水面线,因此从图中可看到这一河段出现多处水面线变缓、变平。该滩区在马张庄工程以下的生产堤口门退水,所以在马张庄工程以下滩地水位与主槽相同。

南岸的兰考北滩和东明南滩,两滩相连,图 7-16 中大致位置是从东坝头险工到老君堂工程,面积约 193km²。滩区有多处串沟汊道,地势低洼,洪水漫滩后的泥沙大都沉积在滩唇及内滩范围内,生产堤至大堤间,尤其是堤根附近淤积很少,滩面横比降为 1/5 000 ~ 1/2 300,远比河道纵比降 1/7 000 ~ 1/6 000 大。"96·8"洪水时,首先从杨庄险工以下、蔡集工程以上的生产堤口门进水,向下游漫过樊庄至辛店集工程的拦滩沥青公路(桩号为 171.5km),然后辛店集工程以下的生产堤相继破口,漫滩水向上游倒流,两次漫过该公路,两股水在焦园(桩号为 164km)附近汇合,而且在大堤桩号 160 ~ 165km 之间有两条拦滩硬化渠道,高于滩地 0.4m 以上,因此在这一河段出现倒比降及水位突高等异常情况。同样在大堤桩号 150 ~ 155km 之间也有两条类似渠道起到阻水、壅水作用,造成滩地水位陡落等。滩区水流汇合后第三次漫过樊庄至辛店集工程的公路,继续向下游流动,受到老君堂工程到谢寨闸的渠道(桩号为 182km)阻碍,形成壅水,滩地水位高过主槽,最后漫滩水从老君堂以上的生产堤口门退入主槽。

由上述分析可以认识到,在计算有关滩地水位、比降、河道冲淤、洪水演进等问题时,应注意滩地与主槽的不同,及其现状的特点,必要时根据具体阻水建筑物情况对每块滩地加密计算,才能使计算成果与实际相吻合。

第三节　宽河段河道调整对洪峰变形的影响

河流发生洪水时,流量骤增,水位猛涨,形成沿河道水面高低起伏的洪水波。洪水波从上游向下游传播过程中,由于波前的附加比降大于波后的附加比降,即波前流速大于波后流速,因此洪水波发生展平;同时在运动中波前附加比降不断增大,而波后附加比降不断减小,洪水波又发生扭曲。黄河下游花园口—孙口的宽河道河段,几乎没有支流汇入,因此洪水波的展平和扭曲就是洪水波的变形。在实际研究工作中,常常以洪峰的变化来代表洪水波的变形,通常包括洪峰的坦化(洪峰流量的削减)和洪峰峰型变化两部分。对这一河段来说,洪水水沙条件的复杂、洪水中河床调整的迅速、河道边界的多样,都决定了洪峰变形问题的复杂性。

一、洪峰流量沿程削减特点

由于没有支流汇入,黄河下游宽河段洪峰流量几乎都是沿程减小的。影响洪峰流量削减的水沙因素有洪峰流量、含沙量及级配、峰型等。其中洪峰流量的大小起着决定作用,当洪峰流量接近平滩流量时,洪峰流量的削减程度——削峰率(上下站洪峰流量之差占上站洪峰流量的百分比)是最小的;而洪量大的胖型洪水削峰率也较低;相反,含沙量越高、来沙级配越粗的洪水削峰率越高。影响削峰率的河道因素主要是河槽的过流能力及滩地的行洪条件,主槽宽、过水面积大的河段,有较大的过流能力,河道削峰率低;滩地阻水物少、上滩水流基本能与主槽水流同时运行的情况下,河道削峰率低。但在实际发生的洪水中,各种因素是掺杂在一起的,极难区分出只具有上述单项特征的洪水,因此在分析某一因素对洪水削峰率的影响时不可避免地会受到其他因素的干扰,从而影响分析结果的精度。

(一)不同河段的削峰特点

花园口—孙口河段属于宽河道,但河道特征并不完全相同。从河型上来看,花园口—高村为游荡性河道,高村—孙口为过渡性河道。而从河道特点上来看,原京广铁桥—东坝头(水文站为花园口—夹河滩)两岸有残存高滩,滩岸多沙质土,河槽宽浅散乱且极不稳定,但河段流向大的趋势比较顺直,主槽过流量大,占全断面的80%以上;东坝头—高村(水文站为夹河滩—高村)河段,两岸为低滩,滩唇高仰,堤根低洼,滩地横比降达1/3 000~1/2 000,滩内串沟、堤河较多,天然条件下主槽过流量也超过80%,但1958年以来两岸滩区大量修筑生产堤,束缚了洪水自然漫滩,多年来由于泥沙在生产堤内的河槽淤积,使得河槽逐年抬高,部分河段已形成"二级悬河",主槽过流量减少,而生产堤的存在又严重阻碍了洪水的自然漫滩,从而影响了该河段的洪水演进;高村—陶城铺(水文站为高村—孙口)河段河道稍窄,主槽较窄且滩槽明显,经过20世纪60~70年代的系统整治,河势相对稳定,滩地地势也较低,面积稍小,但情况复杂,工程及生产堤对洪水传播的影响也很大。所处河段位置的不同以及上述河道边界条件的差异,决定了三个河段洪水传播的各自特点。

1.花园口—夹河滩河段

该段处于宽河道的上段,较宽的河道直接起到滞洪作用,削峰率对洪水水沙条件和河道边界条件的变化都极为敏感。由表7-11可见,削峰率最大洪水的共同特点是除1977年一场外,洪峰流量都不高,仅为中常洪水甚至小洪水,而且多出现在20世纪90年代,在所列出的7场洪水中90年代的有4场,并位居前三位。1986年以后黄河下游河道急剧萎缩,主槽宽度由1 500m左右减小到仅约600m,滩槽高差减小,平滩流量由1985年的6 000m³/s下降到3 500m³/s,河道排洪能力下降,中小洪水即出槽上滩,削平洪峰,减少向下传播的水量。另一个原因是下游长期洪水偏少,每年基本上只有1~2场中小洪水,起不到对河道的理顺作用,洪水沿程传播消耗大,因此削峰率偏大。1958年7月洪水的削峰率偏大也是由于前期河道淤积造成的,1956年高含沙洪水中这一河段大量淤积,对河道的影响极大,虽然1957年大洪水主槽冲刷较多,但非汛期回淤迅速,到1958年汛前,河道条件仍然较差,因此发生1958年第一场洪水时削峰率较大。从表7-11中可发现这一河段削峰率偏大洪水的另一明显特点是含沙量高,除1973年和1977年典型高含沙量洪水外,90 年代的几场洪水含沙量也较高。高含沙量洪水洪量小,峰型尖瘦,沙量大,主槽淤积多,因而洪峰削减多。

由此可见,花园口—夹河滩河段河道的边界条件和洪水含沙量的高低对洪水削峰率来说是最为主要的两个因素。

表 7-11   宽河道各河段洪峰削峰率较大的洪水特征统计

花园口—夹河滩				夹河滩—高村				高村—孙口			
时间 (年-月)	洪峰流量 (m^3/s)	削峰率 (%)	最大含沙量 (kg/m^3)	时间 (年-月)	洪峰流量 (m^3/s)	削峰率 (%)	最大含沙量 (kg/m^3)	时间 (年-月)	洪峰流量 (m^3/s)	削峰率 (%)	最大含沙量 (kg/m^3)
1994-08	6 280	33	241	1977-08	8 000	37	338	1954-08	12 000	28	79.0
1995-09	3 400	29	121	1973-09	4 860	33	456	1982-08	13 000	22	66.9
1992-08	6 260	28	245	1977-08	6 570	28	91.2	1954-08	9 640	21	98.7
1977-08	10 800	26	546	1977-07	8 040	28	405	1983-08	7 030	21	40.2
1995-08	3 630	20	128	1998-07	4 000	25	107	1996-08	6 810	15	123
1958-07	7 920	19	70.7	1973-08	4 290	25	145	1992-08	4 100	15	170
1973-09	5 890	17	348	1978-07	5 170	24	166	1956-07	6 100	15	130

2.夹河滩—高村河段

由表 7-11 可见,该河段削峰的程度明显比花园口—夹河滩河段大,主要在于该河段主槽相对上段窄,排洪量小,但滩地面积大,滩面低,有很大的滞蓄洪水能力。削峰率较大的主要集中在 1973、1977 年的几场高含沙量洪水,20 世纪 60 年代后期与 70 年代高含沙量洪水频发,而三门峡水库滞洪排沙运用,形成主槽淤积的极为不利的水沙条件,此时这一河段已进行了一定规模的河道整治,工程及生产堤又减少了洪水漫滩淤积的机会,加重了槽高滩低的不利边界形势,河段平滩流量只有 4 000 m^3/s 左右,高含沙量尖瘦的洪水在较低流量时即漫出主槽,滩地滞蓄水量增多,河段削峰率偏大。因此,对这一河段削峰率起主导作用的因素是洪水的含沙量,而河道边界条件起到第二位的作用。

3.高村—孙口河段

处于宽河道的下段,洪水的含沙量经过上游河道的冲淤调整,进入该河段时相对来说变化已不大,因此从表 7-11 中可见含沙量因素对这一河段的影响不大。对削峰率影响最大的是洪峰流量,其削峰率大的洪水洪峰流量较上游河段增大许多,1954 年以后的大漫滩洪水削峰率都很大,1958 年高村洪峰流量 17 900 m^3/s,该河段削峰率也达到 11%。这一河段河势相对规顺,主槽窄深且过洪量小,因此来水流量与河道排洪能力的对比决定了削峰率,在一定边界条件下洪峰流量超过平滩流量,水流漫滩后流量越大削峰率则越大。表 7-11 中 90 年代的两场洪水就是如此,在 1986 年后河道萎缩时期为最大的洪水,尤其是"96·8"洪水发生大漫滩,看似洪峰流量不大但削峰率偏大。

（二）不同时段的削峰特点

1950 年以来,根据黄河下游的来水来沙条件可划分为 6 个时段:1950～1959 年、1960～1964 年、1965～1973 年、1974～1980 年、1981～1985 年、1986～1998 年。将 1950 年以来历年宽河道各河段削峰率及夹河滩平滩流量变化过程绘于图 7-17,由图可见,虽然削峰率是逐年变化、各不相同的,但不同时期相差较大且各具特点。

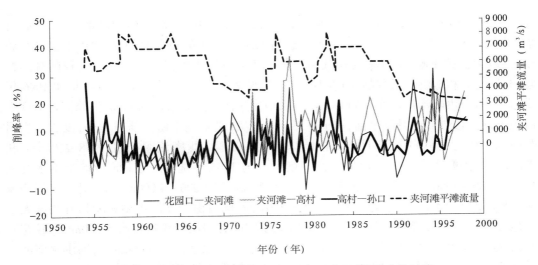

图 7-17　历年宽河道各河段削峰率及夹河滩平滩流量变化过程

1. 1950～1985 年削峰率的变化特点

1950～1959 年为天然水沙条件,基本属于平水多沙系列,多次发生大漫滩洪水,从总体上来看削峰率并不大。天然来水来沙是交替变化的,20 世纪 50 年代较多的丰水年中夹杂有平、枯水年,河道边界条件则随来水来沙不断变化,因此河道的削峰率变幅较大。高村—孙口河段最为典型,发生大漫滩洪水的 1954、1957、1958 年削峰率都很突出,其他年份均偏小。

1960 年三门峡水库建成。1960～1964 年蓄水拦沙运用,持续下泄清水,下游河道发生强烈冲刷,河道断面面积增大,由图 7-17 可见平滩流量明显变大,最大达到 8 000m³/s,过洪能力增强,1964 年洪水花园口洪峰流量 9 430m³/s,未发生漫滩。在此期间,花园口—高村全河段削峰率急剧降低,最大仅有 7% 左右。

1965 年三门峡水库改变为滞洪排沙运用,下游河道开始回淤,河道过洪能力逐渐减少,平滩流量由 7 000m³/s 减少到 4 500m³/s,相应削峰率逐渐增大。到 1970 年 7 月三门峡水库拦沙期下游冲刷的泥沙已全部淤回,而且基本上淤积在主槽内,致使滩槽高差降低,河道削峰作用增强,削峰率呈大幅度增加的趋势。1969～1974 年多次发生高含沙量洪水,河道淤积强烈,由图 7-17 可见平滩流量降至 3 500m³/s,削峰率较前期稍稍增大。

1974 年三门峡水库采取蓄清排浑的运用方式,河道条件有所好转,削峰率有减小的迹象,但 1977 年发生超过 10 000m³/s 的高含沙量洪水,高村以上两河段削峰率分别超过 25% 和 35%。其后直到 1980 年水沙量都偏少,削峰率与 1977 年以前相比变化不大。

1981～1985 年是黄河下游难得的丰水少沙系列,河道沿程冲刷,平滩流量增加至 7 000m³/s。1982 年还发生了花园口洪峰流量为 15 300m³/s 的大洪水,平滩流量达到 8 000m³/s。在这有利的河道条件下,削峰率快速下降,如花园口—夹河滩河段,削峰率由 1980 年的 17% 降低到 1984 年的 3% 左右。其他年份除 1982、1983 年高村—孙口河段削峰率突出偏大外,变化过程与花园口—夹河滩河段相似。

2. 近期宽河道削峰率变化特点

1986 年以来黄河下游河槽淤积萎缩,平滩流量明显降低,洪水漫滩严重,造成洪峰流量沿程削减加剧。由图 7-17 可见,1985 年以后尤其是 1988 年高含沙量洪水发生后,高村以上河段削峰率不断增高,1994、1995 年达到 1954 年以来的最高值;而高村以下受洪水偏少、洪峰偏低的影响,削峰率反而减小。1996 年 8 月洪水可代表近期洪水沿程削减的特点,分析与其相似洪峰沿程削减过程(图 7-18、表 7-12)可以看出,1981、1985 年和 1996 年洪水,花园口洪峰流量均在 8 000m³/s 左右,但由于河床边界条件的不同,洪峰流量沿程削减也不同。1985 年 9 月洪水前,河道平滩流量较大,洪峰在下游传播过程中,没有发生明显漫滩,因此洪峰削减不明显,花园口和孙口最大洪峰流量分别为 8 260m³/s 和 7 100m³/s,削峰率为 14%。1988 年洪峰削减率与 1985 年基本一致,而 1996 年洪水过程中,受 1986～1996 年河道持续淤积的影响,平滩流量仅 3 000～4 000m³/s,在花园口洪峰流量 7 860m³/s 的条件下,下游河道发生大范围漫滩,同时由于下游主槽淤积抬升幅度大于滩地,滩地水深大,滞洪作用强,洪峰沿程坦化明显,孙口洪峰流量仅有 5 800m³/s,较花园口削减了 26.2%。1981 年情况与 1996 年相似,花园口洪峰流量 8 060m³/s,因洪水前期下游河道平滩流量较小(约 4 500m³/s),洪峰削减也较为明显,到孙口削减了 19.4%。

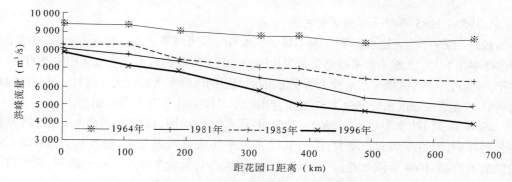

图 7-18　典型洪水洪峰流量沿程变化

表 7-12　　　　　　　　　　　　典型洪峰削减情况统计

站名	洪峰流量(m³/s)					河段	削峰率(%)				
	同流量级年份(年)		大漫滩年份(年)				同流量级年份(年)		大漫滩年份(年)		
	1981	1985	1958	1982	1996		1981	1985	1958	1982	1996
花园口	8 060	8 260	22 300	15 300	7 860	花园口—夹河滩	4.1	-0.7	8.1	5.2	9.0
夹河滩	7 730	8 320	20 500	14 500	7 150	夹河滩—高　村	4.4	9.8	13.2	10.3	4.8
高　村	7 390	7 500	17 800	13 000	6 810	高　村—孙　口	12.0	5.3	10.7	22.3	14.8
孙　口	6 500	7 100	15 900	10 100	5 800	花园口—孙　口	19.4	14.0	28.7	34.0	26.2

(三)宽河道洪水削峰规律的研究

从以上分析中认识到,洪水前期的河道条件和洪水的水沙特点是影响洪水沿程削减的最主要因素,它们与洪水的削峰程度存在定量的相关关系,可以用数学公式来表达。为方便检验计算成果正确与否,削峰程度以 $Q_{m下}/Q_{m上}$,即下游站与上游站洪峰流量的比值表示,该值越大,洪水的削减程度越小,反之亦然。

1.削峰程度与河道条件的关系

各时期宽河道洪峰削峰率并不是因时间而变化的,之所以能够区分时期,主要在于相近水沙条件塑造的相似河道边界条件。洪水前河道的平滩流量反映了河道的过洪能力，是比较合理的代表河道条件的因子。如果平滩流量一定，洪峰流量小于平滩流量时，洪水在主槽中运行，即使洪水有坦化，洪峰流量的削减仍较小，上下站洪峰流量基本相同；当洪峰流量与平滩流量接近时，洪水的变形是最小的，洪峰流量削减也最小；一旦洪峰流量超过平滩流量，洪水发生漫滩，削减率即随洪峰流量的增大而增大。在河道条件不同的各时期，河道的平滩流量相差极大，因此即使发生相同流量的洪水，洪峰流量的削减也不同，而且是平滩流量越小，洪峰削减程度越高。河道淤积时期，河道过洪能力降低，平滩流量减小，中小洪水即可漫滩，洪峰流量的削减就大。所以说来水洪峰流量与河道过洪能力的对比是影响宽河道洪水削减的最主要因素，本次研究以 Q_m/Q_p，即进口站洪峰流量与河段平滩流量的比值来表示。

图 7-19 为高村—孙口河段削峰程度与河道条件的关系，由图 7-19 可见，虽然点群有一定程度的散乱，但二者仍呈明显的减函数关系。这主要反映出洪水流量级未达到全河道漫水时，洪水漫滩程度越大，洪峰的沿程削减率越小。从图中点群的走势来看，大约应在洪峰流量为平滩流量的 2~2.5 倍时，洪峰削减达到最大。其后随着洪峰流量的增大，削峰程度有所减小。

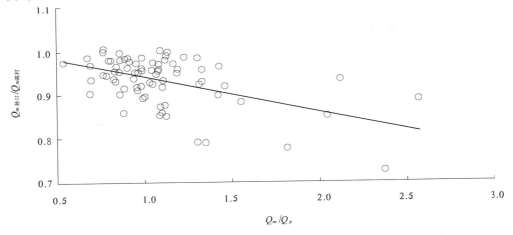

图 7-19 高村—孙口河段削峰程度与河道条件的关系

高村以上河段的河道特性与高村以下有所不同，高村以上河段的河段是游荡性河道，没有显著、固定的主槽，而且河道宽达几千米至十几千米，具有极大的过洪能力，全河道很难普遍漫水，尤其是夹河滩以上有较多高滩的河段，基本没有上过水。由图 7-20、图 7-21 花园口—夹河滩河段和夹河滩—高村河段的削峰程度与河道条件的关系可见，实测资料显示的是漫滩后随漫滩程度的增加削峰率也加大，因为洪水达不到全河道漫滩，所以未出现削峰程度的转折。由图可见二者的关系明显区分为两个点群带，进一步分析后发现，偏上的点群为一般含沙量级洪水，靠下的点子多是高含沙量洪水。黄河下游高含沙量洪水的冲淤特性与一般含沙量洪水有较大差别，涨水期主槽及嫩滩大量淤积，主槽宽度急剧缩窄，因此洪水水位高，容易漫滩，在同样的前期河道条件下削峰程度较一般洪水偏大。

实测资料回归的削峰程度与河道条件的关系式为

$$Q_{m\text{下}}/Q_{m\text{上}} = k_1(Q_{m\text{上}}/Q_p) + b_1$$

式中 $Q_{m\text{上}}$、$Q_{m\text{下}}$ ——上站和下站洪峰流量，m^3/s；

          Q_p ——平滩流量，m^3/s；

          k_1、b_1 ——系数，其取值见表 7-13。

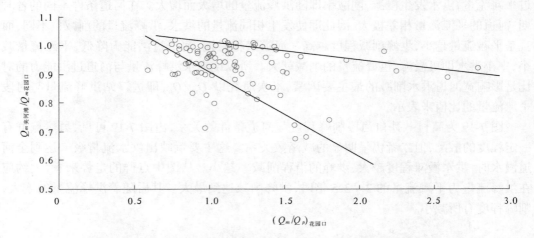

图 7-20   花园口—夹河滩河段削峰程度与河道条件的关系

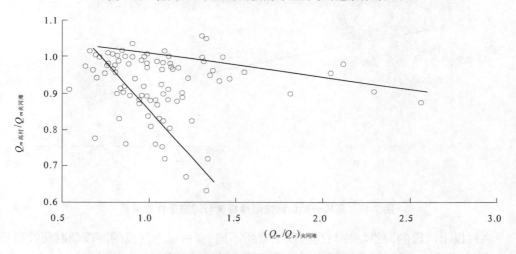

图 7-21   夹河滩—高村河段削峰程度与河道条件的关系

表 7-13   宽河道洪水削峰程度与水沙、河道条件相关关系中各系数的取值

洪水类型	河段	$Q_{m\text{上}}/Q_p$		$Q_{a\text{上}}/Q_{m\text{上}}$	
		k_1	b_1	k_2	b_2
一般含沙量级洪水	花园口—夹河滩	−0.06	1.062	0.236	0.746
	夹河滩—高村	−0.05	1.004	0.089	0.924
	高村—孙口	−0.08	1.022	1.040	0.071
高含沙量洪水	花园口—夹河滩	−0.32	1.224	0.236	0.746
	夹河滩—高村	−0.50	1.300	0.089	0.924

注：$Q_{a\text{上}}$ 为洪峰平均流量，m^3/s。

2.削峰程度与洪水峰型的关系

在影响削峰程度的水沙因素中,洪峰的峰型是最为重要的。黄河下游洪水来源地区复杂,洪水峰型也多种多样。如果以峰型系数,即河段上游站洪峰平均流量与上段洪峰流量的比值 $Q_{a上}/Q_{m上}$ 来表示洪水的胖瘦,花园口站该系数的变化范围为 0.52~1.00,峰型差别比较大。不同峰型的洪水程度相差也大,峰型系数小、洪峰尖瘦的洪水,洪水传播过程中能量衰减快,沿程坦化迅速,削峰程度大;相反,洪量较大的胖型洪水削峰程度较低。

以花园口—夹河滩河段的实测资料为例,点绘消除河道条件影响后的洪水削峰程度与洪峰峰型的关系(图7-22),虽然二者的相关度不高,但存在有增函数关系,洪峰峰型越胖,洪水的沿程削减越少。根据实测资料回归的相关公式为

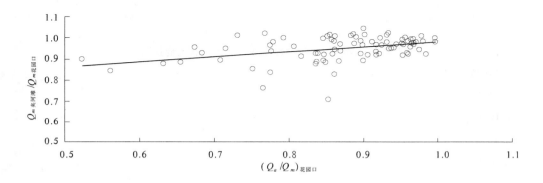

图 7-22　花园口—夹河滩河段削峰程度与洪峰峰型的关系

$$Q_{m下}/Q_{m上} = n[k_2(Q_{a上}/Q_{m上}) + b_2]$$

式中　$Q_{a上}$——上站洪峰平均流量,m³/s;

　　　n——$n = k_1(Q_{m上}/Q_p) + b_1$;

　　　$k_2、b_2$——系数,其取值见表 7-13。

由以上研究结果可得到预报洪峰流量演进的公式为

$$Q_{m下} = Q_{m上}[k_1(Q_{m上}/Q_p) + b_1][k_2(Q_{a上}/Q_{m上}) + b_2] \tag{7-4}$$

从式(7-4)的组成上看,该式不仅包含来水洪峰流量,而且引进了平滩流量和峰型系数因素,较全面地反映了河道过洪能力和洪峰峰型的影响,与直接建立上下游站洪峰流量相关关系而得出的公式相比较,更加完善、准确。图7-23~图7-25为夹河滩、高村和孙口站的实测洪峰流量与使用式(7-4)计算的洪峰流量的关系图,由两者的关系可验证公式的准确性。

由图7-23~图7-25可见,计算洪峰流量与实测流量相关性很好,点群集中在45°线两侧,相关系数 r^2 都超过 0.95,说明公式有较高的精度。但同时也可看到有一些点子偏离较大,如1954年的两场洪水,孙口计算洪峰流量比实测偏多1 000m³/s。这正反映出黄河下游宽河道洪水削峰的复杂性,除去已考虑的洪水来水流量、洪峰峰型和平滩流量三个因素外,还有一些因素在起作用,如夹河滩以下大量低滩的进、退水及滞蓄水量对洪水沿程削减的影响等,都有待于进一步深入分析。

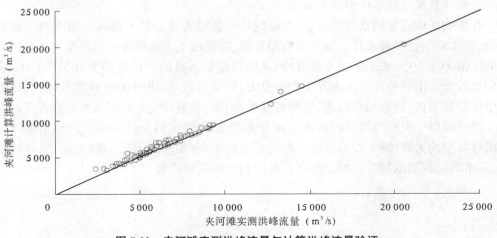

图 7-23　夹河滩实测洪峰流量与计算洪峰流量验证

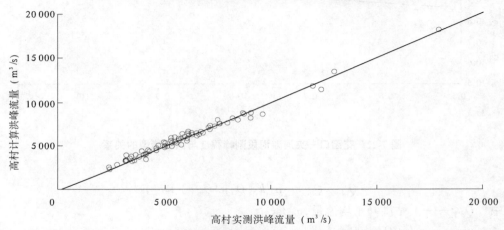

图 7-24　高村实测洪峰流量与计算洪峰流量验证

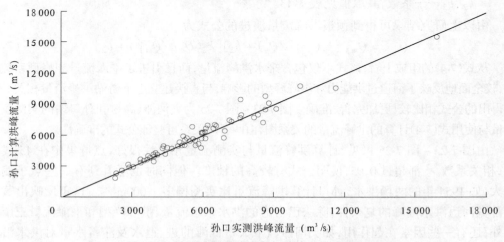

图 7-25　孙口实测洪峰流量与计算洪峰流量验证

二、洪峰峰型的变化特点

洪峰峰型的变化是洪水变形的另一方面,反应了洪水水量的沿程消耗。

(一)洪水变形分类

黄河下游洪水在宽河道传播过程中的变形大致可分为以下三种类型。

1.规则型

单个或多个洪峰在宽河道的传播,洪峰有坦化但变形不大,上下站洪峰峰型相似,如1954年8月洪水在秦厂—高村河段的传播过程线(图7-26)。

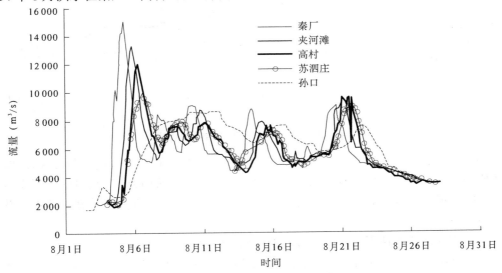

图 7-26 1954 年 8 月洪水传播过程线

2.单峰演化为多峰型

洪水在传播过程中,主要由于滩地的滞水作用,延缓了部分上滩水量退回河槽的时间,退水叠加入后续洪水所形成。一般形成多个洪峰,洪峰流量相近、相距时间较短,在洪水划分中常作为一场洪水处理,如1982年8月洪水在花园口—夹河滩河段的传播过程线(图7-27)。

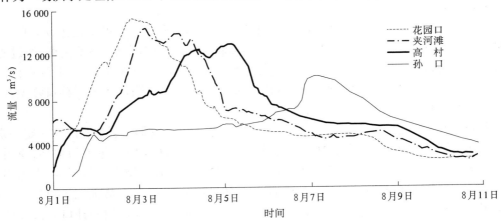

图 7-27 1982 年 8 月洪水传播过程线

3. 单峰坦化明显及多峰合并型

洪水峰型较瘦,在传播过程中削峰较大,坦化明显,上游站的三角形洪峰到达下游站时常演化为圆头或平头的较胖洪峰,如1977年8月洪水传播过程线(图7-28)。

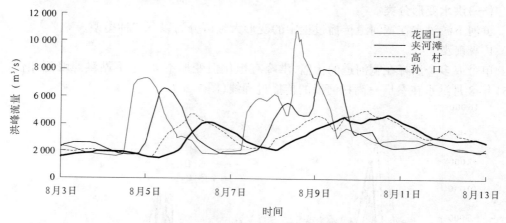

图 7-28   1977 年 8 月洪水传播过程线

多个发生时间比较接近的洪水,由于河道阻力作用,后峰往往比前峰传播速度快,加上河槽的蓄水,形成后峰追赶前峰,最后合并为一场洪水。如1954年高村的三场洪水到达孙口时已成为一场(图7-26)。同时在传播过程中常发生最大流量所在洪峰不断变化的现象,对计算传播时间造成困难。

(二)不同河道条件下宽河道洪峰峰型变化的特点

黄河下游来水来沙条件复杂,河道冲淤及边界条件多变,因此洪峰峰型变化是多种多样的,以上分类并不能概括全面。不同水沙条件的洪水峰型变化也不同,峰型尖瘦、含沙量高的洪水削峰大、变形大,坦化明显;洪量大、峰型胖的洪水变形小,坦化也较小。更为重要的是河道条件,在一个顺直的矩形河槽内,洪水变形只有展平和扭曲,表现为洪水的坦化和洪峰流量的削减,而黄河下游河道为复式断面,河道地形复杂,大片滩地起到滞蓄洪水的作用,因此造成黄河下游洪峰变形的复杂性。

1. 持续冲刷时期

经过持续冲刷,河道比较顺直通畅,洪水基本不出槽,洪峰变形很小且比较简单。如1962年8月洪水(图7-29),花园口洪峰流量6 080m³/s的三角形洪水,峰型尖瘦,经过42h传播到近300km远的杨集后,仍是三角形洪峰,洪峰流量为5 900m³/s,几乎没有削减。1965年7月在17d中连续发生四场洪水(图7-30),每一场从花园口传播到孙口峰型都没有大的变化,从起涨到落水都十分完整,互不干扰。

经过大规模河道整治后,持续冲刷条件下宽河道的洪峰变形与天然状况有一定差别。1983年8月洪水比较典型(图7-31),洪峰流量的削减比1960~1964年大为增加,花园口8 180m³/s的洪水到孙口后仅为5 550m³/s,削减了32%。同时峰型也变得矮胖,洪水坦化程度高。由于一方面1981~1985年冲刷没有1960~1964年大,另一方面在于河道整治后缩窄了主河槽,因此主槽过流量前者较后者偏小,洪峰削减大,在高村一孙口河段表现最为显著。

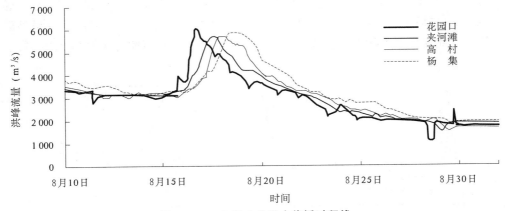

图 7-29　1962 年 8 月洪水传播过程线

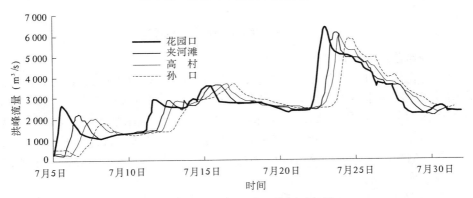

图 7-30　1965 年 7 月洪水传播过程线

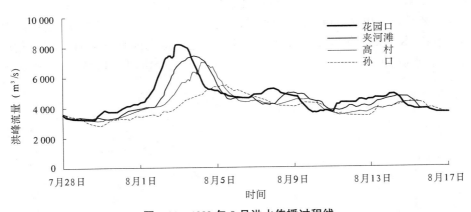

图 7-31　1983 年 8 月洪水传播过程线

2.持续淤积时期

较冲刷时期来说,持续淤积时期洪峰变形更复杂而无规律性,现以 1973 年洪水为代表来说明淤积时期洪峰变形的特点(图 7-32)。首先洪峰流量削减大,花园口—孙口河段削峰率为 30%;其次是洪峰变形大,由尖瘦的洪峰演变成矮胖型洪峰;第三是变形复杂,花园口的 2 号、3 号洪峰在夹河滩已变成一场洪水的两个峰尖,到高村后合并为一场洪水,传播至孙口后最大洪峰不突出,洪水过程中出现许多锯齿形的小洪峰,洪水峰型散乱不规则。如此变形巨大的洪水造成洪水统计的困难,削峰率、传播时间等都出现异常。

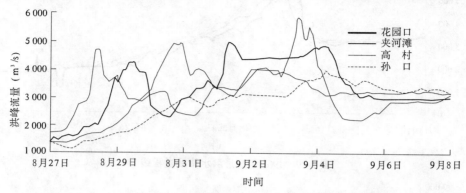

图 7-32　1973 年 8 月洪水传播过程线

(三)滩地滞蓄水对洪峰峰型的影响

黄河下游宽河道有广阔的滩地,发生大洪水时滩地即成为排洪的一部分,起到滞蓄洪水的作用。滩地滞蓄水量的大小和进、出滩时间都影响了洪峰峰型的变化,漫滩上水时削减了向下传播的流量,近似分流作用,退水时释放的水量形成附加洪峰,叠加在主槽洪水上改变正常的传播图形。1982 年和 1996 年发生的大漫滩洪水有较详细的滩地行洪资料(图 7-33、图 7-34),可供计算滩地的蓄水量,下面通过对这两场洪水的分析来说明滩地滞蓄水对洪峰变形的影响。

1982 年下游河道处于冲刷的有利时期,"82·8"洪水前平滩流量达到 7 000m³/s,但洪峰流量为 15 300m³/s,致使全河普遍漫滩。洪水期间山东东明生产堤于 8 月 3 日、河南长垣生产堤于 8 月 4 日相继破口,滩地漫水后削减部分洪水,如图 7-33 所示,造成高村涨水过程相应拉长,并降低了第一个洪峰流量。此后滩地进退水同时发生,4 日退水量超过进水量,大量退水叠加至夹河滩后一洪峰,造成高村第二个洪峰流量增加,反而超过第一

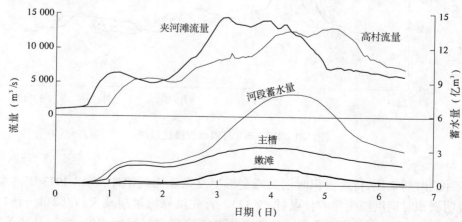

图 7-33　"82·8"洪水夹河滩—高村河段流量及河道各部分蓄水量过程

个洪峰而成为主峰。由此可见洪水上滩分洪、滞蓄洪水、退水归槽在一定程度上影响洪水的传播。夹河滩—高村河段中水河槽(主槽和嫩滩)最大蓄水量为4.68亿 m³,占全河段最大蓄水量的60%左右,而对洪峰演进改变起较大作用的二滩最大蓄水量只占到约40%,因此洪水主要通过主槽传播,到达高村后变形不大,洪峰流量削减也较小。

    1996年情况与1982年截然不同,经过近十年的淤积,河道已萎缩成枯水小槽,"96·8"洪水前平滩流量仅3 500m³/s左右,洪峰流量为7 860m³/s即发生大范围漫滩。滩地条件发生极大变化,除河道治理工程和残存的生产堤外,拦滩道路、渠堤纵横、村庄(村台)林立。同时洪水期间(7、8月份)滩区高秆农作物茂密,漫滩行洪条件更加复杂多变。受众多阻水建筑物的影响,与天然条件相比,漫滩洪水演进模式发生了很大变化,演进过程中边界条件变化的偶然性和复杂性增强。夹河滩以下河段生产堤至大堤间有广大的低滩区,其进水是在控导工程基本控制主流走向的条件下,通过生产堤口门的侧向进水,进滩流量及含沙量较天然情况明显减小。其间水体与生产堤间的大河水体已不再连续。受滩地横比降和拦滩道路、渠堤或生产堤的影响,滩区进水是在堤外水位升高到一定高度破口后发生,类似于分滞洪区的分洪过程;当滩区水位升高到一定高度后,阻水建筑物遭到破坏,致使滩地积水迅速释放,以附加洪峰的形式汇入大河,类似于滞洪区的泄流过程。附加洪峰的汇入具有很大的随机性,因此对洪峰演进的影响十分复杂。由图7-34可见,"96·8"洪水主槽蓄水量剧烈减少,最大蓄水量仅占全河段的12%,行洪主要通道的中水河槽最大蓄水量仅占35%,二滩却占到65%,因此滩地水体的演进对整个洪水的演进起到相当大的影响作用。由图7-34中高村洪水流量过程可见,涨水过程中,在东明、长垣滩区开始漫滩的8月6日和7日,高村流量持续在3 000m³/s左右,基本相当于本河段的平滩流量;而到8日和9日时生产堤被冲决,大滩区大量进水,滩地蓄水量达到最大,削峰作用最强,造成高村流量维持在5 000m³/s左右;此后滩地退水量增加,分析黄河下游险工水尺最高洪水位出现时间,发现东明、长垣两大滩区内滞蓄的大量洪水分别在榆林、高村附近河段退水,由于退水过程的突然,叠加在第一号洪峰峰顶偏后位置,造成高村洪峰流量急速上涨,5 000m³/s以上部分峰型相对尖瘦,削峰率仅为4.8%,小于历史大漫滩洪峰削减率。

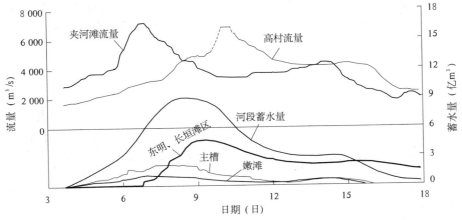

图7-34 "96·8"洪水夹河滩—高村河段流量及河道各部分蓄水量过程

第四节　宽河段河道调整对洪水传播时间的影响

对黄河下游宽河道来说,洪水传播时间问题较洪峰流量的削减更为复杂,不仅与上述水沙、河道条件有关,而且涉及洪水漫滩和滩地水流回归主槽的时间,偶然因素更多。20世纪50年代天然状况下主槽的过流能力远大于滩地,而且滩槽水流能够自由交换,基本上滩槽水体是连续的,即使在夹河滩以下存在大量低滩的河段,滩地水体也能够随主槽流动,在向下传播过程中不断汇入主槽,因此洪水传播时间主要取决于主槽水体运动的快慢。经过几十年的河道整治后,整治工程和生产堤封闭了滩地,滩地进、退水是通过造成生产堤破口而实现的,因此滩地分流减小主槽流量和滩地退水附加在主槽洪水上形成非正常洪峰,这些现象的发生时间几乎没有规律可循,因此漫滩洪水的传播时间更加难以预测。

一、不同河道条件洪水传播时间的特点

对于河道演变不强烈的近似定床或单式断面的河道,洪水的传播时间主要决定于洪水的水沙条件,某一特性的洪水传播时间比较近似,变化不大。但是黄河下游来沙量巨大,形成下游河道冲淤迅速,尤其是洪水期演变剧烈的特性,加之下游复杂的复式断面,因此下游洪水的传播时间受河道条件的影响极大。

从下游花园口—孙口之间三河段历年洪水传播时间来看(图7-35),传播时间的长短具有阶段性,在某一时期虽然洪水的水沙特性各不相同,但总体的传播时间与其他时段相比偏长或偏短。宽河道全河段大致有两个时期洪水的传播时间都偏长:一是20世纪70年代,这一时期多次发生高含沙量洪水,同时受三门峡水库运用方式的影响,下游河道淤积严重,平滩流量降至3 500m³/s左右;二是1986年后,连续10多年的枯水少沙系列塑造了严重萎缩的下游河道,主槽排洪能力急剧下降,不但平滩流量降到3 000m³/s左右,而且行洪主河槽宽度大大缩窄。在这种河道条件下洪水漫滩概率高,洪水削减大,洪水附加比降小,洪水流速慢,洪峰传播的时间就长。同时由于滩地水流速度远小于主槽,而且滩地退水都发生在落水过程中,因此退水叠加在洪峰后的落水上,形成又一洪峰过程,流量经

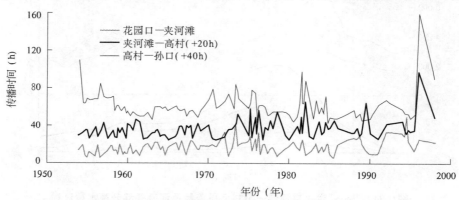

图7-35　黄河下游宽河道洪水传播时间变化过程

常超过主槽已先期到达的主峰而成为最大洪峰。如果以最大流量来确定洪峰的话,就造成洪峰传播时间加长的现象。全河段60年代前期的洪水传播时间普遍较短,这与河道持续冲刷、主槽过水面积增大,主槽的排洪能力大为增加有直接的关系。因此,研究黄河下游宽河道洪水传播规律时,河道条件是不可忽视的重要因素。

在考虑全河段河道条件变化的同时,对不同河段也应区别分析。河段的河性不同,洪水的传播时间具有各自的特点:

(1)花园口—夹河滩河段河道游荡散乱,滩槽高差小,没有稳定的主槽,洪水漫滩与否对传播时间的影响不显著,因此大洪水的传播时间与中小洪水相比并不突出。而在河道条件极差、主槽过流量较小的20世纪70年代和90年代,河道持续淤积,造成主槽宽度基本稳定在600~1 000m,主槽过流量占全断面的比例有所减小,因此河道条件与以前宽浅散乱的河道有较大差别的情况下,才表现出洪水漫滩的影响,洪水传播时间增长。

(2)夹河滩—高村河段同样属于游荡性河道,尤其在20世纪50年代河道整治工程较少,洪水传播特点与花园口—夹河滩河段极为相似。但该河段有大量低滩存在,洪水漫滩对传播时间有一定影响,特别是70年代以后,伴随着大规模河道整治工程的逐步完善,槽高滩低的形势进一步加剧,洪水漫滩与否的传播特点相差明显。由图7-35即可看到,70年代以后的几场漫滩洪水的传播时间明显增长。

(3)高村—孙口河段是过渡性河段,相对上游河道河势比较稳定,主槽较窄,过洪量占全断面的比例较低,因此一旦发生漫滩洪水,滩地的行洪速度对全断面洪水传播快慢起到一定作用。同时大量低滩区的进退水也可能改变洪峰流量出现的时间。因此由图7-35可见,这一河段大漫滩洪水的传播时间都很长,而60年代清水冲刷期不漫滩洪水的传播时间很短,80年代以后河道整治得较为规顺,不漫滩洪水的传播时间也偏短。

二、对洪水传播时间规律的探讨

(一)洪水传播时间的变化模式

在分析洪水传播时间时,着重考虑洪峰流量与平滩流量的对比关系,引入洪峰流量Q_m与洪水前平滩流量Q_p的比值和洪水传播时间T_m与平滩流量时的传播时间T_p的比值。将宽河道横断面概化为二级河槽,一级为主槽,二级为主槽与大堤间的滩地,洪水传播时间在每一边界条件变化的临界点相应出现转折,同时根据前述建立河道条件对洪水传播时间的影响,可得到洪水传播时间的模式,如图7-36所示,洪水传播时间与河道条件并不是单一趋向的关系,可按照洪峰流量的增大过程分为以下三个阶段。

1.洪水在主槽中运行

当洪峰流量小于平滩流量,即洪水在主槽中传播时(Q_m/Q_p小于1.0),随着洪峰流量的增大,河道大流速带不断变宽,断面平均流速随之增加,洪水传播速度越来越快,T_m/T_p逐渐减小,向1.0靠近;当洪峰流量接近平滩流量时(Q_m/Q_p在1.0附近),断面平均流速是最快的,因此洪峰的传播速度也最快。

2.洪水发生漫滩后

河道发生漫滩,即Q_m/Q_p开始大于1.0。河宽的突然增大造成大流速带占全断面的比例急剧减小,图形出现第一个拐点,断面平均流速转而降低,洪水传播速度开始变慢,T_m/T_p又变为大于1.0;随着漫滩程度的逐渐增大,大流速带占全断面的比例不断减小,洪水传播速度越来越慢,洪水传播时间变长,T_m/T_p相应增加;此后若洪峰流量持续增加,达到全断面普遍过流的临界流量,则河宽最大,断面平均流速成为漫滩后的最小值,而洪水传播时间最长。

3. 河道全断面过流后

河道全断面过流后,滩地阻力逐渐减小,随着流量的进一步增大,滩地流速开始提高,对全断面流速的牵制作用减小,图形出现第二个拐点,全断面平均流速开始增加,洪水传播速度逐渐变快,T_m/T_p则随着Q_m/Q_p的增大而减小。因为达到这一阶段需要极大的洪峰流量和洪量,所以下游出现的概率很小。

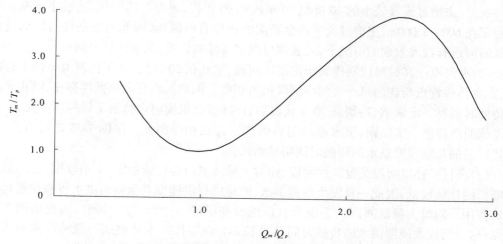

图7-36　黄河下游宽河道洪水传播时间变化过程示意

(二)断面平均流速与洪水传播速度的关系

有关研究阐明,对于断面规则、不是复式断面的河道,洪峰传播速度ω与断面平均流速v的关系可表示为

$$\omega = kv \tag{7-5}$$

其中k值即代表河槽形态对洪水传播特性的影响。取值为

$$k = \frac{5}{3} - \frac{2}{3}\frac{R}{B}\frac{dB}{dZ} \tag{7-6}$$

式中　　R——水力半径;

　　　　Z——水位。

由式(7-5)和式(7-6)来看,在不同的河道中,当断面平均流速相同时,河槽形态越宽浅,k值越小,则洪水的传播速度越慢;河槽越窄深,k值越大,洪水的传播速度越快,表明河道形态直接影响着洪水的传播速度。

黄河下游宽河道为复式断面,滩地面积大,与主槽流速相比,滩地流速要小得多。如果来水洪峰流量超过平滩流量,发生漫滩,过流面积的增大将明显降低断面平均流速,致使洪峰传播速度减小。分析典型洪水全断面平均流速变化过程(表7-14)可以看出,由于河床边界条件不同,主要是平滩流量的差异,漫滩洪水断面平均流速随流量的变化规律也不同。在平滩流量附近断面平均流速最大,其上、下流量的断面平均流速都减小。平滩流量越小,滩地过流比例越大,断面平均流速越小。"96·8"洪水前期高村断面平滩流量为2 800m³/s,约为1982年和1958年洪水前的50%,发生大幅度漫滩后,全断面平均流速仅0.54~0.70m/s,约为其他各年同流量下断面平均流速的1/5~1/3,也仅为1982年和1958年大漫滩洪水期全断面平均流速的1/2。与1981年同流量级洪水相比,"96·8"洪水期断面平均流速一般为1981年洪水的43%~75%,相应传播时间增长1.43~2.62倍。由此可见,平滩流量是洪水过程中传播速度的转折点,代表着河道过洪能力的大小。

表7-14　　　　　　　　高村水文站典型洪水全断面平均流速变化　　　　　　　　（单位:m/s）

流　量 （m³/s）	1958年	1981年	1982年	1985年	1996年
2 000	1.69	2.22	1.52	1.81	2.40
3 000	2.08	2.50	1.88	1.97	1.38
5 000	2.55	2.38	2.32	2.09	0.54
7 000	1.20	1.62	2.45	2.56	0.70
10 000	1.03	—	1.89	—	—

洪水的传播速度仍主要取决于断面平均流速。由图7-37可见,各河段洪水传播速度与断面平均流速呈正相关关系,随断面平均流速的增大而增大。但各河段二者关系的特点并不相同。

(1)花园口—夹河滩河段河道宽浅散乱,没有明显的主河槽,发生大洪水时从整个河道来看是比较顺直的。因为主槽过流比例高,因此洪水的传播速度主要由主槽部分水流速度决定。而该河道的大流速带宽度较大,主槽水流又起到主导全断面流速的作用。因此,这种河道条件在洪水传播速度与断面平均流速的关系上比较散乱,但仍表现出类似规则河道的直线关系。

(2)夹河滩—高村河段虽然也是游荡性河道,但有较明显的主槽及宽阔的滩地,大流速带宽度占全断面的比例相对较小,滩地水流速度对全断面平均流速影响较大,因此洪水传播速度与断面平均流速不是式(7-5)所表达的直线关系,而是近似指数关系。在断面平均流速不很大时,洪水传播速度随断面平均流速增大的幅度小于单一的规则河槽平均流速增大的幅度,而当断面平均流速超过某一程度后,洪水传播速度的增幅明显变快。后一种情况多发生在大洪水过后或持续冲刷后,主槽比较宽,洪水期有较宽的大流速带。

(3)高村—孙口河段河道横断面形态与夹河滩—高村河段接近,但河道全断面及主槽都较窄,滩地情况复杂,滩地水流对全断面的影响更大。

由上述分析可以认识到黄河下游洪水传播速度主要取决于主槽过流量的大小,主槽过流量大,大流速带宽,则对全断面平均流速起到主导作用,洪水传播速度快。相反,小流速带(包括滩地)宽,则洪水的传播速度就慢。如图7-38所示,1996年洪水期主槽流速接近2.5m/s,与其他洪水相比并不小,但主槽的宽度大为缩窄。1958年洪水中流速在2m/s以上的水流宽度为1 000~1 300m,而1996年洪水期仅为600m左右。尽管由于主槽的淤积厚度大于滩地,滩地水深明显增大,但行进流速很小。特别是生产堤—大堤间滩地流速更小,致使全断面平均流速明显降低,仅有1m/s,为各场洪水中速度最小的,因此洪水的传播速度极慢,仅为0.3m/s,传播时间是历史最长值。

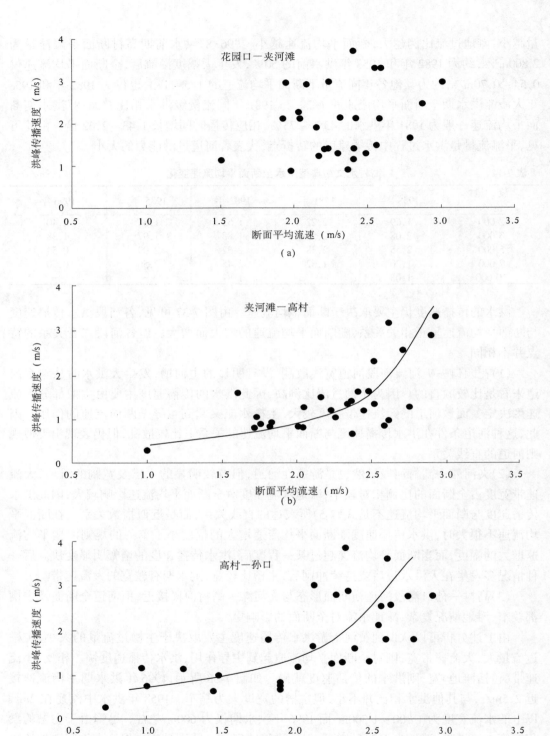

图 7-37　黄河下游洪峰传播速度与断面平均流速的关系

(a)花园口—夹河滩;(b)夹河滩—高村;(c)高村—孙口

从图 7-37 中也可看到,黄河下游洪水传播速度与断面平均流速的相关程度不高,说明断面平均流速并不是决定洪水传播速度的唯一因素,其影响因素十分复杂。

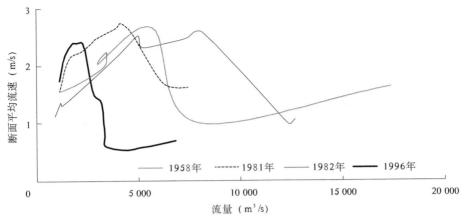

图 7-38　黄河下游高村站典型洪水全断面流速随流量的变化

(三)不同河段的洪水传播规律

宽河道各河段河道特性不同,在符合共同的洪水传播规律的基础上,又具有各自的洪水传播特点。花园口—夹河滩河段河道宽阔,过流能力巨大,因此图 7-39 传播时间随洪峰流量的变化中,只反映出传播模式的前两部分,即洪水在主槽中和漫滩后的运行过程。从现有的实测资料来看,还未出现足够造成河段全断面过流的洪水,洪水传播时间没有到达第二个拐点。同时由于河道断面宽,漫滩后流量增加引起的传播时间的增幅非常小,而且在这一部分的洪水很少,只有 1954、1957、1958、1982 年的几场特大洪水。

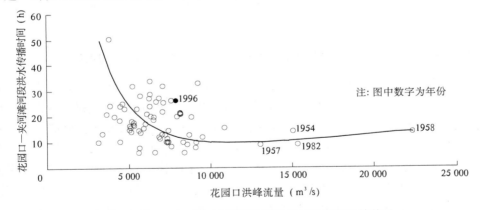

图 7-39　花园口—夹河滩河段洪峰流量与传播时间的关系

夹河滩以下的两河段河道过流量较上游小,满足全断面过流所需的洪峰流量和洪量不是很大,因此有多场漫滩洪水发展到第二、三阶段(图 7-40(a)、图 7-40(b)),上述的几场大洪水超过第二个拐点,达到全断面过流而进入第三阶段,随洪峰流量的增大传播时间逐渐变短。由图 7-40(a)和图 7-40(b)可见,两河段洪峰流量都是约为平滩流量的 2 倍时($Q_m / Q_p \approx 2$)达到全断面过流,洪水传播速度最慢。1996 年洪峰流量仅约为平滩流量的 2 倍,正好位于关系线的最高点,其洪峰的传播速度也只有平滩流量附近的 1/3,洪峰传播时间最长。

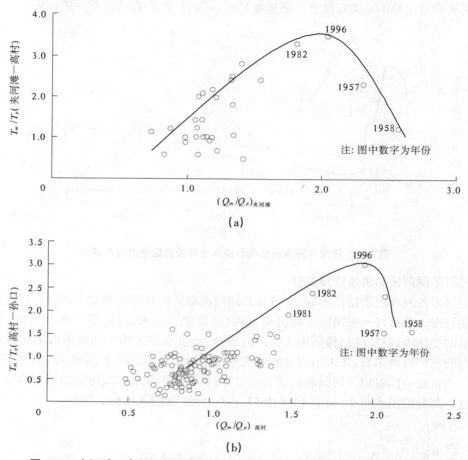

图 7-40   夹河滩—高村河段和高村—孙口河段洪水传播时间与河道条件的关系

黄河下游宽河道洪水传播时间主要取决于断面平均流速,而断面平均流速又主要由河道的主流——大流速带的宽度决定,对于夹河滩以上这种主槽较宽、过流量占全断面比重大的河道,主槽的流速对洪水的传播速度起到主导作用。但如果现在河道持续淤积的形势不断发展下去,同时伴随着河道整治工程的完善和生产堤的增多,主槽宽度逐渐稳定缩窄,将演变成类似夹河滩以下的河道形态,那么洪水的传播特性也会随之改变,漫滩后洪水传播时间的变幅加大,而且很可能出现全断面过流后传播速度变快的趋势。但因主槽过流比例的减小,提高幅度也不会很大。小浪底水库投入运用,在下游河道平滩流量没有显著增大的条件下,中常洪水发生大范围漫滩,洪峰沿程变形复杂,洪峰传播速度的特点仍将继续存在。

(四)滩地滞蓄水量对洪水传播时间的影响

受到人类活动影响的宽河道,下游漫滩洪水在演进过程中与天然条件下有很大区别,更加复杂,增加了洪水传播时间的不可预见性。

1982 年大漫滩洪水期间,花园口洪水过程表现为一个比较规则的洪峰(图 7-27),在洪水传播过程中,沿程漫滩削减了主峰洪峰流量,而滩地退水形成的附加洪峰叠加在主峰之后,从夹河滩开始形成又一个洪峰,洪水到达高村后,后一个洪峰流量反而超过前一个洪峰而成为主峰。若按实际传播过程考虑,两个洪峰对应分别计算,洪峰传播时间均约为28h,但若按最大洪峰出现时间作为本次洪水的传播时间,则增大为46h,约为正常传播时间的1.6倍。对黄河下游宽河道来说,这类情况时有发生,1976年第1号洪峰流量9 210m³/s,夹河滩—高村河段洪峰传播时间长达66h,也是洪水漫滩造成洪峰沿程变形的结果。

1996年8月大漫滩洪水夹河滩—孙口河段洪峰平均传播速度仅为0.30m/s,为历次漫滩洪水中最小的,洪水传播时间也是历次漫滩洪水中最长的,长达201h。进一步研究表明,洪峰传播时间增长主要集中在大滩河段,分析下游险工水位沿程变化(图7-41)可以看出,夹河滩—孙口河段洪水传播时间增长并不是全河段均匀增长的,主要集中在东明、长垣、濮阳、范县和台前五大滩区河段。特别是台前滩区韩胡同—孙口河段长约20km,洪峰传播时间长达57h;濮阳滩区南小堤—营房长仅27km,洪峰传播时间长达37h。两河段总长47km,占高村—孙口河段总长的38%,但洪峰传播时间长达94h,为总传播时间的78%,洪水平均流速仅0.14m/s,为高村、孙口断面平均流速的0.2倍,而其他62%的河段洪峰传播速度约为0.8m/s,基本接近两断面平均流速。

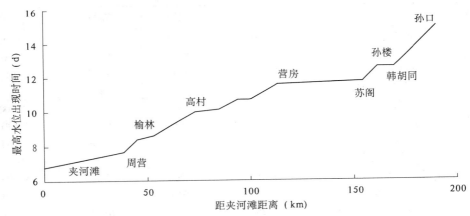

图7-41　"96·8"洪水夹河滩—孙口河段最高水位出现时间

对比1982年和1996年洪水中河道各部分最大蓄水量出现时间可见(表7-15),花园口—夹河滩河段"82·8"洪水和"96·8"洪水河道各部分最大蓄水量出现时间的顺序相同,主槽与中水河槽蓄水量最先达到最大,而且时间相同,但二滩上水致使全河段最大蓄水量出现时间较中水河槽分别滞后5h和2h。夹河滩—高村河段"82·8"洪水期间沿河滩区群众对生产堤严加防守,洪峰流量在8 500m³/s时,长垣、东明等滩区才开始漫滩,此时洪峰已基本抵达高村,全河段最大蓄水量出现时间较主槽晚14h;而"96·8"洪水洪峰流量在5 000m³/s时,滩区已开始漫滩,此时洪峰还未到达高村,对洪水传播的影响较大,因此全河段最大蓄水量出现时间较主槽晚36h,超过"82·8"洪水22h。由此可见,在现状河道边界条件下,大量低滩河段滩地滞蓄水及泄水过程对洪水传播的影响是极大的。可以预测,如果夹河滩以上河段河道不改变持续萎缩的发展趋势,在发生大漫滩洪水时洪水传播时间受滩地的影响程度会更大,出现类似夹河滩以下河段的洪水传播特点。

表 7-15 夹河滩—高村河段不同部位最大蓄水量出现时间统计

河道部位	花园口—夹河滩		夹河滩—高村	
	"82·8"洪水	"96·8"洪水	"82·8"洪水	"96·8"洪水
全河段	8月3日11时	8月6日6时	8月4日8时	8月8日11时
主　槽	8月3日6时	8月6日4时	8月3日18时	8月6日23时
中水河槽	8月3日6时	8月6日4时	8月3日18时	8月7日8时

注:"82·8"洪水起始时间7月31日0时;"96·8"洪水起始时间8月3日16时。

三、宽河道调整对洪水演进特性影响的数学模型计算成果

为从定量上把握河道调整(特别是河道萎缩)后对洪水水沙输移特性的影响,利用黄科院黄河下游洪水演进数学模型进行了对比计算,计算了不同河道边界条件下发生"82·8"型洪水时花园口—孙口河段的洪水运行情况。设计了两个计算方案:方案1为对实测洪水的验证,为1982年汛前地形;方案2为1998年汛前地形,计算河道萎缩后洪水运行情况。计算结果见表7-16。

表 7-16　　"82·8"型洪水沿程主要测站洪峰流量及洪水位计算结果

方案	项目	花园口	夹河滩	高村	孙口
实测	洪峰流量(m^3/s)	15 300	14 500	13 000	10 100
	洪峰削减(m^3/s)	—	800	1 500	2 900
	最高洪水位(m)	93.99	77.5	64.13	49.6
	传播时间(h)		9	46	48
方案1	洪峰流量(m^3/s)	15 300	14 630	12 930	10 300
	洪峰削减(m^3/s)	—	470	1 700	2 630
	最高洪水位(m)	94.1	77.45	63.99	49.65
	传播时间(h)		10	43	49.5
方案2	洪峰流量(m^3/s)	15 300	14 260	12 130	9 060
	洪峰削减(m^3/s)	—	1 040	2 130	3 070
	最高洪水位(m)	95.25	78.56	64.39	49.71
	传播时间(h)		21	30	56

由表7-16可见,与1982年相比,在1998年河槽萎缩条件下,花园口—孙口削峰比由32%增大为41%;沿程水位花园口、夹河滩升高1m左右;洪水传播时间由102.5h增长为107h。这与前述分析成果所得到的认识是基本一致的。

第五节　宽河段河道调整后下游输沙特性的变化

河流在来水来沙与河道边界未完全适应时,其输水输沙能力与河床一直处在不断调整过程中,力求达到二者的动态平衡。黄河下游河道是来水来沙条件变化巨大的冲积性河道,因此其边界调整十分迅速。尤其是近10多年来,进入黄河下游的水沙条件及水沙的沿程输移发生极大改变,同时下游河道边界条件也相应变化,本书前几部分已详细分析

了这些变化的特点及规律。在如此巨大的变化中,黄河下游宽河道的输沙特性是否有所改变,其规律又如何,仍是不十分清楚。下面分析了反映河道输沙能力的各方面的变化特点,综合得到对近期黄河下游输沙特性变化的初步认识。

一、黄河下游水力因子的变化

河道输沙能力与水流的流量、流速、来沙粒径组成,以及河道边界条件中的河宽、水深、比降、河床组成等因素具有复杂的相关关系。计算水流挟沙力最常用的公式是 $S_* = \kappa \left(\dfrac{v^3}{gR\omega} \right)^m$,表达的是水流紊动作用与重力作用的对比关系。在一般含沙水流中,在相同的来水来沙条件下,起主导作用的是断面平均流速 v 和水深 h,因此在实际应用中常将该式简化为 $\dfrac{v^3}{h}$,作为输沙水力因子,作为反映河道输沙能力的指标。

黄河下游河道为复式断面,河槽以外是广阔的滩地,而行洪和输沙的主体是河槽,尤其是河槽内的主槽,水深流急,河道来沙主要依靠水流输送,当水流漫滩出槽后,往往因流速减小,致使泥沙大量落淤。因此,在本次工作中将主槽与滩地区分开,采用黄河下游几场典型洪水中花园口和高村水文站的实测资料,分析不同河道条件下主槽和滩地在相同流量时水流输沙能力的变化。

(一)主槽流速的变化特点

黄河下游主槽流速与流量呈正相关关系。由图 7-42 和图 7-43 花园口、高村站的典型洪水主槽流量与流速关系可见,涨水过程中主槽流速随流量的增大而增大,但增加幅度是一变值,在一场洪水中流量较小时流速涨幅较大,流量较大时流速涨幅减小,超过某一数值后流速趋于稳定,基本上不再变化。同时在涨水中经常出现流量增大流速反而减小的现象,说明过流面积大幅度增加,这主要是通过涨水中河槽发生强烈冲刷,以及水位迅速抬升实现的。两幅图表现出共同的变化特点,花园口流量约在 4 000m³/s 以下,高村流量约在 3 000m³/s 以下,同流量流速 1996 年和 1998 年明显偏高于其他几场洪水。这两级流量分别是花园口和高村的平滩流量,反映出在现状的枯水小槽内,同流量水流流速有所增加。

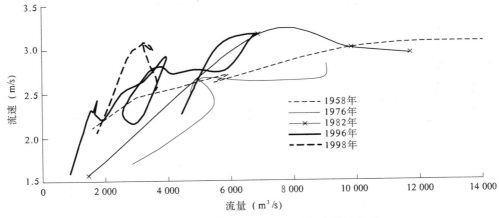

图 7-42　花园口典型洪水主槽流速与流量的关系

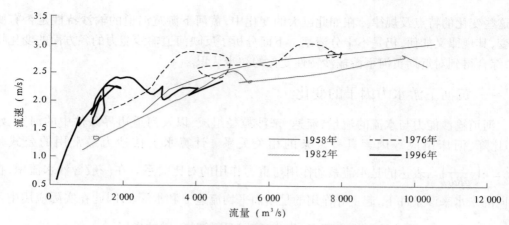

图 7-43　高村典型洪水主槽流速与流量的关系

　　1986 年以来黄河下游河道变化巨大（图 7-44 和图 7-45），过水面积大大减小，主槽宽度越来越窄，花园口和高村的主槽宽度仅有 600m 和 500m 左右，同时嫩滩淤高，形成相对的窄深河槽。因此，同以前较宽河槽相比，洪水在现状主槽内流速有所提高。

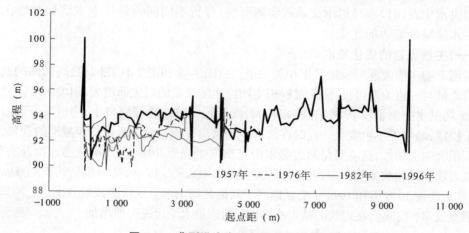

图 7-44　典型洪水发生年汛前花园口断面

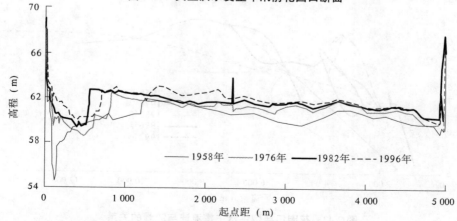

图 7-45　典型洪水发生年汛前高村断面

(二)主槽水流输沙因子的变化特点

河道断面形态的剧烈变化,对输沙水力因子$\frac{v^3}{h}$也产生较大影响,因此$\frac{v^3}{h}$的变化与流速不完全相同。由典型洪水输沙水力因子$\frac{v^3}{h}$的变化过程可见(图 7-46 和图 7-47),1996、1998 年主槽的输沙水力因子在流量为 1 000~2 000m³/s 时明显大于其他年份的洪水,仍旧说明深槽的输沙能力增强了。

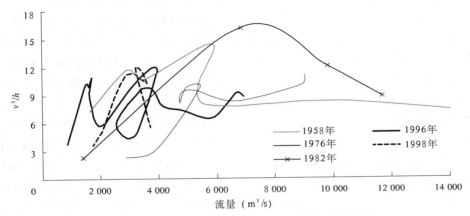

图 7-46　花园口典型洪水主槽输沙因子随流量的变化

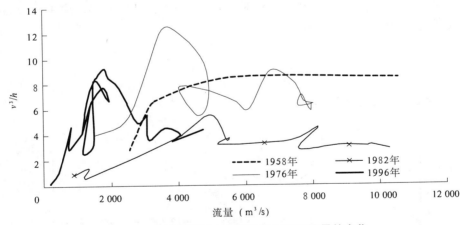

图 7-47　高村典型洪水主槽输沙因子随流量的变化

花园口与高村的变化特点不同,花园口水流输沙因子增加的迹象不明显,而高村则表现得非常显著,输沙水力因子在涨水过程中增大迅速,在 2 000m³/s 时达到最大,其后随流量增加又大幅度减少。高村河道特点与花园口不同,属于过渡河段,水流摆动幅度相对较小,而且高村河段河道整治较早,工程控制河势很好,除 20 世纪 50 年代主槽较宽,曾经超过 1 000m 且河宽变化较大外,以后的河宽基本在 700m 以内,而且变化不大,因此高村主槽的水深相对花园口变化有规律得多,自 70 年代以来一直很稳定,水深与流量已形成较单一的相关关系。花园口流势不稳定,断面宽,变化幅度大,水深变化也较乱,但 1986 年以来主槽缩窄,水深也比1986年前大许多。经对比可见,高村在水流未出槽时流速增大,水深变化小,水流输沙因子增加显著;而花园口流速与水深都发生变化,水流挟沙因子视二者变化幅度的对比而定,变化不十分明显。

(三)全断面流速的变化特点

黄河下游河道断面宽达10km以上,宽阔的滩地在大洪水时也是行洪排沙的重要部分。由于滩地情况复杂,水流漫滩后各部分水深相差较大,还有死水区的存在,难以用输沙因子来反映,因此仅分析全断面的流速变化,初步研究全断面的输沙能力。

从图7-48可以看到,全断面流速发生了很大变化,1996年在洪峰流量为3 000m³/s左右时流速很大,接近3.0m/s,比其他年份的流速都大。结合图7-44花园口断面的变化过程,可以发现流速变化是与河道宽度、断面形态紧密相关的。1958年和1996年断面有一个相对窄深的主槽,主槽的过流量分别在3 000m³/s和5 000m³/s左右,涨水时在主槽中流量越大流速越大,达到漫滩流量时流速为最大,漫滩后流速急剧下降。由于1996年与1958年断面相差极大,因此在相同的变化规律中流速的变化幅度和转折点有所不同,1996年花园口测流断面主槽宽度仅600m,全断面过流宽度为3 200m,流速的变化幅度较大;1958年主槽宽1 500m,全断面过流宽度达5 300m,流速的变化比较缓慢。1976年和1982年河道断面比较宽浅,主槽不明显,在涨水过程中河宽变化不大,1982年流量从6 000m³/s涨到15 000m³/s,水面宽一直在2 800m左右,1976年流量从5 000m³/s涨到9 000m³/s,水面宽仅增加约700m,洪水一直在中水河槽中,因此流速增加很快,近乎直线上升,直到洪水漫滩后流速才稳定。因此,在相同流量时河宽小流速就大,1996年河道主槽极为窄深,流速就偏高于一般河道宽的洪水。

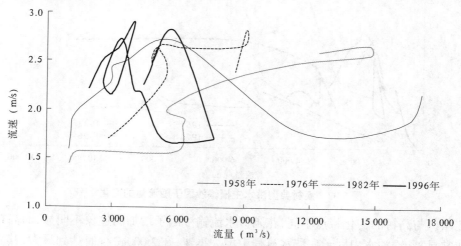

图7-48 花园口全断面流速随流量的变化

由上述主槽与全断面流速及挟沙因子变化的分析结果可得出以下认识:1986年以后由于河道断面形态的改变,使得水流的水力因素发生变化,从而影响水流的挟沙能力。在水流漫滩前,花园口断面流速及水深随流量的增大而增大,水流挟沙力有所增大,但不明显;而高村断面随流量的增加主槽的流速增加,但水深变化不大,因此高村在主槽内水流挟沙力明显提高。

二、河道排沙比的变化

河道排沙比是河道出口站与进口站输沙量之比,是直接反映河道输沙能力的一个指标。基于黄河下游输沙主要集中在伏汛期,以下研究的重点为花园口—高村宽河段 7、8 月洪水的排沙情况。

黄河下游河道的排沙能力是与来水来沙条件密切相关的,如果以来沙系数 S/Q 代表来水来沙条件,则基本上是来沙系数越大排沙比越小。因此,在分析中首先计算各场洪水的来沙系数,再比较相同来水来沙条件下河道排沙比的变化。在计算来沙系数时发现,1986 年以来下游历次洪水的来沙系数小于 0.01 的很少,绝大部分在 0.015 以上,甚至有的超过 0.1。以往的研究成果表明,来沙系数约等于 0.01 时,下游河道将不冲不淤,大于 0.01 有可能淤积,小于 0.01 时可能冲刷。1986 年后偏大的来沙系数表明近年来的来水来沙条件十分不利于河道输送泥沙。

根据实测资料中来沙系数的大小,大致以来沙系数 S/Q 分别为小于 0.021kg·s/m⁶、0.021 ~ 0.055kg·s/m⁶ 和大于 0.055kg·s/m⁶ 三组代表来沙系数小、中、大的洪水。由于来沙系数大的洪水较少,无法显现规律,因此以来沙系数分别较小和居中的洪水为例,分析河道排沙比的变化规律。由图 7-49 和图 7-50 可见,不同来沙系数时河道排沙比随洪峰流量的变化规律相同,在洪水未漫滩时洪峰流量越大排沙比也越大,当接近平滩流量时排沙比达到最大,水流一旦超过平滩流量发生漫滩,排沙比转而变小,并随洪峰流量的增大而不断减小。来沙系数不同时排沙比的定量数值是不同的,来沙系数小的洪水排沙比大于来沙系数大的洪水,而且排沙比的大小随洪峰流量的变化幅度也较大。

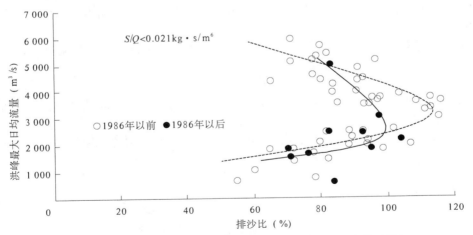

图 7-49　花园口—高村河段排沙比与洪峰流量关系(小来沙系数)

对比 1986 年前后的排沙比变化,明显可见 1986 年后同流量洪水排沙比普遍减小,小、中来沙系数的最大排沙比分别由 1986 年前的 115% 和 95% 减小到 100% 和 90%。同时,最大排沙比所对应的流量也降低了,由 3 000m³/s 和 4 000m³/s 降低到 2 000m³/s 和 3 000m³/s。1986 年后下游河道萎缩严重,平滩流量降低,是造成上述变化的主要原因,同时也说明河道输沙能力降低。

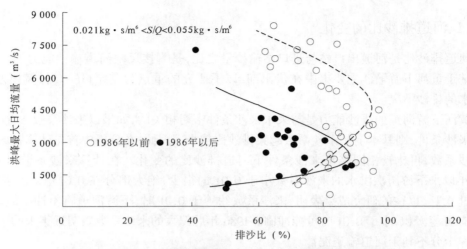

图 7-50　花园口—高村河段排沙比与洪峰流量关系(中来沙系数)

由图 7-49 和图 7-50 中还可看到,1986 年以后和以前对比,平滩流量以下的洪水排沙比变化不大,而超过平滩流量的洪水排沙比减小幅度很大。同时有一些洪峰流量约在2 000m³/s 以下的小洪水排沙比很大,甚至超过 1986 年以前同样条件的洪水。反映出河道主槽的输沙能力有所提高,尤其是在发生含沙量不是很高的洪水时,主槽输沙能力的提高幅度较大。

三、河道水流与输沙关系的变化

上述从长河段河床演变方面的研究表明,近期河道输沙能力发生了变化。河道边界条件变化最直接改变的是水流的特性,进而改变水流的输沙能力,水流流量与输沙率的关系就反映了河道的输沙能力。

早期经过对黄河下游水沙关系的研究,认识到水流的输沙率不仅与流量有关,而且与上游河段来水含沙量有关,其数学表达式为

$$Q_s = kQ^\alpha S_\perp{}^\beta$$

从这一认识出发,将各时期具有相同上站含沙量的洪水进行输沙率与流量关系的比较,来研究 1986 年后河道萎缩时期水流输沙能力是否发生变化。以三黑小含沙量在100~200kg/m³ 的花园口洪水为例,由图 7-51 可见,1986 年后河道的输沙率与流量关系的

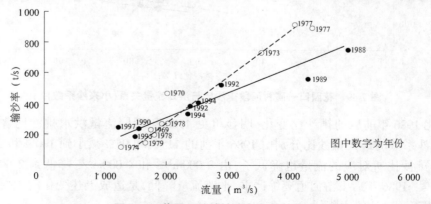

图 7-51　花园口站输沙率与流量的关系

变化是很大的。大约以洪峰流量 2 500m³/s 为界,小于该流量级的洪水输沙率较 1986 年前有一定程度的增加,而大于该流量级的洪水输沙率却有较大的减少,同样为 4 000m³/s 的洪水 1986 年以前输沙率可达到 900t/s,1986 年以后只有约 600t/s。

这一认识与前述研究结果是一致的,当流量较小、水流在主槽中未漫上滩地时,1986 年后水流输沙率大于 1986 年前,河道的输沙能力提高了;当流量较大、水流漫滩后,1986 年后的输沙率明显减小,表明河道输沙能力大大降低。

虽然小流量洪水的输沙能力有增加的趋势,而且 1986 年后中小流量洪水发生较多,但黄河下游宽河道的冲淤主要是由较大洪水造成的。表 7-17 统计了黄河下游宽河道三门峡—高村各时期不同流量级洪水的冲淤量情况,在各时期的洪水中,3 000m³/s 以下洪水的冲淤量都是较小的。其中在 1950~1959 年和 1986 年以后两个时期最小,但两者最小的原因是不同的。1950~1959 年为丰水系列年,大洪水较多,在统计的 64 场洪水中,3 000m³/s 以下的洪水仅有 8 场,占总场次的 12.5%,因此冲淤量也较小。而 1986 年后大洪水偏少,多为 3 000m³/s 以下的小洪水,总共统计 81 场洪水,小洪水为 45 场,占总场次的 55.6%,但其冲淤量仅占总冲淤量的 3.5%。这说明小洪水的造床作用很有限,因此 1986 年后小洪水的输沙能力提高对河道输沙能力的影响是很小的,而中大流量级洪水输沙能力的降低决定了整个汛期输沙能力的降低。

表 7-17 黄河下游宽河道三门峡—高村河段各时期不同流量级洪水的冲淤量情况 (单位:亿 t)

流量级 (m³/s)	1950~1959 年		1965~1973 年		1974~1980 年		1986~1998 年	
	冲淤量	比例(%)	冲淤量	比例(%)	冲淤量	比例(%)	冲淤量	比例(%)
<3 000	1.423	5.0	7.865	30.7	2.071	10.4	1.114	3.5
3 000~5 000	4.942	17.2	14.269	55.8	8.480	42.5	19.117	59.9
5 000~8 000	10.679	37.2	3.082	12.0	1.245	6.3	11.684	36.6
>8 000	11.629	40.6	0.364	1.5	8.134	40.8	—	—
合计	28.673	100	25.580	100	19.930	100	31.915	100

四、河道冲淤特性的变化

黄河下游是一条持续堆积的河道,具有多来、多淤、多排的特性,河道的输沙能力与冲淤演变是互相联系的两个方面,河道淤积量的大小能间接反映河道输沙能力的变化。

(一)相同来水来沙条件下汛期淤积量增加

黄河来水来沙集中在汛期(7~10 月),相应河道演变也以汛期为主,20 世纪 50 年代天然条件下汛期的淤积量占全年的 80% 以上,三门峡水库蓄清排浑运用后进入下游的水沙主要集中在汛期。因此汛期的冲淤特点基本决定了全年的河道演变状况。图 7-52 反映的是历年下游宽河道在相同来水来沙条件下汛期的冲淤量变化情况。由图 7-52 可见,含沙量与单位水量冲淤量有较好的相关关系,随着含沙量的增大,单位水量冲淤量增加。最为重要的是,图 7-52 较显著地表现出相同含沙量时,1986 年后大部分年份单位水量淤积量大于 1986 年前各年。在来沙量相同条件下,单位水量淤积量的增加说明河道输沙量的减小。从而说明下游宽河段从整个汛期来说河道的输沙能力降低了。

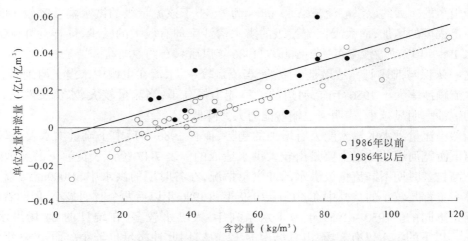

图 7-52　三门峡—高村河段汛期含沙量与单位水量冲淤量的关系

（二）洪水期冲淤特性发生变化

黄河下游汛期的暴雨洪水是河道演变的主要作用因素，洪水强烈的冲淤作用造成河道形态发生质的改变，而非洪水期的含沙水流只在洪水塑造的河床上进行量的调整。从另一个角度考虑，泥沙也主要依靠洪水期的大流速水流输送，河道形态发生改变后对洪水输沙特性的影响更大。

点绘黄河下游洪水期河道冲淤强度与水沙条件的关系（图 7-53），用 A 来代表河道来水来沙条件

$$A = Q^2 \left[S/Q - 0.33(S/Q)^{0.75} \right] \tag{7-7}$$

式中　Q——洪水期平均流量，$\mathrm{m^3/s}$；

$\quad\quad S$——洪水期平均含沙量，$\mathrm{kg/m^3}$。

冲淤强度用洪水期日均冲淤量 $\triangle q_s$（单位为万 t/d）代表。

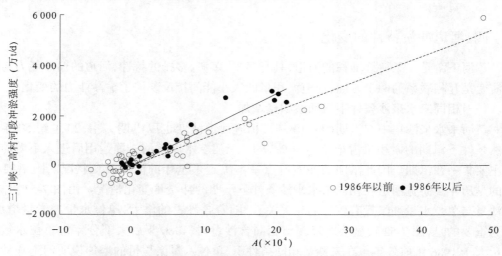

图 7-53　三门峡—高村河段洪水水沙条件与冲淤强度的关系

从图 7-53 中可看到 1986 年前后洪水期冲淤特性的不同：

(1)在 A 值较大的洪水期间,河道淤积强度明显增大。由式(7-7)可知,洪水流量 Q 和水沙搭配关系 S/Q 是决定水沙条件 A 值的主要因素,其中 Q 起到最重要作用,S/Q 其次。A 值较大洪水淤积强度增大,说明 1986 年后在较大流量洪水时期河道淤积量增加,从水流输沙角度来看即是河道的输沙能力降低了。1986 年后下游河道萎缩成枯水小槽,流量为 3 000 ~ 4 000m³/s 的洪水即发生漫滩,漫滩后水流流速减小,河道输沙能力明显降低,造成淤积量增大。

(2)在 A 值较小的洪水期间,河道淤积强度增加不明显。1986 年后宽河道发生冲刷的洪水很少,冲刷强度大的洪水基本没有,但比较 A 值在 $0 ~ 5(\times 10^4)$ 时的洪水仍能看出 1986 年后河道冲淤强度与 1986 年前相比变化不大,而且有两场洪水淤积强度还偏小。1986 年后河道持续淤积,主槽断面形态变得相对窄深,水流在主槽内的流速不应减小,在相同流量下还应有所提高,因此河道主槽的输沙能力并未降低,小流量洪水的淤积强度变化不大。

由图 7-53 可得到冲淤强度与水沙条件的关系式,同样反映出 1986 年前后的变化：

1986 年以前

$$\Delta q_s = 110A$$

1986 年以后

$$\Delta q_s = 146A$$

(三)9、10 月输沙能力降低

黄河下游汛期可分为两个时期：7、8 月为伏汛期,多发生来自中游的大暴雨洪水,造成河道的大量淤积;9、10 月是秋汛期,洪水多来自上游低含沙量洪水,起到冲刷河道的作用。1986 年后 9、10 月水沙量剧减,秋汛洪水几乎没有,因此对河道的冲刷作用大大降低。同时由于洪水流量偏小较多,河道的输沙能力相应降低。10 月份的变化最为显著(图 7-54),1986 年后水流的含沙量普遍较低,绝大多数年份的含沙量小于 10kg/m³,与 20 世纪 60 年代初清水冲刷时期的含沙量接近,但输沙能力明显降低,单位水量冲刷量减小,与含沙量为 20kg/m³ 时的洪水相似。

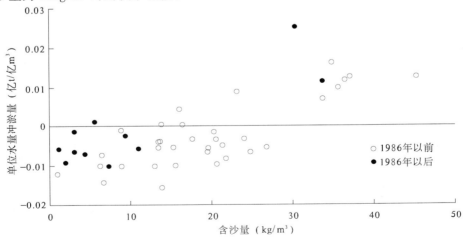

图 7-54　三门峡—高村河段 10 月含沙量与单位水量冲淤量的关系

由此可以看出，1986 年后小流量级洪水增多，输沙能力有一定程度的增大，但由于冲淤量占整个汛期的比例很小，因而对河道输沙能力没有大的影响。而对河道演变影响较大的中大流量级洪水输沙能力的降低，是造成汛期河道淤积增大、输沙能力降低的主要原因。同时，起到冲刷作用、抵消前期淤积的 9、10 月洪水的减小及输沙能力的降低，是宽河道汛期输沙能力降低的另一重要因素。

五、河道输沙能力变化的总体认识

河道边界条件的改变，影响了水流的特性，从而改变了河道的挟沙能力。黄河下游河道 1986 年以来不断萎缩，形成相对窄深的断面形态，主槽的水流流速增大，水流挟沙能力增强，因此在小流量时河道的输沙能力是增大的。但由于平滩流量较小，洪水流量较小时即开始漫滩，而且相同流量级洪水的漫滩程度大，因此流速减小迅速，输沙能力降低。表现在河道淤积量上则是小流量洪水淤积强度小，排沙比大，输沙率高，而大流量洪水正好相反。由于小流量洪水的冲淤量有限，因此其输沙能力的提高对河道演变的作用不大，同时 9、10 月能起到冲刷河道作用的洪水减少，强度减弱，所以黄河下游河道汛期 1986 年后表现为淤积量增大、河道输沙能力降低。

第八章　黄河下游河道输沙水量的研究

黄河是我国西北、华北地区唯一可靠的水资源,对于该地区经济与社会发展有重要意义,是制约其经济发展的主要因素之一。

黄河是世界上输沙量最大的河流。黄河(三黑武)多年(1919～1986年)平均实测沙量为14.7亿t,实测水量为463.4亿m^3,含沙量达到31.7kg/m^3,水少沙多、含沙量高为其主要特点。"水沙异源"是黄河的另一主要特点,例如,河口镇以上地区来水量占黄河总水量的54%,但来沙量仅为9%,对黄河流域而言是水多沙少;河口镇—龙门来水量占黄河总水量的14%,来沙量却占总沙量的55%,属水少沙多。由于黄河流域少沙地区水资源的开发利用处于优先地位,黄河流域多沙地区水资源的开发利用发展相对缓慢,以致进入黄河下游的水量减少得多,沙量减少得少,使黄河下游水少沙多的矛盾更加突出。

由于黄河水少沙多,大量泥沙进入下游后不能全部输送入海,结果是河床淤积,水位抬升,降低了河道的排洪能力,并成为黄河下游堤防决口、河流改道、洪水泛滥的根源。新中国成立以来,为解决黄河下游河道的泥沙淤积与洪水灾害,对流域进行了综合治理,并取得很大成绩。但几十年的实践说明,进入下游的泥沙在短时间内不会显著减少,对于黄河泥沙的处理利用,应该通过多种途径、采用多种措施进行综合治理。黄河下游是平原冲积性河流中输沙能力最高的河道,因此充分利用黄河下游现行河道作为一条泄洪通道,将进入下游的泥沙输送入海,仍是目前的主要途径之一。

为不使黄河下游河道的淤积进一步加重,需要留一部分水量用于输沙。当前黄河水资源的开发已达到很高的水平,在20世纪90年代,全河利用水量达300亿m^3左右,水资源利用率已达50%以上。随着人口的增长,工农业生产的发展,城市的扩大,集镇和乡村建设的迅速发展,生产方式和生活方式的变化,用水量将有较大增长。因此,黄河水资源开发利用的基本策略应是:全面实行节水,有重点地调整和补充西北、华北紧缺地区的水源,加强保护,提高经济效益,提高水资源的利用率,统一安排水资源的综合利用,使有限的水资源在国民经济与社会的发展中持续利用。

全面实行节水,包括农业节水、工业节水和输沙节水。为节约黄河下游输沙水量,又不增加河道的泥沙淤积量,就需要详细分析各种条件下黄河下游各河段的输沙情况,研究其基本规律。在20世纪80年代开展了对输沙水量的研究,不仅对于认识黄河河道的输沙能力有重大意义,更主要是为了采取有效措施节约黄河下游输沙用水,促进工农业生产的发展,满足国民经济与社会发展不断增长的需要。

第一节　汛期输沙水量的研究

黄河下游水量集中在汛期,约占年水量的60%,而沙量更集中在汛期,约占年沙量的85%,汛期沙量的集中甚于水量。此外,黄河水沙存在丰、枯段和丰、枯年交替出现,且年际变化大的特点,来水丰枯并不完全与来沙多少同步,视暴雨区的不同而出现丰水多沙、丰水平沙、丰水少沙、平水多沙、平水平沙、平水少沙、枯水平沙、枯水少沙年。因此,水量沙量变化很大,年最大水量659亿m³,最小水量202亿m³,最大是最小的近3.2倍;年最大沙量39.1亿t,最小沙量4.88亿t,最大是最小的约8倍。黄河下游河道冲淤状况主要取决于来水来沙情况,来水枯、来沙大就发生严重淤积,来水丰、来沙少还会发生冲刷。但并非单向冲刷或淤积,视来水沙条件及河道冲淤调整的不同,输沙水量也会发生变化,主要与来水来沙条件和河床边界条件有关。输沙水量指在一定的来水来沙与河床边界条件下,某一断面输送一定沙量所需的水量。

一、年际变化大

表8-1为黄河下游自1960年以后历年汛期来水来沙及输沙水量变化,可以看出,各水

表8-1　　　　　　　　黄河下游历年汛期来水来沙及输沙水量变化

时段	三黑武		输沙水量(m³/t)			
(年-月)	水量(亿m³)	沙量(亿t)	花园口	高村	艾山	利津
1960-07 ~ 1960-10	153	6.02	24.7	25.5	28.1	45.8
1961-07 ~ 1961-10	287	1.24	91.9	55.6	56.7	45.1
1962-07 ~ 1962-10	218	2.58	63.8	52.5	50.2	46.0
1963-07 ~ 1963-10	288	4.57	47.6	48.9	54.0	47.6
1964-07 ~ 1964-10	487	8.75	39.4	36.2	38.8	36.2
1965-07 ~ 1965-10	165	3.93	41.0	49.3	52.5	57.9
1966-07 ~ 1966-10	315	18.74	17.0	18.9	18.8	19.0
1967-07 ~ 1967-10	438	17.65	25.2	24.9	24.6	24.5
1968-07 ~ 1968-10	315	12.16	25.8	27.7	27.4	28.5
1969-07 ~ 1969-10	127	11.01	15.8	22.1	26.7	27.9
1970-07 ~ 1970-10	183	18.14	12.0	16.1	18.8	19.9
1971-07 ~ 1971-10	154	12.14	16.3	20.7	24.5	24.6
1972-07 ~ 1972-10	133	5.48	32.2	35.1	38.0	37.0
1973-07 ~ 1973-10	204	16.19	14.7	17.7	18.2	16.9
1974-07 ~ 1974-10	134	6.54	25.2	30.2	33.6	28.7
1975-07 ~ 1975-10	347	13.24	24.8	27.2	30.6	29.3
1976-07 ~ 1976-10	344	10.93	33.9	34.5	38.5	38.0
1977-07 ~ 1977-10	176	20.68	9.8	14.4	16.0	15.8
1978-07 ~ 1978-10	229	14.60	17.5	18.9	20.3	19.1
1979-07 ~ 1979-10	229	11.57	24.0	24.7	27.9	24.7
1980-07 ~ 1980-10	149	7.02	30.5	35.5	37.7	37.4
1981-07 ~ 1981-10	342	14.04	27.6	26.2	26.8	24.6
1982-07 ~ 1982-10	219	5.93	42.5	41.4	47.4	41.3
1983-07 ~ 1983-10	359	9.10	45.3	41.4	41.0	37.0
1984-07 ~ 1984-10	327	9.60	40.5	39.7	38.5	35.6
1985-07 ~ 1985-10	256	8.59	35.5	35.0	37.5	32.6
1986-07 ~ 1986-10	137	3.78	45.9	51.1	53.7	54.1
1987-07 ~ 1987-10	90	2.73	45.8	56.4	61.9	62.3
1988-07 ~ 1988-10	215	15.62	17.5	20.0	19.8	18.4
1989-07 ~ 1989-10	218	7.66	28.5	31.7	30.7	26.4
1990-07 ~ 1990-10	144	6.76	28.4	31.4	40.7	37.0
1991-07 ~ 1991-10	62	2.57	29.1	44.3	51.3	48.8
1992-07 ~ 1992-10	138	10.81	15.7	22.3	20.3	21.1
1993-07 ~ 1993-10	150	5.72	31.5	37.5	33.1	31.6
1994-07 ~ 1994-10	142	12.31	15.1	20.7	20.0	19.8
1995-07 ~ 1995-10	121	8.36	17.7	21.2	19.2	17.9
1996-07 ~ 1996-10	145	11.24	17.8	31.8	32.7	30.4
1997-07 ~ 1997-10	54	4.37	15.7	21.1	26.4	32.4
1998-07 ~ 1998-10	150	5.33	24.0	30.3	26.7	24.7
1999-07 ~ 1999-10	89	4.41	23.1	26.7	24.7	23.1

文站输沙水量变化很大,花园口最大输沙水量 91.9m³/t,最小输沙水量 9.8m³/t,经沿程调整,至利津站最大输沙水量 62.3m³/t,最小输沙水量 15.8m³/t。

二、输沙水量随含沙量的增大而减小

图 8-1 为黄河下游汛期来水含沙量与利津输沙水量关系。可以看出,输沙水量是随含沙量增大而呈减小的趋势,当含沙量大于 60kg/m³ 后,输沙水量随含沙量增大减小幅度较小,当含沙量小于 30kg/m³ 后,随含沙量减小输沙水量增加幅度较大。也就是说,含沙量大于 60kg/m³ 后,增加含沙量并不能较大幅度减小输沙水量,而河道淤积严重;相反,含沙量小于 30kg/m³ 以后,河道虽冲刷,但消耗水量太大。图 8-1 上实线为河段输沙平衡线,在平衡线的上方为淤积区,下方为冲刷区,大致可以看出,当含沙量小于 30kg/m³ 左右时,大部分年份河道发生冲刷。

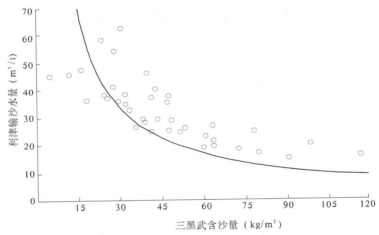

图 8-1　黄河下游汛期来水含沙量与利津输沙水量关系

三、输沙水量与河道特性有关

图 8-2、图 8-3 和图 8-4 为高村、艾山、利津站输沙水量与含沙量关系,存在同一规律,但可以看出高村以上实测资料离平衡线较远,高村—艾山资料较为先靠近平衡线,艾山—利津大部分在平衡线下方。

输沙水量的沿程变化与沿程冲淤调整有关。从表 8-1 也可以看出,当含沙量小于 30kg/m³ 后,河道冲刷,输沙水量沿程减少,如 1961 年汛期三门峡水库拦沙运用,下游来水含沙量只有 4.3kg/m³,河道发生冲刷,泥沙得到补给,花园口输沙水量为 92m³/t,至利津站减为 45m³/t。而 1977 年黄河下游汛期来沙量达 20.6 亿 t,含沙量 117kg/m³,河道发生严重淤积,输沙水量沿程增大,花园口为 10m³/t,至利津为 16m³/t 左右。对比两年的情况,1961 年含沙量为 4.3kg/m³,1977 年含沙量为 117kg/m³,而花园口 1961 年输沙水量为 92m³/t,1977 年为 10m³/t,相差 8 倍。进一步说明含沙量大,输沙水量小,但经过沿程冲刷和淤积调整,至利津输沙水量逐渐接近。黄河下游各河道输沙特性不同,高村以上河段输沙水量变幅较大,高村以下输沙水量变幅较小,控制输沙用水量大小的主要是高村以上河段。

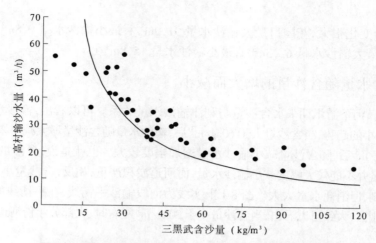

图 8-2　黄河下游汛期三黑武含沙量与高村输沙水量关系

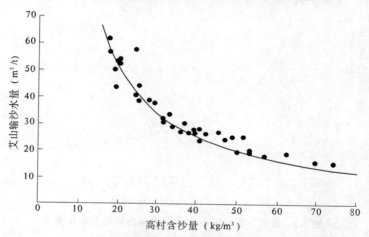

图 8-3　黄河下游汛期高村含沙量与艾山输沙水量关系

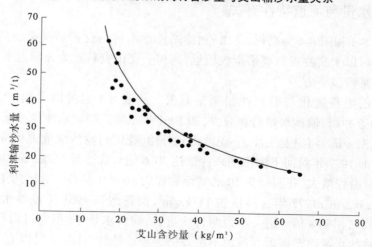

图 8-4　黄河下游汛期艾山含沙量与利津输沙水量关系

四、汛期输沙水量的表达式

整个汛期包括各种水沙过程,所以输沙水量与含沙量关系不如洪峰期密切,但作为宏观判断还是满足要求的,可用下式表示

$$\lg \eta_{lj} = 1.849 - \frac{S_{shw}}{150} \tag{8-1}$$

$$\frac{\Delta W_s}{W_s} = 0.723 - \frac{21.52}{S_{shw}} \tag{8-2}$$

式中 η_{lj}——利津输沙水量,m^3/t;

        S_{shw}——三黑武含沙量,kg/m^3;

        ΔW_s——河道冲淤量,亿 t;

        W_s——三黑武来沙量,亿 t。

经过检验,基本符合实际。

第二节　非汛期输沙水量的研究

1973 年汛后三门峡水库开始采用"蓄清排浑"运用方式,即非汛期抬高水位,蓄水拦沙,汛期降低水位泄洪排沙。因此,非汛期下泄水流基本为清水,下游河道发生冲刷,泥沙主要从河床沿程得到补给,由于非汛期流量较小而且较均匀,水流的输沙能力与流量的高次方成正比,所以冲刷泥沙较少,冲刷距离较短,往往造成上冲下淤。河道的冲刷距离主要决定于流量的大小和历时,还与河床前期状况有关,一般情况下,当来水流量大于2 500m^3/s时,冲刷才能普及全下游,对整个非汛期而言,冲刷一般只能到高村。单位输沙水量的大小主要决定于水流的冲刷能力,流量大,冲刷能力大,补给沙量大,单位输沙水量小;反之,流量小,冲刷能力小,补给沙量小,单位输沙水量大。因此,非汛期输沙水量主要指冲刷一定沙量的水量。

一、非汛期输沙水量

表8-2 为历年非汛期沿程输沙水量的变化。非汛期流量小而均匀,泥沙主要从河床补给,沙量少,单位输沙水量普遍比汛期大。同时,沿程单位输沙水量与河道冲淤状况有关,沿程冲刷时,单位输沙水量减少,淤积时单位输沙水量增加。一般来说,冲刷只发展至高村,高村以下发生淤积,因此花园口—高村单位输沙水量是减少的,高村以下单位输沙水量增加。自 1974 年起,花园口站历年最小输沙水量为 72m^3/t,最大输沙水量为 176m^3/t;经过河道冲刷,高村站最小输沙水量为 65m^3/t,最大输沙水量 145m^3/t;高村以下输沙水量增加,利津站最小输沙水量 59m^3/t,最大输沙水量为 577m^3/t。

表 8-2   历年非汛期沿程输沙水量的变化

时间	三黑武		输沙水量(m³/t)			
(年-月)	水量(亿 m³)	沙量(亿 t)	花园口	高村	艾山	利津
1960-11 ~ 1961-06	179	0.082	113	84	87	98
1961-11 ~ 1962-06	267	0.609	122	76	72	76
1972-11 ~ 1973-06	135	1.027	72	77	85	145
1973-11 ~ 1974-06	160	1.040	79	64	68	71
1974-11 ~ 1975-06	164	0.095	96	79	81	88
1975-11 ~ 1976-06	239	0.607	107	65	67	72
1976-11 ~ 1977-06	175	0.29	143	120	138	195
1977-11 ~ 1978-06	125	0.086	159	117	127	170
1978-11 ~ 1979-06	164	0.074	125	80	88	113
1979-11 ~ 1980-06	150	0.177	122	97	106	155
1980-11 ~ 1981-06	124	0.198	96	95	130	196
1981-11 ~ 1982-06	183	0.082	128	93	104	133
1982-11 ~ 1983-06	194	0.248	164	98	106	135
1983-11 ~ 1984-06	231	1.054	114	85	89	86
1984-11 ~ 1985-06	207	0.191	156	114	128	160
1985-11 ~ 1986-06	185	0.402	168	109	134	182
1986-11 ~ 1987-06	136	0.205	160	145	194	319
1987-11 ~ 1988-06	137	0.077	176	134	171	347
1988-11 ~ 1989-06	188	0.502	110	88	91	138
1989-11 ~ 1990-06	229	0.516	121	83	89	103
1990-11 ~ 1991-06	192	2.411	75	69	55	59
1991-11 ~ 1992-06	123	0.481	113	125	133	577
1992-11 ~ 1993-06	166	0.470	149	108	81	147
1993-11 ~ 1994-06	165	0.171	170	111	79	104
1994-11 ~ 1995-06	144	0.007	123	83	68	119
1995-11 ~ 1996-06	131	0.159	153	129	108	399
1996-11 ~ 1997-06	123	0.036	145	114	91	156
1997-11 ~ 1998-06	113	0.272	125	87	77	61
1998-11 ~ 1999-06	118	0.012	151	107	82	395

进一步分析表明,非汛期单位输沙水量与来水流量有密切关系。图 8-5 和图 8-6 为来水量与单位输沙水量、冲淤量关系。可以看出,来水量大,冲刷量大,单位输沙水量小;来水量小,冲刷量小,单位输沙水量大。当来水量小于 150 亿 m³,输沙水量随来水量的减少变化幅度较大,水量从 150 亿 m³ 减至 100 亿 m³,输沙水量从 180m³/t 提高至 360m³/t;水量大于 200 亿 m³ 时,输沙水量基本维持在 80m³/t 左右;水量为 150 亿 ~ 200 亿 m³,输沙水量为 180 ~ 80m³/t。对照输沙水量与冲淤量关系,得到一致的认识:单位输沙水量大,河道冲刷最小;单位输沙水量最小,河道冲刷最大。由此可以认为,非汛期高村以上虽发生冲刷,量值较小,但造成艾山—利津河段的淤积,这部分水量从输沙角度来看是很不经济的,但其中 4 ~ 6 月的水量主要是供沿河灌溉。

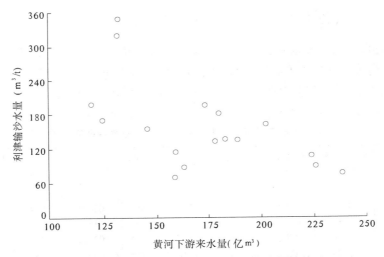

图 8-5　非汛期黄河下游输沙水量与来水量的关系

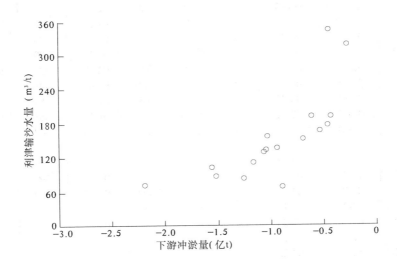

图 8-6　非汛期黄河下游冲淤量与输沙水量关系

二、非汛期输沙水量的表达式

非汛期输沙水量可写成下式

$$\lg \eta_{lj} = 2.586 - 0.002\,7\,W_{shw} \tag{8-3}$$

$$\Delta W_s = -1.737 + 0.004\,96\,\eta_{lj} \tag{8-4}$$

式中　η_{lj}——利津输沙水量，$\mathrm{m^3/t}$；

W_{shw}——三黑武水量，亿 $\mathrm{m^3}$；

ΔW_s——全下游冲淤量，亿 t。

经验算，基本符合实际。

三、"冬三月"(12月至次年2月)输沙水量

下游河道自河南兰考东坝头以下呈西南至东北流势,沿程纬度增加,气温下降,在"冬三月"常发生封冻和冰凌卡塞,开河时产生冰块,使水位大幅度上升,局部河段冰水漫滩甚至决口,造成凌汛,给国民经济带来危害。目前下游的防凌措施已比较完善,但仍有凌汛的威胁。表8-3为1960～1990年黄河下游利津水文站历年凌情特征值统计。

表8-3　　　　　　　　1960～1990年黄河下游利津水文站历年凌情特征值统计

非汛期 (11月～ 次年6月)	岸冰出现 时间 (月-日)	岸冰消失 时间 (月-日)	计算 天数 (d)	封河日期 (月-日)	封河 流量 (m³/s)	开河日期 (月-日)	开河 流量 (m³/s)	封冻 天数 (d)	平均 流量 (m³/s)
1960～1961	11-25	02-19	87	12-19	90	02-19	9.4	63	102
1961～1962	—								
1962～1963	12-30	03-03	64	02-23	283	02-28	306	6	530
1963～1964	12-24	03-06	74	02-04	397	03-03	485	29	523
1964～1965	—								
1965～1966	12-16	02-16	63	01-01	340	02-10	496	41	393
1966～1967	12-22	02-28	69	01-03	466	02-26	103	55	268
1967～1968	12-08	03-06	90	12-23	514	03-03	544	72	604
1968～1969	12-31	03-16	76	01-05	304	03-16	1 000	71	380
1969～1970	12-09	02-28	82	01-30	884	02-12	232	14	438
1970～1971	12-25	03-14	80	02-16	505	03-03	69	16	384
1971～1972	12-06	02-23	80	12-28	93	01-06	486	10	662
1972～1973	12-08	02-10	65	01-08	257	01-18	653	11	395
1973～1974	12-21	03-03	73	12-24	433	02-18	343	57	288
1974～1975	—								
1975～1976	12-12	02-08	59						812
1976～1977	12-26	03-05	70	12-31	583	03-03	299	63	365
1977～1978	01-02	02-21	51	02-17	184	02-20	279	4	384
1978～1979	12-20	02-12	55	01-20	581	02-10	497	22	536
1979～1980	01-06	02-28	54	01-30	247	02-24	351	26	395
1980～1981	12-13	02-28	78	—					342
1981～1982	12-02	02-20	81	—					412
1982～1983	12-12	02-24	75	01-30	664	02-06	655	8	459
1983～1984	12-24	03-06	74	01-15	434	03-04	349	50	425
1984～1985	12-19	03-02	74	12-29	717	02-09	883	43	729
1985～1986	12-08	02-20	75	12-30	336	02-15	738	48	632
1986～1987	12-20	02-05	48	12-31	245	02-04	402	36	388
1987～1988	12-02	02-20	81	—					462
1988～1989	12-16	12-31	16						158
1989～1990	01-15	02-13	30						324

"冬三月"1973～1989年花园口年均水量49亿 m³,沙量0.40亿 t,至利津年均水量40.6亿 m³,沙量只有0.17亿 t。尽管上游来沙较小,但由于流量小,阻力加大,流速减小,河道输沙能力降低,高村以上河段虽发生冲刷,但高村—艾山河段和艾山—利津河段分别年均淤积0.11亿 t 和0.14亿 t,各占该河段非汛期淤积量的57.8%和40%。随着冲刷和

淤积,沿程平均输沙水量高村以上变化不大,高村以下沿程增加,高村站为104m³/t,艾山为134m³/t,利津为242m³/t,均比非汛期大得多(表8-4)。"冬三月"利津单位输沙水量与来水量亦存在密切关系(图8-7),从图中可以看出,随着来水量增大,单位输沙水量减少,如来水量为30亿m³时,输沙水量达500m³/t,来水量50m³时,输沙水量达240m³/t左右。

表8-4   1974～1989年"冬三月"输沙水量及河段冲淤量

水文站名	"冬三月"			凌汛期		
	年均水量 (亿 m³)	年均沙量 (亿 t)	年均输沙水量 (m³/t)	年均水量 (亿 m³)	年均沙量 (亿 t)	年均输沙水量 (m³/t)
花园口	49	0.40	123	27	0.19	142
高村	46	0.44	104	25	0.20	125
艾山	43	0.32	134	24	0.13	185
利津	41	0.17	242	22	0.05	440

河段	年均冲淤量(亿 t)		
	"冬三月"	凌汛期	非汛期
花园口—高 村	− 0.06	− 0.02	− 0.42
高 村—艾 山	0.11	0.06	0.19
艾 山—利 津	0.14	0.08	0.36
花园口—利 津	0.19	0.12	0.13

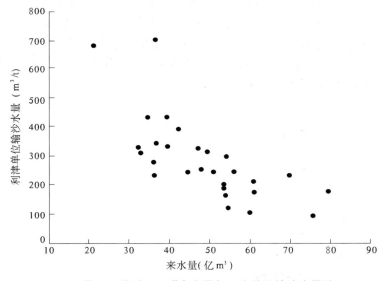

图 8-7   黄河下游"冬三月"来水量与利津单位输沙水量关系

分析凌汛期输沙水量与冲淤量的变化关系,如表8-4所列,凌汛期花园口年均水量27亿m³,沙量0.19亿t,高村—艾山河段及艾山—利津河段淤积量各占非汛期淤积量的32%和22%,高村、艾山和利津年均输沙水量分别为125、185m³/t和440m³/t,大于"冬三月"输沙水量。

从以上分析可以得出,由于冬季下泄流量较小,河道输沙能力下降,加之封冻,高村以上河段河床冲刷泥沙虽较小,但又造成高村以下河段的淤积,单位输沙水量很大,效率低,还可能造成凌汛威胁。因此,这部分水量应该充分加以利用,如引黄济海、引黄济淮等,对黄河本身是有利无弊的,而对国民经济发展却起到巨大的作用。

第三节　洪峰期输沙水量的研究

黄河下游水沙主要集中在汛期,汛期又集中在洪峰期,河道的冲淤也集中在洪峰期,因此进一步研究洪峰期单位输沙水量的变化规律,将为水资源的开发利用及水库调度提供科学依据。

图 8-8 为黄河下游洪峰期来水含沙量与利津单位输沙水量的关系。这种关系存在着与汛期同样的规律:随着含沙量的增大,单位输沙水量减少。当含沙量大于 150kg/m³,单位输沙水量基本稳定在一定范围,变化极小;当含沙量小于 40kg/m³,随着含沙量的减少,单位输沙水量急剧增加。来水含沙量大于 150kg/m³,单位输沙水量基本稳定在 10m³/t 左右;含沙量为 50kg/m³ 时,单位输沙水量为 25m³/t 左右;含沙量为 10kg/m³ 时,接近清水情况,单位输沙水量增加为 80m³/t 以上,最大最小可差 8 倍。因此,单纯从节约输沙水量出发,应尽量利用含沙量较高、单位输沙水量较小的特点来输沙。但是必须指出,下游河道具有“多来、多排、多淤”的输沙特点,在含沙量较高时,单位输沙水量虽然较小,但河道淤积严重;含沙量较小时,单位输沙水量较大,则河道冲刷。图 8-9 为来水含沙量与河道淤积比关系。结合图 8-8 进行综合分析可以得出,当含沙量大于 150kg/m³ 时,单位输沙水量虽稳定在 10m³/t 左右,但河道淤积比达 60% 以上;当含沙量小于 40kg/m³ 时,单位输沙水量最大达 80m³/t,河道冲刷。也就是说,单位输沙水量大小与河道冲淤关系密切,在一定的来水来沙条件下是以一定的河道冲淤状况为基础的,充分利用水资源并节约输沙用水,又使河道处于微淤状态,是兼顾两者的最好办法。

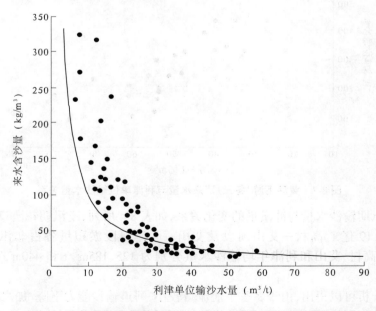

图 8-8　黄河下游洪峰期来水含沙量与利津单位输沙水量的关系

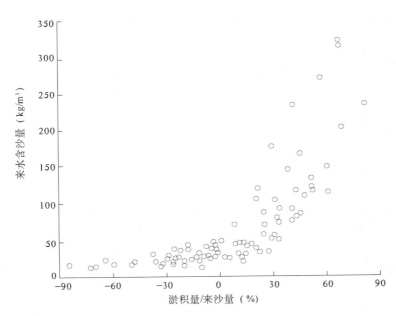

图 8-9　黄河下游洪峰来水含沙量与河道淤积比关系

从洪峰期单位输沙水量与冲淤量的沿程变化来分析,淤积集中在三门峡—高村河段,高村以下河段淤积较少,甚至会发生冲刷。统计 1974 年以来 160 多场洪水,按平均含沙量来分级,各河段单位输沙水量见表 8-5。从平均情况看,下游各站单位输沙水量随来水来沙量增大而变小,而河道淤积随含沙量增大而增大。从沿程变化来看,淤积集中在高村以上河段,高村以下河段淤积较小。因此,单位输沙水量沿程增大,增大幅度主要在高村以上。如含沙量大于 150kg/m³ 的洪峰,全下游淤积量占来沙量的 55% 以上,而高村以上淤积量占全下游的 84%;单位输沙水量花园口为 5.9m³/t,高村为 8.5m³/t,艾山为 10.2m³/t,利津为 10.4m³/t。含沙量小于 20kg/m³ 的洪水,河道略有冲刷,花园口单位输沙水量增至 57m³/t,高村为 52.1m³/t,艾山为 54.8m³/t,利津为 51.2m³/t 左右。这种输沙特性与河道边界条件密切相关。高村以上河段为宽浅散乱的游荡性河道,输沙能力较低,具有"多来、多淤、多排"的特性,当来沙量较大时,大量泥沙落淤,其结果使单位输沙水量增大;而艾山—利津河段为弯曲性河道,输沙能力很大,当流量大于 3 000m³/s 时,具有"多来、多排"的特性。因此,控制单位输沙水量大小的关键在于对高村以上宽浅游荡性河道进行改造,加强河道整治,增大输沙能力,减少单位输沙水量,提高水资源利用率。

如果按流量大小来分析(表 8-6),可看出,单位输沙水量与流量也有一定的关系,随着流量的减小,河道淤积比增大,单位输沙水量也增大,但当水流漫滩后,由于滩地大量淤积,淤积比反而比发生不漫滩洪水时增加。因此,黄河下游流量 3 500~6 000m³/s 时单位输沙水量与河道淤积比相对来说都比较合适,也就是说单位输沙水量较小,淤积比也相对较小,能更好地发挥水资源的作用。

单位输沙水量的变化除与来水来沙条件和冲淤状况有关外,还与河床前期条件有关,如河床前期冲刷,河床粗化,水流输沙能力降低,单位输沙水量增加;前期河床淤积,河床

细化，水流输沙能力增加，单位输沙水量减少。如表8-6所列，选择三组含沙量基本相同

表 8-5   不同含沙量级洪水各河段输沙水量

含沙量等级	三 黑 武			输沙水量（m³/t）			
（kg/m³）	次数（次）	水量（×10³m³）	沙量（亿 t）	花园口	高村	艾山	利津
< 20	38	748.8	11.9	57.0	52.1	54.8	51.2
20 ~ 50	75	2 079.3	65.8	34.3	32.5	34.4	31.9
50 ~ 100	37	670.1	45.9	21.3	22.6	23.0	21.9
100 ~ 150	10	103.9	13.1	11.0	14.8	16.0	17.0
> 150	8	143.3	31.7	5.9	8.5	10.2	10.4
总计	168	3 745.4	168.4	27.0	28.6	30.36	28.8

含沙量等级	三黑武 淤积量占三利间淤积百分数（%）				淤积比（%）			
（kg/m³）	三门峡—高村	高村—艾山	艾山—利津	三门峡—利津	三门峡—高村	高村—艾山	艾山—利津	三门峡—利津
< 20	120	− 25	5	100	− 21.6	3.8	− 0.7	− 19.5
20 ~ 50	180	0	− 80	100	5.8	0.0	− 3.0	3.3
50 ~ 100	104	− 3	− 1	100	34.3	− 1.6	− 0.7	35.9
100 ~ 150	87	4	9	100	48.4	4.6	12.6	55.9
> 150	84	12	4	100	45.9	13.3	5.0	55.0
总计	95	6	− 1	100	22.5	2.0	− 0.5	24.4

表 8-6   黄河下游不同洪峰流量输沙水量比较

时段（年-月-日）	三黑武			输沙水量（m³/t）			淤积比（淤积量/来沙量）（%）		
	流量（m³/s）		含沙量（kg/m³）	高村	艾山	利津	高村以上	高村—艾山	艾山—利津
	最大	平均							
1976-07-02 ~ 07-17	2 000	1 520	45.6	96.1	75.9	87.1	77.5	22.0	15.1
1980-07-17 ~ 07-25	915	772	47.1	84.8	126.0	145.0	67.4	4.3	− 26.7
1984-06-24 ~ 07-02	2 060	1 720	43.8	62.1	47.6	44.3	66.1	36.8	− 9.3
1976-08-18 ~ 08-24	5 510	3 730	41.1	30.9	25.1	24.4	14.7	− 11.2	− 15.4
1981-07-22 ~ 08-05	4 410	2 110	47.2	29.5	24.8	23.8	22.9	− 19.4	− 5.0
1984-07-28 ~ 08-11	8 990	4 440	49.6	28.3	25.9	23.8	24.0	− 9.6	− 10.4

续表 8-6

时段 (年-月-日)	三黑武			输沙水量(m³/t)			淤积比(淤积量/来沙量)(%)		
	流量(m³/s)		含沙量 (kg /m³)	高村	艾山	利津	高村 以上	高村— 艾山	艾山— 利津
	最大	平均							
1979-07-01 ~ 07-21	1 820	887	52.2	61.5	62.5	53.4	64.5	-5.6	-9.8
1983-07-06 ~ 07-15	1 900	1 630	66.5	94.2	83.3	107.0	83.0	-4.4	31.6
1977-08-12 ~ 08-24	2 830	2 140	53.2	18.2	18.6	14.4	11.0	9.0	-12.7
1978-09-05 ~ 09-17	3 790	3 020	58.7	16.8	16.0	14.8	2.6	2.8	-10.2
1975-07-01 ~ 07-10	1 410	852	24.9	110.0	100.0	123.0	57.8	-3.8	43.1
1982-07-12 ~ 07-29	1 540	1 220	28.0	82.8	77.6	84.6	56.3	-1.5	12.0
1976-09-16 ~ 09-26	4 820	4 480	27.0	39.4	36.8	44.3	3.1	-8.3	-3.7
1981-09-18 ~ 09-24	4 640	4 290	27.4	38.9	33.0	30.3	7.7	18.9	-6.0

的洪峰作对比,可以看出,由于三门峡水库采用"蓄清排浑"运用方式,河床经过非汛期冲刷,输沙能力降低,第二年汛初降低水位排沙,出库含沙量较高,颗粒较粗,流量一般都小于 2 000m³/s,下游发生严重淤积,高村以上泥沙淤积比达 50% ~ 80%,单位输沙水量达 60 ~ 100m³/t,经过河床淤积调整,含沙量虽相近,但比汛初的洪峰输沙用水要少得多,如 1977 年 8 月下旬至 9 月的几次洪峰,单位输沙水量为 35 ~ 40m³/t,其中 8 月洪峰,单位输沙水量为 20m³/t 左右。

第四节 高效输沙洪峰分析

目前,黄河来沙量不会显著减少,河道淤积不可避免,水__ 受到泥沙的制约。从以上大量的分析得出,单位输沙水量的大小一方面__ 方面又与河道的冲淤调整有关,遵循含沙量大、单位输沙水__ 因此,既能维持河道少淤,又能减少输沙水量,兼顾两者的__ 我们研究的主要问题之一。

我们将黄河利津单位输沙水量在 20m³/t 左右、河道__ 水,称为高效输沙洪水,从 160 多场洪水中挑选出这种高效输沙洪峰进__ 所示。总体来看这些洪峰平均洪峰流量为 3 500m³/s 左右,含沙量 70kg/m³ 左右,__ 河道淤积比为 13.5%,而单位输沙水量只有 16.6m³/t,河道不发生大冲大淤,单位输沙水量又较小。但有一定条件,上面的分析已指出,大洪水漫滩,淤积比很大;流量小,淤积比也大,而单位输沙水量也大。这些高效输沙洪峰,来水洪峰流量平均大于 2 500m³/s,同时,不发生大漫滩;含沙量为 50 ~ 120kg/m³;前期河床经过淤积调整,大部分发生在 8 月。这与以往下游输沙能力在接近平滩流量时为最大的概念是一致的。沿程淤积比也不大,高村以上河段的淤积比也只有 12%,但由于流量较大,虽然含沙量也较大,艾山—利津河道断面较窄深,输沙能力大,淤积较小,大部分洪峰还能发生冲刷,应该说从减少河道淤积及节约输沙水量出发都是有利的,这就为水库调水调沙提供了依据。

· 375 ·

表 8-7   黄河下游高效输沙洪水统计

洪峰时间 (年-月-日)	三黑武 平均流量 (m³/s)	平均含沙量 (kg/m³)	输沙水量 (m³/t)				淤积比 (%)	河段冲淤量 (亿 t)				
			花园口	高村	艾山	利津		三门峡—花园口	花园口—高村	高村—艾山	艾山—利津	三门峡—利津
1966-08-17~08-26	3 451	84.8	12.9	13.5	13.4	14.7	22.9	0.309	0.066	-0.014	0.216	0.578
1966-08-10~08-16	3 105	65.6	20.3	20.7	19.8	20.4	24.1	0.334	-0.028	-0.011	0.002	0.297
1966-07-26~08-09	3 967	103.0	9.0	10.1	11.4	11.0	-0.2	-0.833	0.661	0.451	-0.290	-0.011
1967-08-12~08-18	4 083	97.8	12.8	13.0	13.5	12.7	16.0	0.424	0.031	0.079	-0.146	0.387
1967-08-28~09-06	4 538	88.8	12.3	15.9	13.7	14.1	20.6	0.404	0.570	-0.390	0.132	0.717
1967-08-03~08-11	4 403	58.1	18.7	17.5	19.0	20.0	14.1	0.130	-0.165	0.172	0.143	0.279
1967-08-19~08-27	4 041	78.2	14.9	16.2	16.6	17.0	22.1	0.330	0.150	0.051	0.011	0.542
1968-08-06~08-19	2 449	50.4	20.3	22.0	22.0	20.2	3.4	0.013	0.134	0.054	-0.151	0.050
1970-09-09~09-17	2 261	48.0	21.2	24.9	22.9	22.3	-3.4	-0.002	0.112	-0.088	-0.050	-0.029
1970-08-27~09-08	3 350	106.6	9.0	11.0	11.3	12.0	20.3	-0.255	0.776	0.160	0.133	0.814
1971-10-13~11-05	2 858	45.9	22.3	21.8	23.2	24.4	9.6	-0.009	0.022	0.150	0.099	0.262
1976-08-18~08-24	3 685	41.4	23.0	29.2	27.4	24.4	-7.2	-0.098	0.195	-0.067	-0.097	-0.067
1978-07-29~08-02	2 398	119.1	9.4	10.4	11.6	11.8	20.5	0.028	0.147	0.069	0.010	0.254
1979-08-10~08-22	3 282	87.9	12.8	14.4	15.4	13.3	24.3	0.384	0.310	0.098	-0.003	0.789
1981-08-17~08-31	3 256	72.3	15.8	16.8	17.4	15.4	8.8	-0.029	0.402	0.085	-0.188	0.269
1981-07-16~07-21	2 456	59.5	20.8	22.3	22.8	21.3	24.5	0.102	0.074	0.021	-0.011	0.185
1982-07-30~08-09	4 853	47.0	28.5	28.1	33.9	25.3	13.6	0.013	-0.049	0.679	-0.348	0.295
1984-08-02~08-11	4 449	49.6	23.7	25.6	25.1	22.4	1.4	0.124	0.168	-0.040	-0.225	0.026
总计	3 500	71.6	14.7	16.7	18.5	16.6	13.5	1.369	3.576	1.459	-0.763	5.641

第五节　充分开发利用黄河水资源节约输沙水量的途径

黄河水资源有限,在上中游地区开发新的水源代价很高,供需之间不平衡状况将长期存在,这就要求把充分发挥黄河水资源供水效益放在首位,将全面节水作为国策。有重点地调整和补充西北、华北紧缺地区的水源,提高上游水库的多年调节能力,干流水库联合运用,采取拦沙与调水调沙并用,以及将充分开发黄河水资源与减少三门峡库区与下游河道淤积统一起来,以提高经济效益为中心,提高水资源利用率,统一安排水资源的综合利用,使黄河有限的水资源在国民经济和社会持续发展中发挥更大作用。但现状工程条件要节约输沙水量较困难,下面根据输沙规律的研究提出开发利用黄河水资源的综合途径。

一、充分利用"冬三月"水量

黄河是多泥沙河流,在来沙量没有显著减少的情况下,为不使河道淤积加重,多年平均预留 200 亿 ~ 240 亿 m^3 的水量作为输沙水量。根据以上对黄河下游冲淤和输沙规律的分析,黄河下游存在一定的输沙能力,单位输沙水量与来水来沙条件、河床边界条件密切相关。汛期流量大,含沙量高,河床处于淤积状况,单位输沙水量小;非汛期流量小,含沙量低,单位输沙水量大;冬季黄河下游常发生封冻,阻力加大,流速减小,局部河道淤积,单位输沙水量急剧增加,并增加防凌负担,这部分水量输沙任务是很少的。

二、整治宽浅河道,增加输沙能力

黄河下游各河段河床形态不同,输沙特性也不同,高村以上为游荡性河段,河床宽浅散乱,水流分散,具有"多来、多淤、多排"的输沙特性。高村—艾山为过渡性河段,河槽较规顺,具有"多来、多排、少淤"的输沙特性。艾山—利津河段,河槽窄深,当流量大于 3 000m^3/s 时,表现为"多来、多排"的输沙特性,单位输沙水量完全受制于来水含沙量。随着沿程淤积,单位输沙水量增大,至高村后,单位输沙水量变化较小。因此,控制单位输沙水量大小主要是高村以上宽浅河段,如果能通过河道整治,使河床形态较为规顺,则输沙能力将可提高,如让单位输沙水量降低 2m^3/t,那么这部分输沙水量就可以大大节约。

三、干流水库调水调沙,充分利用河道输沙能力

黄河水少沙多,水沙异源,天然径流量年际变化大,随气候波动呈丰枯交替或连续枯水年的特点,使水资源开发利用较世界其他江河更为困难。根据来水来沙条件变化研究,水量减少,流量过程相对调平是必然趋势。因此,干流水库的"蓄清排浑"运用存在很多困难,水库年内平衡不易实现,三门峡水库近 10 年的实践证明了这一点。根据黄河来水特点,可以实行多年调节,平枯水年蓄水拦沙,丰水年集中排沙。根据以上对下游冲淤和输沙水量的研究,河道的单位输沙水量与来沙条件及河道冲淤状况密切联系,当来水含沙量大时,河道单位输沙水量小,河道淤积比大,反之亦然,当含沙量大于 150kg/m^3,河道淤积比增大,单位输沙水量减少幅度比较小,也就是说,含沙量再大,单位输沙水量并不减少很多,而河道淤积严重,将节约输沙水量和减少河道淤积两者统一考虑,实不易取。当含沙

量小于 20kg/m³ 后,河道还可能发生冲刷,但此时输沙水量消耗很大,两者兼顾,在水资源紧缺情况下,又有些可惜。因此,提出了应充分利用河道输沙能力,节约输沙水量且不过多地增加淤积,维持河道微冲微淤的状况是较好的。进而分析了高效输沙洪峰的条件,平均含沙量为 50 ~ 100kg/m³,淤积比为 20% 左右,单位输沙水量约为 20m³/t,流量在 3 500 ~ 6 000m³/s,这为水库调水调沙提供了依据。如小浪底水库运用,为避免下游大冲大淤,把蓄水拦沙期与正常运用期紧密结合,在拦沙期,下游河道虽发生冲刷,但水资源浪费很大,大冲后又大淤,河道淤积严重。如实行泥沙多年调节,就可节约输沙水量。

从长远考虑,三门峡、小浪底两水库调节水沙能力较小,有必要在中游修建碛口、古贤两座高坝大库,与小浪底水库联合运用,用以蓄水拦沙,进行多年调节,把充分开发利用水资源与防止下游河道淤积统一起来。龙门以上来沙由碛口、古贤两大水库承担,龙门至小浪底之间来水,由小浪底水库多年调节,在平枯水年小浪底水库拦沙,把泥沙集中在丰水年洪水期下排,形成高效输沙洪水,排沙入海,减少输沙水量,这是 21 世纪充分开发利用黄河水资源的战略措施。

总之,现状条件下输沙水量很难节约,但从黄河下游输沙规律的研究来看,只要采取有效措施,节约输沙水量的潜力是很大的。只有将黄河水资源的开发利用与河道防洪紧密联系起来,才能更有效。

第九章　人类活动对黄河下游河道冲淤演变影响的分析计算

黄河的治理开发取得了巨大成就,但也带来一些新问题,黄河已是世界上大江大河中受人类活动强烈影响的一条河流。在 1981 年全国河床演变学术讨论上我们最早提出该问题,但没有引起大家足够的重视。人类活动引起了黄河水沙条件巨大的改变,从而对河道冲淤演变造成了影响,在第二章已对黄河水沙变化及主要原因作了阐述,本章着重研究这些主要因素对下游河道冲淤演变的影响,并对这些影响作一定性和定量的分析估算,这样有助于深化对黄河客观规律的认识,从而采取有效对策,加速黄河的治理开发。

第一节　三门峡水库调节径流泥沙对下游河道冲淤演变的影响

一、水库拦沙对下游河道的减淤作用

1960 年 9 月～1964 年 10 月,水库除排泄异重流泥沙外,基本为清水,水库起着拦沙作用。下游河道经过沿程调整,床沙质泥沙得到部分恢复,恢复较少的是淤积在水库的冲泻质泥沙。

水库拦沙对下游河道减淤作用的大小主要取决于水库的拦沙量及泥沙的颗粒组成,同时也与下游河道主槽的冲淤状况有关。1960 年 11 月～1964 年 10 月,库区淤积泥沙 44.7 亿 t,黄河下游河道冲刷 23.1 亿 t,即水库淤 2 亿 t,下游河道冲刷 1 亿 t 左右。这是因为水库拦沙中所拦的床沙质泥沙基本可以从下游河道冲刷得到恢复,而拦截的冲泻质泥沙却得不到充分补给,主要从塌滩中得到部分补给,因而水库拦冲泻质泥沙对下游河道的冲刷作用不大。如果冲泻质泥沙全部拦在水库内不往下排,则水库拦沙量与下游河道冲刷量的比值还要大。

据分析估算,若不修三门峡水库,库区为天然河道,在实测的 1960 年 11 月～1964 年 10 月入库的水沙条件下,库区可能冲刷 2.2 亿 t 左右,下游河道则可能淤积 5.6 亿 t 左右。有库与无库相比,水库多淤 46.9 亿 t,下游河道少淤 28.7 亿 t 左右,水库拦沙量与下游河道减淤量的比值约为 1.63：1。

三门峡水库在 1960 年 11 月～1962 年 6 月,除几次异重流排出少量冲泻质泥沙外,排沙比仅为 6.8%,其余各组泥沙均淤在库内。1962 年 7 月～1964 年 10 月,水库自然滞洪排沙,排沙比提高到 40%,其中粒径小于 0.025mm 的排沙比为 63%,粒径为 0.025～0.05mm 的泥沙排沙比为 19%,粒径大于 0.05mm 的泥沙排沙比为 16%(表 9-1),起到了一定的"拦粗排细"作用,但水库淤积中粒径小于 0.025mm 的泥沙占总淤积量的 30%,粒径为 0.025～0.05mm 的泥沙占 37%,粒径大于 0.05mm 的泥沙占 33%。总的来看,上述两个

阶段三门峡水库并没有有目的地按"拦粗排细"原则运用,所以减淤比高达 1.63:1。根据黄河下游河道粗、细颗粒泥沙的排沙与淤积特点,为了有效地利用水库的拦沙库容,减少河道的淤积,水库应避免拦截粒径小于 0.025mm 的泥沙,尽量多拦粒径大于 0.05mm 的粗泥沙,对水库及下游河道均有利。

表 9-1　　　　　三门峡水库 1962 年 7 月 ~ 1964 年 10 月各粒径组泥沙冲淤量

项目		粒径(mm)			
		< 0.025	0.025 ~ 0.05	> 0.05	全沙
沙量(亿 t)	四站	24.61	13.96	11.91	50.48
	三门峡	15.51	2.63	1.9	20.04
四站—三门峡淤积量(亿 t)		9.1	11.33	10.01	30.44
排沙比(三门峡/四站沙量)(%)		63	19	16	40
各粒径组冲淤量占总冲淤量(%)		30	37	33	100

注:四站指龙门、华县、河津、洑头四个水文站,下同。

二、三门峡水库滞洪排沙期对下游河道不利影响的分析估算

三门峡水库滞洪排沙运用期,水库大量排沙,但由于泄流能力较小,遇较大洪水,水库发生滞洪滞沙,小水期大量冲刷排沙,把进库的"大水带大沙,小水带小沙"的天然水沙关系调节成"大水带小沙,小水带大沙"的水沙关系,不利于下游河道输沙,使淤积量增加,淤积部位变坏,槽淤得多,滩淤得少,河床变得更加宽浅散乱。主槽的严重淤积,特别是艾山以下窄河道的强烈淤积,排洪能力下降,排洪能力上大下小的矛盾更加尖锐。总的来看,三门峡水库滞洪排沙运用期对下游河道极为不利。

1964 年 11 月 ~ 1966 年月 6 月,四站进库泥沙 7.18 亿 t,出库泥沙 13.25 亿 t,冲刷前期淤积物 6.07 亿 t,其中 87% 是粒径大于 0.025mm 的泥沙,粒径大于 0.05mm 的泥沙占 48%,13% 是粒径小于 0.025mm 的泥沙(表 9-2)。下游河道由于前期强烈冲刷后排沙能力下降及该时段流量小,下游河道排沙比只有 48.6%。据估算,水库冲出的前期淤积物,几乎全部淤积在下游河道的主槽内。

1966 年 7 月 ~ 1970 年 6 月入库洪水大,水库泄流能力小,水库在洪水期自然滞洪淤积,仍有拦沙作用,入库泥沙 89.4 亿 t,水库淤积 15.6 亿 t,下游河道淤积。若无三门峡水库,库区淤积只有 4.9 亿 t,下游河道将淤积 21.2 亿 t,有库与无库相比,水库多淤 10.8 亿 t,下游少淤 6.9 亿 t,水库拦沙量与下游减淤量之比为 1.57:1。减淤效益不高的原因是这几年洪峰流量大,小北干流及渭河发生大漫滩,细、中泥沙均有较多的淤积,下游河道经过冲刷后输沙能力降低等。

1970 年 7 月 ~ 1973 年 10 月,三门峡枢纽打开底孔,泄流能力增大,入库流量偏枯,洪峰流量较小,因而水库排沙比为 104%,冲刷泥沙 2.06 亿 t。下游河道发生淤积。

综合以上三个阶段,三门峡水库滞洪排沙期有三门峡水库比无三门峡水库增加下游河道淤积约 5 亿 t。

表 9-2　　　　　1964 年 11 月～1973 年 10 月三门峡水库滞洪排沙期各粒径组泥沙冲淤量

时段 (年-月)	项目		粒径(mm)			
			< 0.025	0.025～0.05	> 0.05	全沙
1964-11～ 1966-06	沙量(亿 t)	四站	3.72	1.72	1.74	7.18
		三门峡	4.54	4.06	4.65	13.25
	四站—三门峡冲淤量(亿 t)		− 0.82	− 2.34	− 2.91	− 6.07
	排沙比(三门峡/四站沙量)(%)		122	236	267	184
	各粒径组冲淤量占总冲淤量(%)		13	39	48	100
1966-07～ 1970-06	沙量(亿 t)	四站	38.38	24.62	26.44	89.44
		三门峡	35.5	17.67	20.69	73.86
	四站—三门峡冲淤量(亿 t)		2.88	6.95	5.75	15.58
	排沙比(三门峡/四站沙量)(%)		93	72	78	83
	各粒径组冲淤量占总冲淤量(%)		18	45	37	100
1970-07～ 1973-10	沙量(亿 t)	四站	25.12	14.68	16.45	56.25
		三门峡	26.07	15.63	16.61	58.31
	四站—三门峡冲淤量(亿 t)		− 0.95	− 0.95	− 0.16	− 2.06
	排沙比(三门峡/四站沙量)(%)		104	106	101	104
	各粒径组冲淤量占总冲淤量(%)		46	46	8	100

三、三门峡水库蓄清排浑运用调节水沙对下游河道冲淤演变影响的分析估算

三门峡水库自 1973 年 11 月以来采用蓄清排浑调水调沙控制运用方式,使下游河道发生一系列变化,对下游冲淤演变的影响是很复杂的问题,需作具体的分析。

对三门峡水库水沙调节,曾设想使出库水沙过程适应下游河道的输沙规律,能充分发挥下游河道的输沙能力,从减少下游河道淤积考虑,利用三门峡水库进行泥沙年内调节,将非汛期的泥沙调节至汛期洪水时排出,充分利用洪水黄河下游河道排沙能力大以及"多来、多排"的输沙特性,多排沙入海;将汛期小流量枯水期的泥沙调节到较大洪水期排出,避免"小水带大沙"的不利局面;洪峰期迅速开启各种泄流设施,使水库泄流能力与来水流量相适应,使进出库洪峰少变形,水沙峰相适应,利用不同高程泄流孔排粗细泥沙效果的不同,小水关闭底孔,拦截部分粗泥沙,洪水打开底孔,多排粗沙;通过水库调节水沙,减少过机泥沙,特别是减少粗泥沙对水轮机的磨损。

1973 年 11 月三门峡水库蓄清排浑运用以来的实践说明,三门峡水库因特定的河床边界条件及工程条件的限制,其运用必须遵循"确保西安,确保下游"两个确保的原则,兼顾上下游除害与兴利的要求,在稳定潼关高程的前提下,利用潼关以下一部分长期使用库容,进行一定范围的合理调控,调节水沙过程。因此,水库对下游河道的减淤不是靠拦沙而是靠调节水沙过程。根据三门峡水库实际的调节,分析三门峡水库蓄清排浑运用对下游河道冲淤的影响。

(一)非汛期水库拦沙对下游河道有较好的减淤作用

非汛期水库抬高水位,蓄水拦沙,下泄基本为清水,黄河下游河道由建库前的淤积转为冲刷,根据分析计算(表 9-3),水库淤积量与下游河道的减淤量的比值接近于 1,比蓄水拦沙运用期减淤效益要大得多。这是因为黄河泥沙的组成年内季节性变化较大,汛期泥

沙多来自流域侵蚀及干流的淤积,颗粒较细,而非汛期泥沙多来自干支流河床的冲刷,颗粒比较粗。如潼关站悬移质泥沙中粒径大于0.05mm的粗泥沙,汛期一般占30%左右,而非汛期却占60%~70%。非汛期相对于汛期来说,非汛期拦沙相当于"拦粗排细"的情况,所以减淤效果较好,减淤比可达1:1。

表9-3 　　　　　　　三门峡水库非汛期蓄水拦沙对下游河道的减淤作用

时段 (年-月)	三黑武			冲淤量(亿 t)					三门峡—利津减淤量(亿 t)	减淤比
	水量 (亿 m³)	沙量(亿 t)		潼关—三门峡	三门峡—利津					
		有水库	无水库		有水库		无水库			
					实测	计算	计算			
1973-11~1974-06	160	1.04	2.02	0.98	−0.89	−0.27	0.73		1.00	0.98
1974-11~1975-06	164	0.10	2.09	1.99	−1.57	−1.31	0.74		2.05	0.97
1975-11~1976-06	239	0.61	2.15	1.54	−2.20	−1.99	−0.40		1.59	0.97
1976-11~1977-06	175	0.29	1.40	1.11	−0.61	−1.04	0.09		1.13	0.97
1977-11~1978-06	125	0.08	1.20	1.12	−0.50	−0.41	0.74		1.15	0.97
1978-11~1979-06	163	0.07	1.38	1.31	−1.27	−1.25	0.10		1.35	0.97
1979-11~1980-06	146	0.17	1.36	1.19	−0.71	−0.72	0.51		1.23	0.97
1980-11~1981-06	120	0.19	1.19	1.00	−0.44	−0.25	0.78		1.03	0.97
1981-11~1982-06	179	0.07	1.51	1.44	−1.06	−1.22	0.26		1.48	0.97
1982-11~1983-06	187	0.24	1.79	1.55	−1.04	−1.47	0.12		1.59	0.97
总计	1 658	2.86	16.09	13.23	−10.29	−9.93	3.67		13.60	0.97

(二)汛期排泄全年泥沙对下游河道冲淤的影响

从下游河道的多排沙入海与减少河道淤积考虑,水库排泄全年泥沙的运用方式就有排泄非汛期在库内的泥沙的时机选择。汛期水库排沙的时机,取决于来水来沙条件及需要排出的数量。一般来说,在洪水来临之前,为保持非汛期冲刷的主槽,不应在汛初小水时排泄非汛期淤积在库内的泥沙,而应在洪水时排泄,充分利用下游河道大水排沙能力大的特点,而且,如遇较大流量可在下游河道大漫滩,造成淤滩刷槽的条件,对稳定河道是有利的。但对水库来说,为尽快降低潼关高程,一般要求非汛期淤在库内的泥沙及早排出,但由于水库泄流能力不足,洪水期仍有滞洪作用,影响大流量排沙,另外,潼关以下库区泥沙调节库容较少,加上有的年份运用不合理,因而,三门峡水库不能合理调节水沙,有时造成汛初小流量大量排沙,对下游河道极为不利。每年汛期三门峡水库冲刷排沙一般为0.4亿~0.8亿 t,平均流量为1 000~2 000m³/s,水库排泄泥沙颗粒较粗,所以这部分泥沙几乎全部淤在下游河道的主槽内。洪水的滞洪削峰作用,一般遇流量为5 000m³/s以上的洪水,水库削峰比一般在30%~40%,削峰的结果减少了洪水漫滩的机遇,减少了大洪水下游河道"淤滩刷槽"及"大水艾山以下河道冲刷"的有利作用。总的来看,与滞洪排沙运用期相比,由于水沙关系得到一定的改善,下游河道少淤,但与天然情况比,能否减少下游河道的淤积,则取决于水库排沙时机是否合适、进库的水沙条件和出库水沙过程。

总的来看,三门峡水库蓄清排浑控制运用后,随着水库的拦沙与排沙,下游河道年内发生冲刷与淤积的交替变化。这种间歇性的冲刷与淤积,使黄河下游的河床演变不同于建库前,也不同于水库下泄清水期或滞洪排沙期,有它自己的特点。一般来说,黄河非汛期来水比较稳定,长达 8 个月的小流量清水,在黄河下游冲刷的数量与冲刷发展距离都相对稳定。但是,黄河汛期的来水来沙却有很大的差别,因为下游河道汛期的冲淤情况主要取决于来水来沙条件,故而各年汛期的冲淤情况差别是很大的。汛期下游河道的冲淤数量大,所以就一年来说,下游河道的冲淤性质取决于汛期的冲淤情况。各个阶段冲刷与淤积的相互组合情况决定了黄河下游河道的演变趋势。三门峡水库蓄清排浑运用使出库水沙条件发生了变化,改变了下游河道年内冲淤过程,非汛期冲、汛期淤;改变了下游河道泥沙纵向淤积部位,使花园口、夹河滩以上河段的淤积量有所减少,夹河滩以下河段的淤积比重增加;泥沙的横向淤积分布也有些变化,滩地的淤积量有所减少。虽然三门峡水库蓄清排浑运用后,下游河道的淤积状况要比滞洪排沙运用时期有所改善,但与天然状况相比,淤积部位的改变,从下游防洪的全局看是不利的。随着黄河水沙的新变化以及水库上下游情况的变化,结合水库运行经验的积累,探索兼顾水库上下游防洪减淤的要求,发挥水库综合利用效益更为合理的水库控制运用方式是今后的一项紧迫任务。

为了综合分析三门峡水库"蓄清排浑"运用对下游河道冲淤演变的影响,曾采用中国水利科学研究院、黄河水利科学研究院、清华大学、武汉水利电力大学等单位提出的黄河下游河道泥沙冲淤数学模型,对三门峡水库实际运用与无三门峡水库的水沙过程进行下游河道冲淤演变的计算,几家计算结果在定性上基本一致,定量略有差别。总的看来,三门峡水库蓄清排浑运用以来(1973 年 11 月 ~ 1990 年 10 月),对下游河道起到了一定的减淤作用,17 年累计减少河道淤积 4.3 亿 t 左右,年均减少河道淤积 0.2 亿 ~ 0.3 亿 t,减少的主要是高村以上滩地淤积量。今以中国水利科学研究院计算成果为例(表 9-4、表 9-5、图 9-1 和图 9-2),作一分析比较。

表 9-4　　　　　　　　　　有、无三门峡水库下游河道历年增(+)减(-)淤积量

时段 (年-月)	全下游增(+)减(-) 淤积量(亿 t)	时间 (年-月)	全下游增(+)减(-) 淤积量(亿 t)
1973-11 ~ 1974-10	− 2.02	1983-11 ~ 1984-10	+ 0.24
1975-11 ~ 1976-10	+ 0.78	1984-11 ~ 1985-10	+ 0.15
1976-11 ~ 1977-10	− 0.13	1985-11 ~ 1986-10	− 1.12
1977-11 ~ 1978-10	− 2.96	1986-11 ~ 1987-10	+ 0.24
1978-11 ~ 1979-10	+ 0.19	1987-11 ~ 1988-10	− 0.49
1979-11 ~ 1980-10	− 0.10	1988-11 ~ 1989-10	+ 1.72
1980-11 ~ 1981-10	+ 0.08	1989-11 ~ 1990-11	− 0.09
1981-11 ~ 1982-10	+ 0.46	1990-11 ~ 1991-10	− 0.54
1982-11 ~ 1983-10	− 0.72		

表 9-5　　　　　　　　　　　各河段年均增(+)减(-)淤积量　　　　　　　　　(单位:亿 t)

时段 (年-月)	河段			
	铁谢—高村	高村—艾山	艾山—利津	铁谢—利津
1973-11 ~ 1979-10	− 0.36	− 0.29	− 0.06	− 0.71
1979-11 ~ 1985-10	− 0.20	+ 0.03	+ 0.02	− 0.15
1985-11 ~ 1990-10	+ 0.22	− 0.02	− 0.03	+ 0.17
1973-11 ~ 1990-10	− 0.13	− 0.10	− 0.02	− 0.25

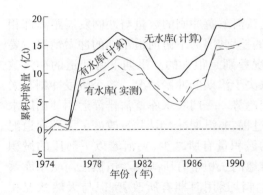 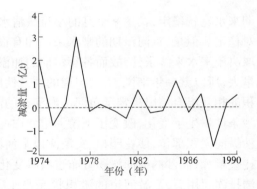

图 9-1 有、无三门峡水库下游河道
累积冲淤量过程

图 9-2 有、无三门峡水库下游河道
历年减淤量过程

三门峡水库蓄清排浑运用对下游河道冲淤的作用十分复杂,它与来水来沙条件和河道冲淤调整均有密切关系,各年减淤与增淤均有出现,其时空分布是不同的。如 1973 年 11 月～1979 年 10 月水库蓄清排浑运用初期,减淤作用较明显,年均减淤约 0.71 亿 t,而且全下游河道均减淤;1979 年 11 月～1985 年 10 月,年均减淤约 0.15 亿 t,从河段分布上,高村以上减淤,高村以下增淤。以上两个时期入库流量变幅较大,流量大于 6 000m³/s 时水库滞洪拦沙,流量小于 1 500m³/s 时蓄水拦沙,泥沙主要在流量为 1 500～6 000m³/s 时排出,对下游河道较为有利,因此其减淤作用较明显。1985 年 11 月～1990 年 10 月,各年减淤和增淤交替出现,增淤量大于减淤量,年均增淤约 0.17 亿 t,高村以上增淤,高村以下减淤,该时期流量较小,很少出现大于 6 000m³/s 的流量,汛期三门峡水库起不到调节的作用,对下游不利。因此,可以看出,水库的运用应根据来水来沙条件变化,适当调整运用指标,这是多泥沙河流水库运用的特点。

(三)三门峡水库汛期合理的调水调沙有较大的减淤作用

以上概括地分析了三门峡水库蓄清排浑运用对下游河道的减淤作用。现选择典型年份进行对比,指出合理地调水调沙有较大的减淤作用。选出 1974 年与 1980 年两年汛期进行对比分析(表 9-6 和图 9-3)。这两年汛期进入下游的水量、沙量及洪峰流量基本接近,水库的控制则不同。1974 年控制较好,7～10 月中旬,库水位控制在 302～305m 的高程,只是在 10 月下旬因电站停机检修,有 5 天库水位低于 300m;1980 年水库基本敞泄排沙,库水位较长时间低于 300m。1974 年水库主要在流量为 3 000～4 000m³/s 时冲刷排沙,而 1980 年则在流量小于 3 000m³/s 以下时排沙,对下游河道则造成不同的影响。1974 年和 1980 年汛期下游河道分别淤积 1.85 亿 t 和 2.87 亿 t,其中粗泥沙分别为 0.79 亿 t 和 1.43亿 t;河道排沙比分别为 72% 和 42%,粗泥沙排沙比分别为 47% 和 21%。以上说明,汛期水库控制不同,对下游河道的影响较大。

表 9-6

典型年三门峡水库调节对下游河道的影响

项目			1974 年	1980 年
库水位 （m）	最高		308.29	311.22
	最低		293.19	280.51
潼关沙量 （亿 t）	全沙		5.52	4.66
	粗泥沙		0.73	0.53
三黑武	水量（亿 m³）		134	146
	沙量（亿 t）		6.54	6.92
	粗泥沙（亿 t）		1.48	1.80
冲淤量（亿 t）	潼关—三门峡	全沙	− 0.97	− 2.2
		粗泥沙	− 0.75	1.28
	三门峡—利津	全沙	1.85	2.87
		粗泥沙	0.79	1.43
下游河道排沙比（%）	全沙		72	42
	粗泥沙		47	21
潼关—三门峡各级流量时的冲刷量 （亿 t）	< 1 000m³/s		− 0.10	− 0.36
	1 000 ~ 2 000m³/s		− 0.08	− 0.63
	2 000 ~ 3 000m³/s		− 0.19	− 1.21
	3 000 ~ 4 000m³/s		− 0.60	—

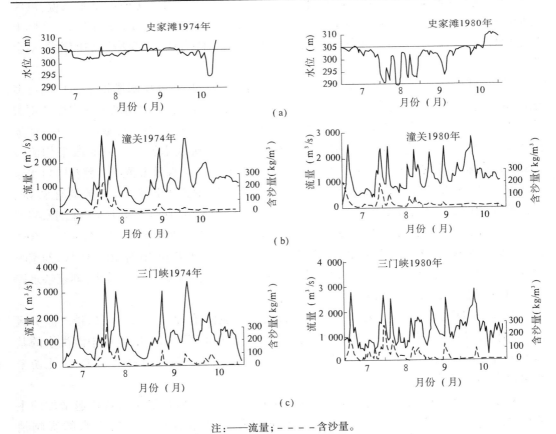

注：——流量；- - - -含沙量。

图 9-3　三门峡水库 1974 年与 1980 年水位进出库流量对比

(a)史家滩；(b)潼关；(c)三门峡

第二节　刘家峡水库单库运用对
下游河道冲淤演变的影响

　　刘家峡水库汛期蓄水使河口镇以上来水量减少,从而增加了中游地区粗沙来源区洪水的含沙量。禹门口—潼关河段虽然首当其冲,但该河段较短,比降又陡,只能淤积少部分泥沙,而且汛期多淤的泥沙还可在非汛期由于刘家峡水库增大泄水量而将一部分冲至潼关以下,淤在三门峡库区内,待来年汛期排往下游。因此,刘家峡水库汛期蓄水使中游洪水含沙量增高,对河道产生的不利影响主要反映在黄河下游。

　　刘家峡水库调蓄洪水的作用,表现为下泄洪峰流量的削减和洪量的减少。这对下游的影响也不尽相同。

　　洪峰的削减,减少了中、下游洪水漫滩的机会和程度,使原来可以淤在潼关以上河道滩地及潼关以下库区的一部分泥沙排向下游,增加了下游河道的负担。与此同时,下游洪水不漫滩或少漫滩的结果,也会加重主槽的淤积。但是,对于可能漫滩的洪水来说,洪峰流量都比较大,这时刘家峡水库削峰的影响不过使洪峰流量减少几百立方米每秒(实际上只是代替了三门峡水库的一部分滞洪削峰作用)。经粗略分析,由削峰增加的淤积不会很大。

　　河口镇以上的来水主要组成中、下游洪水的基流,因而,刘家峡水库蓄水的作用更多地反映为洪量的减小。统计 1969~1986 年汛期黄河中游 169 次洪水与刘家峡水库调蓄遭遇情况可以看出,刘家峡水库有 11 次泄水增加中游洪水基流,占洪峰总数的 6.5%,增加的水量一般占相应洪峰来水量的 10%~20%,最多的一次洪水增加洪峰时段平均流量 458m³/s,占来水量的 31%(1968 年 8 月);影响不大的(指增减水量占黄河下游花园口水量的 10% 以下)有 69 次,占洪峰总数的 40.8%;水库蓄水减少黄河下游洪水基流的有 89 次,占洪峰总数的 52.7%,最多减少洪峰时段平均流量 1 515m³/s(1984 年 8 月)。在刘家峡蓄水的 89 次洪峰中,水库蓄水量占花园口实测洪峰水量 10%~30% 的有 62 次,30%~50% 的有 14 次,50%~100% 的有 12 次,超过 100% 的有 1 次。1969 年 10 月 10~31 日,刘家峡水库 22 天蓄水 20.2 亿 m³,是花园口站实测水量 19.1m³ 的 106%。可以看出,刘家峡水库蓄水对黄河下游洪水水量的减少影响还是很大的。

　　"水沙异源"是黄河来水来沙的主要特性之一。泥沙绝大部分来自河口镇—潼关区间,特别是河口镇—龙门区间的"粗泥沙来源区"。上游地区来水一般组成中游洪水的基流部分,由于来沙少,对中游洪水有稀释作用。由于中游区间洪水历时短、洪量小,上游来水可以大幅度降低水流的含沙浓度。

　　刘家峡水库汛期大量蓄水是黄河中游 1969 年以来高含沙量洪水出现机遇增加的主要原因之一。表 9-7 为刘家峡水库调蓄对龙门站含沙量较高的几次洪水的影响情况,可以看出刘家峡水库调蓄使龙门站的洪峰平均含沙量大大增加,一般要增加 50%~80%。

表 9-7

表 9-7 刘家峡水库调蓄洪水对龙门站水沙量的影响

刘家峡调蓄洪水			相应时段内龙门站					百分比(%)		刘家峡蓄水占中游来水百分比(%)	
时段(年-月-日)	天数(d)	水量(亿 m³)	水量(亿 m³)		沙量(亿 t)	含沙量(kg/m³)		W/W_1	S/S_1	占河口镇	占龙门
			调蓄后 W	不调蓄 W_1		调蓄后 S	不调蓄 S_1				
1969-07-15 ~ 07-20	6	1.10	10.07	11.17	3.57	354.5	319.6	90.1	111	50.7	10.9
1970-06-15 ~ 06-20	6	1.51	2.87	4.38	0.45	156.8	102.7	65.5	153	157	52.6
1970-07-26 ~ 08-02	8	4.31	9.14	13.45	3.41	373.1	253.5	67.9	147	302	47.2
1971-08-19 ~ 08-22	4	1.10	2.47	3.57	0.47	190.3	131.7	69.2	145	150	44.5
1977-08-08 ~ 08-12	5	1.33	7.26	8.59	0.99	136.4	115.2	84.6	118	67.1	18.3
1978-07-14 ~ 07-18	5	1.78	5.87	7.65	1.35	230.0	176.5	76.7	130	141	30.3
1978-08-13 ~ 08-18	6	5.52	7.34	12.86	0.84	114.4	65.3	57.0	175	127	75.2
1979-07-06 ~ 07-13	8	7.27	4.18	11.45	0.84	201.0	73.4	36.5	274	751	173.9
1980-06-15 ~ 06-19	5	1.32	1.37	2.69	0.29	211.7	107.8	50.9	196	502	96.4
1981-07-14 ~ 07-18	5	5.22	8.78	14.00	0.60	68.3	43.9	62.8	159	86.7	59.5
1982-07-26 ~ 08-04	10	3.88	16.22	20.1	0.69	42.5	34.3	80.7	124	31.9	23.9
1984-06-28 ~ 07-04	7	9.54	9.74	19.28	0.17	17.5	8.8	50.5	198	113.9	97.9

1969 ~ 1985 年汛期刘家峡水库总蓄水量为 516 亿 m³,占汛期黄河下游总来水量 3 880 亿 m³ 的 13.3%。黄河下游 89 次洪峰时水库蓄水量为 460.8 亿 m³,占刘家峡水库汛期总蓄水量的 89.3%,因此刘家峡水库蓄水对黄河下游河道淤积的影响主要反映在这 89 次洪峰时段。由表 9-8 可见,89 次洪峰的来水量占 89 次汛期总来水量的 46.5%,来沙量占汛期总来沙量的 47.9%,淤积量占汛期总淤积量的 56.2%。在这 89 次洪峰中,由于来水来沙情况不同,下游河道的冲淤情况截然不同,刘家峡水库蓄水带来的影响也不一样。按黄河下游洪峰来水平均含沙量大小分级讨论刘家峡水库蓄水对下游河道冲淤的影响。

表 9-8 刘家峡水库蓄水与黄河下游不同含沙量级洪水遭遇情况

项目	89 次洪峰期含沙量(kg/m³)					汛期总量	89 次洪峰各项目占汛期总量的百分比(%)
	< 20	20 ~ 50	50 ~ 100	> 100	合计		
洪峰次数(次)	25	32	22	10	89	—	—
水量(亿 m³)	490	811	331	173	1 805	3 880	46.5
沙量(亿 t)	7.1	24.9	22.8	38.1	92.9	193.9	47.9
水库蓄水量(亿 m³)	112	222.6	89.7	36.5	460.8	516	89.3
河道冲淤量(亿 t)	- 2.41	0.53	8.28	22.8	29.2	51.9	56.2
水库蓄水量占洪峰水量(%)	22.9	27.4	27.1	21.0	25.5	—	—

如表 9-8 所示,含沙量小于 20kg/m³ 的低含沙量洪峰共 25 次,洪峰期间刘家峡蓄水量 112 亿 m³,占汛期水量的 22.9%,这类洪峰大都发生在 9、10 月间,主要来自河口镇以上少沙来源区。由于来水含沙量低,虽然刘家峡水库蓄水降低了洪峰的输沙能力,但下游河道仍发生冲刷。如刘家峡水库不蓄水,则一方面由于洪峰流量的增大,使下游河道冲刷量也有所增加,估计这类洪峰单位水量的冲刷量略大于刘家峡水库蓄水后这些洪峰实测单位水量的冲刷量,据此推算,下游河道增加的冲刷量略大于 0.55 亿 t。含沙量为 20 ~ 50kg/m³ 的洪峰共 32 次,这类洪峰也大部分发生在 9、10 月,洪峰水量占 89 次洪峰水

量的44.9%,刘家峡水库蓄水量占89次洪峰蓄水量的48.3%。由于水多沙少,下游河道在刘家峡水库蓄水量占洪峰水量27.4%的情况下淤积量也很少。如刘家峡水库不蓄水,则下游河道由于来水量的增多而来沙量递增不多的情况下,将使下游发生冲刷。由图9-4可以看出,该级含沙量黄河下游河道的输沙用水量约50m³/t,增加222.6亿m³的水量,则可多排沙4.4亿t,但来沙量也略有增加,两者相抵,下游河道可能多排沙2.2亿t左右。含沙量50~100kg/m³的洪峰共有22次,其洪峰水量、沙量和淤积量分别占89次洪峰的18.3%、24.5%、28.4%。刘家峡水库蓄水89.7m³,占洪峰水量的27.1%,刘家峡水库蓄水量占89次洪峰总蓄水量的19.5%。这类洪峰大多数出现在7、8月份,由于来水含沙量大,下游河道淤积较多。若刘家峡水库不蓄水,由下游河道可能多排沙3.6亿t,由于禹门口—三门峡减少的淤积量有限,所以下游增加的排沙量接近减少的淤积量,估计可减少下游淤积2亿~3亿t。含沙量大于100kg/m³的高含沙量洪峰共发生10次,其来水量、来沙量分别占89次洪峰的9.6%及41%,但淤积量却占89次洪峰淤积量的78.1%,可见这类洪峰下游河道淤积十分严重。洪峰期间刘家峡水库蓄水量36.5亿m³,占89次洪峰总蓄水量的7.9%,而占10次高含沙量洪水总水量的21%。高含沙量洪水时黄河下游河道的输沙用水率较小(图9-4),因而刘家峡水库蓄水量虽不算大,但对下游河道排沙的影响还是很大的,据推算约减少下游排沙量2.1亿t。高含沙量洪水时三门峡以上河道的冲淤情况十分复杂,有时发生严重淤积,有时河床揭底发生强烈冲刷,因此刘家峡水库不蓄水增加来水,不一定明显减少该段河道泥沙淤积,但却可减少黄河下游河道淤积1.5亿~2.0亿t。

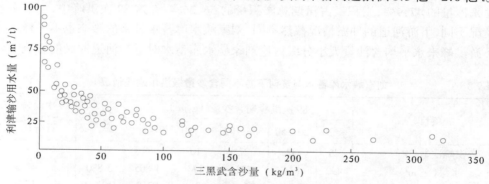

图9-4 黄河下游洪峰期来水含沙量与利津排沙耗水率关系

综合以上四级含沙量的89次洪峰,刘家峡水库蓄水量460.8亿m³,占洪峰来水量的25.5%,粗略估算可能增加下游河道泥沙淤积6.1亿~7.6亿t。从以上分析讨论中可看出,刘家峡水库蓄水过程中遭遇黄河下游不同来水含沙量的洪峰,对下游河道冲淤的影响是不相同的。下游河道单位输沙用水量与来水含沙量关系密切,如图9-4所示。含沙量大,用水量小,含沙量小,用水量大。相应于小于20kg/m³、20~50kg/m³、50~100kg/m³、大于100kg/m³,这四个级别的含沙量来说,单位输沙用水量分别为80~50m³/t、50~30m³/t、30~15m³/t和15m³/t,换句话说,水库蓄水每增加1亿m³水量,增加下游河道淤积量或减少冲刷为0.012亿~0.02亿t、0.02亿~0.033亿t、0.033亿~0.066亿t和0.066亿t左右,可见同样的水库蓄水量,遭遇黄河下游洪水的含沙量愈高,对下游河道淤积的影响愈大。黄河下游含沙量大的洪水一般都发生在 7 月下旬~8 月上旬。表 9-9 为 10 次高含沙量洪水与刘家峡水库蓄水情况,此时上游水库蓄水所造成的影响,要比 9、10 月间低含沙量洪水时大得多,这反映了黄河下游的来水来沙特性及河道输沙特性。由此看出,两库蓄水不仅要看总水量,更主要的是水库蓄水与含沙量洪水的遭遇有关,同样的蓄水量,高含沙量洪水时影响较大,低含沙量洪水影响就小些。

表 9-9 　　　　　　　　　刘家峡水库蓄水与 10 次高含沙量洪水遭遇情况

花园口时段	洪峰期		刘家峡水库蓄水量	蓄水量占来水量	下游河道冲
(年-月-日)	来水量(亿 m³)	来沙量(亿 t)	(亿 m³)	的百分比(%)	淤量(亿 t)
1969-07-23 ~ 08-06	22.5	4.73	5.36	23.8	3.42
1970-08-05 ~ 08-18	24.2	8.3	5.96	24.6	5.68
1971-07-26 ~ 07-31	9.9	2.47	1.20	12.1	2.00
1972-07-02 ~ 07-30	14.9	1.82	3.05	20.5	1.17
1973-08-28 ~ 09-07	33.6	7.35	4.98	14.8	3.01
1975-07-27 ~ 07-30	12.2	1.61	2.50	20.5	0.90
1977-07-07 ~ 07-14	30.2	7.77	3.72	12.3	4.31
1978-07-29 ~ 08-02	11.2	1.24	1.58	14.1	0.23
1978-07-26 ~ 08-05	14.3	2.03	7.24	50.6	1.5
1980-08-06 ~ 08-10	6.1	0.75	0.94	15.4	0.57
共计	179.1	38.07	36.53	20.4	22.79

非汛期刘家峡水库增泄流量,使三门峡水库下泄的清水流量加大,有助于黄河下游河道冲刷,但由于流量小,冲刷不能遍及黄河下游,形成上游河段多冲、下游河段多淤,冲刷大于淤积,从而形成部分泥沙搬家的局面。根据多年实测资料统计,非汛期黄河下游河道的单位输沙用水量为 80~120m³/t,刘家峡水库 1969~1986 年平均每年非汛期泄水 27.4 亿 m³,黄河下游多冲刷约 0.3 亿 t。

艾山—利津河道处于下游的下段,艾山—利津河道的冲淤变化不仅取决于流域的水沙条件,还与上段河床调整有关,具有"大水冲,小水淤"的特性。在清水下泄条件下,当流量大于 2 500m³/s 时,河道一般发生冲刷,小于此流量时发生淤积,流量以 1 000~2 000m³/s 淤积较大,但绝对量较小。因此,汛期小水期及非汛期所造成的主槽淤积危害最大。以上分析表明,从宏观上考虑,上游水库汛期蓄水必然增加下游河道的淤积,增加量的大小与蓄水过程及下游洪水来水来沙条件有关;非汛期水库泄水,增大流量,有助于河道的冲刷,但由于流量较小,冲刷不能遍及全下游,形成上段冲、下段淤。因此,对艾山以上河段,汛期多淤,非汛期多冲,年内的变化较小。而对于艾山—利津河段,汛期、非汛期均为多淤,影响较大。

为定量分析刘家峡水库调节径流对黄河下游河道冲淤的影响,对实测资料进行了还原对比计算,计算采用黄河下游水文学模型,经验算,该模型能够较好地反映黄河下游河道的冲淤规律,计算时段汛期逐日进行,非汛期按月计算,计算时考虑了刘家峡水库至黄河下游的传播时间及禹门口—三门峡河段泥沙的冲淤调整,黄河下游的引水按实际情况考虑。计算主要成果列入表 9-10,可以看出,由于刘家峡水库的调节径流情况、黄河上中下游来沙条件及黄河下游河道的冲淤状况各年不同,刘家峡水库蓄水与中下游洪水的遭遇组合十分复杂,刘家峡水库对下游河道的影响各年之间的差异很大。汛期刘家峡蓄水减少了下游来水量,使下游河道淤积量增加,1968 年 11 月～1986 年 10 月平均每年刘家峡水库蓄水 29.2 亿 m³,使下游河道淤积增加 0.59 亿 t(其中艾山以上河段增加 0.53 亿 t,艾山—利津河段增加 0.06 亿 t),占同时期黄河下游河道淤积量 2.97 亿 t 的 20%。1968～1973 年黄河下游水少沙多,河道淤积严重,刘家峡水库汛期年均蓄水 31.9 亿 m³,增加下游河道淤积 0.71 亿 t(其中艾山以上河段淤积 0.57 亿 t,艾山—利津河段淤积 0.14 亿 t),占同时期黄河下游河道淤积量 4.98 亿 t 的 14.3%。1974～1986 年黄河下游为平水少沙系列,河道淤积量较少,刘家峡水库平均每年蓄水 28.2 亿 m³,增加下游河道淤积 0.55 亿 t(其中艾山以上河段淤积 0.52 亿 t,艾山—利津河段淤积 0.03 亿 t),占同时期黄河下游河道淤积量 2.20 亿 t 的 25%。汛期各年刘家峡水库蓄水如与黄河下游高含沙量洪水相遭遇,则河道淤积量剧增,如 1970 年、1973 年、1977 年等年份因水库蓄水增加的淤积量都在 1 亿 t 以上;如遇少沙年份如 1972 年、1974 年、1982 年、1983 年及 1984 年,刘家峡水库蓄水量较少时,则对下游河道淤积的影响轻微。

表 9-10　　　　　　　　　　　刘家峡水库调蓄运用对下游河道的影响

项目			时间(年-月)		
			1968-11～1974-06	1974-07～1986-10	1968-11～1986-10
三黑武 水沙量	年均水量 (亿 m³)	汛期 非汛期 年	160 176 336	247 188 435	223 184 407
	年均沙量 (亿 t)	汛期 非汛期 年	12.6 2.36 14.96	10.4 0.22 10.62	11.0 0.93 11.93
刘家峡 水库	年均蓄(+) 泄(-)水量 (亿 m³)	汛期 非汛期	+31.9 -25.0	+28.2 -28.6	+29.2 -27.4
河道增(+) 减(-) 淤积量(亿 t)	全下游	汛期 非汛期 年	+0.71 -0.14 +0.57	+0.55 -0.32 +0.23	+0.59 -0.25 +0.34
	艾山—利津	汛期 非汛期 年	+0.14 +0.17 +0.31	+0.03 +0.12 +0.15	+0.06 +0.14 +0.20

　　非汛期刘家峡水库增泄水量对冲刷黄河下游河道有好处。三门峡水库蓄清排浑运用,下泄水流含沙量低,黄河下游发生冲刷,刘家峡水库泄水后使中下游河道来水流量增大,沿程河道冲刷补给一部分泥沙都淤在潼关以下三门峡库区,所以对黄河下游而言,只是增加了低含沙水流的流量,并不增加来沙量,从而增大冲刷量。据统计,1968～1985 年 18 年间平均每年非汛期刘家峡水库泄水 27 亿 m³,下游河道多冲刷 0.25 亿 t。如前所述,由于非汛期进入下游的流量一般很小,冲刷多限于夹河滩、高村以上河段,高村以下尤其

艾山以下河道发生淤积,刘家峡水库非汛期增加黄河下游流量后,不足以达到使艾山以下河段发生冲刷的流量 2 500m³/s,相反却因流量加大,使上游河段增加的冲刷量进入艾山,从而加重了艾山以下河道的泥沙淤积。结果刘家峡水库非汛期增加下泄流量反而对艾山以下河道不利,平均每年非汛期要增加河道淤积量 0.14 亿 t。

综合刘家峡水库汛期蓄水加重下游河道淤积,非汛期泄水增大下游河道冲刷两方面的影响,就整个水文年而言,刘家峡水库对黄河下游河道的泥沙淤积的影响相对较小,据计算,1968 年 11 月～1986 年 10 月,刘家峡水库目前的调节运用方式每年平均使黄河下游河道的泥沙淤积量增加约 0.34 亿 t,占同时期下游河道平均淤积量 2.4 亿 t 的 14%,其中艾山以上河段河道淤积增加约 0.14 亿 t,艾山—利津河段河道淤积量增加约 0.20 亿 t。1968 年 11 月～1974 年 6 月黄河下游来沙多,刘家峡水库对下游河道淤积的影响也大,平均每年增加下游河道淤积量 0.57 亿 t(其中艾山以上河道多淤 0.26 亿 t,艾山—利津河道多淤 0.31 亿 t)。1974 年 7 月～1986 年 10 月,黄河下游来水较多、来沙较少,河道淤积量偏少,刘家峡水库蓄水运用所带来的影响也较小,平均每年增加黄河下游河道泥沙淤积量 0.23 亿 t(其中艾山以上淤积 0.08 亿 t,艾山—利津淤积 0.15 亿 t)。

刘家峡水库汛期蓄水减少黄河下游来水流量,非汛期泄水增大黄河下游来水,而艾山以下河道具有"大水冲,小水淤"的冲淤特性,因而汛期减少了河道的冲刷,非汛期因流量不足以使这段河道发生冲刷,刘家峡水库增加来水流量反而加大该河道的淤积。据分析,艾山—利津河段多年平均淤积泥沙约 0.4 亿 t,刘家峡水库调节径流使该河段平均每年增加淤积 0.2 亿 t,占 50% 左右,所以刘家峡水库对黄河下游艾山—利津河段影响较为严重。

第三节　龙羊峡和刘家峡水库联合运用对下游河道冲淤演变的影响

龙羊峡和刘家峡水库联合运用对下游河道冲淤演变的影响与刘家峡水库单库运用的影响,从机理上是一致的,只不过两库蓄水量过程与中游洪水遭遇不同(表 9-11),造成影响也不同。表 9-11 为 1987～1993 年两库蓄水与中游洪水的遭遇情况。这些年来由于中游暴雨强度较弱以及综合治理的作用,中游来沙量除 1988 年和 1992 年两场高含沙量洪水外,来沙量均较小。一般汛期几场洪水蓄水量可为实测水量的 2 倍左右,增大了水流含沙量。

表 9-11　　　　　　　　　　两库蓄(＋)泄(－)水与龙门水沙遭遇情况

时段 (年-月-日)	水量 (亿 m³)	沙量 (亿 t)	含沙量 (kg/m³)	两库蓄(＋)泄(－) 水量(亿 m³)	蓄水量占实 测水量(%)
1987-07-01～07-20	7.54	0.37	49.1	26.9	357
1987-07-20～08-12	2.86	0.044	15.5	23.8	832
1987-08-13～09-03	17.20	1.6	93.0	7.5	43.6
1987-09-04～10-31	21.93	0.13	5.8	1.9	8.6
1988-07-01～07-05	2.35	0.31	89.4	2.4	103

续表 9-11

时段 (年-月-日)	水量 (亿 m³)	沙量 (亿 t)	含沙量 (kg/m³)	两库蓄(+)泄(-) 水量(亿 m³)	蓄水量占实 测水量(%)
1988-07-06~07-10	4.08	0.24	58.8	2.9	71.8
1988-07-11~07-14	2.43	0.06	23.6	1.5	62.1
1988-07-15~07-18	4.41	0.95	214.3	1.1	25.4
1988-07-19~07-22	6.70	0.88	130.3	-0.4	-6.0
1988-07-23~07-26	3.8	0.32	83.7	0.2	5.3
1988-07-27~08-03	5.26	0.29	55.7	4.3	82.5
1988-08-04~08-10	13.83	3.88	280.5	1.7	12.3
1988-08-11~09-16	46.08	1.40	30.4	1.3	2.8
1988-09-17~10-09	14.81	0.22	14.9	10.1	68
1988-10-10~10-31	5.32	0.04	7.05	20.5	386
1989-06-28~07-08	3.31	0.02	6.0	26.2	790
1989-07-09~07-15	2.24	0.02	8.9	14.7	656
1989-07-16~07-20	4.02	1.02	253	8.2	205
1989-07-21~07-23	8.11	1.47	181	4.7	57.8
1989-07-24~08-12	22.87	0.98	42.8	31.7	138
1989-08-13~08-26	25.06	0.48	19.2	7.7	30.8
1989-08-27~09-29	78.71	0.94	11.9	-2.9	-3.6
1989-09-30~10-17	18.07	0.11	6.1	11.1	61.2
1989-10-18~10-28	8.92	0.06	6.7	4.5	50
1990-06-28~07-04	29.4	0.21	7.1	-2.0	-6.8
1990-07-05~07-12	25.0	0.17	6.89	-1.0	-4
1990-07-13~07-19	15.0	0.07	4.7	-0.9	-3.7
1990-07-20~07-24	21.7	0.15	6.9	-0.6	-2.8
1990-07-25~08-10	23.1	1.35	58.4	0.7	3
1990-08-11~08-18	27.9	1.28	45.8	2.4	9
1990-08-19~08-26	25.6	0.84	32.8	0.5	2
1990-08-27~09-02	15.2	0.14	9.2	0.8	5
1990-09-03~09-14	16.7	0.14	8.4	2.1	12.8
1990-09-15~09-20	16.8	0.09	5.4	1.8	11
1990-09-21~10-06	11.1	0.03	2.7	9.8	88
1990-10-07~10-14	4.1	0.03	7.3	1.9	45
1990-10-15~10-28	5.8	0.05	8.6	1.5	63
1992-06-28~07-23	5.1	0.08	15.7	19.4	381
1992-07-24~07-31	7.9	0.87	110	8.5	108
1992-08-01~08-06	6.9	1.04	151	4.4	64
1992-08-07~08-17	14.6	1.77	121	10.8	74.2
1992-08-18~08-28	14.0	0.43	30.8	7.6	54.5
1992-08-29~09-09	11.4	1.0	87.8	7.9	69.7
1992-09-10~10-28	21.1	0.21	9.9	40.7	193
1993-06-28~07-18	5.1	0.60	119	10.0	198
1993-07-19~07-29	7.3	0.37	50.4	3.2	43.5
1993-07-30~08-11	17.7	0.89	50	9.8	55.3
1993-09-12~10-08	55.9	0.79	14.1	30.7	55
1993-10-09~10-28	9.6	0.05	5.2	0.9	9.4

由表 9-11 可知,有 6 次泄水增加洪水水量,水库蓄水占龙门洪水量小于 10% 的有 8 次,10% ~ 50% 的 10 次,50% ~ 100% 的 13 次,大于 100% 的有 12 次。同时,中小流量历时加长,整个运用期,汛期流量大于 3 000m³/s 的天数由 115d 减至 52d,流量 1 000 ~ 3 000m³/s 的天数由 519d 减至 396d,使流量小于 1 000m³/s 的天数大大加长。流量大于 3 000m³/s 的水量由年均 60 亿 m³ 减至 24 亿 m³,它将大大降低水流的输沙能力。

为了定量分析两库调节对下游河道冲淤影响,采用泥沙冲淤数学模型进行有、无龙羊峡和刘家峡两库调节对下游河道冲淤影响的对比计算分析,成果列入表 9-12 和表 9-13。

表 9-12　　　　　　　　　　龙羊峡和刘家峡水库运用对下游河道冲淤的影响

项　目			时　段				
			初蓄期	正常运用期			整个运用期
			1986 年 11 月 ~ 1989 年 10 月	1989 年 11 月 ~ 1991 年 10 月	1991 年 11 月 ~ 1993 年 10 月	1989 年 11 月 ~ 1993 年 10 月	1986 年 11 月 ~ 1993 年 10 月
四站	水量 (亿 m³)	汛期	157.2	101.8	136.6	119.2	135.5
		非汛期	140.2	197.8	142.1	169.9	157.2
		年	297.4	299.6	278.7	289.1	292.7
	沙量 (亿 t)	汛期	8.38	5.37	8.27	6.82	7.49
		非汛期	1.10	2.37	1.34	1.85	1.53
		年	9.48	7.74	9.61	8.67	9.02
两库蓄(+) 泄(−)水量 (亿 m³)		汛期	+ 64.6	+ 17.5	+ 77.8	+ 47.7	+ 54.9
		非汛期	− 14.8	− 53.4	− 30.1	− 41.8	− 30.2
		年	+ 49.8	− 35.9	+ 47.7	+ 5.9	+ 24.7
下游河道增(+) 减(−)淤积量(+) 冲刷量(−)(亿 t)		汛期	+ + 0.78	+ + 0.33	+ + 1.30	+ + 0.82	+ + 0.80
		非汛期	+ − 0.10	+ − 0.43	+ − 0.17	+ − 0.30	+ − 0.22
		年	+ + 0.68	+ − 0.10	+ + 1.13	+ + 0.52	+ + 0.58

注:①增(+)减(−)冲(−)淤(+)量:有两库冲淤量与无两库冲淤量之比;计算时考虑了水流传播时间。

②＋＋表示增加淤积,＋ − 表示增加冲刷;− − 表示减小冲刷;− ＋ 表示减小淤积。

表 9-13　　　　　　　　　　典型年龙羊峡和刘家峡水库蓄水对黄河下游冲淤影响

年 份(年)	水量(亿 m³)	沙量(亿 t)	两库蓄水量(亿 m³)	下游河道增淤量(亿 t)
1987	88	2.4	85.8	0.03
1989	216	7.8	99.2	1.10
1992	136	10.4	101	1.69
1988	212	15.4	35.7	1.23
1993	148	5.6	54.5	0.91
1990	142	6.7	19.1	0.60
1991	61	2.5	15.9	0.05

从表 9-12 可看出,龙羊峡水库初期蓄水阶段,下游河道汛期年均约增淤 0.78 亿 t,非汛期约增冲 0.10 亿 t,年均约增淤 0.68 亿 t,占实测淤积量的 27%。正常运用期的前两年,泄水量大于蓄水量,汛期约增淤 0.33 亿 t,非汛期约增冲 0.43 亿 t,年均约增冲 0.10 亿 t;正常运用期后两年汛期蓄水量大于非汛期泄水量,又遇天然来水较枯,汛期约增淤 1.3 亿 t,非汛期约增冲 0.17 亿 t,年均增淤 1.13 亿 t;整个运用期汛期约增淤 0.8 亿

t,非汛期约增冲 0.22 亿 t,年均约增淤 0.58 亿 t。特别要指出的是主要增加主槽淤积。

实际上,各年蓄水情况不一,一般情况蓄水量大,影响大,但又与中游洪水的含沙量高低的遭遇有关,同样的蓄水量,遇多沙年增淤量大,遇少沙年增淤量小(表 9-13)。如 1989 年和 1992 年蓄水量基本为 100 亿 m³,非常接近,但 1989 年汛期来水量较丰,达 216 亿 m³,1992 年只有 136 亿 m³,而来沙量 1989 年和 1992 年分别为 7.8 亿 t 和 10.4 亿 t,1989 年相对于 1992 年,来水较多、来沙较少,而 1992 年来水较少、来沙较多,造成下游河道增淤量 1989 年汛期和 1992 年汛期分别为 1.1 亿 t 和 1.69 亿 t。进一步分析表明,两库蓄水与中游含沙量洪水遭遇不同,1989 年只有 3 亿 m³ 蓄水量与中游含沙量大于 50kg/m³ 的洪水遭遇,而 1992 年却有 33 亿 m³ 的蓄水量与含沙量大于 50kg/m³ 的洪水遭遇。因此,综合各种因素的作用,1992 年的增淤量必然大于 1989 年。又如 1988 年和 1993 年,汛期蓄水量分别为 36 亿 m³ 和 55 亿 m³,来沙量分别为 15.4 亿 t 和 5.6 亿 t,来水量分别为 212 亿 m³ 和 148 亿 m³,1988 年蓄水量虽略小,但来沙量大,而 1993 年蓄水量虽略大,但来沙量较小,其增淤量 1988 年反而大于 1993 年,充分显示下游河道的输沙特性。

总之,两库运用在该水沙系列条件下,初期蓄水平均增减下游河道淤积年均约 0.68 亿 t;正常运用期的前两年,由于非汛期泄水大于汛期蓄水,增加下游河道冲刷年均约 0.10 亿 t;正常运用期的后两年汛期蓄水较多,增加下游河道淤积年均约 1.13 亿 t;整个运用期增加下游河道淤积年均约 0.58 亿 t。还应指出,黄河下游长达 800km,河道上宽下窄,排洪能力上大下小,冲淤特性不同,两库调节的影响也不同。艾山以上河段汛期多淤,非汛期多冲,冲淤可以部分相抵,而艾山—利津河段,汛期多淤,非汛期因两库泄水,流量增大,但仍不足以使河道发生冲刷,同时由于上段冲刷增大,来沙量增加,河道多淤。整个运用期年均增淤约 0.3 亿 t,其增淤量占下游河道增淤量的一半。

龙羊峡和刘家峡两水库是黄河干流上游的大型骨干工程,处在黄河的少沙区,具有显著的综合利用效益,但同时改变了水沙过程,给河道带来新的问题,如何从黄河实际及我国社会经济发展的需要出发,提出切实可行的措施是一项重要任务。

第四节 引水引沙对下游河道冲淤的影响

一、引水引沙对河道冲淤影响的机理探讨

根据对黄河输沙规律研究,含沙量较大时,黄河的输沙率大体上可以用下式表示

$$G_s = KQ^\alpha S_0^\beta \qquad (9\text{-}1)$$

式中　G_s——输沙率,t/s;

Q——流量,m³/s;

S_0——上站含沙量,kg/m³;

K——系数;

α、β——指数,与河床形态有关。

我们就式(9-1)推导引水引沙对河道冲淤影响的公式。

如图 9-5 所示,在不引水情况下,0 断面的输沙率为

$$G_{s0} = Q_0 S_0 \tag{9-2}$$

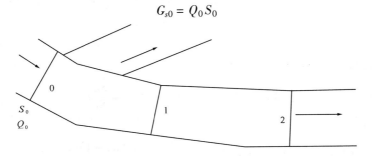

图 9-5　引水引沙示意图

1 断面的输沙率为

$$G_{s1} = Q_0 S_1 = K_1 Q_0^{\alpha_1} S_0^{\beta_1} \tag{9-3}$$

2 断面的输沙率为

$$G_{s2} = Q_0 S_2 = K_2 Q_0^{\alpha_2} S_1^{\beta_2} \tag{9-4}$$

设引水含沙量为主河含沙量的 λ 倍,即

$$S_{引} = \frac{\lambda}{2}(S_0 + S_1) \tag{9-5}$$

如引水量为来流量的 η 倍,即

$$q_{引} = \eta Q_0 \tag{9-6}$$

引水输沙率为

$$g_s = \eta S_{引} Q_0 = \frac{\lambda \eta}{2}(S_0 + S_1) Q_0 \tag{9-7}$$

引水后 1 断面的输沙率为

$$G'_{s1} = (1 - \eta) Q_0 S'_1 = K_1 (1 - \eta)^{\alpha_1} Q_0^{\alpha_1} S_0^{\beta_1} \tag{9-8}$$

引水后 2 断面的输沙率为

$$G'_{s2} = (1 - \eta) Q_0 S'_2 = K_2 (1 - \eta)^{\alpha_2} Q_0^{\alpha_2} S_1^{\beta_2} \tag{9-9}$$

不引水情况时 0—1 河段在 T 时间内的淤积量为

$$W_{0-1} = T(G_{s0} - G_{s1}) \tag{9-10}$$

引水后 0—1 河段在 T 时间内的淤积量为

$$W'_{0-1} = T(G_{s0} - G'_{s1} - g_s) \tag{9-11}$$

式中　g_s——引出沙量。

则引水的增淤量为

$$\Delta W_{0-1} = W'_{0-1} - W_{0-1}$$

增淤量与出口断面输沙量的比值 Δ_{0-1}(称增淤比)

$$\Delta_{0-1} = \frac{\Delta W_{0-1}}{T G_{s1}} = 1 - \frac{G'_{s1}}{G_{s1}} - \frac{g_s}{G_{s1}} \tag{9-12}$$

由式(9-3)、式(9-7)、式(9-8)可知

$$\left.\begin{array}{l} \dfrac{G'_{s1}}{G_{s1}} = (1-\eta)^{a_1} \\[2mm] \dfrac{g_s}{G_{s1}} = \dfrac{\lambda\eta}{2}(1+\dfrac{S_0}{S_1}) \end{array}\right\} \qquad (9\text{-}13)$$

将式(9-13)代入式(9-12)得

$$\Delta_{0-1} = 1-(1-\eta)^{a_1}-\dfrac{\lambda\eta}{2}(1+\dfrac{S_0}{S_1}) \qquad (9\text{-}14)$$

因 $0 \leqslant \eta < 1$,则

$$(1-\eta)^{a_1} \approx 1 - \alpha_1\eta + \dfrac{\alpha_1(\alpha_1-1)}{2}\eta^2 - \dfrac{\alpha_1(\alpha_1-1)(\alpha_1-2)}{6}\eta^3 \qquad (9\text{-}15)$$

代入式(9-14)得到

$$\Delta_{0-1} = \eta\left[\alpha_1 - \dfrac{\alpha_1(\alpha_1-1)}{2}\eta + \dfrac{\alpha_1(\alpha_1-1)(\alpha_1-2)}{6}\eta^2 - \dfrac{\lambda}{2}(1+\dfrac{S_0}{S_1})\right] \qquad (9\text{-}16)$$

增淤量与进口河段含沙量的比值 Δ_{0-0} 为

$$\Delta_{0-0} = \eta\dfrac{S_1}{S_0}\left[\alpha_1 - \dfrac{\alpha_1(\alpha_1-1)}{2}\eta + \dfrac{\alpha_1(\alpha_1-1)(\alpha_1-2)}{6}\eta^2 - \dfrac{\lambda}{2}(1+\dfrac{S_0}{S_1})\right] \qquad (9\text{-}17)$$

由式(9-17)可看出,河段引水引沙后,对本河段冲淤的影响,与原河段的冲淤情况 $\dfrac{S_1}{S_0}$、分流比 η 及分沙比 λ 等有关。

黄河下游河道,当水流含沙量很低时,式(9-1)中 $\alpha \approx 2.0$, $\beta \approx 0$;当水流含沙量较高时, $\alpha \approx 1.13 \sim 1.33$, $\beta \approx 0.7 \sim 0.9$。在这里,为了便于用式(9-17)分析,假定引水含沙量为主河含沙量,点绘出清水或低含沙量情况时增淤比(增淤量与原河道进口沙量比值)与分流比、原河道冲淤情况的关系图(图9-6);点绘出含沙量较高情况时增淤比与分流比、原河道冲淤情况的关系图(图9-7),此时取 $\alpha \approx 1.2$, $\beta \approx 0.8$。

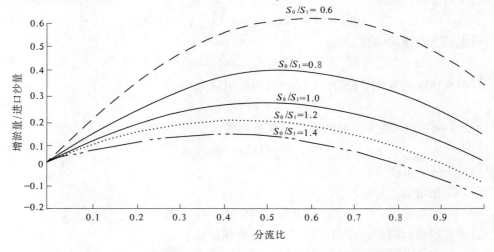

图9-6　清水或低含沙量河道增淤比与分流比、原河道冲淤情况的关系

从图9-6可看出,对于含沙量较小情况,当分流比较小时,随着分流比增大,河道增淤

比也相应增大,当分流比大到一定程度时,随着分流比的进一步增大,河道增淤量减小,甚至可能出现减淤。

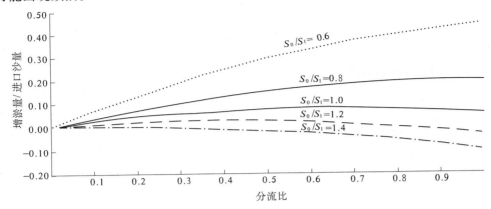

图 9-7　含沙量较高时河道增淤比与分流比及原河道冲淤情况关系

当原河道是冲刷情况时($S_0/S_1 < 1$),引水引沙只能引起河道的增淤;当原河道为淤积(因原河道含沙量小,这种情况很少出现),且分流比不是很大时,引水引沙引起增淤;当分流比很大时,甚至会出现减淤。

对于同样的分流比,原河道冲刷情况越严重,引水引起的增淤量与进口沙量的比值也越大。

从图 9-7 可看出,含沙量较高且原河道为淤积(或不冲不淤)时,当分流比较小,随着分流比增大,河道增淤比也相应增大,当分流比大到一定程度时,随着分流比的进一步增大,河道增淤量减小,甚至可能出现减淤;当原河道为冲刷情况时,随着分流比增大,河道增淤比也相应增大。

当原河道是冲刷情况时($S_0/S_1 < 1$ 或不冲不淤),引水引沙只能引起河道的增淤;当原河道为淤积且分流比不是很大时,引水引起增淤;当分流比很大时,甚至会出现减淤,对于淤积严重的河道,即使较小的分流都会引起减淤,对于同样的分流比,原河道淤积情况越严重,则引水引起的增淤比越小,甚至会出现减淤。

下面分析引水引沙对其下游河段冲淤的影响。

不引水情况时,1—2 断面在 T 时间内的冲淤量为

$$W_{1-2} = T(G_{s1} - G_{s2}) \tag{9-18}$$

引水情况下,1—2 断面在 T 时间内的冲淤量为

$$W'_{1-2} = T(G'_{s1} - G'_{s2}) \tag{9-19}$$

则引水引起的增淤量为

$$\Delta W_{1-2} = T(G'_{s1} - G'_{s2}) - T(G_{s1} - G_{s2}) \tag{9-20}$$

相对增淤量为

$$\Delta_{1-2} = \frac{\Delta W_{1-2}}{TG_{s1}} = \left(\frac{G'_{s1}}{G_{s1}} - \frac{G'_{s2}}{G_{s1}}\right) - \left(1 - \frac{G_{s2}}{G_{s1}}\right) \tag{9-21}$$

由式(9-3)和式(9-4)可知

$$\frac{G_{s2}}{G_{s1}} = \frac{S_2}{S_1}$$

$$\frac{G'_{s2}}{G_{s1}} = \frac{G'_{s2}}{G_{s2}}\frac{G_{s2}}{G_{s1}} \tag{9-22}$$

由式(9-4)和式(9-9)得

$$\frac{G'_{s2}}{G_{s2}} = (1 - \eta)^{\alpha_2}\left(\frac{S'_1}{S_1}\right)^{\beta_2} \tag{9-23}$$

由式(9-3)和式(9-8)得

$$\frac{S'_1}{S_1} = (1 - \eta)^{\alpha_1 - 1} \tag{9-24}$$

则

$$\frac{G'_{s2}}{G_{s2}} = (1 - \eta)^{\alpha_2}(1 - \eta)^{\beta_2(\alpha_1 - 1)} \tag{9-25}$$

代入得到相对增淤量为

$$\Delta_{1-2} = (1 - \eta)^{\alpha_1}\left[1 - (1 - \eta)^{\alpha_2 - \alpha_1 + \beta_2(\alpha_1 - 1)}\frac{S_2}{S_1}\right] - \left(1 - \frac{S_2}{S_1}\right) \tag{9-26}$$

取 $(1 - \eta)^{\alpha_1} \approx 1 - \alpha_1\eta + \dfrac{\alpha_1(\alpha_1 - 1)}{2}\eta^2$，令 $\varepsilon_1 = \alpha_2 + \beta_2(\alpha_1 - 1)$，

$$(1 - \eta)^{\alpha_2 + \beta_2(\alpha_1 - 1)} \approx 1 - \varepsilon_1\eta + \frac{\varepsilon_1(\varepsilon_1 - 1)}{2}\eta^2 \tag{9-27}$$

忽略二阶项，得

$$\Delta_{1-2} \approx \eta\left\{-\alpha_1 + [\alpha_2 + \beta_2(\alpha_1 - 1)]\frac{S_2}{S_1}\right\} \tag{9-28}$$

由式(9-28)可知，当原河道是冲刷情况时，$\dfrac{S_2}{S_1} > 1$，因 $\alpha_1 \approx \alpha_2$，$[\alpha_2 + \beta_2(\alpha_1 - 1)] > \alpha_1$，$\Delta_{1-2} > 0$，则引水引起下游河道是淤积的增加或冲刷的减小，即为增淤；当原河道为淤积时，根据式(9-28)，视有关因素的对比，可能增淤，也可能减淤。

另外，由式(9-28)可得，增淤量或减淤量，在其他因素不变时，与引水流量大体上成正比。

二、引水引沙对河道冲淤影响的分析计算

(一)上游引水引沙对中下游河道的影响

河口镇—龙门为峡谷型河道，河床的冲淤变化不大，潼关—三门峡大坝为库区，其冲淤变化取决于水库运用方式。非汛期控制水位运用，汛期滞洪和排沙，运用方式决定了库区河床非汛期淤积，汛期冲刷，水沙条件的变化对全年冲淤影响很小。因此，中游河段的冲淤变化主要是指龙门—潼关区间的游荡性河道。

对 1980 ~ 1992 年实测资料和上游引水还原后，龙门—潼关河段的冲淤计算结果见表 9-14。表中显示，由于上游引水，中游河段年均增加淤积量为 0.55 亿 t，其中汛期增淤

0.07亿 t,非汛期增淤 0.48 亿 t。

表 9-14　　　　　　　1980～1992 年河口镇以上引水对中下游河道冲淤影响　　　　（单位:亿 t)

项目	汛期	非汛期	全年
河口镇以上引水量(亿 m³)	64.6	61.4	126.0
河口镇沙量减少	0.585	0.290	0.876
三门峡沙量减少			1.470
龙门—潼关增淤量	0.070	0.480	0.550
三门峡—花园口增淤量	− 0.160	0.560	0.400
花园口—高村增淤量	0.130	0.240	0.370
高村—艾山增淤量	0.160	− 0.040	0.120
艾山—利津增淤量	0.170	− 0.250	− 0.080
三门峡—利津增淤量	0.300	0.510	0.810

　　由于上游引水引沙和输沙能力的变化,河口镇沙量年均减少 0.88 亿 t,从三门峡排往下游的泥沙减少 1.47 亿 t,采用黄河下游数学模型进行冲淤计算,结果表明,13 年平均由于上游引水而使黄河下游增加淤积 0.81 亿 t,但各河段减淤情况有较大差异。从全年来看,高村以上增淤量大,艾山以下为减淤;从年内分配看,非汛期沿程变化由增淤到减淤,汛期除花园口以上河段外,其余河段均增淤,量值相近。下游河道在三门峡水库蓄清排浑运用条件下,具有非汛期冲刷、汛期淤积的特点;艾山以下河道在大多数情况下,当流量超过 2 500m³/s 时发生冲刷;流量为 1 000～2 000m³/s 时河道淤积最为严重;流量小于 1 000m³/s时,虽有淤积但绝对量较小。从实测资料看,艾山非汛期流量多为 400～800m³/s,个别年份 3 月份流量达 1 000～2 000m³/s,而上游 5、6 月引水流量平均约 800m³/s,11 月份约 400m³/s,引水还原后艾山的流量正好使艾山以下河道淤积最严重,因此上游非汛期的引水会减少艾山以下的淤积。

　　引水引沙对河道冲淤的影响是个很复杂的问题,正如以上所研究的结果,与来水来沙条件、分流比及河道前期冲淤状况有关,现就来水来沙不同组合情况的年份加以讨论。

　　表 9-15 列有各种水沙组合代表年份的水量、沙量和冲淤量计算结果。在这些年份中,上游的引水量相差不大,但对河道冲淤的影响结果却相差悬殊,如 1975 年引水造成河道的增淤量只有 0.29 亿 t,而 1977 年达 1.352 亿 t。1975 年和 1983 年水量较大,汛期引水的影响很小,甚至河道略有减淤,全年增淤量也较小;1974 年和 1977 年为枯水年份,河道增淤量明显偏大。从表 9-15 可得到以下结论:上游引水对中游河道冲淤的影响,不仅取决于引水量的大小,还取决于中游的来水来沙组合情况。在引水量相同情况下,当来水量相差不大时,来沙量越大,引水对河道的增淤也越大,来沙量越小,引水的影响也越小;当来沙量基本相同情况下,来水越丰,引水的影响越小,来水越枯,引水的影响则越大。

表 9-15 典型年引水对河道冲淤的影响

年份 (年)	河口镇水量 (亿 m³)	四站沙量 (亿 t)	龙门—潼关河段增淤量(亿 t)			上游年引水量 (亿 m³)
			汛期	非汛期	全年	
1983	340	7.07	− 0.039	0.275	0.236	114
1975	342	10.81	− 0.020	0.310	0.290	105
1984	272	8.07	− 0.039	0.428	0.389	115
1979	280	11.08	0.097	0.474	0.571	108
1974	184	7.89	0.247	0.455	0.702	100
1977	161	23.83	0.964	0.388	1.352	108

（二）中游引水引沙对中下游河道的影响

黄河中游 1980～1989 年年均引水 39.6 亿 m³，其中汛期 12.0 亿 m³，非汛期 27.6 亿 m³。在区间的引水量中，河口镇—龙门粗泥沙来源区只有 4.96 亿 m³，占龙门实测水量不足 2%，龙门—潼关区间引水主要是支流，渭河 19.35 亿 m³，北洛河 2.6 亿 m³，汾河 9.32 亿 m³，仅占四站实测水量的 10.6%。中游区间引水过程年内分布均匀，在引水的同时又引走部分泥沙，年均引沙量 0.426 亿 t。因此，由于引水导致输沙能力的变化较小，对中游河道冲淤的影响较小。

对于黄河下游河道，根据实测资料分析，平均情况下汛期来水量减少 30 亿～40 亿 m³，或非汛期来水量减少 80 亿～100 亿 m³，则下游河道可增加淤积 1 亿 t；汛期来沙量减少 1 亿 t，则下游减少淤积 0.5 亿 t；非汛期来沙量减少 1 亿 t，则下游减少淤积 1 亿 t。三门峡水库采取"蓄清排浑"的运用方式，90%的泥沙集中在汛期排出，因此认为，上游来沙集中于汛期排入下游，根据一般规律，汛期引水增加淤积 0.3 亿 t 左右，引沙减少来沙量，减淤 0.21 亿 t 左右；非汛期引水减少冲刷 0.27 亿 t 左右，增减相抵后，平均年增淤 0.36 亿 t。

（三）下游引水引沙对下游河道冲淤的影响

以 1974～1987 年水沙资料作为计算分析依据，这 14 年黄河下游平均来水量为 405.9 亿 m³，来沙量为 10.1 亿 t，其中汛期来水量为 236.25 亿 m³，来沙量为 9.81 亿 t。三门峡—利津汛期引水约占 36.9%，非汛期引水约占 63.1%，平均引水量为 95.2 亿 m³，其中三门峡—花园口引水量占 10.7%，花园口—高村引水量占 25%，高村—艾山引水量占 25.6%，艾山—利津引水量占 38.7%。三门峡—利津平均引沙量为 1.5 亿 t。

假定引水含沙量为主河含沙量，通过分析计算，得出表 9-16 和表 9-17。结果表明：

（1）1974～1987 年这 14 年，由于引水引沙，黄河下游年均增淤量为 0.164 亿 t，其中汛期增淤 0.18 亿 t，非汛期减淤 0.016 亿 t。分别占年、汛期来沙量的 1.63%、1.83%，增淤量占下游河道淤积量的 25%。

表 9-16

下游引水引沙对河道冲淤的影响

年份 (年)	分流比（%）			淤积量（亿 t）		增淤量 （亿 t）	增淤量/来沙量（%）
	汛期	非汛期	全年	引水情况	不引水情况		
1974	17.0	21.5	19.4	− 0.140	− 0.315	− −0.175	2.64
1975	10.6	24.0	16.1	1.366	1.234	+ +0.132	0.95
1976	8.2	40.4	19.0	− 0.310	− 0.441	− −0.131	1.16
1977	18.5	42.6	28.5	7.016	7.208	− +0.192	− 0.93
1978	17.3	28.2	21.8	0.913	0.609	+ +0.304	2.10
1979	21.9	35.8	27.4	1.710	1.464	+ +0.246	2.11
1980	29.4	42.0	35.1	1.030	0.712	+ +0.318	4.48
1981	12.0	45.7	23.7	0.181	0.193	− +0.012	− 0.08
1982	15.3	34.1	24.1	− 2.450	− 2.843	− −0.393	6.45
1983	11.1	29.9	18.4	− 2.260	− 2.432	− −0.172	1.72
1984	6.1	24.8	13.3	− 0.830	− 0.976	− −0.146	1.50
1985	11.1	34.3	20.8	0.205	0.018	+ +0.187	2.10
1986	33.2	53.2	43.1	1.670	1.477	+ +0.193	4.89
1987	41.3	58.3	51.6	0.958	0.853	+ +0.105	3.80
平均	14.9	35.5	23.50	0.647	0.483	+ +0.164	1.6

注：＋＋表示增加淤积；＋－表示增加冲刷；－－表示减少冲刷；－＋表示减少淤积。

表 9-17

黄河下游 1974～1987 年年均增淤量分布情况

项目	三门峡—花园口	花园口—高村	高村—艾山	艾山—利津	三门峡—利津
汛期(亿 t)	0.012	0.027	0.023	0.118	0.18
占三门峡—利津增淤量的百分比（%）	6.7	15	12.8	65.50	100
非汛期(亿 t)	0.029	0.081	0.009	− 0.135	− 0.016
占三门峡—利津增淤量的百分比（%）	181	506	56	− 843	100
全年(亿 t)	0.041	0.108	0.032	− 0.017	0.164
占三门峡—利津增淤量的百分比（%）	25	65.9	19.5	− 10.4	100

（2）从增淤量的沿程分布来看,全年增淤主要出现在高村以上河段,尤其是在花园口—高村河段,占三门峡—利津河段增淤量的 65.9%,而三门峡—花园口河段、高村—艾山河段增淤量分别占三门峡—利津河段增淤量的 25%、19.5%,艾山—利津河段还有少量减淤。

从汛期增淤量的分布来看,增淤主要发生在高村以下河段,特别是艾山—利津河段,占三门峡—利津河段增淤量的 65.5%,而增淤量最小的河段为三门峡—花园口河段,其增淤量仅占下游河段的 6.7%。

从非汛期增淤量的分布来看,增淤主要出现在花园口—高村河段,而对艾山—利津河段甚至会有一定程度的减淤作用。

(3)分流比越大,增淤比也越大。在表 9-16 中,扣除减淤的 2 年,大体上呈现出分流比越大,增淤量占来沙量比值也越大的规律。但因为原河道冲淤状况、来水来沙的大小、时机、组合等的不同,个别年份亦有差别。

小水年份,引水引沙对河道相对冲淤影响更大,例如 1980 年、1986 年、1987 年这些年可分来水量较小,分流比相应较大,引水引沙所引起的增淤量占来沙量的百分比就更大。

综上所述,由于上游引水 126 亿 m^3,引沙约 0.32 亿 t,龙门—潼关河段增淤量 0.55 亿 t,下游河道增淤为 0.81 亿 t 左右,共计 1.36 亿 t 左右。中游河段引水对中游河道影响较小,但对下游河道影响较大,年均增淤 0.36 亿 t;下游河道引水 95.2 亿 m^3,引沙 1.5 亿 t,由于下游河道沿程分散引水,下游河道年均增淤为 0.164 亿 t。由此可见,上游少沙区引水对下游河道影响最大。

黄河水资源开发利用虽然取得了巨大效益,但也带来一些新的问题:水量引得多,沙量引得少,使河道淤积加重,防洪负担加重。黄河是多泥沙河流,水资源开发利用必然受到泥沙的制约,因此应该特别注意水沙资源的综合利用,引水引沙并重,才能取得良好的整体效益。

第五节　上中游支流综合治理对黄河下游河道的冲淤影响

新中国成立以来,黄土高原地区开展了大规模的水土流失治理,取得显著成效。特别是一些重点治理区,一大批综合治理的小流域,其治理程度达 70% 以上,成为当地发展农林牧副业生产的基地。截至 2000 年底,水土流失初步综合治理面积累积达 18 万 km^2,其中建成治沟骨干工程 1 390 座,淤地坝 11.2 万座,塘坝、涝池、水窖等小型蓄水保土工程 400 多万处,兴修基本农田 646 万 hm^2,营造水土保持林草 11.5 万 km^2。在一定程度上改变了农业生产的条件和生态环境,局部地区的水土流失和荒漠化得到遏制,同时起到了减沙作用。历年对中游综合治理的减水减沙作用的研究,集中在水利部第二期水沙变化研究基金的推荐成果上,提出 1970 ~ 1996 年五站(龙门、河津、张家山、洑头和咸阳)水保年均减沙量约为 3.0 亿 t。但应指出:在现状治理水平下,遭遇降雨强度较弱条件下,综合治理的减水减沙作用较显著,遇强暴雨条件,其作用减弱。特别是窟野河、皇甫川、孤山川等支流洪峰流量大,出现频率高,对形成中游洪水仍起着主要作用。遇强暴雨条件,仍可能产生高含沙量洪水。

上中游支流综合治理的减水减沙作用本身是一个复杂的问题,目前的技术水平只能给出一个平均概念。因此,对下游河道的影响也只能给出一个平均概念。

上中游支流综合治理对下游河道的冲淤影响,涉及到黄河汇流区(四站—潼关河段)的冲淤调整,因此需宏观地分析汇流区的冲淤调整作用。采用实测资料对比分析和泥沙冲淤数学模型计算结合进行,选用了来水基本相同条件,而来沙条件不同的典型系列进行对比分析。

表 9-18 为两组系列来水量相近、来沙量不同的时段,黄河干流减沙量与不同河段减淤量分析计算结果。

表 9-18　　　　　　　　黄河干流减沙量与不同河段减淤量分析计算成果

河段	项目	1973～1977 年 (除 1974 年)	1980～1983 年	1969～1977 年	1980～1989 年
四站	水量(亿 m³) 沙量(亿 t)	413.4 15.35	408.8 7.4	346.3 13.86	366 7.97
	减沙量(亿 t)	7.95		5.89	
四站—潼关 三门峡—利津 四站—利津	减淤量(亿 t)	1.12 3.05 4.17		0.72 2.31 3.03	
四站—潼关 三门峡—利津 四站—利津	各河段减淤量 占总减淤量的 百分比(%)	26.9 73.1 100		23.8 76.2 100	
四站—潼关 三门峡—利津 四站—利津	减淤比	7.1 2.61 1.91		8.2 2.55 1.94	

从表 9-18 可看出,汇流区(四站—潼关河段)的减淤作用是较小的。如 1969～1977 年和 1980～1989 年对比,两者水量基本接近,两系列沙量分别为 13.86 亿 t 和 7.97 亿 t,相差 5.89 亿 t(相当于减沙量),在该条件下,汇流区减淤 0.72 亿 t,其减淤比为 8.2,也就是说减少河道淤积量只为减少来沙量的 12.2%。又如 1973～1977 年(除 1974 年)与 1980～1983 年对比,水量也基本接近,但沙量分别为 15.35 亿 t 和 7.4 亿 t,相差 7.95 亿 t(相当于减沙量),四汇流区减淤 1.12 亿 t,其减淤比为 7.1,也就是说,减少河道淤积量只为减少来沙量的 13.8%。两组系列对比结果表明,减淤效果基本接近,但对下游河道的减淤作用则较大。第二组的对比结果,下游河道减淤 2.31 亿 t,其减沙减淤比为 2.55,也就是说减少河道淤积量为减少来沙量的 39%,第一组下游河道减淤 3.05 亿 t,其减沙减淤比为 2.61,也就是说,减少河道淤积量为减少来沙量的 38%,两者在减淤作用的概念上基本一致。

黄河水利委员会设计研究院在 2003 年研究古贤水库的减淤作用时,利用河道泥沙数学水动力学模型计算了多个水沙系列和多种运用方案,选用 1950～1998 年加 1919～1931 年共 60 年系列和水库采用 640m 高程起调方案进行分析。古贤水库运用至 30 年左右,水库拦沙量和汇流区冲刷量为最大值。30 年的水库拦沙量约 140 亿 t,汇流区减淤量为 17.7 亿 t,其减淤比为 7.9,也就是说汇流区减淤量为拦沙量的 12.6%,与上述实测资料的对比分析概念是一致的。

影响下游河道冲淤的因素很复杂,但从较长时段平均情况看,主要是来水来沙条件,如对每年汛期与非汛期来水、来沙量与下游河道冲淤量进行分析,则有以下关系

汛期水流不漫滩时

$$\Delta W_{s1} = 0.473 W_{s1} - 0.028\,7 W_1 + 3.33 \tag{9-29}$$

汛期水流漫滩时

$$\Delta W_{s1} = 0.52 W_{s1} - 0.022\,3 W_1 + 2.82 \tag{9-30}$$

非汛期时

$$\Delta W_{s2} = 1.03 W_{s2} - 0.018 W_2 + 1.267 \tag{9-31}$$

式中　ΔW_{s1}、ΔW_{s2}——全下游河道汛期和非汛期的冲淤量，亿 t；

　　　W_{s1}、W_{s2}——进入下游河道汛期、非汛期的来沙量，亿 t；

　　　W_1、W_2——进入下游河道汛期、非汛期的水量，亿 m³，如沿程水量变化较大的，可采用沿程站的平均值。

如确定水量不变时，对式(9-29)、式(9-30)和式(9-31)分别取微分得

$$\mathrm{d}\Delta W_{s1} = 0.473\mathrm{d}W_{s1} \tag{9-32}$$

$$\mathrm{d}\Delta W_{s1} = 0.52\mathrm{d}W_{s1} \tag{9-33}$$

$$\mathrm{d}\Delta W_{s2} = 1.03\mathrm{d}W_{s2} \tag{9-34}$$

此外，在研究龙门水库对下游河道的减淤作用时，曾得出，龙门水库拦沙 98 亿 t，减少下游河道淤积约 46 亿 t，其拦沙减淤比约为 2.1，也就是说拦沙减淤作用为 0.47。在研究小北干流放淤的作用时得出，放淤 38 年总减沙量 112 亿 t，减少下游河道淤积 52.82 亿 t，其拦沙减淤比为 2.1，也就是说减淤量为拦沙量的 0.47。

从以上实测资料的对比分析，以及泥沙冲淤数学模型计算，基本概念是一致的，在水量相同条件下，其中游拦沙量与下游河道减淤量之比为 2.1～2.5，也就是说下游减淤量为中游拦沙量的 0.5～0.4。

从式(9-32)和式(9-33)也可看出，进入下游汛期，当来水不变、水流不漫滩时，减淤量约为减沙量的 0.473，水流漫滩时，减淤量约为减沙量的 0.52，非汛期则为 1 左右。这也反映了为使下游河道减少淤积，水库应尽量拦非汛期泥沙。如果着眼于全年，其减沙减淤比约为 0.6。另外，根据三门峡水库拦沙运用期的实际情况，经分析研究，得出年拦沙减淤比为 1.63，也就是说，减淤量约为拦(减)沙量的 0.6，结论基本一致。

综合上述研究，可以看出，如来水不变，四站减沙 1 亿 t，下游河道的减淤量约为中游拦(减)沙量的 0.4～0.47。这些分析可作为估算中游综合治理减沙对下游河道冲道影响的基础。目前中游综合治理年均减沙约 3 亿 t，减少的主要是汛期沙量，按上述概念估算，按汛期拦沙减淤比为 2.5 估算，也就是下游河道减淤量约为减沙量的 0.4，那么，减少下游河道淤积年均少淤积 1.2 左右。

通过以上各种对下游河道影响因素的分析和估算，可以看出，各种因素对下游冲淤影响是不同的。应该指出，以上的宏观分析估算主要是指全断面的情况，此次只是做了一次初步探讨。

黄河的治理开发取得巨大的社会效益和经济效益的同时，黄河水沙条件及河道条件发生了极大变化，造成的影响极其深远，干流水库的调节与水资源的开发利用如何与河道防洪结合起来统一考虑是必须注意的问题；中游产沙区的综合治理如何进一步加快速度，既改变生态环境、又为黄河减沙是一项艰巨任务。黄河已是一条受人类活动极大影响的河流，认识这些影响，进一步深化对黄河的认识，从中找出新的治理对策是面临的任务。黄河的研究必须作为一个与社会、经济和自然环境发展变化密切联系的多层次、多目标的大系统工程来研究，还需在实践中不断深化对黄河水沙运行规律和河床演变规律的认识，坚持"实践—认识—再实践—再认识"的认识论，真正发挥科学技术是第一生产力的作用，为治黄决策提供依据。

第十章 黄河下游河道冲淤数学模型的 发展与应用

河道冲淤数学模型是研究泥沙问题的重要手段之一,它具有周期短、投资少的巨大优势。黄河下游河道冲淤数学模型的发展,是与流域规划、工程建设等治黄生产实践联系起来的,主要用于研究长河段、长时段的河床冲淤演变。根据黄河治理的实际需要及在各时期黄河下游道冲淤数学模型的研究和应用,大致可分为三个阶段:三门峡水库投入运用前;三门峡水库建设阶段以及近十几年的发展和应用。受各阶段对黄河水沙运行规律的认识程度和计算技术的限制,在计算方程和计算方法上做了不同的简化,随着对黄河水沙运行和河床演变基本规律认识的深化和计算技术的迅速发展,黄河下游河道冲淤数学模型进展较快。

第一节 三门峡水库滞洪排沙运用前 下游河道冲淤计算方法

三门峡水库是黄河中游一座大型水利枢纽,它的兴建改变了水沙条件,对黄河下游河道的冲淤变化进行河床变形计算,预测在修建水库后对下游河道的影响是非常重要的。

一、1956年(三门峡水库规划设计阶段)下游河道冲淤计算方法

三门峡水利枢纽的设计委托原苏联电站水电设计院列宁格勒分院进行,并聘请 N·N·列维为泥沙方面设计的顾问。采用计算和物理模型试验相结合的方法研究泥沙问题。

下游河道冲刷计算采用泥沙连续方程和挟沙能力公式(扎马林公式)联解,在求解方程时用 N·N·列维的图解法解偏微分方程。当时由于影响冲刷的因素研究不够,为了使计算工作简化,在计算中作了若干假定,如不考虑横向变形和床沙粗化,假定河宽为 500m 固定不变等。当时也认为这样的计算成果不能代表黄河实际情况,仅可作为参考。

二、1958年(三门峡水库施工期)下游河道冲淤计算方法

三门峡水利枢纽工程计划在 1958 年截流,黄河水利委员会根据治黄形势发展和国家要求,编制《黄河流域水土保持规划》、《三门峡以上干支流综合利用规划》和《黄河下游综合利用规划》,简称《黄河三大规划》。同时组织国内有关科研院校分别在郑州成立黄河下游研究组,在武功建立三门峡水库库区模型,研究三门峡水库建成后库区淤积和下游河道冲刷发展趋势及其治理对策。项目列入了中苏科技协作项目,苏方派 K·N·罗辛斯基等来华协助工作。采用计算、模型试验和实测资料相结合的研究方法。

黄河下游河道冲淤计算方法主要采用 K·N·罗辛斯基的河床纵向变形计算方法。这个方法采用有限差法联解水流连续方程、水流运动方程和泥沙连续方程,但受当时技术手段的限制,作了以下一些简化:

(1)根据流量过程线,将流量变化不大的时段作为时段平均流量;把河道形态大致相同的河段划分为一个河段,将横断面简化为矩形;把支流汇入口或引水口放在每个河段的上端或下端,这样可以将复杂的非恒定流的非均匀流简化为恒定均匀流。

(2)认为在冲刷或淤积过程中,含沙量纵向恢复饱和距离很短,因此假定每河段的出口含沙量即为其挟沙能力。

(3)假定计算水面线时,河床不发生冲淤,而在进行河床冲淤计算时,假定水面线不变,为了减少由此假定引起的误差,将每次计算的冲淤厚度限制在 0.5m 或 1/4 水深内。

(4)横断面简化为滩地和主槽后,计算时,在冲刷河段,如水流不漫滩仅冲主槽,水流漫滩后,假定滩槽冲刷厚度相等。

(5)在每个计算河段内,河床的冲刷或淤积均平衡于原河床。

计算中的河道糙率是根据实测资料建立糙率与流速关系,在推水面线时调试确定。在冲淤计算时,把运动泥沙分为造床质与非造床质两部分,分界粒径确定为 0.03mm,即粒径大于 0.03mm 为造床质,小于 0.03mm 为非造床质。根据 K·N·罗辛斯基的建议,采用实测资料分析,建立 $v/h^{0.2}$ 与造床质含沙量 s 点群的包线经验公式,作为造床质挟沙能力(v 为断面平均流速,h 为水深,s 为造床质含沙量)(图 10-1),在冲刷计算中,非造床质的计算根据床沙组成中非造床质的含量,将造床质计算的冲刷量中相应增加一个系数;在淤积计算中,根据实测泥沙级配资料分别计算造床质和非造床质的平均流速,再用 E·A·扎马林公式分别计算其挟沙能力,最后计算出非造床质与造床质挟沙能力的比值,以此比值乘以挟沙能力关系图中的下限值作为非造床质的挟沙能力。

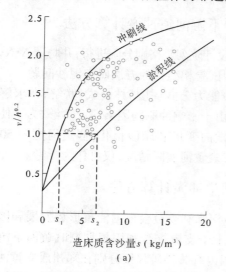 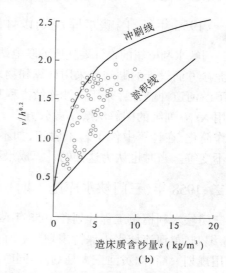

图 10-1　秦厂及泺口站 $v/h^{0.2}$ 与造床质含沙量 s 关系

(a)秦厂;(b)泺口

上述计算方法在有些方面并不符合黄河下游的水沙运行和河床演变规律,如造床质挟沙能力关系的包线是点群的极限范围,在计算中可能引起冲刷量偏小,淤积量偏大;在河床冲淤过程中,含沙量恢复饱和长度不是很短,而是很长;洪水漫滩后,滩槽冲淤分配有不同的特点;冲淤过程床沙粗细化对输沙能力有较大的影响等,原假定都不符合黄河下游河道的实际情况,因此计算结果置信度不高。

三、1963 年提出的黄河下游河道水文学冲淤计算方法

1960 年 9 月三门峡水库投入运用,由于水库淤积严重,1962 年 3 月改为滞洪排沙运用。从以上情况可知,当时由于对黄河水沙和河床冲淤演变规律认识不清,甚至可以说是一无所知,基本上是按少沙河流的模式来研究黄河下游河道的冲淤变化,因此成果不符合黄河下游的实际情况。在此情况下,必须首先研究下游河道的水沙运行和河床冲淤演变规律。黄河下游研究组在钱宁和麦乔威先生的指导下,开展了大量的研究,取得了不少对黄河客观规律的认识。在总结基本规律的基础上,1963 年提出黄河下游河道冲淤的计算方法。

正如钱宁和麦乔威先生在 1963 年三门峡水利枢纽问题第二次技术讨论会上指出的那样,基于当时对河床自动调整的内在机理是一个尚待阐明的研究课题,当这个内在机理未能弄清之前,我们不得不借助于一些水文学的方法,利用决定调整作用的外在条件来反映挟沙能力的内在调整过程,具有下列五个特点:

(1)计算方法建立在全面分析黄河下游河床冲淤变化客观规律的基础上,反映了不平衡输沙情况下挟沙能力的自动调整过程。

(2)考虑了滩槽水流泥沙的横向交换,滩槽分开计算,只有在滩槽高差减小到一定极限,河床发生强烈摆动以后,才不分滩槽,假定全断面平均上升。

(3)主槽冲淤主要利用上站造床质含沙量作参数的流量与造床质输沙率的关系线。由于在水库滞洪排沙期非汛期来沙量远超过过去同流量下的含沙量,过多的沙量绝大部分将淤在花园口以上河段,因此又根据在花园口的实测最大输沙率,定出流量与造床质输沙率关系的上线,限制非汛期通过花园口河段的下泄量。

(4)滩地水流接近二元水流,滩面的粗细化不如主槽显著,因此采用滩地挟沙能力计算滩地冲淤。

(5)造床质及非造床质分别对待,充分考虑了造床质与非造床质的造床和造滩作用。

在计算中作了若干假定:①挟沙能力的调整幅度基本上不超过过去的范畴;②水库增建后下游在洪水下泄期发生冲刷的河段很快回淤,使挟沙能力恢复过去的水平;③在计算过程,不考虑前期的冲淤;④遇流量为 12 000m³/s 的洪水时,东平湖开始分洪;⑤花园口及位山枢纽不存在。

曾对实测情况进行了验证计算,得到了满意结果。

通过冲淤计算方法计算不同改建方案对下游河道冲淤的影响,并结合相似河流——闹德海水库的对比及物理模型试验,为三门峡水库不同改建方案比较提供了科学依据。下游河道冲淤计算方法在三门峡水库的改建和运用中不断补充、完善和发展,在生产上发挥了重要作用。

1990年，随着计算技术的发展，一些复杂的现象可以通过计算机模拟，使下游河道冲淤数学模型有了更大发展，又发展了水动力学冲淤模型，在"八五"国家重大科技项目时分别称为"水文学模型"和"水动力学模型"。下面重点介绍黄科院自建的两类模型。

第二节　黄河下游河道泥沙冲淤水文学数学模型❶

河床演变是水流与河床边界相互作用引起的河床冲淤变化。水流作用于河床边界，引起河床冲淤演变，同时河床冲淤演变也改变了水流泥沙条件，这些变化都可以在长年累月的水文测验资料中得到反映，所以研究河床演变最直观的方法就是利用原型黄河的大量实测水文资料，对实测水文资料进行相关分析，找出其内在的规律，建立相关关系式，利用这些关系式进行调试验算，从中发现其偏差和局限。这些偏差和局限有的来源于水流、泥沙的属性，如水流过程、泥沙组成等，也有的来源于边界条件的差异，所以应补充相关因子和引进边界参数，使计算结果尽量符合实际。这个过程是由宏观到微观、由粗到细的研究过程。

黄河下游河床冲淤演变计算的难点在于以下两点：

(1)黄河下游边界条件异常复杂。从横向上看黄河下游河道断面包含有主槽、嫩滩、二级滩地，有的河段有高滩。一般主槽和嫩滩合称为河槽，二级滩地又被生产堤分割为内外两部分，一般中小洪水在河槽中输送，可概化为一维计算，大洪水漫滩以后，存在着滩槽水流泥沙交换，存在着滩槽断面形态及糙率的差异，存在着滩槽高差及平滩流量的随时调整；在纵向上存在着不同河型及尾闾影响等。

(2)黄河含沙量变幅大，在上中游水库建成后，有清水下泄，又有含沙量高达 900kg/m^3 的高含沙量洪水，不仅要考虑不同含沙浓度水流的输沙特性，又要顾及如此大范围的含沙浓度造成河床急剧冲淤调整对输沙的反馈影响。

一套较完整的河床变形计算方法，要涉及到河床演变及泥沙运动的各个方面。正是在这些方面经过几代人的相继研究和探索，不断吸收和补充在河流泥沙运动及河床演变方面新的认识，使该方法不断完善。从 20 世纪 60～90 年代直至 21 世纪初，该方法在黄河治理开发、规划设计中得到广泛地应用。如对三门峡水库不同运用方式的减淤研究、小浪底水库规划设计阶段水库对黄河下游减淤作用计算、黄河下游堤防加高设计计算、黄河口流路规划计算、直到 2020 年黄河防洪规划中下游冲淤发展趋势预测等都提供了计算成果。

一、河床边界条件及概化处理

黄河下游小浪底以下铁谢—利津河段长 734km，为冲积性河道。铁谢—花园口为山区到平原冲积河流的过渡段，花园口—高村为游荡性河道，高村以下为人工控制的弯曲性河道。高村以上河道目前也得到一定控制，个别河段较宽浅散乱。高村—艾山河段滩地较宽，河宽由上而下收缩，主槽较上段窄深稳定；艾山—利津河段主槽较艾山以上窄深稳

定。根据上述河道形态特点,划分为四个计算河段,即铁谢—花园口、花园口—高村、高村—艾山、艾山—利津。在洪水漫滩计算中又根据河道平面形态及河段长度将铁谢—花园口分为3个子河段,花园口—高村分为5个子河段,高村—艾山分为6个子河段,艾山—利津分为7个子河段,进行滩槽水流泥沙交换的计算。

高村以上游荡性河道,河槽宽浅,槽内嫩滩出没变化迅速,随着来水来沙条件的变化,河槽形态随时变化调整,遇大水或清水冲刷时,边滩冲塌河槽展宽;淤积时,特别是高含沙水流通过时,往往淤长边滩,束窄水流。在本河段计算中,把包括主槽和嫩滩的河槽定为主河槽,中等以上洪水才漫水的二级滩地作为滩地,花园口—夹河滩之间的河段尚有部分高滩,是1855年铜瓦厢决口口门以上河段溯源冲刷留下的,1996年8月洪水花园口洪峰流量7 860m³/s时高滩漫水。另外,三门峡水库修建后,下游滩地上陆续修建了生产堤,一般中小洪水,生产堤外不行水,当洪峰流量较大时,如大于8 000m³/s时,破堤行洪。在数模计算中,假定把生产堤完全废除和生产堤在大水时破除作为两种计算边界条件,黄河下游断面概化图如图10-2所示。由实测大断面资料及实测水力要素确定下游河道各计算河段断面形态特征及水力参数(表10-1)。

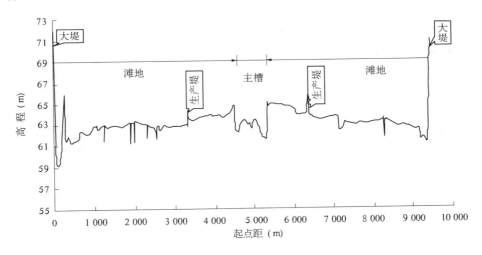

图 10-2　黄河下游断面概化图

表 10-1　　　　　　　　　下游各河段断面形态特征及水力参数

河　段	铁谢—花园口	花园口—高村	高村—艾山	艾山—利津
河段长度(km)	103	171	190	270
主槽宽度(m)	1 920	1 660	740	480
生产堤内滩宽(m)	2 130	2 550	990	960
全滩地宽(m)	4 800	6 680	4 520	2 100
主槽比降(‰)	2.5	1.86	1.23	1.05
滩地比降(‰)	2.5	1.86	1.23	1.05
主槽糙率	0.008	0.009	0.011	0.011
滩地糙率	0.025	0.032	0.035	0.035

在水流漫滩计算中,将计算断面分为主槽和滩地两部分,进行一维扩展至二维的滩槽冲淤计算,可以求得滩、槽及滩地上生产堤内外部分高程变化,从而决定滩槽高差及平滩流量的随时变化,由此决定后续的滩槽水流泥沙的分配,反映滩槽横向变形的自动调整作用。

另外,由于下游河道冲淤变化大,河床冲淤往往引起河槽断面形态和河床组成变化,从而引起水力参数的调整,影响河道输沙,计算中引入计算河段主槽累积冲淤量作为输沙参数,来衡量河道纵向冲淤的自动调整作用。

二、主槽输沙关系式

由于黄河流域地质地貌特性的差异,以及水沙异源等原因,天然情况下,不仅来沙量多,而且来水含沙量变幅大,在中游水库控制后,进入下游河道的水流含沙量可以从 0 变为 900 多 kg/m³,包括清水、浑水和高含沙量水流,在经过三门峡以下 800 余 km 的沿程冲淤调整后,到达河流出口段的利津站同流量含沙量的变幅仍可相差近 10 倍,呈现来得多、排得多的所谓"多来、多排"的输沙特性,所以在构建黄河下游输沙公式时,除了以流量为主要参数外,直观地采用计算河段进口断面的来水含沙量作输沙参数,大大提高了计算精度,而且后来的研究也证实这是有力学根据的。

(一)输沙率与流量关系

水文学计算方法是以流量作为水流动力参数,黄河下游各站的输沙率随流量增大而增大,但二者不是单值关系,如图 10-3 所示,同一流量下输沙率随上游来水含沙量的增大而增加。在同样来水含沙量下,随着流量增大输沙率增加,但其增加幅度在漫滩以后有所减低,个别河段较为明显,图 10-4 中高村—艾山河段,因为漫滩后,滩、槽水流交换,由滩地回归主槽的水流含沙量明显降低,使主槽平均含沙量降低,这也是漫滩洪水具有淤滩刷槽作用的原因。

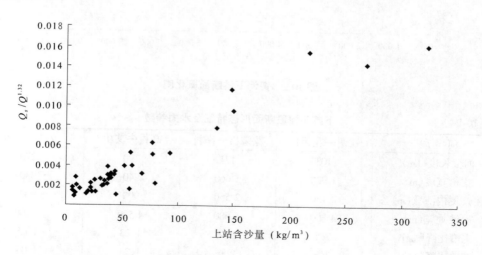

图 10-3 花园口站 $Q_s/Q^{1.32}$ 与上站含沙量关系

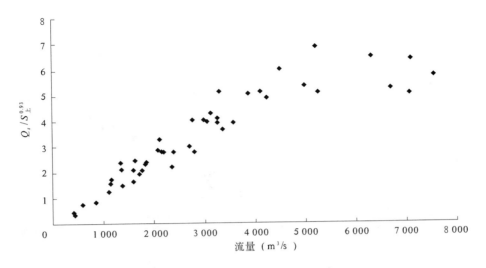

图 10-4　艾山站 $Q_s/S_{上}^{0.93}$ 与流量关系

(二)来水含沙量对输沙的影响

黄河中下游实测资料表明,在同一来水流量下,来水含沙量越大,输出的含沙量也越大,称之"多来、多排"。这其中的原因如下:

第一,黄河上中游来沙中有相当部分的泥沙属于冲泻质,这种冲泻质沙量的多少主要取决于产沙流域的补给条件,与水流条件关系较弱,在主槽内淤积量很少,但在滩地淤积物中有相当的比重,由于黄河下游滩地淤积量一般占总淤积量的 70% 以上,故河床变形计算中不能忽略它们。

第二,对黄河中下游高含沙量水流输沙特性研究成果表明,随着水流含沙浓度增大,泥沙沉速减小,在一定水流条件下,床沙质与冲泻质的分界粒径增大,使冲泻质泥沙百分比随含沙量增大而增加,粗泥沙也因含沙量增大而沉速减小,从而能够"多来、多排"。

第三,黄河下游来水含沙量变幅大,前期水沙条件所塑造的河床边界条件与新的水沙条件不相适应,河床自然要进行冲淤调整,尽管黄河下游河床冲淤调整较快,但河床变形总滞后于来水来沙条件的变化,从而经常处于不平衡输沙状态。由于水沙条件变化引起的河床调整是自上而下进行的,上段调整先于并强于下段,使不平衡输沙调整距离很长。在不平衡输沙条件下,下断面含沙量与上断面含沙量有关。

花园口站输沙系数 k 为

$$k = \frac{Q_s}{Q^{1.32}P^{0.97}}$$

式中　Q_s——花园口站输沙率;

　　　Q——花园口站流量;

　　　P——三黑小来沙中数粒径小于 0.05mm 的百分比。

式中 Q 及 P 的指数均由回归分析求得。由图 10-5 可以看出来水含沙量对输沙的影响,随着来水含沙量增高愈加明显,由此求得

$$Q_s = k_1 Q^{1.318} P^{0.974} \exp(0.212 S_{上}^{0.49}) \tag{10-1}$$

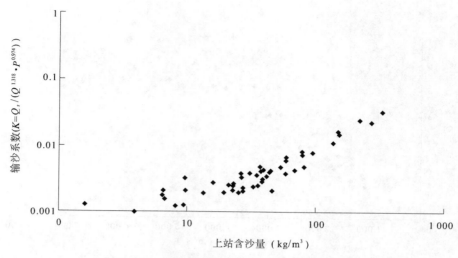

图 10-5 花园口站输沙系数与上站含沙量关系

(三)前期河床冲淤对输沙的影响

该计算方法在主河槽内以流量为参数进行一维输沙计算,河床边界条件只有河床高程及滩槽高差在计算中连续进行调整,其他参数如河宽、比降、床沙组成及河槽糙率等均取为常数。实测资料表明,这些因素均随着河床冲淤而产生趋向性变化,并对输沙产生影响,为综合反映这种影响,引入河床前期冲淤参数。图 10-6 为三门峡水库控制运用后,花园口站汛期输沙系数(式(10-1)中 k_1)与花园口以上河段前期累积冲淤量 $\sum \Delta W_s$ 关系。可以看出非汛期水库下泄清水,河道累积冲刷,累积冲刷量越大,k_1 值越低,当汛期三门峡水库排沙运用,河床累积回淤,k_1 值升高,当累积回淤量升至 3.0 亿 t 以后,k_1 值增大的幅度降低。由实测资料回归求得 $k_1 = \exp(0.060\,8 \sum \Delta W_s)$,若前期累积冲淤量由冲 1 亿 t 至淤 3 亿 t 左右,k_1 为 0.000 8 ~ 0.001 2。

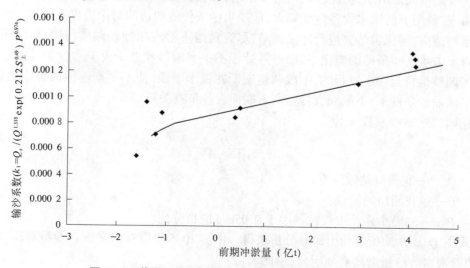

图 10-6 花园口站汛期输沙系数与河床前期冲淤量关系

(四)黄河下游河道各河段主槽输沙公式

以花园口以上河段输沙关系分析为例,确定铁谢—花园口河段主槽输沙公式为

$$Q_s = 0.001\,08 Q^{1.318} \exp(0.212 S_{上}^{0.49}) P^{0.974} \exp(0.060\,8 \sum \Delta W_s) \tag{10-2}$$

同样可求得其他各河段主槽输沙公式,如表 10-2 所示。

表 10-2 　　　　　　　　　　　　黄河下游各河段主槽输沙公式

时期	河段	使用条件	公式	编号
汛期	铁谢—花园口	漫滩及不漫滩	$Q_s = 0.001\,08 Q^{1.318} \exp(0.212 S_{上}^{0.49}) P^{0.974} \exp(0.060\,8 \sum \Delta W_s)$	式(10-2)
	花园口—高村	漫滩	$Q_s = 0.005\,4 Q^{1.16} S_{上}^{0.763} \exp(0.038\,8 \sum \Delta W_s)$	式(10-3)
		不漫滩	$Q_s = 0.000\,46 Q^{1.21} \exp(0.016\,8 \sum \Delta W_s) S_{上}^{0.763} P^{0.156}$	式(10-4)
	高村—艾山	漫滩	$Q_s = 0.000\,79 Q^{1.062} S_{上}^{0.911} \exp(0.031\,7 \sum \Delta W_s)$	式(10-5)
		不漫滩	$Q_s = 0.000\,65 Q^{1.085\,7} S_{上}^{0.93} \exp(0.012 \sum \Delta W_s)$	式(10-6)
	艾山—利津	漫滩及不漫滩	$Q_s = 0.000\,43 Q^{1.093\,8} S_{上} \exp(0.043\,9 \sum \Delta W_s)$	式(10-7)
非汛期	铁谢—花园口	清水及浑水	$W_s = 0.002\,68 W^{1.369} \exp(0.188 S_{上}^{0.4}) \exp(0.25 \sum \Delta W_s)$	式(10-8)
	花园口—高村	浑水	$W_s = 0.001\,07 W^{1.337} S_{上}^{0.582\,75} \exp(0.028\,2 \sum \Delta W_s)$	式(10-9)
	高村—艾山	浑水	$W_s = 0.000\,51 W^{1.164} S_{上}^{0.989\,7}$	式(10-10)
	艾山—利津	浑水	$W_s = 0.000\,14 W^{1.308} S_{上}^{1.18}$	式(10-11)

注:Q_s——日均输沙率,t/s;Q——日均流量,m³/s;$S_{上}$——计算河段进口断面含沙量,kg/m³;P——三门峡出库泥沙粒径小于 0.05mm 沙重的百分数;$\sum \Delta W_s$——计算河段前期累积冲淤量,亿 t;W_s——月沙量,亿 t;W——月水量,亿 m³。

(五)输沙率资料的校正

1950 年以来,黄河下游进行了较系统的水文泥沙测验,黄河下游各河段输沙公式是由实测资料回归求得的,实测资料的可靠性决定了计算公式的精度。根据黄河水利委员会水文局(以下简称黄委水文局)等单位分析,黄河下游各站输沙率资料存在系统偏差,主要由于底部粗沙漏测形成的。据论证,年内定期的大断面测验资料,虽然随机误差较大,多年平均河床冲淤厚度与水位变化基本一致。为此根据黄委水文局等单位对输沙率资料误差分析,以大断面测验资料为基础对输沙率资料进行校正,表 10-2 中主槽输沙公式是采用校正后的输沙率资料求得的,由此计算的输沙量和冲淤量包括悬沙中的冲泻质及床沙质,也包括推移质,计算得出的各河段纵向冲淤分布与实测符合较好。

三、河床变形计算

(一)基本方程
河床变形计算的基本方程如下：

(1)水流连续方程为

$$\frac{\partial Q}{\partial x} + \frac{\partial A}{\partial t} = 0 \tag{10-12}$$

(2)水流动量方程为

$$v\frac{\partial v}{\partial x} + \frac{\partial v}{\partial t} + g\frac{\partial h}{\partial x} + g\frac{\partial z}{\partial x} + g\frac{v^2}{C^2 R} = 0 \tag{10-13}$$

(3)泥沙平衡方程为

$$\frac{\partial Q_s}{\partial x} + \gamma_s B\frac{\partial z}{\partial t} = 0 \tag{10-14}$$

式中　　Q——流量；

A——过水断面面积；

h、v、B——断面平均水深、流速及河宽；

z——断面平均河床高程；

Q_s——输沙率；

x、t——距离和时间；

γ_s——泥沙干容重；

g——重力加速度；

R——水力半径；

C——谢才系数。

(4)主槽输沙公式(式(10-2)~式(10-11))及滩地挟沙力公式 $S_n = 0.22(\frac{v_n^3}{gh_n\omega_n})^{0.76}$。

(二)河床变形计算
将上述微分方程变为差分方程,略去微小变化项,以黄河实测资料求得有关参数,进行沿程洪水推演及水流泥沙计算。

1. 沿程各断面流量的推求

已知黄河干流及支流伊、洛、沁河来水过程,由下游河床起始边界条件确定起始平滩流量 Q_0。当来水流量小于 Q_0 时,只进行主河槽输沙计算,此时槽蓄量较小,按恒定流计算,各河段流量只需扣除沿程引水量,即

$$Q_2 = Q_1 + Q_支 - Q_引 \tag{10-15}$$

式中　　Q_2、Q_1——计算河段出、入口断面流量；

$Q_支$——支流汇入流量；

$Q_引$——引出流量。

当流量大于平滩流量 Q_0 时,洪水漫滩,滩地滞蓄洪水作用大,采用马斯京根公式进行沿程洪水推演

$$Q_{22} = C_0 Q_{12} + C_1 Q_{11} + C_2 Q_{21} \qquad (10\text{-}16)$$

式中,流量 Q 的第一下标为断面序号,第二下标为计算时段序号;C_0、C_1、C_2 为洪水演进系数,由黄河下游已发生的实测洪水资料推求得到,如表 10-3 所示。

表 10-3 　　　　　　　　　　　黄河下游各河段洪水演进系数

河段	C_0	C_1	C_2
铁谢—花园口	0.121	0.649	0.230
黑石关—花园口	0.033	0.806	0.161
花园口—高村	0.230	0.690	0.080
高村—孙口	0.131	0.473	0.391
孙口以下	0	1	0

已知本时段及前一时段河段的入流量 Q_{12} 和 Q_{11},以及前一时段河段的出口断面流量 Q_{21},由式(10-16)可求得本时段出口断面流量 Q_{22}。

2. 滩、槽流量计算

由洪水演进求得各断面流量后,对漫滩洪水进行滩地、主槽流量分配及相应水力因子计算。

由式(10-12)和式(10-13)联立并简化后,采用表 10-1 中提供的参数求得滩、槽流量分配为

$$Q = Q_p + Q_n = \frac{B_p J^{1/2}}{n_p}(\Delta H + H_n)^{5/3} + \frac{B_n J_n^{1/2}}{n_n} H_n^{5/3} \qquad (10\text{-}17)$$

式中　Q——全断面过流量;

　　　Q_p、Q_n——主槽和滩地流量;

　　　H_n——滩地水深;

　　　ΔH——滩槽高差,初始给定,计算中随滩、槽冲淤而调整。

由式(10-17)通过试算求得滩地水深 H_n,再代入该式右边第二项求得滩地流量,再由总流量中扣除滩地流量 Q_n 即得主槽过流量。

3. 滩槽泥沙分配计算

黄河下游河道具有藕节状外形,收缩段与扩散段相间分布,设想水流在节点出口扩散入滩,在下一个收缩段集流入槽,分流入滩时把槽内浑水分入滩地,汇流时又把滩地澄清的水流返回主槽。

下游各河段概化滩、槽交换次数如前所述。入滩水流含沙量与主槽含沙量有关,同时与河槽断面含沙量分布有关,在一维计算中不能给出断面含沙量分布,假定入滩地含沙量 S_n 与主槽含沙量 S_p 成比例,则

$$S_p = k S_n \qquad (10\text{-}18)$$

式中,k 为比例系数,根据实测漫滩洪水资料分析,高村以上宽浅河段取 $k = 1.5$,高村以下河段取 $k = 2$。

已知进口断面总输沙率 Q_s，滩、槽输沙率分配为

$$Q_s = Q_{sp} + Q_{sn} = Q_{sp}(1 + \frac{Q_n}{kQ_p}) = CQ_{sp}$$

其中

$$Q_{sp} = Q_s / C \qquad (10\text{-}19\text{a})$$

$$Q_{sn} = Q_s(1 - \frac{1}{C}) \qquad (10\text{-}19\text{b})$$

$$C = 1 + \frac{Q_n}{kQ_p} \qquad (10\text{-}20)$$

4. 出口断面输沙率计算

1）主槽输沙率计算

由表 10-2 中相应公式计算出口断面主槽输沙率，在漫滩条件下采用主槽流量 Q_p，上断面含沙量 $S_上$ 采用主槽含沙量。由于滩槽水流多次交换，计算河段进口断面含沙量对出口断面输沙影响不如非漫滩条件下直接，特别是部分细泥沙淤到滩地上，使"多来、多排"效能降低。故漫滩条件下，上站主槽含沙量用下式进行衰减处理

$$S_上 = \frac{Q_s}{Q_p C^N} \qquad (10\text{-}21)$$

式中，N 为计算河段滩槽交换的子河段数；C 由式(10-20)计算。

2）漫滩时出口断面输沙率计算

求得主槽输沙率后，全断面输沙率由式(10-19a)计算。

3）计算河段淤积率

由进出口断面输沙率之差扣除计算河段引出输沙率，求得本河段淤积率

$$\Delta Q_s = Q_{s1} - Q_{s2} - Q_{s引} \qquad (10\text{-}22)$$

$$Q_{s引} = Q_引(S_1 + S_2)/2 \qquad (10\text{-}23)$$

式中　$Q_{s引}$——引水输沙率；

　　S_1、S_2——进出口断面含沙量。

5. 滩槽淤积量计算

1）各漫滩子河段入滩地输沙率

由式(10-22)求得河段总淤积率，假定淤积量沿程均匀分布，由内插求得各子河段入口断面输沙率

$$Q_{si} = Q_s - \frac{i-1}{N}\Delta Q_s \qquad (10\text{-}24)$$

式中　N——子河段数。

由式(10-19b)可求得各子河段入滩地输沙率

$$Q_{sn1} = Q_{si}(1 - \frac{1}{C})$$

式中　i——计算子河段序号。

2）各子河段由滩地返回主槽输沙率

滩地水流挟沙力公式为

· 416 ·

$$S_n = 0.22(\frac{v_n^3}{gh_n\omega_n})^{0.76} \tag{10-25}$$

式中 v_n——滩地平均流速,m/s,$v_n = \frac{Q_n}{B_nh_n}$;

ω_n——滩地悬沙沉速,m/s。

根据滩地淤积物组成分析,高村以上河段 $\omega_n = 0.000\,22$m/s,高村—艾山河段 $\omega_n = 0.000\,25$m/s,艾山—利津河段 $\omega_n = 0.000\,15$m/s。

由此计算各子河段滩地返回主槽输沙率为

$$Q_{sn2} = Q_nS_n \tag{10-26}$$

3)各子河段滩地淤积量计算

$$\Delta W_{sni} = [(Q_s - \frac{i-1}{N}\Delta Q_s)(1 - \frac{1}{C}) - Q_nS_n]\Delta T \tag{10-27}$$

4)计算河段滩地淤积量计算

$$\Delta W_{sn} = \sum_{i=1}^{N}[(Q_s - \frac{i-1}{N}\Delta Q_s)(1 - \frac{1}{C}) - Q_nS_n]\Delta T$$

$$= [(NQ_s - \frac{N-1}{2}\Delta Q_s)(1 - \frac{1}{C}) - NQ_nS_n]\Delta T \tag{10-28}$$

5)计算河段主槽淤积量

$$\Delta W_{sp} = \Delta Q_s\Delta T - \Delta W_{sn} \tag{10-29}$$

6. 河道冲淤变形计算

由泥沙平衡方程式(10-14)的差分求得滩槽冲淤厚度

$$\Delta Z_n = \Delta W_{sn}/(\gamma_sA_n) \tag{10-30}$$

$$\Delta Z_p = \Delta W_{sp}/(\gamma_sA_p) \tag{10-31}$$

式中,A_n、A_p 为滩槽平面面积;$\gamma_s = 1.4$t/m^3。

滩槽冲淤铺沙后,形成新的断面形态,其滩槽高差为

$$\Delta H_j = \Delta H_{j-1} + \Delta Z_n - \Delta Z_p \tag{10-32}$$

计算河段平滩流量变为

$$Q_{0j} = \frac{B_pJ^{1/2}}{n_p}(\Delta H_j)^{5/3} \tag{10-33}$$

式中,j 为计算时段序号。

四、计算方法验算

采用 1950 年 7 月 ~ 1984 年 6 月三门峡、黑石关、武陟三站实测来水来沙资料对计算方法进行了 34 年验算,结果如表 10-4 所示。其中 1950 ~ 1960 年为三门峡水库建库前的天然来水来沙条件,1960 ~ 1964 年为三门峡水库拦沙运用期,1965 ~ 1973 年为水库滞洪排沙运用期,1974 ~ 1984 年为水库蓄清排浑控制运用期。

表 10-4　　　　　　　　　　　　　下游各河段冲淤量计算值与断面法实测值比较　　　　　　　　　（单位：亿 t）

时段 （年-月）	部位	铁谢—花园口		花园口—高村		高村—艾山		艾山—利津		铁谢—利津	
		实测	计算	实测	计算	实测	计算	实测	计算	实测	计算
1950-07~	全断面	6.20	6.86	13.70	14.05	11.70	11.21	4.50	4.40	36.10	36.52
1960-06	主　槽	3.20	2.71	3.16	4.90	1.74	1.33	0.10	0.33	8.20	9.27
（10年总计）	滩　地	3.00	4.15	10.54	9.15	9.96	9.88	4.40	4.07	27.90	27.25
1960-10~	全断面	-7.60	-10.38	-9.24	-10.46	-5.00	-1.91	-1.28	0.84	-23.12	-21.91
1964-10	主　槽	-3.86	-10.38	-6.25	-10.47	-4.67	-1.92	-1.28	-0.46	-16.06	-23.23
（4年总计）	滩　地	-3.74	0	-2.99	0.01	-0.33	0.01	0	1.30	-7.06	1.32
1965-07~	全断面	2.12	2.61	17.43	17.23	14.53	14.45	7.68	8.97	41.76	43.26
1984-06	主　槽	-0.07	0.29	5.21	6.53	4.97	5.80	4.38	4.18	14.49	16.80
（19年总计）	滩　地	2.19	2.32	12.22	10.70	9.56	8.65	3.30	4.79	27.27	26.46
1950-7~	全断面	3.82	4.87	23.98	23.39	21.85	21.52	13.01	12.91	62.66	62.69
1984-06	主　槽	1.93	-0.92	4.21	4.20	2.66	4.76	5.31	3.73	14.11	11.77
（34年总计）	滩　地	1.89	5.79	19.77	19.19	19.19	16.76	7.70	9.18	48.55	50.92

　　由表 10-4 可见，不同时期下游河道冲淤总量、纵向各河段冲淤量及横向滩槽冲淤分配与黄河下游大断面测验结果基本一致。1960~1964 年计算总冲刷量接近实测，但由于计算中主槽宽度固定，不能反映坍滩展宽，使主槽冲刷量偏大；沿程纵向冲淤分配花园口以上河段计算冲刷量偏大，高村—艾山河段计算冲刷量偏少，这是因为计算中未考虑花园口及位山枢纽工程的兴废影响。

　　图 10-7 为 1965 年 7 月~1984 年 6 月下游各河段累积冲淤量计算与实测比较，可见二者符合较好，说明不同来水来沙年份冲淤过程得到较好的反映。

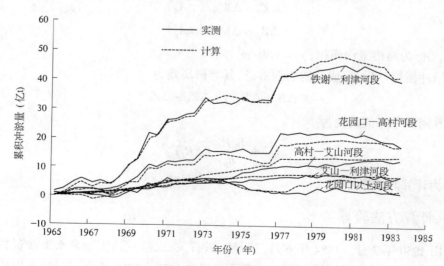

图 10-7　下游各河段累积冲淤量计算与实测比较

　　图 10-8 为计算的主槽淤积抬升值与相应时段内水文站水位（$Q = 3\,000\text{m}^3/\text{s}$）变化对比，可见二者趋势基本一致。说明本方法在黄河下游防洪规划及生产中有一定实用价值。

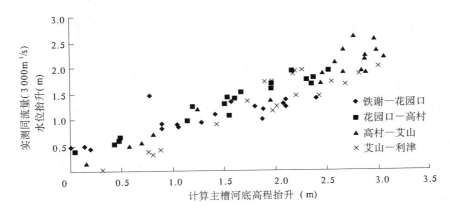

图 10-8　计算主槽淤积升高与实测水位(3 000m³/s)变化比较

五、小结

(1)本方法的基本构架同于一般的河床变形计算,其不同之处在于采用的输沙公式及有关的水沙分配参数是由大量的水文测验资料确定的。1950 年以来,黄河下游经历了不同的水沙条件,特别是三门峡水库不同运用时期改变了天然来水来沙过程,改变了来水过程与来沙过程的对应关系,也改变了来沙级配的变化过程,相应地黄河下游河床边界也进行了调整,这些过程的模拟计算对计算方法提出了更高的要求,也丰富了经验关系的内涵,增大了适用范围,经过 1950 ~ 1984 年实测资料的验证,总冲淤量及其过程与实测资料基本一致,说明该方法的实用性。

(2)本方法在黄河干支流工程规划及下游防洪规划中多次使用,经过了不同的使用者采用不同水沙系列验证和补充,逐步形成了一套从洪水推演到滩槽泥沙交换的非恒定流的一维扩展至二维的冲淤计算方法,在下游河道地形异常复杂的条件下给出各时期河道纵横向变形,使黄河下游洪水期冲淤输沙特性得到较好地反映。

(3)本方法主槽输沙公式是通过黄河下游大量实测资料的统计分析建立的,各项参数均来自实测水文资料,特别是引入上站含沙量作为输沙参数,避开了水动力学模型中挟沙力及不平衡输沙计算,使用资料易于获取,计算方便。

(4)本方法以大断面测验资料为基础对输沙率资料进行校正,采用校正后的输沙率资料求得主槽输沙公式,由此计算的输沙量、冲淤量包括悬沙中的冲泻质及床沙质,也包括推移质,使计算各河段纵向冲淤分布与大断面实测符合较好。

总之,本方法自 1963 年建立以来,在黄河规划治理实践中逐步发展和完善。近年来,随着对泥沙运动规律的认识及科学技术手段的发展,黄河泥沙水动力学数学模型自 1990 年逐步建成并投入运用,但水文学计算方法的若干思路和特长仍有参考价值。特别是漫滩洪水的河床变形计算,从洪水演进到滩槽泥沙交换的处理方法较一般的恒定流一维数学模型有独到之处。

第三节　黄河下游河道泥沙冲淤水动力学数学模型[❶]

随着对黄河下游河床演变规律的深化认识及计算技术的发展,1990年开始研制开发水动力学冲淤数学模型。利用已建立的黄河下游河道一维水动力学泥沙冲淤数学模型,验证三门峡水库不同运用方式下下游河道所产生的冲淤变化。用1960年10月～1996年10月两个实测水沙系列资料对模型作了全面验证,结果与实测资料符合较好。结合1996年以来黄河下游的排洪能力变化,模型又在原来研究成果的基础上,更进一步修正和完善了黄河下游河道一维水动力学泥沙冲淤数学模型,对下游河道的冲淤变化进行了预估;同时对小浪底水库正常运用后,调水调沙对下游河道的影响及全下游的减淤效果进行了分析和计算。

模型主要功能是在给定河床边界条件和水沙过程的情况下,计算黄河下游铁谢—利津分河段、分时段、粗中细各粒径组泥沙冲淤量,以及任一断面含沙量日均调整过程和任一时刻下游河道水面线变化过程。

主要特点是模型经过了黄河下游河道大量实测水沙资料的验证和多次长、短系列方案的水沙预测,使得模型比较符合黄河的实际情况。它既适合一般水沙系列,又适合一些特殊的(清水和高含沙洪水)水沙条件;既能计算总冲淤量的变化过程,又能反映冲淤量的沿程和沿河宽的分布;既能反映总沙量的变化,又可以反映粗细泥沙的调整。

一、模型简介

水动力学模型是以水流、泥沙运动力学的基本规律为基础而建立的准二维水动力学泥沙冲淤数学模型,基本方程是根据质量守恒定律和动量守恒定律推导出的水流连续方程、水流运动方程、泥沙连续方程及河床变形方程。

水流连续方程为

$$\frac{\partial A}{\partial t} + \frac{\partial Q}{\partial x} - q_1 = 0 \tag{10-34}$$

水流运动方程为

$$\frac{\partial Q}{\partial t} + \frac{\partial}{\partial x}\left(\alpha_1 \frac{Q^2}{A}\right) + \alpha_2 \frac{Q}{A} q_1 + gA\left(\frac{\partial Z}{\partial x} + S_f\right) = 0 \tag{10-35}$$

泥沙连续方程为

$$\frac{\partial}{\partial t}(\alpha_3 S) + \frac{Q}{A}\frac{\partial S}{\partial x} + \beta\frac{\omega B}{A}(\alpha_4 S - \alpha_5 S_*) = 0 \tag{10-36}$$

河床变形方程为

$$\frac{\partial Zb}{\partial t} = \frac{\beta\omega}{\gamma'}(S - S_*) \tag{10-37}$$

式中　q_1——侧向流量,$q_1 > 0$为入流,$q_1 < 0$为分流;

　　　β——泥沙恢复饱和系数;

　　　$S_f = Q^2/K^2$;

[❶]　本章第三节由韩巧兰编写。

$\alpha_1 \sim \alpha_5$——断面形态参数。

全断面挟沙力

$$S_{*i} = \sum_{j=1}^{m} Q_{ij} S_{*ij} / Q_i \tag{10-38}$$

式中 S_{*ij}——子断面挟沙能力。

在上述四个基本方程中,水流连续方程、水流运动方程和泥沙连续方程是对整个断面的,而河床变形方程则是对子断面的,其具体形式还可以写成

$$\frac{\partial Zb_{ij}}{\partial t} = \beta_{ij} \frac{\omega_{ij}}{\gamma'} (S_{ij} - S_{*ij}) \tag{10-39}$$

式中,子断面含沙量 S_{ij} 与断面平均含沙量 S_i 可以用以下经验关系求得

$$\frac{S_{ij}}{S_i} = C \left(\frac{S_{*ij}}{S_{*i}} \right)^{\alpha} \tag{10-40}$$

式中,$C = Q \cdot S^{\alpha}{}_{*i} / \sum_{j=1}^{m} (Q_{ij} \cdot S^{\alpha}{}_{*ij})$,$\alpha$ 由实测资料求得。

二、模型中关键问题的处理方法

(一)建立河床糙率随河段冲淤变化相关的关系式

随着河道的冲淤变化和床沙级配的粗细化调整,糙率也会作相应的调整。河道淤积时,糙率减小;河道冲刷时,糙率增大。特别是小浪底水库运用初期水库下泄清水,河道冲刷,床沙由细变粗,逐渐粗化,所以在本模型计算中需根据冲淤情况对糙率进行修正。

糙率随冲淤变化的关系式如下

$$n = n_0 - m \frac{\Delta A_d}{A_0} \tag{10-41}$$

式中 n_0——初始糙率;

m,A_0——常数;

ΔA_d——断面累积冲淤面积。

当河段冲刷或淤积较严重时,n 值有可能很大或很小,为防止糙率在连续冲刷计算过程中的无限制增大和连续淤积计算过程中的无限制减小,以适应黄河下游河道阻力特性的实际变化情况,因此在计算中须对糙率的变化给予以下限制

$$n = \begin{cases} 1.5n_0 & (n > 1.5n_0 \text{ 时}) \\ 0.65n_0 & (n < 0.65n_0 \text{ 时}) \end{cases} \tag{10-42}$$

(二)全沙挟沙力公式

由于黄河含沙量高,来水来沙变幅大,实际水流的挟沙能力变幅也很大,不同公式计算的结果可以相差几倍甚至几十倍。大量的黄河实测资料验证比较了国内外几家较有影响的公式后,给出推荐公式如下

$$S_* = k \left(\frac{\gamma_m}{\gamma_s - \gamma_m} \cdot \frac{v^3}{gh\omega_m} \right)^m \tag{10-43}$$

式中 γ_s、γ_m——泥沙及浑水的容重;

ω_m——非均匀悬沙的代表沉速;

k、m——用实测资料回归得到的挟沙力系数、指数,其中,在下游河道模型中,

$$k = 0.451\ 5, m = 0.741\ 4。$$

(三)建立了挟沙力级配与河床级配和含沙量级配相关的关系式

综合挟沙力级配现有的一些研究成果,基本上可以分为两类,一类是假定悬移质挟沙力级配等于实际含沙量级配,即

$$P_{*k} = P_k \tag{10-44}$$

另一类是将挟沙力级配与河床级配联系起来,并通过水力泥沙因子的分析,确定其关系,如 HCE – 6 模型

$$P'_{*k} = P_{bk}\left(\frac{\omega}{\omega_k}\right)^m \Big/ \sum_{k=1}^{k_3} P_{bk}\left(\frac{\omega}{\omega_k}\right)^m \tag{10-45}$$

式中　$\omega、\omega_k$——平均沉速及第 k 粒径组泥沙的沉速;

　　　　P_{bk}——河床级配;

　　　　m——指数。

我们认为,悬移质挟沙级配是一定来水来沙和河床边界条件相互作用的结果,它既与床沙级配有关,又与来沙级配有关,忽视了任何一个方面都将使计算结果出现较大的误差。基于这样的认识,我们采用如下形式的挟沙力级配计算公式

$$P_{*k} = wP_k + (1 - w)P'_{*k} \tag{10-46}$$

式中,P'_{*k}可按式(10-45)计算,w 为加权因子(河床级配与含沙量级配的比例),采用如下关系式

$$\left.\begin{array}{l} w = \left[(\sum_{k}^{k_3} P_{bk} \times D_k)/D_{b50}\right]^{0.6} \qquad S_* > S \\[4mm] w = \left[(\sum_{k}^{k_3} P_k \times D_k)/D_{s50}\right]^{0.5} \qquad S_* \leq S \end{array}\right\} \tag{10-47}$$

式中　$P_{bk}、P_k、D_k$——河床质级配、进口悬移质级配及分组平均粒径;

　　　　S——含沙量;

　　　　$D_{b50}、D_{s50}$——床沙、悬沙小于 50% 对应的粒径。

(四)平均含沙量的沿程变化和横向分布调整公式

在泥沙计算中,平均含沙量的公式有许多形式,各家观点不一。笔者认为,韩其为等提出的非饱和输沙计算公式考虑的比较全面,而且符合实际并适合黄河特点,见下式

$$S = S_* + (S_0 - S_{0*}) \cdot F_1 + (S_{0*} - S_*) \cdot C_1(1 - F_1) \tag{10-48}$$

式中　$F_1 = e^{\frac{-\beta\omega x}{q}}, C_1 = \frac{q}{\beta\omega x}$;

　　　　$S、S_*$——出口含沙量和水流挟沙力;

　　　　$S_0、S_{0*}$——进口含沙量和水流挟沙力;

　　　　β——泥沙恢复饱和系数;

　　　　x——断面间距;

　　　　q——单宽流量。

(五)床沙级配的调整计算

河床发生冲刷或淤积时,悬沙就要与床沙发生交换,河床上的泥沙组成也随之产生变化。床沙组成的变化又对阻力及挟沙能力等产生反调节作用。本模型中床沙级配随冲淤

变化的计算方法如下：设活动层厚度为 H_α，则在一个时段内河床冲刷和淤积厚度均不会超过 H_α，但随着河床冲淤变化，活动层的位置或高程也相应发生变化，活动层顶面高程与冲淤变化后的河床高程一致。基于以上计算模式，我们得到床沙级配的计算公式为

$$P_{bk} = \left[dzb_k + P_{bok}(H_\alpha - dzm) \right]/H_\alpha \tag{10-49}$$

式中　P_{bok}——原河床级配；

　　　dzm——泥沙冲淤总厚度，$dzm = \sum dzb_k$，dzb_k 为分组泥沙冲淤厚度。

(六)利津出口水位预测

利用水动力学泥沙数学模型进行方案计算时，必须预先给定出口边界条件。黄河下游规划方案计算河段为铁谢—利津，因此利津站即为本次方案计算的出口断面。利津站的水位流量关系随时间的变化过程要在方案计算时给定。

通过大量的实测资料分析，利用利津站多年的实测流量成果回归建立利津断面平均流速与流量间的关系，分析得出，二者有着较好的相关关系。回归计算结果为：

当 $Q \leqslant 260\text{m}^3/\text{s}$ 时

$$v = 0.194\ 9\lg Q + 0.013 \tag{10-50}$$

当 $Q > 260\text{m}^3/\text{s}$ 时

$$v = 1.566\lg Q - 3.3 \tag{10-51}$$

式中　Q——利津站流量；

　　　v——利津断面平均流速。

采用这一经验关系来推求利津断面的水位与流量关系，具体步骤如下：

(1)已知利津站流量，由式(10-50)和式(10-51)便可求出断面平均流速，由 $Q = vA$，可求出过水面积 A；

(2)依据各时段计算的利津断面地形，从河床底部开始，每次水位增加 0.1m，计算相应水位下的过水面积 $A_{计}$，当 $\dfrac{|A - A_{计}|}{A} < 5\%$ 时，即可满足精度要求，此时水位即为所求水位。计算中若 $A_{计} > A$ 时，则停止计算，$A_{计}$ 对应的水位作为近似水位参加计算。

三、模型验证计算

(一)三门峡水库清水下泄期验证计算

三门峡水库 1960 年 9 月投入运用，先后经历了 1960 年 9 月～1962 年 3 月的拦沙运用期，1962 年 3 月～1973 年 11 月的滞洪排沙运用期和 1973 年 11 月以后的蓄清排浑控制运用期。其中，1962 年 3 月～1965 年 6 月虽然水库已改为滞洪运用，但由于泄流能力不足，来水较丰，库区拦沙较多。在 1964 年 10 月以前，下游河道仍处于冲刷过程。在这个时段内，下游花园口和位山两座枢纽相继破除，情况复杂，观测资料不全，花园口以下河段没有观测资料，所以验证时段为 1960～1965 年，河段为铁谢—官庄峪及花园口—高村两个河段。

1960 年 11 月～1965 年 6 月进入下游总水沙量(包括支流)分别为 2 535.9 亿 m^3 和 31.25 亿 t，铁谢—官庄峪计算河段出口水位为官庄峪站；花园口站该期间总来水、来沙总量分别为 2 618.47 亿 m^3 和 36.48 亿 t，花园口—高村计算河段出口水位为高村站。初始地形条件为 1960 年 9 月份地形。

表 10-5 为两计算河段实测和数学模型计算冲淤量比较表。可以看出，两个河段在不

同时段内的实测值与计算值不论在定性和定量上都符合得较好(图 10-9 和图 10-10)。

表 10-5　1960～1965 年铁谢—官庄峪、花园口—高村河段计算累积冲淤量与实测值比较（单位：亿 t）

时段 （年-月）	铁谢—官庄峪		花园口—高村	
	实测值	计算值	实测值	计算值
1960-11～1961-06	-0.923	-0.986	-0.56	-0.735
1961-07～1961-10	-2.593	-2.205	-3.98	-3.748
1961-11～1962-06	-3.831	-3.124	-6.50	-6.053
1962-07～1962-10	-4.285	-3.745	-7.73	-7.13
1962-11～1963-06	-4.314	-3.831	-8.25	-8.078
1963-07～1963-10	-5.147	-4.410	-8.83	-9.332
1963-11～1964-06	-5.653	-4.816	-9.58	-10.728
1964-07～1964-10	-7.194	-6.914	-13.18	-12.404
1964-11～1965-06	-5.973	-5.980	-10.83	-10.994

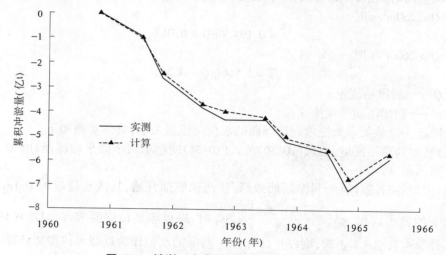

图 10-9　铁谢—官庄峪河段累积冲淤量验证

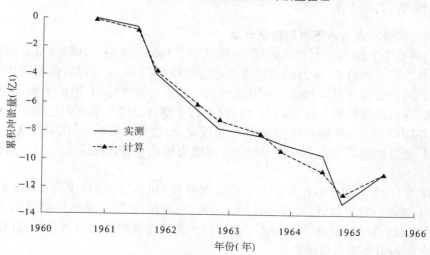

图 10-10　花园口—高村河段累积冲淤量验证

(二)三门峡水库滞洪排沙运用期验证计算

三门峡水库滞洪排沙运用期验证计算,来水来沙条件包括 1965 年 11 月～1974 年 6 月以来小浪底、黑石关和小董三站日流量、输沙率和悬沙级配。经统计,进入黄河下游的总来水、来沙量分别为 3 533.4 亿 m³ 和 133.12 亿 t,年均水量和沙量分别为 392.6 亿 m³ 和 14.79 亿 t,平均含沙量为 26.5kg/m³,初始地形条件为 1965 年汛后实测大断面资料,出口水位是利津站实测逐日水位。

表 10-6 和图 10-11～图 10-15 分别为铁谢—花园口、花园口—高村、高村—艾山、艾山—利津、铁谢—利津各个河段实测累积冲淤量与计算累积冲淤量比较。可以看出,各个河段的实测冲淤总量与计算冲淤总量基本吻合,河段内年际间个别年份计算冲淤量和实测值有一定的误差,但差别不大。

表 10-6　　　　　　 1965 年 10 月～1974 年 6 月黄河下游各河段累积冲淤量验证　　　（单位:亿 t）

时间 (年-月)	铁谢—花园口		花园口—高村		高村—艾山		艾山—利津		铁谢—利津	
	实测	计算	实测	计算	实测	计算	实测	计算	实测	计算
1965-10	0.00	0.00	0.00	0.00	0.00	0.00	0.00	0.00	0.00	0.00
1966-06	0.20	0.00	-0.06	0.12	0.24	0.14	0.48	0.50	0.87	0.77
1966-10	0.96	0.93	1.67	1.75	0.55	0.54	0.41	0.40	3.59	3.63
1967-06	0.77	1.02	1.80	2.21	1.10	0.79	0.92	1.06	4.59	5.08
1967-10	-0.28	0.72	1.83	2.72	1.49	1.02	0.24	0.70	3.29	5.16
1968-06	-0.06	0.33	1.33	3.14	1.54	1.31	1.11	1.37	3.93	6.15
1968-10	-1.00	-0.04	1.98	3.42	1.63	1.52	0.11	0.71	2.73	5.6
1969-06	-1.01	-0.09	2.46	4.67	1.95	1.77	1.34	1.96	4.74	8.32
1969-10	1.54	1.20	4.06	4.85	2.14	2.22	1.58	2.19	9.32	10.47
1970-06	0.76	1.10	5.73	7.14	2.56	2.45	2.11	2.42	11.17	13.12
1970-10	4.14	3.38	9.99	9.53	3.88	3.47	2.14	2.80	20.16	19.19
1971-06	3.18	2.89	9.80	9.78	4.32	4.51	2.82	2.97	20.13	20.15
1971-10	5.95	5.71	11.71	11.87	4.73	4.54	2.83	3.22	25.23	25.35
1972-06	4.63	5.33	11.60	12.11	5.54	5.25	3.66	3.45	25.44	26.14
1972-10	5.54	6.15	12.18	12.99	5.47	5.15	3.82	3.84	27.02	28.14
1973-06	4.94	5.92	12.27	13.05	5.87	5.32	4.31	4.14	27.39	28.44
1973-10	6.02	6.71	16.15	16.19	6.49	6.25	4.14	3.97	32.81	33.12
1974-06	4.63	5.22	15.39	15.64	6.09	5.78	4.50	4.58	30.62	31.22

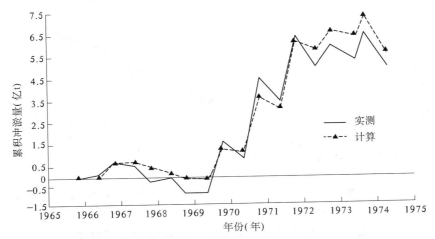

图 10-11　1965～1974 年铁谢—花园口河段累积冲淤量验证

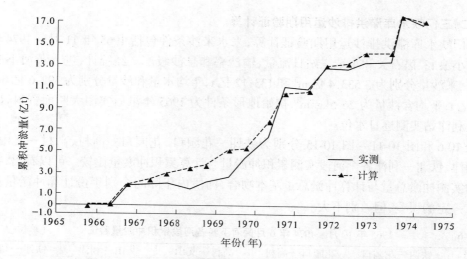

图 10-12　1965~1974 年花园口—高村河段累积冲淤量验证

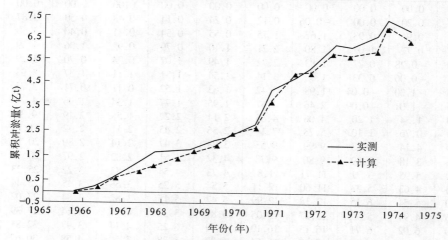

图 10-13　1965~1974 年高村—艾山河段累积冲淤量验证

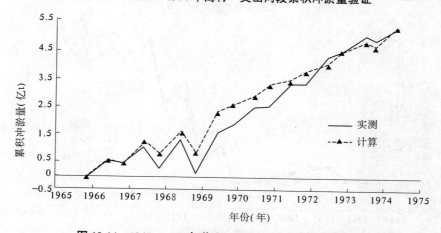

图 10-14　1965~1974 年艾山—利津河段累积冲淤量验证

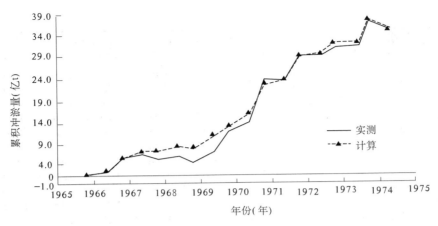

图 10-15　1965～1974 年铁谢—利津河段累积冲淤量验证

(三)三门峡水库蓄清排浑运用期验证计算

三门峡水库蓄清排浑运用期验证计算,来水来沙条件包括 1974 年 7 月～1996 年 10 月以来小浪底、黑石关和小董三站流量、输沙率和悬沙级配。经统计,进入黄河下游的总来水、来沙量分别为 8 300.2 亿 m³ 和 219.58 亿 t。年均水量和沙量分别为 360.88 亿 m³ 和 9.55 亿 t。初始地形条件为 1974 年汛前实测大断面资料,出口水位是利津站实测逐日水位。

表 10-7 和图 10-16～图 10-20 分别为铁谢—花园口、花园口—高村、高村—艾山、艾山—利津、铁谢—利津各个河段实测累积冲淤量与计算累积冲淤量比较。

表 10-7　1974 年 6 月～1996 年 10 月黄河下游各河段计算累积冲淤量与实测值比较验证 （单位:亿 t）

时间 (年-月)	铁谢—花园口		花园口—高村		高村—艾山		艾山—利津		铁谢—利津	
	实测	计算	实测	计算	实测	计算	实测	计算	实测	计算
1974-06	0	0	0	0	0	0	0	0	0	
1974-10	0.70	0.06	−0.14	0.18	0.09	0.60	−0.29	0.00	0.36	0.84
1975-05	−0.52	−0.83	−0.24	0.01	0.30	0.65	0.31	0.03	−0.15	−0.14
1975-10	−0.99	−0.93	1.11	0.59	2.79	2.92	0.40	0.53	3.31	3.11
1976-05	−2.58	−1.83	−0.42	−0.08	3.04	3.90	1.28	0.59	1.32	2.58
1976-10	−2.49	−1.88	−0.21	0.11	4.35	4.33	1.31	1.34	2.96	3.90
1977-05	−3.59	−2.45	−0.42	−0.34	4.81	4.36	1.79	1.37	2.59	2.94
1977-10	−3.44	−3.33	6.56	6.88	5.41	4.74	2.28	2.16	10.81	10.45
1978-05	−3.61	−3.70	6.02	6.37	5.48	4.76	2.52	2.46	10.41	9.89
1978-10	−3.32	−3.02	6.80	7.21	5.41	5.25	2.40	2.37	11.29	11.81
1979-05	−3.79	−3.40	6.08	6.68	6.11	5.27	2.99	2.86	11.39	11.41
1979-10	−1.74	−1.75	6.61	6.92	5.62	5.72	2.52	2.50	13.01	13.39
1980-05	−2.79	−2.08	6.23	6.54	6.48	5.74	3.31	3.01	13.23	13.21
1980-10	−1.39	−1.74	6.57	6.59	5.88	6.03	3.11	2.94	14.17	13.82
1981-05	−2.30	−2.00	6.41	6.33	6.85	6.04	3.38	3.26	14.34	13.63
1981-10	−2.70	−1.91	5.21	6.66	7.51	6.75	2.54	2.64	12.56	14.14
1982-05	−2.86	−2.31	6.04	6.20	8.06	7.48	3.32	3.04	14.56	14.41
1982-10	−2.34	−2.29	4.59	6.13	8.46	7.64	1.91	2.02	12.62	13.50
1983-05	−3.04	−2.71	3.75	5.18	8.67	7.93	2.55	2.24	11.93	12.64
1983-10	−2.63	−2.72	3.61	5.14	7.67	7.61	1.41	1.85	10.06	11.88

时间 (年-月)	铁谢—花园口		花园口—高村		高村—艾山		艾山—利津		铁谢—利津	
	实测	计算	实测	计算	实测	计算	实测	计算	实测	计算
1984-05	− 3.29	− 3.22	2.14	4.16	8.34	7.61	2.30	1.94	9.49	10.49
1984-10	− 2.79	− 3.22	2.57	4.25	7.76	7.83	1.35	1.52	8.89	10.38
1985-05	− 3.44	− 3.75	2.07	3.35	7.93	7.80	2.06	1.96	8.62	9.36
1985-10	− 3.09	− 3.37	2.03	3.50	7.37	8.11	0.64	1.01	6.95	9.25
1986-05	− 3.28	− 3.54	1.97	2.59	8.13	8.11	2.02	1.58	8.84	8.74
1986-10	− 2.37	− 2.46	2.76	3.14	8.31	8.14	2.13	2.08	10.83	10.90
1987-05	− 2.96	− 2.87	2.86	3.22	8.39	8.06	2.35	2.03	10.64	10.44
1987-10	− 2.20	− 2.39	3.28	3.62	8.34	8.07	2.39	2.09	11.81	11.39
1988-05	− 2.62	− 2.99	3.27	3.68	8.48	7.98	2.52	2.36	11.65	11.03
1988-10	− 0.08	0.13	6.05	5.25	8.87	8.18	2.11	1.95	16.95	15.51
1989-05	− 1.21	− 0.87	5.27	5.39	9.19	8.54	2.93	2.45	16.18	15.51
1989-10	− 0.90	− 1.04	5.98	6.30	9.19	8.71	2.84	2.53	17.11	16.50
1990-05	− 2.12	− 1.74	5.39	6.02	9.20	8.51	3.22	2.85	15.69	15.64
1990-10	− 0.90	− 0.73	6.79	7.10	9.27	8.62	3.12	3.02	18.28	18.01
1991-05	− 1.91	− 1.40	6.44	6.75	9.08	8.52	3.50	3.21	17.11	17.08
1991-10	− 0.88	− 0.55	7.01	7.26	9.24	8.50	3.49	3.28	18.86	18.49
1992-05	− 1.47	− 1.01	7.18	7.58	9.35	8.79	3.74	3.44	18.80	18.80
1992-10	0.33	0.76	10.35	10.48	10.15	9.30	3.78	3.90	24.61	24.44
1993-05	− 0.33	0.11	9.99	10.31	9.87	9.25	4.33	3.99	23.86	23.66
1993-10	0.29	0.67	9.96	10.19	10.26	9.52	4.41	4.23	24.92	24.61
1994-05	− 0.60	0.14	9.69	10.25	10.03	9.41	4.81	4.78	23.93	24.58
1994-10	0.79	1.18	13.00	12.68	10.19	9.54	4.85	4.83	28.83	28.23
1995-05	− 0.04	0.47	12.29	12.78	10.75	10.14	5.21	4.95	28.21	28.34
1995-10	1.27	1.19	13.15	13.42	10.67	10.05	5.07	4.95	30.16	29.61
1996-05	0.61	0.87	13.13	13.60	10.80	10.18	5.22	4.89	29.76	29.54
1996-10	2.85	3.30	17.63	18.30	11.84	11.32	4.50	4.67	36.82	37.59

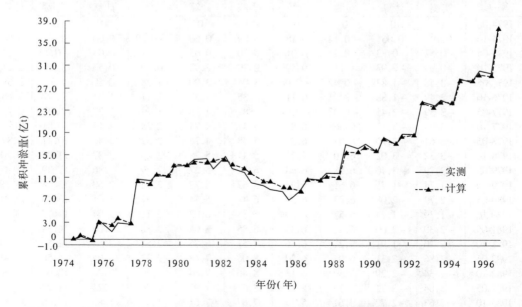

图 10-16　1974～1996 年铁谢—利津河段累积冲淤量验证

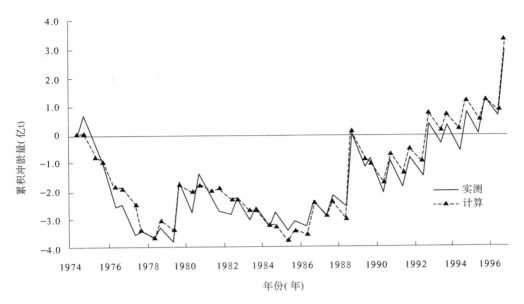

图 10-17　1974～1996 年铁谢—花园口河段累积冲淤量验证

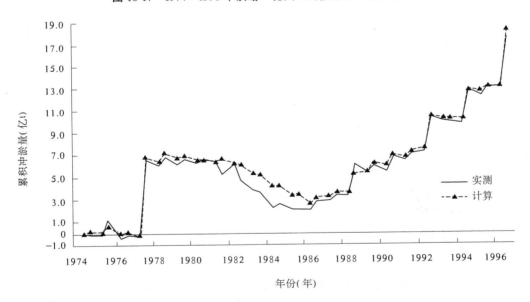

图 10-18　1974～1996 年花园口—高村河段累积冲淤量验证

　　综合分析以上验证计算结果得出：铁谢—花园口、花园口—高村、高村—艾山、艾山—利津、铁谢—利津各个河段实测累积冲淤量与计算累积冲淤量基本相符。

　　通过上述对不同河段和不同水沙系列的验证计算，可以得出：从总体上分析，在验证计算时段内，全河段及各分河段冲淤总量及过程模型计算值与实测值均比较接近，与实际情况比较吻合，说明了模型计算方法能够比较客观地反映在不同水沙条件下黄河下游河道泥沙冲淤的特点。

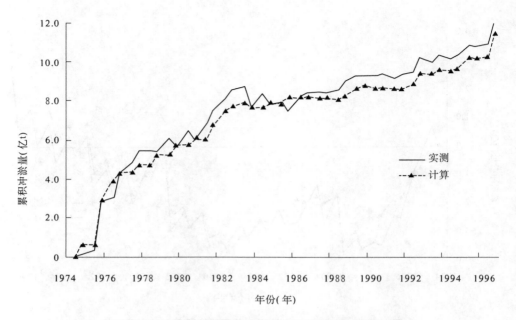

图 10-19　1974～1996 年高村—艾山河段累积冲淤量验证

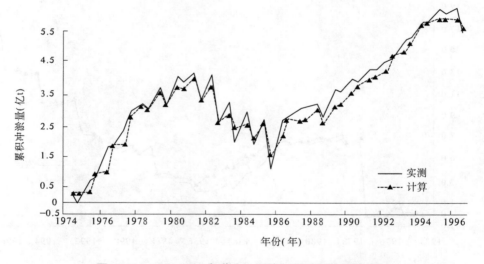

图 10-20　1974～1996 年艾山—利津河段累积冲淤量验证

　　本模型在治黄实践中已大量运用,每年黄河下游防汛预报,小浪底水库运用后的减淤效果分析,以及追踪研究等均运用该模型,并取得较好的效果。

　　以上是黄河下游河道冲淤数学模型的发展,与生产的需求、以及对黄河水沙运行和河床演变规律的认识程度、科学技术水平和计算手段有着密切关系,在艰难的探索发展过程中起到了较大的作用。但数学模型是一种研究手段,必须结合生产的需要不断发展,并充实完善,才能更好地为治黄工作服务。

第十一章 黄河泥沙调控和利用

黄河是世界上最复杂、最难治理的一条河流,主要是水少、沙多、水沙不协调引起的。50多年来,几代治黄人为探索黄河水沙运行规律和河床演变规律,企图把泥沙调控和利用好,为此走过了艰难的路程。总结多年来的经验和教训,无疑对水沙调控体系的建设和黄河的治理开发具有很大的现实意义。

第一节 50年黄河泥沙调控的实践

一、黄河干流中下游河段泥沙调控的时空分布

随着黄河治理开发的进程,泥沙调控前后的时空分布有着较大的差别,以下分别加以阐述。

(一)天然状况(以1950~1960年为代表)下的泥沙分布

该时期黄河中下游干流河段(主要包括龙门—潼关、潼关—三门峡和三门峡—利津河段)的泥沙分布为自然状况下的河道调整。根据研究表明,龙门—利津河道淤积泥沙约42.6亿t,年均淤积4.26亿t。其中,中游龙门—潼关河段淤积泥沙约6.5亿t,年均0.65亿t;下游三门峡—利津河段淤积泥沙约36.1亿t,年均3.61亿t,下游引黄沙量约10.7亿t,年均1.07亿t,而利津输出沙量132.1亿t,年均13.21亿t(表11-1)。从淤积分

表11-1 　　　　　　　　　　　　黄河干流中下游河道泥沙调控时空分布　　　　　　　　(单位:亿t)

时　段 (年-月)	年数	年均冲淤量						下游引黄沙量	利津沙量
		龙门—潼关(1)	渭河下游(2)	北洛河(3)	潼关以上(1)+(2)+(3)	潼关—三门峡	下游河道三门峡—利津		
1950-07~1960-06	10	0.65	0.09	—	0.74	0	3.61	1.07	13.21
1960-09~1964-10	4	2.06	0.55	0.16	2.77	11.62	−5.78	0.79	11.23
1964-10~1973-10	9	1.74	1.19	0.12	3.05	−1.33	4.39	1.10	10.73
1973-10~1980-10	7	−0.05	−0.04	0.04	−0.05	0.27	1.81	1.85	8.23
1980-10~1985-10	5	0.05	−0.07	−0.03	−0.05	−0.27	−0.97	1.23	8.76
1985-10~1999-10	14	0.64	0.35	0.13	1.12	0.16	2.23	1.3	4.01
1960-09~1999-10	39	0.84	0.44	0.09	1.37	0.96	1.42	1.29	7.67
1960-09~1999-10(总量)		32.76	17.16	3.67	53.61	37.29	55.43	50.36	299.04

布来看(表11-2),河道淤积约占来沙量的23.4%,其中龙门—潼关河段淤积约占来沙量的3.5%,三门峡—利津河段淤积约占20%,引出沙量约占5%,而利津排出沙量约占71%,说明大量泥沙是排入利津以下的河口地区。河道的淤积,使同流量水位上升,过洪能力减少(表11-3)。该时期治理措施较少,主要靠下游河道泄洪排沙,而河道泥沙主要淤积在下游河道,防洪问题也主要在下游河道。

表 11-2　　　　　　　　　黄河干流中下游河道泥沙调控比例　　　　　　　　　（%）

时　段 （年-月）	各河段年均冲淤量/来沙量						下游引黄沙量	利津沙量
	龙门—潼关(1)	渭河下游(2)	北洛河(3)	潼关以上(1)+(2)+(3)	潼关—三门峡	下游河道三门峡—利津		
1950-07 ~ 1960-06	3.5	0.5	—	4	0	19.4	5.7	70.9
1960-09 ~ 1964-10	10	2.7	0.7	13.5	56.3	− 28	3.8	54.4
1964-10 ~ 1973-10	9.7	6.6	0.7	17	− 7.4	24.5	6.1	59.8
1973-10 ~ 1980-10	0.4	0.3	0	− 0.4	2.2	14.9	15.3	68
1980-10 ~ 1985-10	0.6	0.8	0	− 0.6	− 3.1	− 11.1	14.1	100.7
1985-10 ~ 1999-10	7.2	4.0	1.5	12.7	1.8	25.3	14.7	45.5
1960-09 ~ 1999-10	6.6	3.5	0.7	10.8	7.6	11.2	10.1	60.3

表 11-3　　　　　　　黄河中下游干流河段各站同流量水位年均变化*　　　　　　（单位:m）

时　段	水位升降值								
	渭河华县	潼关	花园口	夹河滩	高村	孙口	艾山	泺口	利津
1950 ~ 1960	0.06	0.035	0.12	0.12	0.12	0.22	0.06	0.03	0.02
1960 ~ 1964	0.32	1.17	− 0.33	− 0.33	− 0.33	− 0.39	− 0.19	− 0.17	0.002
1964 ~ 1973	0.16	− 0.16	0.21	0.22	0.26	0.21	0.25	0.29	0.18
1973 ~ 1980	− 0.08	0.11	0.02	0.02	0.06	0.05	0.04	0.05	0.02
1980 ~ 1985	0.13	− 0.15	− 0.11	− 0.14	− 0.07	− 0.06	− 0.06	− 0.09	− 0.14
1985 ~ 1999	0.02	0.11	0.10	0.12	0.12	0.12	0.14	0.15	0.12
1960 ~ 1999	0.08	0.12	0.04	0.05	0.07	0.05	0.09	0.10	0.07
1960 ~ 1990 总量	3.09	4.78	1.56	1.78	2.77	2.06	3.43	3.93	2.75

注: * 渭河同流量(200m³/s)水位,潼关同流量(1 000m³/s)水位,黄河下游同流量(3 000m³/s)水位。

（二）三门峡水库蓄水拦沙调控运用期泥沙时空分布

1955 年全国人大二次会议通过了"关于根治黄河水害和开发黄河水利的综合规划",综合规划的指导思想是"节节蓄水,分段拦泥",规划要求通过水土保持、支流拦泥水库和三门峡水库,把洪水和泥沙全部拦蓄,以解决下游防洪负担。三门峡水利枢纽选定为第一期重点工程,规划目标是以防洪为主综合利用的大型水利枢纽工程。限于当时对黄河泥沙的复杂性和对黄河水沙运行规律认识不足,水库采用了"蓄水拦沙"运用,暴露了一些问题。但尽管如此,"蓄水拦沙"的运用,是黄河历史上首次从宏观上大规模调控水沙,改变黄河泥沙分配布局的一次尝试,仍不失为一次具有重大意义的治黄实践。

　　该时期由于三门峡水库的蓄水拦沙和滞洪排沙初期运用,回水超过了潼关,影响了渭河下游河道,因此中游干支流河段包括龙门—潼关河段、渭河下游和北洛河,统称潼关以上,潼关—三门峡河段,实际上成了三门峡库区,由于水库的调控,使泥沙分配发生重大改变,从表11-1和图11-1可知,河道淤积泥沙约34.46亿t,年均8.61亿t,大大超过自然状况下的淤积量,其中潼关以上河段淤积泥沙约11.08亿t,年均2.77亿t,潼关—三门峡河段淤积泥沙约46.48亿t,年均11.62亿t,黄河下游河道三门峡—利津冲刷泥沙约23.1亿t,年均冲刷5.78亿t,泥沙淤积的重心转向三门峡以上河段,改变了龙门—三门峡河段由自然状况下淤积较少的局面,转成严重淤积,下游河道发生明显冲刷,改变了历史上淤积严重的局面,而利津排沙量仅44.9亿t,年均11.2亿t。因此,泥沙的淤积分布发生变化,潼关—三门峡河段的淤积量约占来沙量的56.3%,下游河道占-28%,引出沙量约占3.8%,利津沙量仅占54.4%。也就是说,这种水沙调控的结果,从自然状况下泥沙主要淤积在下游河道转而主要淤积在龙门—三门峡河段,从流域整体看,河道淤积比例由自然状况下的24%增加至49%,而利津排出沙量比例由自然状况下的71%降至54%。

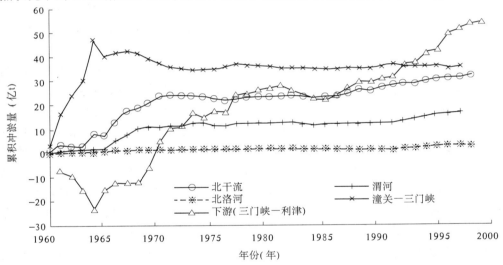

图11-1　三门峡水库上下游河道累积冲淤量分布

　　从上可以看出,在黄河泥沙没有基本控制减少的条件下,这种调控措施造成的泥沙分布使龙门—三门峡河段的问题非常突出,淤积严重,库容损失,淤积末端上延等,使渭河华县同流量(200m³/s)水位由自然状况下年均抬高0.06m上升为0.32m,潼关高程(同流量1 000m³/s的水位)由自然状况下年均抬高0.035m上升为1.17m,但黄河下游河道沿程水位年均下降0.33~0.17m(图11-2)。此时矛盾集中转化到龙门—三门峡河段,造成的问题较严重,但仍不失为一次具有重大意义的治黄实践,取得的经验教训是宝贵的。

　　(1)对水土保持的发展速度和拦泥效益估计过于乐观。原规划要求在1955~1967年

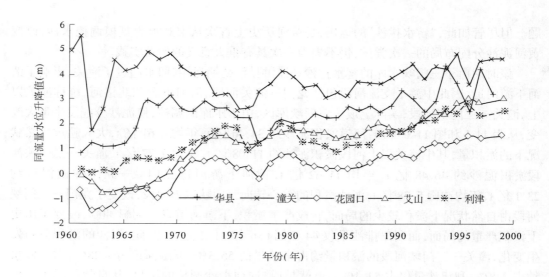

图 11-2　三门峡水库上下游各站累积水位升降

完成治理面积 27 万 km², 占水土流失面积的 63%, 减少三门峡水库入库沙量的 25%, 连同支流拦泥水库, 共减沙 50%, 规划要求治理速度年均 2%, 而 1956～1965 年年均治理速度只有 0.28%, 对水土保持效益估计过于乐观。

(2)重拦轻排, 忽视了下游河道有一定的泄洪排沙能力。黄河下游河道的根本问题是泥沙淤积问题, 排洪能力下降。历代治黄单纯地依靠下游泄洪排沙, 不能解决问题, 而该时期在上游拦沙作用不大的条件下, 单纯地蓄水拦沙也是不全面的。黄河下游河道长期在一定水沙条件的作用下, 塑造了较大的河床纵比降, 比长江大 4～5 倍, 相对来讲, 黄河下游河道的排洪能力也大得多, 如 1949 年、1954 年、1958 年黄河下游发生洪峰流量 12 300、15 000m³/s 和 22 300m³/s 的大洪水, 都通过河道安全下泄。如果三门峡水库原设计只拦蓄超过下游河道安全宣泄的洪水, 则不仅可减少水库蓄水拦沙负担, 还可利用下游河道"多来多排"、"大水淤滩刷槽"等河床演变特性, 多排沙入海, 有利于防洪。因此, 在泥沙没有根本减少的条件下, 应该充分利用河道自身的输沙能力, 尽量多排沙入海。

(3)用淹没大量良田换取大库容, 违背我国人多地少、农业基础薄弱的国情。我国是人多地少、耕地资源紧缺的国家, 尤其是平原、盆地更是耕地的珍宝, 对当地经济发展关系重大。

该时期"蓄水拦沙"的实践, 使人们提高了对黄河复杂性和长期性的认识, 提高了对水沙调控的认识, 在黄河泥沙没有根本解决的条件下, 必须是各种措施综合治理。因此, 奠定了"上拦下排"治河思想的理论和实践基础。

1962 年 3 月三门峡水库改为"滞洪排沙"运用后加紧下排措施建设, 进行加固加高堤防和河道整治工作, 水土保持工作也得到重视和发展, 1969 年四省会议上, 提出了"拦、排、放"相结合的泥沙调控治河思想。

(三)三门峡水库滞洪排沙调控运用期泥沙分布

1964～1973 年三门峡水库由"蓄水拦沙"向滞洪排沙运用转变, 该时期由于水库泄流规模较小,大洪水时仍有滞洪作用,而洪水过后为尽量减少库区淤积,降低水位排沙,这种调控运用使泥沙分布又发生了不同于上述两种情况的改变。

从表 11-1、表 11-2 和图 11-1、图 11-2 可以看出,潼关—三门峡河段发生冲刷,年均冲刷约 1.33 亿 t,而潼关以上仍发生淤积,平均淤积约 3.05 亿 t,而黄河下游河道又恢复淤积局面,年均淤积约 4.39 亿 t,从河道整体来看,年均淤积量约达 6.11 亿 t,占来沙量的34.1%。其中潼关以上、潼关—三门峡和下游河道分别占 17%、-7.4% 和 24.5%,引黄沙量占 6.7%,而利津排出沙量占 59.8%,仍小于自然状况的比例。由于潼关—三门峡河段的冲刷,使潼关高程年均下降 0.16m,而下游河道的淤积,使同流量水位上升,年均上升0.2~0.25m,排洪能力大大下降,下游河道由冲刷又转为严重淤积,防洪形势严峻。这种调控措施也只是缓和一下暂时的问题,不能根本解决问题。

(四)三门峡水库蓄清排浑调控运用期泥沙分布

吸取前两个阶段的实践及对黄河水沙特性和运行规律的认识,三门峡水库 1973 年 11月改为"蓄清排浑"调水调沙控制运用,即根据非汛期来沙较少的特点,抬高水位蓄水,发挥防凌、发电等综合利用,当汛期来水较大时降低水位泄洪排沙,把非汛期泥沙调节到汛期,特别是洪水期排出库,以保持长期可用库容,并在控制淤积末端上延的同时,水库泄流应注意调整水沙关系,充分发挥下游河道自身的输沙能力,多排沙入海,减少河道淤积。这是拦、排、调的尝试,也是年内调水调沙的一种模式。实践证明,这种运用方式基本上是成功的,在一定的水沙条件下,基本上实现了库区的冲淤平衡,保持了有效库容,也未增加下游河道的淤积。但随着降雨条件及人类活动的加剧,极大地改变了水沙过程,增加了三门峡水库运用的难度和下游防洪的严峻性。

必须指出,黄河泥沙调控与来水来沙条件密切相关,该时期大致可分为以下两个阶段:

(1)1973~1985 年,该时期水沙条件较有利,水量和洪峰流量较大,沙量较少。因此,龙门—三门峡河段冲淤基本平衡,而下游河道年均淤积仅 0.65 亿 t,下游引黄沙量约 1.59亿 t,利津排出沙量年均约 8.45 亿 t,河道的状况是较有利的。

(2)1986 年后,随着人类活动的加剧,特别是上游龙羊峡水库的投入运用,水资源的过分利用,以及流域降雨强度减弱等因素(第二章已有阐述),极大地改变了水沙过程,水量大大减少,引起调控泥沙的作用减弱,使泥沙分布达到极不利的状况。河道淤积泥沙年均约 3.51 亿 t,主要淤积在主槽内,其中龙门—潼关、潼关—三门峡河段分别淤积泥沙年均 1.12 亿 t、0.16 亿 t,而下游河道淤积泥沙年均 2.23 亿 t,引黄沙量年均 1.3 亿 t 各占来沙量的 12.7%、1.8% 和 14.7%,利津排出沙量年均约 4.01 亿 t,仅占 45.5%。从河道整体来看,该阶段是 1950 年以来淤积比例最大的,由自然状况下的 24% 上升为 40%,而利津排出沙量比例是最小的,由自然状况下的 71% 下降到 45%,对各河段均不利。潼关高程年均上升 0.1m,下游河道年均上升 0.10~0.15m,排洪能力下降,防洪形势严峻。

通过三门峡水库"蓄清排浑"调水调沙控制运用的实践表明,实现水库水沙调节,应具备以下一些条件:

(1)非汛期有水可供调蓄,汛期有水可用以排沙。

(2)黄河泥沙主要来自汛期,而汛期来沙往往集中于洪水,这就有可能利用洪水排沙,其他时期可以兴利。

（3）库区具有一定富裕的输沙能力，潼关以下库区为峡谷型河道，有富裕的输沙能力，已形成高滩深槽的断面形态，洪水期一般不漫滩，非汛期泥沙少，虽运用水位较高，也不易在滩面形成淤积，非汛期蓄水及汛期滞洪淤积的泥沙基本淤积在主槽内，只要降低水位，就易排出库外。

（4）下游河道具有"多来、多排"、"大水多排、输沙能力大"、"水沙适应多排"、"大水淤滩刷槽"等输沙规律，可以利用这些规律调节淤积部位，多排沙入海。

由于具备这些条件，采用合理的水沙调节方式，就有可能达到保库和兴利的统一。但由于黄河水沙变化很难预测，所以应根据来水来沙条件，适当调整调控方式，这是多沙河流水库运用的特点。由于三门峡水库的特定条件，又没有较大的调节库容，因此进行更合理的调节水沙过程有一定的困难，但利用水库调节水沙过程，调整淤积部位，减少河道淤积，具有广阔的前景，是一种长期有效的措施，需不断地在实践中探索。

从以上可以看出，三门峡水库实行不同调控方式，总的结果是，使干流中下游河段泥沙淤积相对比较均匀，1960 年 9 月～1999 年 10 月，潼关以上河段淤积泥沙约 53.61 亿 t，潼关—三门峡河段淤积泥沙约 37.29 亿 t，下游河道淤积泥沙约 55.43 亿 t，引黄沙量约 50.4 亿 t，利津排出沙量 299 亿 t，分别占来沙量的 11%、8%、11%、10% 和 60%，改变了自然条件下各河段分别占来沙量的 4%、0、20%、5% 和 71% 的特点。

二、上游宁蒙河段泥沙分布

上游宁蒙河段为黄河干流三大冲积性河段之一，从长期看，宁蒙河段具有缓慢上升的趋势，同流量（2 000m³/s）水位年均抬高 0.5～2cm。宁夏河段具有"大水淤积、小水冲刷"的规律，而内蒙古河段河身宽浅，比降较缓，具有"大水冲刷、小水淤积"的规律，河势变化较大，有"十年河南，十年河北"之说，尤其在巴彦高勒以下，平面摆动大，具有"大水走中，小水走弯，大水淤滩刷槽，小水掏岸"等规律。由于大洪水的淤滩刷槽作用，尽管河势摆动大，但滩地此冲彼淤，两岸滩岸总面积长期以来变化较小。

自 1961 年开始，上游河段水利枢纽陆续投入运用，对水沙起着调控作用，引起水沙条件改变，使宁蒙河段长期形成的相对平衡遭到破坏，引起泥沙分布的变化。大致可以分以下三个时期。

（一）1961～1968 年

1961～1967 年，盐锅峡枢纽投入运用至青铜峡投入运用前，该时段为丰水少沙系列，洪峰流量较大，盐锅峡、三盛公对径流调节作用不大，但拦截泥沙约 2.2 亿 m³，宁蒙河段冲淤变化不大，而内蒙古河段除磴口站因受三盛公枢纽回水影响，水位上升外，其他断面均下降，下降幅度沿程减少（表 11-4），年均主槽冲刷约为 2 284 万 m³（表 11-5）。1967～1968 年，青铜峡枢纽于 1967 年 4 月投入运用至 1968 年 10 月刘家峡枢纽投入运用前，水库拦沙 3.3 亿 m³，该时段水量和洪峰流量均较大，特别是 1967 年发生有记录以来最大水量，偏丰 64.5%，洪峰流量达 5 470m³/s，河道普通冲刷，年均主槽冲刷约 6 255 万 m³，同流量水位下降，如巴彦高勒和昭君坟站分别下降 0.5m 和 0.32m。可见，库内泥沙淤积，下游宁蒙河段发生冲刷。

表 11-4 　　　　　　　　　　　　上游宁蒙河段同流量(2 000m³/s)水位升降值 　　　　　　　　（单位:m）

站名	1961~1966 年	1966~1968 年	1968~1980 年	1980~1986 年	1986~1988 年
青铜峡	0.17	－ 0.20	－ 0.27	－ 0.30	－ 0.18
石嘴山	－ 0.12	－ 0.01	－ 0.06	0.08	
磴口	0.18	－ 0.16	0.26	－ 0.16	
巴彦高勒	－ 0.48	－ 0.50	0.36	－ 0.38	0.42
三湖河口	－ 0.22	－ 0.60	0.14	－ 0.32	0.32
昭君坟	－ 0.16	－ 0.32	0.06	0.06	0.32
头道拐	－ 0.06	－ 0.28	－ 0.42	0.06	0.17

表 11-5 　　　　　　　　　　　　　宁蒙河段各河段年均冲淤体积 　　　　　　　　　　（单位:万 m³）

时段(年-月)	青铜峡—磴口	巴彦高勒—头道拐	合计
1961 年 3 月前	207	638	845
1961-03~1967-04	－ 67	－ 2 217	－ 2 284
1967-04~1968-10	－ 1 379	－ 4 876	－ 6 255
1968-10~1986-10	－ 60	－ 165	－ 225
1986-10~1989-10	－ 57 *	2 352	2 295

注: * 指青铜峡—石嘴山。

(二)1968~1986 年

刘家峡水库于 1968 年 10 月投入运用,至龙羊峡水库投入运用前,该时段经历了不同的水沙系列,河道发生不同的变化,1968~1980 年水量稍枯,洪峰流量较小,宁夏河段略有冲刷,水位下降,内蒙古河段水位大多上升,而 1981~1986 年为丰水系列,河段上段冲刷,由于泥沙沿程得到补给,至昭君坟及头道拐水位略有上升。该时段水库拦截泥沙约 13.6 亿 m³,下游平均冲刷泥沙 225 万 m³。

(三)1986~1989 年

1986 年 10 月龙羊峡水利枢纽投入运用,流量进一步调匀,中水流量时间增长,在水利枢纽调控和来水来沙共同作用下,泥沙分布发生了变化,带来新的防洪问题,主要表现在以下几个方面:

(1)水库拦减泥沙约 2.15 亿 m³,而宁蒙河段发生较严重的淤积,年均主槽淤积泥沙约 2 295万 m³,同流量水位上升,如巴彦高勒和三湖河口分别抬高 0.42m 和 0.32m,是历年来淤积最严重的时期。另外,内蒙古三盛公—河口镇河段于 1982 年 10 月及 1991 年 10 月分别进行大断面测量,共设了 113 个断面,平均间距 4.6km。内蒙古水科所计算了河道冲淤量(表 11-6),主槽淤积泥沙约 2.22 亿 t,主槽年均淤积约为 0.25 亿 t,如考虑 1986 年以前的冲刷,则主槽年均淤积约为 0.43 亿 t,而由表 11-5 计算年均主槽淤积量约为 0.3 亿 t,介于表 11-6 断面测量计算的淤积量之间。因此,两种方法估算的河道淤积量定性是一致的,定量也基本接近的,所以,宁蒙河段的淤积量是基本可信的。

表 11-6　　　　　　　内蒙古河道 1982 年 10 月~1991 年 10 月河道淤积量

河　段	长度（km）	河道淤积量（亿 t）			淤积厚度（m）	
		全断面	主槽	主/全（%）	主槽	滩地
三盛公—毛不浪孔兑	250	1.29	0.84	65	0.4	0.05
毛不浪孔兑—呼斯太河	206	2.07	1.22	59	0.7	0.11
呼斯太河—河口镇	55	0.16	0.16	100	0.4	
全河段	511	3.52	2.22	63	0.5	0.07

(2)河势摆动加剧,滩岸坍塌严重。由于龙羊峡水库和刘家峡水库的调节,削减了洪水,中水流量时间加长,从而减少了水流漫滩机会,淤滩作用减弱,水流坐弯顶冲淘刷河岸能力增强,造成滩地大量塌失。1973~1986 年塌失面积 55.8km²,而 1986~1990 年则为 139.8 km²,是前者的 2.5 倍。摆动幅度大、速度加快,尤以三盛公—三湖河口最为严重,1973~1986 年年均摆动幅度为 15~123m,而 1986~1990 年增加至 300~625m。宁夏境内以仁存渡—石嘴山河段河势摆动较大,内蒙古境内以三盛公—四科河头及包头磴口—三道拐河段河势变化剧烈,如三盛公坝下 45km 处的黄河大堤,因主溜顶冲坍塌,曾 7 次退守,冲至总干渠附近,危及总干渠及包兰铁路的安全。宁蒙河道有滩地约 13.3 万 hm²,土地肥沃,是两自治区的重要农业产地,由于水库调节径流,大洪水出现机遇减少,中水流量历时增加,塌滩作用增长,还滩作用减弱,塌滩地,淤主槽,滩槽高差减小,平滩流量降低,如不采取有效措施,河道排洪能力降低,对防洪非常不利。

(3)支流汇合处局部河段淤堵加重。内蒙古十大孔兑坡陡流急,常发生高含沙量洪水,进入黄河后,坡降变缓,河道变宽,水流输沙能力降低,引起局部河段短时间发生淤堵,形成沙坝堵塞河道,使上游水位猛涨,给防洪及工农业用水带来严重影响。如 1961 年 8 月、1966 年 8 月,西柳沟入黄处均出现过河道淤堵。龙羊峡、刘家峡水库运用后,使淤堵机遇增多并加重了淤堵程度。如 1989 年 7 月西柳沟洪峰流量 6 940m³,洪量 0.74 亿 m³,沙量 0.47 亿 t,最大含沙量 1 240m³/kg,而黄河干流流量只有 1 200m³/s,在入黄口形成长 600 多 m、宽约 7km、高 5m 多的沙坝,堆积泥沙约 3 000 万 t,使上游 1.5km 处的昭君坟站同流量水位猛涨 2.18m,超过 1981 年洪峰流量 5 450m³/s 时的洪水位 0.52m,回水影响 70 多 km,历时 25d,主槽沙坝才冲开,造成包钢 3 号取水口 1 000m 长管道淤死,4 座辐射沉淀池管道全部淤塞,严重影响包头市和包钢供水。这次洪水龙羊峡水库入库流量 2 300m³/s,出库流量只有 700m³/s,削减流量 1 600m³/s,流量减小加重了淤堵程度。又如 1998 年 7 月 5 日,西柳沟出现流量 1 600m³/s 高含沙量洪水,黄河流量只有 100m³/s,西柳沟洪水淤堵黄河,在包钢取水口附近形成沙坝,取水口全部堵塞。7 月 21 日西柳口再次出现流量 2 000m³/s 的高含沙量洪水,黄河流量 400m³/s 左右,在入黄处形成长 100 余 km 沙坝,河床抬高 6~7m,包钢取水口又一次严重堵塞,正常取水中断。

今后黄河上游的水库群,特别是具有多年调节能力的龙羊峡水库与刘家峡水库的联合运用,将长期地调节径流,改变水沙过程,而主要来沙区如不采取有效措施控制泥沙,来沙不会显著减少。在这种情况下,从河道泥沙分布来看,河道淤积有所加重,排洪能力降低,对防洪不利。

第二节　各种泥沙调控措施作用的探讨[1]

从黄河的实践中,人们认识到解决泥沙问题不能靠单一措施,而是要通过多种途径综合治理。1976~1978年为配合制定治黄规划,曾就各种治黄措施对黄河下游河道减淤作用做过估算。估算所用水沙条件为1950~1960年10年系列。当时考虑的减淤措施包括:中下游大型干流水库(龙门、小浪底、桃花峪),中下游大规模放淤工程(北干流、温孟滩、原阳—封丘、东明及台前五大淤区),以及黄河汛期增水等措施。

由于本节是反映该项研究的历史成果,而且目前研究中包括的措施比过去少,利用小浪底现有成果与过去所做的其他措施的减淤作用不好比较,因此本节仍采用过去成果。这些成果对于进行各种措施减淤作用的相对比较,仍有一定参考价值。但具体到小浪底水库与龙门水库的减淤作用,则应根据工程修建后具体运用而定。

一、估算条件

冲淤估算均为龙门、华县、河津、洑头四站(简称四站)为起始站,下游则加入黑石关、小董(简称黑小)之水沙。

计算水沙系列采用修正的1950~1960年假定10年水沙系列(相当于花园口以上灌溉面积为444.3万hm²)循环计算。10年系列平均年来水来沙量为:四站水量290.6亿m³,三黑小水量323.9亿m³,四站沙量15.07亿t,下游灌溉引水量则为45.1亿m³。

二、中下游干流大型水库对下游的冲淤影响

对龙门、小浪底及桃花峪三个大型水库,均进行了库区和下游冲淤估算。

(一)小浪底水库

小浪底水库坝址位于河南孟津县,三门峡下游130km处。控制流域面积69.4万km²,占黄河总流域面积的92%。水库任务是以防洪减淤为主,结合防凌、发电、灌溉综合利用。最高蓄水位为275m,总库容为112亿m³(青石嘴坝址),汛期正常运用水位230m,最终为220m。

冲淤计算采用10年水沙系列,算得三门峡水库出库水、沙作为小浪底水库入库水、沙,但遇1954年及1958年洪水则加入三门峡—小浪底区间支流来水。区间来沙量小,计算中未考虑。

计算中主要考虑"一次抬高"运用方式,即施工截流后当坝体达236m时,蓄水至200m发电(施工期);工程建成后运用水位汛期为250m,非汛期为275m(拦沙期);待250m以下库容淤满后,汛期水位逐步降至230m运用(拉槽期);拉槽完成后,采用蓄清排浑运用方

---

❶　本章第二节中一~四主要引自水利电力出版社出版的《黄河的研究与实践》一书中《各种措施对黄河下游河道作用的比较》,作者李保如。

式,非汛期水位275m,汛期230m(正常运用期),必要时汛期水位降为220m。共循环计算25年,计算结果见表11-7。由表11-7可见,25年内库区共拦沙76.45亿t,下游共减淤47.98亿t,年均减淤1.92亿t,二者比值(拦沙减淤比)为1.59。山东河段(艾山—利津)25年内减淤3.22亿t,平均每年减淤0.13亿t。如小浪底坝址下移至三坝线计算。总拦沙量为87亿t,比青石嘴坝址多淤沙11亿t,按比值1.59计算,将使下游再多减淤7亿t。如计算到拉槽期为止(共20年),则拦沙比为1.58。

表11-7 小浪底水库库区下游冲淤计算成果

项目	施工期	拦沙期	拉槽期	正常运用	25年总计	25年平均
年数(年)	3	9	8	5	25	1
入库水量(亿 m³)	741	2 619	2 322	1 327	7 009	280.4
入库沙量(亿 t)	18.67	127.27	119.9	54.59	320.4	12.82
库区冲淤量(亿 t)	+ 13.4	+ 73.9	− 10.7	− 0.15	+ 76.45	+ 3.06
下游减淤量(亿 t) 全下游	8.86	44.82	多淤5.16	多淤0.54	47.98	1.92
下游减淤量(亿 t) 艾山—利津	0.67	2.84	多淤0.26	多淤0.03	3.22	0.13

(二)桃花峪水库

桃花峪水库坝址位于河南武陟县,在原黄河京广铁桥上游约12km处,控制黄河流域面积71.7万 km²,控制三门峡—花园口区间流域面积2.85万 km²。

水库汛期泄洪水位为114m,总库容为45亿 m³,非汛期蓄水位为110m,相应库容26亿 m³。冲淤计算按水库的两种任务分别进行。

一为单纯防洪方案。当花园口出现22 000m³/s以上洪水时,桃花峪与三门峡、东平湖联合运用防洪,以确保下游安全;小于22 000m³/s的洪水及非汛期均敞泄。因此,除防洪运用外,库区及下游冲淤与天然河道的冲淤相同,即对下游无影响。

二为综合利用方案。汛期运用方式同单纯防洪方案,非汛期桃花峪水库配合三门峡水库担负防凌、灌溉的任务,并利用余水进行人造洪峰冲刷下游河道。因人造洪峰冲刷效果与下游灌溉用水有关,因此分别对保证灌溉113.3万 hm²及160万 hm²进行计算比较。计算中采用人造洪峰最大流量为5 000m³/s。25年冲淤计算结果见表11-8。

表11-8 桃花峪库区及下游冲淤量(25年平均)

运用条件		人造洪峰水量(亿 m³)	库区冲淤量(亿 m³)	下游减淤量(亿 t)		
				三门峡—艾山	艾山—利津	三门峡—利津
人造洪峰	灌113.3万 hm²	69.3	0.3	1.07	0.57	1.64
	灌160万 hm²	43.65	0.56	0.29	0.39	0.68

以上两种灌溉方案相比较,灌溉113.3万 hm²方案比160万 hm²方案库区少淤0.26亿 m³,下游多减淤0.96亿t,但前者造峰水量比后者大。

(三)龙门水库

龙门水库坝址位于陕西韩城与山西河津县间黄河峡谷段,坝址在潼关上游150km处。控制流域面积为49.8万 km²,占三门峡以上流域面积的73%。水库的任务是灌溉晋、陕

两省干旱地区,并有防洪、发电、防凌、减淤等综合效益。工程规模考虑高、中、低三个方案
(表 11-9)。

表 11-9   龙门水库三个方案基本情况

方案	最高蓄水位 (m)	汛期最低水位 (m)	总库容 (亿 m³)	长期有效库容 (亿 m³)	堆沙库容 (亿 m³)
高坝	585	540	125	38	69.5
中坝	550	510	64.5	24.1	38.9
低坝	511	480	26.2	10.4	15

一般年份冲淤计算:入库水、沙即用龙门站的水沙条件,入库水量为 231 亿 m³,沙量
为 10.8 亿 t。龙门正常运用阶段,高、中、低坝三个方案的灌溉引水量分别为 73.4 亿 m³、
55.6 亿 m³ 及 40 亿 m³,引沙量为 1.83 亿 t、1.37 亿 t 及 0.85 亿 t(以上均为 10 年平均值)。

水库运用方式高、中、低坝三个方案相同。工程建成初期,水库蓄水拦沙(拦沙期)。
死库容淤满后,采用蓄清排浑运用方式,即非汛期蓄水拦沙,汛期滞洪排沙(正常运用期)。
在此时期内,高、中方案汛期 7 月 1～15 日留水 10 亿 m³,水量逐渐下泄,7 月 16 日～10 月
31 日按汛期最低水位敞泄排沙。当流量大于 9 000m³/s 时滞洪排沙,至 11 月 1 日后整个
非汛期蓄水拦沙运用。低方案 7 月 1 日～10 月 31 日均按汛期最低水位运用敞泄排沙,非
汛期同高方案。

龙门水库在坝上引水,汛期引浑水,高、中方案当坝前含沙量大于 200kg/m³ 时停引,
低方案当坝前含沙量大于 140kg/m³ 时停引。水库及下游冲淤计算成果见表 11-10。

计算 25 年冲淤结果表明,龙门取高坝方案时可使龙门—潼关河段减淤 33.64 亿 t,下
游(三门峡—利津段)减淤 28.41 亿 t。龙门取中坝方案时,可使龙门—潼关河段共减淤
22.47 亿 t,下游减淤 11.74 亿 t。龙门取低坝方案时,可使龙门—潼关河段共减淤 16.49
亿 t,黄河下游不仅不减淤,反而增淤 1.31 亿 t。

龙门各方案拦沙期的拦沙比(龙门库区淤积量与灌区引沙量之和与下游减淤量之比
值)见表 11-11。可见,对龙门水库以下河道(即龙门、华县、河津、洑头四站—利津河段)拦
沙比与小浪底之拦沙比接近。但对三门峡—利津段而言,同样减淤量龙门水库的拦沙量
比小浪底大 1 倍多。

三、黄河中下游大规模放淤对下游冲淤的影响

为解决下游淤积问题,曾提出在中下游进行大面积放淤的方案,放淤区有小北干流、
温孟滩、原阳—封丘、东明及台前五处。

小北干流放淤考虑了与龙门水库联合运用,即在龙门水库淤满后进行蓄清排浑时期
进行放淤,其他四处则不受干流工程限制。

(一)放淤区简况

小北干流指禹门口到潼关段,河道滩槽总面积为 1 130km²,其中滩区面积为 600km²,
规划放淤区面积为 530km²,淤沙库容为 80 亿 m³。

表 11-10

龙门水库库区及下游冲淤计算成果

方案	项目数	运用阶段	年数	龙门入库 水量(亿m³)	龙门入库 沙量(亿t)	龙门灌区引沙量(亿t)	库区冲淤量(亿t)	河段减淤量(亿t) 龙门、华县、河津、洑头—潼关	河段减淤量(亿t) 三门峡—利津	河段减淤量(亿t) 龙门、华县、河津、洑头—利津
高坝	总量	拦沙期	12	2 766.5	122.76	11.85	86.68	31.94	26.99	58.93
		正常运用	10	2 313	108.1	18.3	1.35	1.36	0.78	2.14
		25年总量	25	5 776.5	269.23	35.51	89.78	33.64	28.41	62.05
		25年平均	1	231.1	10.77	1.42	3.59	1.34	1.14	2.48
中坝	总量	拦沙期	6	1 395.5	58.06	3.07	42.01	16.8	12.37	29.17
		正常运用	10	2 313	108.1	13.69	−0.05	2.68	多淤 1.11	1.57
		25年总量	25	5 776.5	269.23	29.5	44.53	22.47	11.74	34.21
		25年平均	1	231.1	10.77	1.18	1.78	0.9	0.47	1.37
低坝	总量	拦沙期	3	645	18.81	1.11	15.05	6.13	4.96	11.09
		正常运用	10	2 313	108.1	8.4	0.19	3.86	多淤 3.66	0.2
		25年总量	25	5 776.5	269.23	19.86	19.96	16.49	多淤 1.31	15.18
		25年平均	1	231.1	10.77	0.8	0.8	0.66	多淤 0.05	0.61

表 11-11

龙门水库拦沙比

方案	龙门库区淤积量及灌区引沙量之和(亿 t)	拦沙年限	三门峡—利津段		龙门、华县、河津、湫头—利津	
			减淤量(亿 t)	拦沙减淤比	减淤量(亿 t)	拦沙减淤比
高	98.53	12	26.99	3.65	58.93	1.67
中	45.08	6	12.37	3.64	29.17	1.55
低	16.16	3	4.96	3.26	11.09	1.46

温孟滩位于下游左岸温县、孟县境内,为临河滩地,放淤区面积为 338km²,淤沙库容为 57.4 亿 m³。引水考虑在干流西霞院建枢纽,修渠输水至温孟滩,清水归黄。

原阳—封丘淤区位于下游北岸,西起原阳县夹堤,东至封丘县禅房,淤区面积为 532 km²,主要是背河放淤,淤沙容积为 27.75 亿 m³。

东明淤区位于东坝头以下黄河南岸,南起兰考县的四明堂,北至菏泽县刘庄,西沿临黄大堤,东至兰东公路,淤区面积为 644km²,放淤区淤沙容积为 6.66 亿 m³。

台前淤区位于下游北岸金堤河与黄河之间的三角地带,北金堤滞洪区的下段,西起范县孟楼河,东至张庄闸,南至临黄大堤,北至金堤河的南小堤,淤区面积为 410km²,淤沙库容为 7.82 亿 m³。

各淤区基本情况见表 11-12。

表 11-12 五大淤区基本情况

项目			小北干流	温孟滩	原阳—封丘	东明	台前
淤区面积(km²)			530	338	532	644	410
淤区容积(亿 m³)			80	57.4	27.75	6.66	7.82
总淤沙量(亿 t)			112	80.4	38.9	8.66	10.15
中下游干流大型工程			有龙门	无龙无小	无龙无小	无龙无小	无龙无小
放淤条件	龙门来沙系数 S/Q		> 0.027	—	—	—	—
	三黑小来沙系数 S/Q		—	> 0.03	> 0.03	> 0.03	> 0.03
	大河流量 $Q(m³/s)$	涨水时	—	> 2 000	> 2 000	> 2 000	> 1 000
		落水时	—	> 1 000	> 1 000	> 1 000	> 1 000
放淤时间(月-日)			07-15 ~ 09-30	07-01 ~ 09-10	07-01 ~ 09-10	07-01 ~ 09-10	07-01 ~ 09-10
年平均放淤天数(d)			—	14	14	14	14
放淤引水能力(m³/s)			500	1 000	600	1 000	1 200
年平均放淤量(亿 t)			2.96	2.22	0.73	0.92	0.84

(二)放淤条件及规模

放淤应在下游可能发生淤积时进行。经分析,当(三黑小站)来沙系数 S/Q 大于

0.03,流量在 $2\,000 \sim 6\,000\text{m}^3/\text{s}$ 时,下游淤积严重。因此,选定下游四个放淤区的放淤条件为:当涨水 S/Q 大于 0.03 时引水放淤,当洪峰落水至 $1\,000\text{m}^3/\text{s}$ 时停止放水。同理,小北干流放淤条件规定为当龙门 S/Q 大于 0.027 时引水放淤。

(三)各淤区的减淤作用

小北干流放淤考虑在龙门水库正常运用之后开始进行,计算水沙条件为龙门出库条件。下游四个淤区则采用无龙门方案的来水来沙条件。表 11-13 给出了计算结果,由表 11-13 可见:

表 11-13 各放淤区的减淤作用

项目		小北干流	温孟滩	原阳—封丘	东明	台前	合计
		淤 区					
总淤沙量 $\overline{W}_s$(亿 t)		112	80.4	38.9	8.66	10.15	250.11
全下游减淤 $\Delta\overline{W}_s$		53	32.8	16.2	2.22	1.26	105.48
拦沙比 $\dfrac{\overline{W}_s}{\Delta\overline{W}_s}$		2.12	2.45	2.4	3.9	8.05	2.37
全下游年平均减淤量(亿 t)		1.39	0.886	0.304	0.237	0.104	2.921
各河段年平均减淤量(亿 t)	小北干流河槽(龙门、华县、河津、洑头—潼关段)	0.75	—				
	三门峡—花园口		0.014				
	花园口—高村	1.28	0.75	0.174	0.02	0.02	
	高村—艾山		0.063	0.072	0.179	0.018	
	艾山—利津	0.107	0.069	0.058	0.077	0.086	
使用年限(年)		38	37	58	9.4	12	—

(1)小北干流放淤 112 亿 t,38 年内可使下游减淤 53 亿 t。温孟滩、原阳—封丘可分别使下游减淤 32.8 亿 t 及 16.2 亿 t,二者合计 49 亿 t。东明和台前则因淤沙量过小,对下游总减淤量仅有 2.22 亿 t 及 1.26 亿 t。

(2)各淤区减淤部位不同。小北干流、温孟滩、原阳—封丘三淤区减淤主要在河南以上河段,对山东段减淤作用相对较小。东明区减淤主要在高村—艾山段及山东段。台前淤区减淤主要在山东段。东明及台前对山东段的减淤作用比温孟滩及原阳—封丘大。

(3)由于来水来沙条件的限制,平均每年的放淤量仅为 0.73 亿 ~ 2.96 亿 t,因此平均年减淤量任何一区均小于 1.4 亿 t。

(4)五大淤区总计可拦沙 250.11 亿 t,共计可使下游减淤 105.48 亿 t,相当于解决下游 20 多年的淤积,平均每年共使下游减淤 2.921 亿 t,相当于下游淤积量的 60% 左右。

四、黄河汛期增水对下游的减淤作用

下游增水减淤为规划中考虑的措施之一(如南水北调)。增水的位置设想三处,即龙门、花园口及艾山附近,以清水入黄。由于短期内尚不能提出具体增水位置及水量,只能做出不同位置不同水量的减淤数量的估计。各位置的增水量均假定在前述计算用的假定水沙系列基础上增水,不考虑增沙,并假定潼关水量与四站同,计算成果绘制成图11-3和图11-4。图11-3为龙门增水量与各河段减淤量的关系,图11-4为花园口及艾山增水量与各河段减淤量的关系。这样当给定增水量后,即可直接查得各河段减淤量。从图可见,以在花园口增水入黄对全下游好处最大。

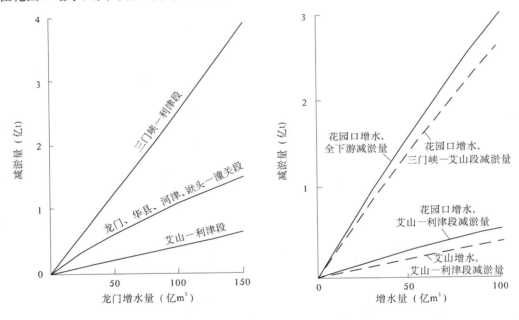

图11-3 龙门增水量与各河段
　　　　减淤量的关系(汛期)

图11-4 花园口及艾山增水量与各河段
　　　　减淤量的关系(汛期)

以上对黄河中下游假定水沙条件下的冲淤量做了估计,并对各种措施对中下游的冲淤影响做了估计。

各方案的减淤效果综合见表11-14。根据全部成果可知,龙门减淤作用对小北干流为最好,而对下游的减淤作用,以龙门高坝方案最好,低坝方案无作用。

小浪底水库12年淤满,然后拉槽排沙8年,25年中可拦沙76.4亿t,使下游减淤48.14亿t,相当于下游12年减淤量。

比较龙门高坝与小浪底方案可见:就对下游减淤而言,龙门高坝方案不如小浪底方案;如对小北干流而言,龙门水库可解决小北干流和三门峡库区的淤积,小浪底则无此作用。

桃花峪水库由于建在堆积性河段上。除特大洪水时控制运用外,一般敞泄,对下游减淤作用较小。如利用桃花峪水库在非汛期蓄水集中下泄人造洪峰5 000m³/s则可减淤。

表 11-14

各种调控措施减淤效果综合表

工程或措施	方案	坝址或引水口	最高水位 (m)	汛期最低水位 (m)	运用方式	总库容 (亿 m³)	长期有效库容 (亿 m³)	25年内龙门灌区引沙量 (亿 t)	放淤区引水规模 Q(m³/s)	25年总拦沙量 (亿 t)	拦沙年数	计算年数	计算年数内的总减淤量 (亿 t) 龙门、华县、河津、洑头—潼关	艾山—利津	三门峡—利津	龙门、华县、河津、洑头—利津
大型水库	龙门水库 高坝	舌头岭	585	540	一次抬高	125.0	38.0	35.51		89.78	12	25	33.64		28.41	62.05
	龙门水库 中坝	舌头岭	550	510	一次抬高	64.5	24.1	29.5		44.53	6	25	22.47		11.74	34.21
	龙门水库 低坝	舌头岭	510	480	一次抬高	26.2	10.4	19.86		19.95	3	25	16.49		多淤 1.31	15.18
	小浪底水库 高坝	青石嘴	275	210~230	一次抬高	112	36			76.4	12	25	0	3.22	47.98	
	单纯防洪		114		$Q_{花园口}>22000$ m³/s 不控制	44.9	0			11.25		0	0	0	0	
	桃花峪水库 人造洪峰	灌溉 113.3 万 hm²	110		$Q_{花园口}>22000$ m³/s 不控制	44.9	0			7.5		25	0	14.25	41.0	
	人造洪峰	灌溉 160 万 hm²	110		$Q_{花园口}>22000$ m³/s 不控制	44.9	0			14		25	0	9.75	17	
大规模放淤	小北干流放淤区	禹门口			龙门来沙系数 $S/Q>0.027$ 时引	80	0	0	500	112	38	38	28.5	4.07	52.8	
	温孟滩放淤区	西霞院			三黑小来沙系数 $S/Q>0.08$	57.4	0	0	1 000	80.4	37	37	—	2.55	32.8	
	原阳—封丘放淤区	花园口等三处			涨水时 $Q>2\,000$ m³/s	27.75	0	0	600	38.9	58	58	—	3.37	16.2	
	东明放淤区	三义寨			$Q>1\,000$ m³/s	6.66	0	0	1 000	8.66	9.4	9.4	—	0.72	2.22	
	台前放淤区	影堂、邢庙			落水时 $Q>1\,000$ m³/s	7.82	0	0	1 200	10.15	12	12	—	1.03	1.26	
中下游增水减沙	中游减水 100 亿 m³ 不减沙											1	增 0.45		增 0.65	1.1
	中游减沙 1 亿 t 不减水											1	0.30		0.4	0.7
	龙门汛期增水 100 亿 m³ 不增沙											1	1.08	0.33	2.56	3.64
	花园口汛期增水 100 亿 m³ 不增沙											1	—	0.4	3.0	3.0
	艾山汛期增水 100 亿 m³ 不增沙											1	—	0.53	0.53	0.53

只是由于减淤与发展灌溉有矛盾,尚需综合比较。

采用大规模放淤可使下游减淤。为解决全下游或河南问题,淤区应在河南首端。如欲解决山东段淤积问题,则应使用河南和山东之间的淤区。放淤区的减淤特点是每年减淤量相对较小,但使用年限很长。这不同于大型水库,大型水库在短期内对下游减淤效果显著。如龙门水库与小浪底水库库容很大,其淤积作用集中在拦沙期。

计算表明,所考虑的其他所有拦沙工程(大型水库及放淤)寿命都有限,均不能使下游永远减淤。

中下游增水的减淤效果,与调入水量及和入黄位置有关。如花园口调入水量20亿 m³,全下游减淤 0.65 亿 t,山东段减淤 0.08 亿 t;如调入水量 100 亿 m³,则全下游可减淤 3 亿 t,山东段减淤 0.4 亿 t。只要水源有保证,即可长期调水减淤。调水入黄位置以在花园口调水的减淤效果最好。

中游拦沙对下游的减淤作用是,中游拦沙 1 亿 t(不减水时),小北干流减淤 0.3 亿 t,全下游减淤 0.4 亿 t。

黄河泥沙问题十分复杂,因此以上介绍的计算成果绝对量未必准确,但可作为相互比较的参考。

五、调节水沙过程的探讨❶

河床的演变主要取决于流域来水来沙条件和河道边界条件。在多沙河流的治理上,不能局限于改变河道的边界条件(加高加固堤防,固定中水河槽等),而应依循自然规律,发挥主观能动性,同时考虑如何利用上游水库(或其他工程),合理调节水沙过程,使下游河道朝有利方向发展。根据多年的研究和实践,对黄河下游河道的冲淤演变规律有了一些基本的认识,这些规律为寻找调节水沙过程提供了科学依据。这方面钱宁、赵业安同志等做过一些探讨,为了更系统了解各种泥沙调控的作用,也一并在此给以汇总。

对于黄河下游来说,调节水沙过程的目的主要是:使水沙过程较适应下游河道的输沙规律,提高水流挟沙能力,减少河道淤积,改善泥沙淤积部位和充分发挥水库拦沙库容的作用,减少下泄沙量,减轻河道负担。这个问题是生产实践中提出来的新课题,有丰富而复杂的内容。在此仅对其中几个有关问题进行初步的探讨,有些环节尚待进一步研究。

(一)人造洪峰

这种运行方式的特点是利用水库调节天然径流,集中下泄,形成人造洪峰,用以加大水流对河道的冲刷能力。如前所述,水流的挟沙能力通常是和流量的高次方成比例的。在同一水量的条件下,集中下泄的洪峰将较小流量均匀泄放能够挟带更多的泥沙。具体到黄河下游来说,三门峡水库非汛期壅水发电,下泄清水,流量经常维持在 600~800m³/s。这种均匀泄流的方式不但冲刷不了多少泥沙,而且还把泥沙自宽河段搬到窄河段,造成艾山以下河道的严重淤积。如能利用下级水库的调节能力,集中起来以 4 000~5 000m³/s 的流量下泄,挟沙能力就能增加 4~5 倍,而且冲刷可以遍及全下游,这对减轻河道淤积将起

---

❶ 主要引自地理学报 1978 年第 33 卷第 1 期中《从黄河下游的河床演变规律看河道治理中的调水调沙问题》一文,作者钱宁、赵业安等。

很大作用。

1. 人造洪峰的泄放方式

1)洪峰流量的确定

人造洪峰流量越大,冲刷量越大,冲刷距离越远,效果也就越好。但是,洪峰流量的确定还要受到其他条件的制约。例如,为了确保滩区一水一麦,非汛期泄放人造洪峰时,洪峰流量应该以不超过河道的平滩流量为好。

2)洪峰历时的确定

人造洪峰泄放的历时需要从下列两个方面考虑:当洪峰历时较短时,由于河道的槽蓄作用,洪峰在向下游传递过程中很快变小,使水流的挟沙能力和冲沙效果迅速降低。在另一方面,如人造洪峰历时过长,则在冲刷过程中河床迅速粗化,也会导致水流冲刷能力的降低。图11-5为采用不同洪峰历时时下游各站的单位水量挟沙力。可以看出,由于高村离桃花峪较近,河床粗化作用比较显著,洪峰历时加长,单位水量挟沙力迅速减小。利津离桃花峪最远,河床冲刷粗化作用相对较小,而河道槽蓄影响则较为重要,在二者综合影响下,随着历时加长,单位水量挟沙力有一个最高点,相应历时为3天左右。由于利津的挟沙力也就是整个下游的清水冲刷量,因此如果造峰水量不受限制,采用历时3天左右的洪峰,对下游河道冲刷效率将是最高的。当然,如果造峰水量不受限制,增加人造洪峰历时,单位水量的挟沙能力虽然有所降低,但冲刷的总沙量仍随造峰历时的加长而增多,对艾山以下窄河道的冲刷效果也更为显著。

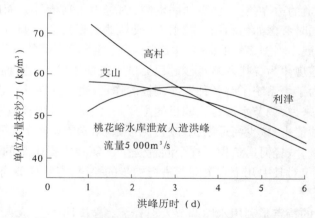

图11-5 不同洪峰历时下游各站单位水量挟沙力

3)泄放人造洪峰的时机

泄放人造洪峰的时机以非汛期为好,因为非汛期来沙少,而且都是较粗的床沙质。因此,在蓄水造峰的过程中对水库库容影响较小,大部分泥沙将淤积在库区主槽中,有利于在次年汛期发生大洪水时排入下游,并利用洪水漫滩的机会将这部分泥沙淤在滩地上。如果将这部分泥沙永久留在库内,由于它不包括不需要拦蓄的冲泻质,因此也比较有效地利用了水库的拦沙库容。

2. 人造洪峰的效果

泄放人造洪峰可以增大水流挟沙能力,提高冲刷河道效果,改善淤积部位,已如前述。

表 11-15 为桃花峪水库泄放不同洪峰流量清水时的计算冲刷效果。可以看出,加大下泄流量使全下游的冲刷量自 0.21 亿 t 提高到 1.05 亿 t,单位水量的挟沙力自 8.1kg/m³ 提高到 40.6kg/m³。在小流量均匀下泄的情况下,冲刷集中在花园口—高村河段,艾山以下的窄河段则尚有淤积。泄放人造洪峰后,冲刷距离增加很多,对减少艾山以下窄河道的淤积也能起到较大的作用。

表 11-15 桃花峪水库泄放不同洪峰流量时对黄河下游冲刷效果的比较

下泄流量 （m³/s）	天数 (d)	水量 （亿 m³）	冲（−）淤（+）量（亿 t）			
			花园口—高村	高村—艾山	艾山—利津	全下游
5 000	6	25.9	− 0.86	− 0.07	− 0.12	− 1.05
1 000	30	25.9	− 0.27	0	+ 0.06	− 0.21

在非汛期泄放人造洪峰后,由于河道冲刷粗化,汛初河道挟沙能力降低,汛期淤积量将比不泄放人造洪峰的情况有所增加。从挟沙系数与前期累积冲淤量的关系(见图 11-6)看,虽然从较低的挟沙能力恢复到正常的挟沙能力需要回淤较多的泥沙,但是,由于黄河下游在天然状态下是严重堆积的,而且堆积又大部分发生在汛期的前期,即 7、8 两个月,因此进入汛期以后,在较短的时期内,下游河道的挟沙能力即能得到恢复,由于非汛期泄放人造洪峰而招致的汛期淤积增加数量不大。

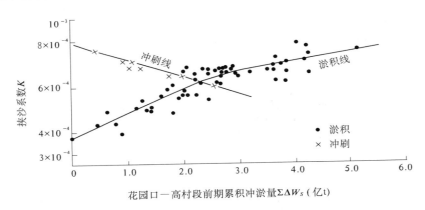

图 11-6 黄河下游高村站汛期挟沙系数与花园口—高村河段前期累积冲淤量的关系

采用人造洪峰的运用方式也会带来一些问题。例如,减少了下游灌溉用水和通航时间,增加了发电机组的弃水,增加了水库的淤积,等等。这些问题需要和减轻河道淤积的重要性结合起来,全面分析,综合考虑,给以合理解决。

（二）水库合理拦沙

从多沙堆积性河流治理的角度考虑,除了大力加强流域内的水土保持工作,从根本上减少泥沙来源以外,还要求通过水库或其他放淤工程,拦放一部分泥沙。从水库兴利的角度考虑,也要求拦蓄一部分洪水,而拦蓄了洪水,自然也就拦截了泥沙。按照这种要求进行运用,水库不是不拦蓄泥沙,但又不是拦蓄全部或大部分泥沙;水库会有泥沙淤积,但淤积的速度又不能过快。这种运用方式的最终目的在于在水土保持工作生效以前的过渡时期内,水库和下游河道都合理地承担一部分泥沙,既使水库能起到必要的兴利作用,又有利于下游河道的治理。下面我们将对这样的运用方式,从立足于下游出发,提出一些初步的设想。

1. 在下游防洪安全许可范围内,不拦大漫滩洪水

在讨论多沙堆积性河流的冲淤规律中,已经指出,在洪水普遍漫滩的情况下,一般出现淤滩刷槽,使河道朝有利于防洪的方向发展。这样的洪水挟带的沙量都比较大,如把这部分泥沙拦在库内,对库容损失影响很大。如水库起滞洪作用,涨峰阶段壅水拦沙,落峰阶段畅泄排沙,则将把原来在洪水漫滩过程中有可能淤在下游滩上的泥沙,移至峰后中、小水时期集中下泄,不必要地加重了下游主槽的淤积。因此,只要是在下游防洪安全许可范围内,水库对下游大漫滩洪水最好不要控制或少加控制,尽量避免削峰及改变这一类洪水的洪峰、沙峰基本适应的特点。在洪峰含沙量不大的情况下,也可以考虑把库区的一部分前期淤积的泥沙在洪峰中带出库外,搬到下游滩地上,以减少水库的淤积。

2. 拦大沙,排小沙

所谓"拦大沙,排小沙"是指对于小漫滩或不漫滩的洪水来说,水库只拦蓄为数不多的、但对下游危害较大的大沙峰(含沙量最高的洪峰),而把出现机遇较多的、对下游影响较小、甚至有好处的小沙峰(含沙量低的洪峰)尽可能排出库外。

前面说过,黄河下游的洪峰冲淤强度与水力泥沙因子 A 有关(见式(5-15)),这个参数就可以用来作为水库的控制指标。图 11-7 为对于不同的 A 值来说,水库容许下泄的洪峰平均流量及含沙量。例如,若把下游河道的淤积强度控制在 275 万 t/d 以下,相应的 A 值为 20 000,则在图 11-7 中,凡是来水来沙条件位于曲线 C 以左的,都可以排出库外。

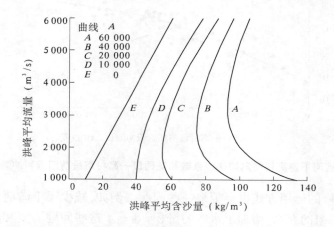

图 11-7　不同控制指标下水库容许下泄的洪峰平均流量及含沙量

在应用图 11-7 所提出的控制指标进行实际操作时,需要明确两个问题,即:什么样的洪峰需要控制? 这样的洪峰应该控制到什么程度?

我们曾对黄河下游 1952～1960 年及 1969～1974 年期间 80 次洪峰进行过分析。在这 80 次洪峰中,有 7 次花园口最大洪峰流量超过 10 000m³/s,下游洪水普遍漫滩。按照前面

所提出的运用原则,这样的大漫滩洪水只要为确保防洪安全所许可,水库应尽可能不加控制。剩下的洪峰中,有 20 次洪峰 A 值大于 60 000,下游的淤积强度超过 825 万 t/d。这 20 次洪峰均出现在 7、8 月份,其中 90% 来自黄河中游的粗泥沙来源区。从数量上来说,它们虽然只占 80 次洪峰的 1/4,但它们对下游河道所造成的淤积量却达到 33.5 亿 t,占 80 次洪峰期间下游河道淤积总量 47.7 亿 t 的 70%。从"拦大沙、排小沙"的运用原则考虑,水库的控制指标可以定为 $A = 60\,000$。凡是 $A \geqslant 60\,000$ 的小漫滩或不漫滩洪水,水库应加调节;凡是 $A < 60\,000$ 的小漫滩或不漫滩洪峰,一律毋需控制。

对于需加控制的洪峰,也不是全部拦死,而是容许下泄一部分泥沙,使下游河道的淤积强度维持在一定水平。这个水平的确定一方面固然取决于下游河道防洪问题的迫切性,另一方面还与水库的负担有关。下游河道淤积少得愈多,水库的相应淤积量也就必然愈大。图 11-8 为水库按照不同程度进行控制时,黄河下游每减少 1 亿 t 淤积,要求上游水库拦截的泥沙量。可以看出,如要求下游河道在出现这些洪峰期间保持不冲不淤(相应的 A 值等于零),则下游河道每减少 1 亿 t 淤积,水库要付出 1.67 亿 t 泥沙淤积的代价。随着 A 值的增加和控制程度的减低,水库淤积量和下游河道减淤量的比值 a 逐渐减小。在 $A = 40\,000$(下游河道的相应淤积强度为 550 万 t/d)时,a 值达到最低值。在 A 大于 40 000 时,这个比值略有增加。水库控制程度可以根据具体情况进行选择。

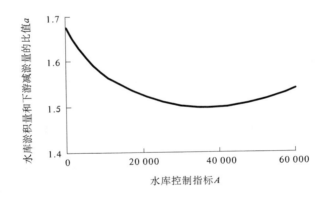

图 11-8 对于 A 值大于 60 000 的洪峰控制到不同程度时水库淤积量和下游河道比值变化

计算结果表明,若把上述 20 次 $A > 60\,000$ 的不漫滩或小漫滩洪水控制到 $A = 20\,000$,可以使下游河道洪峰时期的淤积量减少 28.4 亿 t,平均每年减少洪峰淤积量 1.89 亿 t。与此同时,将损失水库库容 33.2 亿 m³(水库淤积物容重按 1.3t/m³)。

应该指出,上面所举的例子是从控制下游河道淤积强度着眼,所提出的一套水库调节指令。如果调水调沙的重点是为了调整上下河段的淤积分配或达到其他目的,则相应的控制指标也会有所不同。

3.拦粗沙、排细沙

按照"拦大沙、排小沙"的原则进行调节,为了减少下游河道的淤积,需要水库付出相当大的代价。"拦粗排细"的运用方式,是进一步减轻水库负担的重要途径。

根据黄河下游粗、细颗粒泥沙的淤积特点,为了有效地利用水库的拦沙库容,水库应该避免拦截粒径小于 0.025mm 的冲泻质,尽量少拦粒径为 0.025～0.05mm 的中颗粒泥沙。在前一节"拦大沙、排小沙"所举的例子中,下游每减少 1 亿 t 泥沙淤积,水库之所以要付出 1.5 亿 t 泥沙淤积的代价,就是因为没有考虑拦粗排细的缘故。如果按拦粗排细的原则进行调节,水库所要付出的代价就要小得多。黄河泥沙的粗细年内季节性变化很大,汛期洪水期的泥沙多来自流域侵蚀,泥沙颗粒较细;非汛期多来自干支流河道河床的冲刷,颗粒比较粗。如潼关站悬移质泥沙中粒径大于 0.05mm 的粗泥沙,汛期一般占 30% 左右,而非汛期却占 60%～70%。相对于汛期来说,非汛期拦沙就接近于拦粗排细的情况。表 11-16 为 1974 年和 1975 年非汛期三门峡水库蓄水拦沙时对下游河道的减淤作用。由表 11-16 可知,在此期间由于拦的大部分是粗泥沙,水库淤积量和下游河道减淤量的比值就接近于 1,水库的拦沙效率比汛期要高得多。

表 11-16　　　　　　三门峡水库非汛期蓄水拦沙对下游河道的减淤作用　　　　　　（单位：亿 t）

时段 (年-月)	潼关—三门峡 淤积量(1)	三门峡—利津 冲刷量(2)	三门峡水库不拦沙时三门峡—利津冲淤量(3)	下游 (三门峡—利津) 减淤量 (4)=(2)-(3)	下游减淤量与水库淤积量的比值 (4)/(1)
1974-11～1975-06	+ 2.11	− 1.58	+ 0.67	2.25	1.07
1975-11～1976-06	+ 1.56	− 2.14	− 0.64	1.50	0.96

注:三门峡水库不拦沙时下游河道冲淤量为估算数字。

(三)加大洪峰流量,创造漫滩条件

前面两种调水调沙的方式,人造洪峰是为了加大下游河道的挟沙能力,水库合理拦沙是为了减少下泄的沙量,总的目标则都是为了使下游河道的淤积有所缓和。从防洪上考虑,泥沙淤积不仅是个数量的问题,还有个部位的问题。黄河下游滩地的行洪能力较主槽为小,在同样的淤积量下,下段窄河道的水位升高远较上段宽河道为大。因此,在泥沙淤积不可避免的前提下,淤槽不如淤滩,淤窄河段不如淤宽河段。除此以外,黄河下游的滩地面积接近 3 400km²,滩地每淤高 1m,就可以容纳泥沙 34 亿 m³。在下游滩地淤积量和水库淤积量之间,有一个合理分配的问题。

前面说过,在采用"拦大沙、排小沙"的原则进行运用时,只需要对 1952～1960 年及 1969～1974 年期间 80 个洪峰中的 20 个进行调节。调节以后,这 20 个洪峰对下游河道所造成的淤积量从 33.5 亿 t 减少到 5.1 亿 t,水库则淤积了 33.2 亿 m³。事实上,这 20 次洪峰中,有 7 次含沙量特别大,A 值超过 100 000。这 7 次洪峰对下游河道所造成的淤积量达到 19.5 亿 t,为 20 次洪峰总淤积量的 58.2%。对这 7 次洪峰进行控制的结果,水库淤积 20.6 亿 m³,占 20 次洪峰总淤积量的 62%。表 11-17 为这 7 次洪峰的花园口洪峰特征值。由表 11-17 可以看出,在这 7 次大沙峰中,除了洪峰 70 - 1 以外,其他 6 次洪峰流量都接近或超过下游河道的平滩流量。如果下游河道具备修建干流旁引水库或支流水库的条件,并在非汛期预蓄一部分清水,我们就可以对这 7 次洪峰不加拦蓄,任其自由下泄,然后在下游利用旁引水库或支流水库补水,加大洪峰流量,使下游河道普遍漫滩,把洪水所挟带的泥沙大量搬到滩上,并为下游河道主槽的长距离冲刷创造条件。这样的主槽就不仅

局限于上段宽河道,而且还可以发展到下段窄河道。这7次洪峰不加拦蓄,水库的淤积量就可以大幅度减小。

表 11-17   黄河下游7次大洪峰的特征值

洪峰编号	出现时段(月-日)	花园口站特征值				洪峰期下游淤积量(亿t)	控制后所造成的水库淤积量(亿m³)
		洪峰最大流量(m³/s)	洪峰平均流量(m³/s)	洪峰平均含沙量(kg/m³)	A		
53 – 3	08-18 ~ 08-25	6 790	2 870	123	178 200	2.31	1.81
53 – 4	08-26 ~ 09-02	8 410	3 040	147	159 200	1.50	1.92
59 – 5	08-05 ~ 08-12	7 680	3 910	151	234 000	2.65	2.73
59 – 7	08-18 ~ 08-24	9 480	5 410	150	180 000	1.27	2.05
69 – 1	07-25 ~ 08-05	4 500	2 010	141	188 000	3.35	2.64
70 – 1	08-04 ~ 08-17	3 800	2 170	231	315 000	5.54	5.27
73 – 3	08-28 ~ 09-07	5 020	3 330	208	277 000	2.89	4.21
总和	—	—	—	—	—	19.51	20.63

我们曾对黄河下游1952~1960年期间的洪峰进行过上述方式的调节计算。计算中利用旁引水库在非汛期蓄水17.8亿 m³,当上游大沙峰来到时,旁引水库蓄水在5d内放完,平均每天补水4 120m³/s。计算结果表明,在9年内下游河道平均每年主槽少淤了1.20亿 t,滩地则多淤了1.42亿 t,起到了淤滩刷槽的作用,其中对艾山以下河道的冲刷作用更为显著。

加大洪峰流量,创造漫滩条件,要求在干流以外有一个水库。这个水库可以引蓄干流非汛期的清水,也可以拦蓄支流来水,从水量上来说,不能和兴利用水有矛盾。采用这种运用方式,滩地汛期经常有上水可能,只能保证一水一麦和部分大秋高秆作物,对于滩区群众的安迁也应有一定的安排,例如修建避水台等。

本节所举的例子只限于黄河下游的情况,但这里所提出的基本概念和经验,在某些方面,对于其他多沙堆积性河流也是适用的。当然,在实际应用时,具体情况要做具体分析。书中未讨论从水库兴利出发,对调水调沙所提出的要求。一个水库调节运用方案的最后制订,自然需要上下游同时考虑,统筹兼顾,全面安排。

后　记

　　本书主要是根据 1950～1999 年期间黄科院的主要研究成果编写的,而小浪底水利枢纽的修建,极大地改变下游河道的来水来沙过程,在水库拦沙期,下游河道将由淤积转为冲刷,进行着自动的调整,进一步丰富对黄河水沙运行及河床演变规律的认识,为黄河治理开发提供更多的科学依据。

　　小浪底水利枢纽位于三门峡水库下游 131km 处,是黄河最后一个峡谷河段水库,坝址控制流域面积 69.4 万 km^2,占花园口断面以上流域面积的 95%,控制了黄河径流量的 90% 和几乎全部泥沙,处在控制进入黄河下游水沙的关键部位。根据黄河下游洪水泥沙的突出问题,本着黄河治理与水资源开发利用相结合的原则,小浪底水利枢纽的开发任务是以黄河下游防洪(包括防凌)减淤为主,兼顾供水、灌溉、发电、除害兴利,综合利用。

　　小浪底水库正常蓄水位 275m,总库容 126.5 亿 m^3,经长期运用,仍可保持有效库容 51 亿 m^3,其中防洪库容 40.5 亿 m^3,它的建成使下游河道进入一个新的历史时期,对下游的防洪减淤等综合利用起到很大的作用。

　　小浪底水库于 1999 年 10 月 25 日下闸蓄水,至 2004 年 10 月已运用 5 年,水库库区及下游河道冲淤概况简单介绍如下:

　　(1)小浪底水库进库为枯水少沙系列,5 年年均水量 171.2 亿 m^3,年均沙量仅 5.04 亿 t,其中汛期水量和沙量分别为 94.3 亿 m^3 和 4.04 亿 t,较多年均值分别偏少约 50% 和 60%,最大洪峰流量仅为 5 130kg/m^3(2004 年 7 月 7 日)。

　　(2)该时期为水库拦沙运用初期,以蓄水拦沙为主,最高运用水位 265.58m(2003 年 10 月 15 日),最低运用水位 181.24m(1999 年 11 月 2 日)。在此期间进行了三次较大规模的调水调沙试验。

　　(3)5 年间,水库淤积泥沙 14.99 亿 m^3,其中干流淤积 12.89 亿 m^3,占总淤积量的 86%,支流淤积 2.10 亿 m^3,占总淤积量的 14%。水库淤积的时空分布与来水来沙条件及运用有关,淤积最多的是 2002 年和 2004 年,分别为 4.89 亿 m^3 和 3.82 亿 m^3,分别约占总淤积量的 32.6% 和 25.4%。水库淤积主要集中在 38 断面以下,距坝约 65km,占总淤积量的 92.2%。2000～2003 年淤积泥沙中,粒径小于 0.025mm 的细泥沙的排沙比为 23%,而粒径大于 0.05mm 的粗泥沙排沙比仅为 2%,水库拦粗排细效果明显。

　　(4)由于水库的拦沙,下泄泥沙较少而细,5 年平均水量 207.3 亿 m^3,汛期水量 81.1 亿 m^3,仅占年水量的 39%,年均沙量 0.758 亿 t,汛期占年沙量的 98%,泥沙中数粒径在 0.006mm 左右。花园口最大洪峰流量仅 3 550m^3/s。下游河道发生冲刷,5 年冲刷泥沙约 6.52 亿 m^3,其中高村以上冲刷量占总冲刷量的 80% 左右,艾山—利津河段冲刷量占总冲刷量的 15% 左右,实现了全下游河道的冲刷。同时,同流量(2 000m^3/s)水位下降,花园口水位下降 1.49m,高村下降 0.91m,孙口下降 0.13m,利津下降 0.67m。

　　小浪底水库 5 年运用的实践证明,水库发挥着很大的作用。今后还将在运用中不断总结经验,充分发挥小浪底水库拦沙和调水调沙的作用,下游河道将恢复较大的泄洪排沙能力通道,预计 20 年或更长时间是一个冲淤基本平衡状况,这就为中游的综合治理赢得了时间。

小浪底水库修建后的实践将取得更为丰富的认识,这些都只能待将来适当机会,再加以总结了。

主要参考文献及资料

1. 麦乔威.三门峡水库淤积计算.水力发电,1955(8)
2. 麦乔威.黄河泥沙的一般特性.黄河建设,1957(8)
3. 钱宁.关于"床沙质"和"冲泻质"的概念的说明.水利学报,1957(1)
4. 麦乔威.黄河水流挟沙能力问题的初步研究.泥沙研究,1958(2)
5. 钱宁.修建水库后下游河道重新建立平衡的过程.水利学报,1958(4)
6. 钱宁.冲积河流稳定性指标的商榷.地理学报,1958,24(2)
7. 麦乔威.黄河下游河道形态的初步分析.泥沙研究,1959(1)
8. 钱宁.黄河下游河床的粗化问题.泥沙研究,1959,4(1)
9. 黄河下游研究组.三门峡水库修建后黄河下游河床演变过程的自然模型试验总结.1960
10. 黄河下游研究组.黄河下游河床演变及河道整治初步研究.水利学报,1960(3)
11. 黄河下游研究组.黄河下游河道整治野外大模型试验报告.1960
12. 钱宁,麦乔威.多沙河流修建大型蓄水库后下游游荡性河道的演变趋势及治理.水利学报,1963(6)
13. 钱宁,麦乔威.三门峡水库低水位运用后黄河下游河床演变预报.见:三门峡水利枢纽问题第二次技术讨论会资料汇编.1963
14. 黄委会水利科学研究所.黄河三门峡水库人造洪峰及发电试验期间水库上下游冲淤情况分析.1964
15. 麦乔威,等.多沙河流拦洪水库下游河床演变计算方法.黄河建设,1965(3)
16. 钱宁,等.黄河下游河床演变.北京:科学出版社,1965
17. 三门峡水库泥沙问题总结小组.三门峡水库泥沙问题基本经验总结附件六.1970
18. 麦乔威.黄河的泥沙.科学实验,1972(12)
19. 黄委会水利科学研究所.三门峡水库修建前后黄河下游冲淤和输沙特性.见:水库泥沙报告汇编.1972
20. 黄委会水利科学研究所,清华大学,十一工程局.黄河流域不同地区来水来沙对黄河下游冲淤的影响.见:黄河泥沙研究选编(第一集·下册).1975
21. 麦乔威,等.龙门以下干流河道冲淤计算方法.1978
22. 李保如,等.各种治黄措施对下游河道冲淤的影响.见:黄委科研成果选编.1978
23. 龚时旸.黄河泥沙来源和地区分布.人民黄河,1979(1)
24. 麦乔威,等.黄河下游的泥沙问题.见:第一次河流泥沙国际学术讨论会论文集.香港:光华出版社,1980
25. 李保如,等.三门峡水库拦沙期下游河道的变化.见:第一次河流泥沙国际学术讨论会论文集.香港:光华出版社,1980
26. 钱宁,等.黄河粗泥沙来源区对黄河下游冲淤的影响.见:第一次河流泥沙国际学术讨论会论文集.香港:光华出版社,1980
27. 钱宁,等.黄河下游挟沙能力自动调整机理的初步探讨.地理学报,1981,36(2)
28. 赵业安,等.人类活动对环境的改变及河床演变的影响.全国河床演变学术讨论会.1981
29. 赵业安,等.不同类型天然河流建库后下游河床演变.全国河床演变学术讨论会.1981
30. 麦乔威,等.黄河下游河床演变与河道治理研究综述.1981

31.刘月兰,等.1933年洪水三门峡水库及下游河道冲淤计算及分析.1984(3)

32.齐璞,等.1977年黄河下游高含沙洪水的输移与演变分析.人民黄河,1984(3)

33.钱意颖,等.三门峡水库控制运用对下游河道的调整作用.人民黄河,1984(6)

34.治黄研究组.黄河治理与开发.上海:上海教育出版社,1984

35.黄委会水利科学研究所.黄河下游河道淤积情况及1984年至1993年发展趋势估计.人民黄河,1985(3)、(4)

36.赵业安,等.三门峡水库修建后黄河下游河床演变.1985

37.钱宁,等.从黄河下游的河床演变规律看河道治理中的调水调沙问题.人民黄河,1986(5)

38.钱宁,等.铜瓦厢决口以后黄河下游历史演变过程中的若干问题.人民黄河,1986(5)

39.钱宁,等.河床演变学.北京:科学出版社,1987

40.刘月兰,等.黄河下游河道冲淤计算方法.泥沙研究,1987(3)

41.赵业安,等.环境改变对黄河下游河床演变的影响.人民黄河,1987(6)

42.赵业安,等.黄河下游河道冲淤情况及基本规律.见:中美黄河下游防洪措施学术讨论会论文集.北京:中国环境科学出版社,1988

43.徐福龄.黄河下游河道的历史演变.见:中美黄河下游防洪措施学术讨论会论文集.北京:中国环境科学出版社,1988

44.赵业安,等.刘家峡水库单库运用对黄河下游河道冲淤影响的初步分析.人民黄河,1989(5)

45.钱宁,等.高含沙水流运动.北京:清华大学出版社,1989

46.潘贤娣,等.黄河上游考察报告.1989

47.麦乔威,等.黄河下游来水来沙特性及河道冲淤规律的研究.见:黄委会水利科学研究所科学研究论文集(第二集).郑州:河南科学技术出版社,1990

48.赵业安,等.1988年汛期黄河中下游河道严重淤积原因的初步分析.人民黄河,1990(3)

49.赵业安,等.黄河下游高含沙洪水来水来沙及河道冲淤特性.见:黄委会水利科学研究所科学研究论文集(第二集).郑州:河南科学技术出版社,1990

50.赵业安,等.黄河下游河道输沙用水量的初步研究.1990

51.潘贤娣.三门峡水库库区及下游河道主要冲淤规律.人民黄河,1991(1)

52.齐璞,等.黄河下游宽浅河段整治对窄河段冲淤影响的初步分析.人民黄河,1992(2)

53.齐璞,等.黄河艾山以下河道水力几何形态与冲淤特性.人民黄河,1992(12)

54.赵业安,等.对80年代黄河水沙特性及河道冲淤演变的几点认识.人民黄河,1992(4)

55.中国水利学会泥沙专业委员会.泥沙手册.北京:中国环境科学出版社,1992

56.叶青超,等.黄河流域环境演变与水沙运行规律研究.济南:山东科学技术出版社,1992

57."92·8"洪水分析组."92·8"洪水高含沙洪水在黄河下游演变特性分析.人民黄河,1993(8)

58.齐璞,等.黄河高含沙水流运动规律及运用.北京:科学出版社,1993

59.钱意颖,等.黄河干流水沙变化与河床演变.北京:中国建材工业出版社,1993

60.黄河三门峡水利枢纽志编纂委员会.黄河三门峡水利枢纽志.北京:中国大百科全书出版社,1993

61.李勇,等.黄河下游高含沙洪水河床演变模式及异常现象探讨.人民黄河,1994(8)

62.刘月兰.高村—陶城铺河段整治后河道形态变化及其对输沙的影响.人民黄河,1994(3)

63.三门峡水库运用经验总结项目组.三门峡水利枢纽运用研究论文集.郑州:河南人民出版社,1994

64.齐璞,等.黄河艾山以下河道输沙能力问题.人民黄河,1995(5)

65.杨庆安,等.黄河三门峡水利枢纽运用与研究.郑州:河南人民出版社,1995

66.胡一三,等.中国江河防洪丛书·黄河卷.北京:中国水利水电出版社,1996

67.岳德军,等.黄河下游输沙水量研究.人民黄河,1996(8)

68.岳德军,等.引水引沙对黄河河道冲淤的影响.人民黄河,1996(8)

69.申冠卿.黄河不同来源区洪水粗细泥沙的沿程调整.人民黄河,1996(9)

70.刘月兰.黄河下游整治工程对河道冲淤的影响.人民黄河,1996(10)

71.赵文林.黄河泥沙.郑州:黄河水利出版社,1996

72.陈齐巍,等.黄河治理与水资源开发利用(综合卷).郑州:黄河水利出版社,1997

73.张晓华,等.近期黄河下游河道演变研究.人民黄河,1997(9)

74.齐璞,等.黄河水沙变化与下游河道减淤措施.郑州:黄河水利出版社,1997

75.黄河水利科学研究院.三门峡水库汛初小洪水排沙对库区及下游河道冲淤的影响.1997

76.申冠卿,等.黄河下游高含沙洪水不同粒径组泥沙的淤积调整.泥沙研究,1997(3)

77.赵业安,等.黄河下游河道演变基本规律.郑州:黄河水利出版社,1998

78.张永昌,等.黄河下游引黄灌溉供水与泥沙处理.郑州:黄河水利出版社,1998

79.赵业安,等.对黄河"96·8"洪水的主要认识.人民黄河,1998(5)

80.申冠卿,等.1996年汛期黄河下游河道及河口演变特性.人民黄河,1998(5)

81.李勇,等.黄河下游游荡性河道中常洪水位表现分析.人民黄河,1998(5)

82.李勇,等.黄河下游漫滩洪水演进模式及"96·8"洪水演进特性分析.人民黄河,1998(5)

83.周景芍,等.黄河下游"96·8"洪水河势变化特点及险情.人民黄河,1998(5)

84.胡一三,等.黄河下游游荡性河段河道整治.郑州:黄河水利出版社,1998

85.常炳炎,等.黄河流域水资源合理分配和优化调度.郑州:黄河水利出版社,1998

86.张晓华,等.黄河中游干流洪水特性变化.人民黄河,1999(8)

87.张晓华,等.黄河中游干流泥沙组成规律.泥沙研究,1999(4)

88.申冠卿,等.1986年以来黄河水沙变化及河道演变分析.人民黄河,2000(9)

89.申冠卿,等.黄河下游洪水期断面调整对过洪能力的影响.泥沙研究,2001(6)

90.申冠卿,等.黄河下游生产堤对防洪的影响.2001

91.徐建华,等.黄河中游多沙粗沙区域界定及产沙输沙规律研究.郑州:黄河水利出版社,2001

92.张晓华,等.黄河冲积性河道的调整.泥沙研究,2002(3)

93.汪岗,等.黄河水沙变化研究.郑州:黄河水利出版社,2002

94.李勇,等.黄河水沙特性变化研究.郑州:黄河水利出版社,2004